# 재팬 워처 1

누가 일본을 보고 있는가

JAPAN WATCHER

심규선

도서출판 월인

# 재팬 워처 1

JAPAN WATCHER

누가 일본을 보고 있는가

심규선

도서출판 월인

## 1권 차례

# 재팬 워처
## 누가 일본을 보고 있는가

## 3장. 포럼



## 4장. 학생 및 청년 모임

## 5장. 학회

2권 차례

# 재팬 워처
## 누가 일본을 보고 있는가

## 8장. 학술지

## 9장. 분야별 전문가 인터뷰



## 10장. 한일문제 전문가 200 _468

# 관심도 애정도 기록하지 않으면 공허하다

지난해 초에 갑작스럽게 찾아온 코로나19가 내 생활에도 직접적인 영향을 주기 시작했다. 가장 큰 변화는 외부 약속이 줄어든 것이다. 그때부터 수염을 기르기 시작했다. 동시에 시간이 없다며 미뤄왔던 '어떤 숙제'를 하기로 했다. 바로 이 책을 쓰는 일이다.

이 책을 쓰겠다고 마음먹은 것은 꽤 오래전이다. 20여 년 이상 한일문제를 옆에서 지켜보다 보니 그 관련으로 만나는 사람이 점점 늘어났다. 자연스럽게 한국에서는 누가 한일문제에 관심이 크고, 누가 영향력이 있을까 하는 호기심이 생겼다. 그래서 이 책은 각종 일본 관련 연맹, 위원회, 협회, 기금, 재단, 포럼, 연구센터, 연구원, 연구소, 학회, 학과, 학술지, 학생 모임 등을 망라하고 있으나 조직이 하는 '일'보다 그 조직을 움직이는 '사람'에 초점을 맞추고 있다. 이 책에 연 8,000명 이상의 이름이 등장하는 이유다. 그중에서도 살아 움직인다는 정치, 외교, 안보 분야에 집중해서 기술했다.

사람에 초점을 맞춰 한일관계를 보려는 시도는 흔하지 않다. 품도 많이 들어간다. 그런데 나는 왜 이 책에 꽂혔을까.

이런 책을 쓰려는 학자나 연구자가 없기 때문이다. 써봤자 밥도 안 나오고, 논문도 안 나온다.

'취재'를 해야 한다. '취재'는 연구와는 다른 차원의 능력이다. 그 능력은 '기자(記者)'가 구사해야 더 효과적이다.

네트워크도 필요하다. 일본 전문가와 관련 단체는 정계, 재계, 관계, 학계, 언론계 등 여러 분야에서 두루 퍼져 있다. 깊지는 않아도 모든 직역을 포괄하는 경험이 있어야 한다.

이 세 가지 조건을 충족하는 직역이 있다면 그것은 저널리즘이다. 이런 연유로 나는 이 책은 기자가 쓸 수밖에 없다고 생각했고, 그 기자가 우연히 내가 된 것이다.

이 책을 쓰는 도중에 어느 일본 전문가가 물었다. "도대체 왜 그런 책을 쓰느냐." '왜'라는 것은 책의 효용과 가치를 묻는 것이다. 잠시 대답이 궁했다. 얼떨결에 "즐거워서"라고 답했다. 그러나 동문서답이다.

그런데 영화 '자산어보'를 보고 어렴풋이 답을 찾은 느낌이다. 사서삼경이 세상을 지배하던 시절에 흑산도의 물고기를 기록한 책이 도대체 무슨 효용과 가치가 있단 말인가. 그러나 정약전은 효용은 관심의 산물이고, 가치는 애정에서 나온다는 것을 증명했다. 그런데 관심과 애정도 기록이 없으면 공허하다.

나는 이 책을 한일 관계에 대한 내 나름의 관심과 애정의 표현이라고 말하고 싶다. 이 책을 통해 한국과 일본이 얼마나 많은 문제를 놓고 머리를 맞대고 있는지, 그 일에 얼마나 많은 사람이 매달리고 있는지, 그래서 서로를 버리는 것이 얼마나 어리석은 선택인지를 조금이나마 깨닫게 된다면, 그것이 이 책의 효용이자 가치일 것이다.

나의 이 조그만 시도가 민들레 홀씨처럼 일본으로 날아가 《코리안 워처 – 누가 한국을 보고 있는가》라는 화답집이 나오길 기대해 본다.

2021년 10월 고향 안성의 공부방에서

심규선 서울대 일본연구소 객원연구원

# 맑은 뒤 점차 흐려져 때때로 비

이 책을 쓰면서 한국과 일본은 정말로 밀접하고, 한국은 일본을 정말로 알고 싶어 하는 것 같다고 느꼈다. 미중간, 미북간, 북중간, 남북간 등의 변화는 물론이고, 아시아나 글로벌 차원의 도전이 다가오면 한국 학계는 즉각 그 사건이 한일간에 미칠 영향을 주제로 학술대회나 심포지엄, 세미나 등을 개최한다. 정치, 외교, 안보 분야를 중심으로 한 한일 관계는 매크로의 세계인 것이다. 그런데 어학과 문학, 역사와 문화를 매개로 한 한일 관계는 반대로 마이크로의 세계이다. 이런 것까지 연구하나 싶을 정도로 어미 하나, 소설 하나, 사건 하나, 영화 하나를 놓고 진지하게 토론한다. 우리는 이 정도인데 일본은 한국의 무엇을 어떤 수준까지 연구하고 있는지 매우 궁금하다.

그렇지만 아무리 한일 관계가 밀접하고, 아무리 상대방의 모든 것에 관심을 기울인다고 해도 요즘 한일 관계는 예전보다 훨씬 나쁘다. 이런 역설은 어디서 오는 것일까. 한국의 자신감과 일본의 자존심에 기반한 아이덴티티의 충돌, 중국의 대두와 냉전 해체 이후 달라진 국익의 차이, 수직적 상하 관계에서 수평적 대등 관계로의 전환, 인구 구성상 전쟁을 모르거나 전쟁 책임이 없는 전후 세대의 주류화 등 여러 이유를 거론하고 있다. 모두 맞을 것이다.

그런데 또 하나의 변화가 있다. 그것은 한국 내에서 일본에 대한 연구가 예전 같지 않다는 것이다. 국익의 조정과 일본의 위상 저하에 따른 자연스러운 현상으로 볼 수도 있다. 그러나 일본에 대한 연구 분위기의 저하와 관심의 퇴조가 현실을 제대로 반영하고 있는지에 대해서는 논의가 필요할 듯하다. 이 책의 이해를 돕기 위해 국내에서의 일본연구 동향을 개략적으로 소개하고자 한다.

마침 현대일본학회의 기관지인 〈일본연구논총〉 제51호(2020)가 '기획연구: 한국에서의 일본연구'라는 주제로 6편의 논문을 싣고 있다. 진창수(세종연구소)가 총론을 집필했고, 최은미(아산정책연구원)가 일본정치 연구 동향을, 박성빈(아주대)이 일본 경제 · 경영 연구 동향을, 하종문(한신대)이 일본사연구 현황을, 이강민(한양대)이 일본어연구 동향을, 최재철(한국외국어대)이 일본문학 연구 동향을 소개하고 있다. 여기에서는 이 책의 성격상 진창수와 최은미의 논문만을 요약 소개한다. 엄격한 논문이 아니므로 일일이 인용부호를 사용하지 않았음을 밝혀둔다.

진창수의 논문은 「정체기에서 쇠퇴기로 접어든 일본연구」이다. 이 논문은 세종연구소 일본연구센터가 일본국제교류기금 서울문화센터의 위탁을 받아 2019년에 실시한 일본 연구자 조사 결과를 분석 자료로 사용하고 있다. 여기서 '일본 연구자'는 '한국연구자정보'(KRI, Korea Researcher Information)에 등록한 연구자를 중심으로 일본 관련 논문으로 박사학위를 취득한 연구자를 말한다. 이에 해당하는 연구자는 1654명이며, 연구 분야는 어학, 문학, 정치외교, 경제, 역사로 분류한다. 이 논문의 요지를 소개하면 다음과 같다.

**한국의 일본연구**
세종연구소 일본연구센터는 일본국제교류기금(재팬 파운데이션 · JF) 서울문화센터의 지원으로 2002, 2005, 2007, 2012, 2018, 2019년에 경제, 역사, 어학, 문학 분야로 나눠 연구기관, 연구자, 연구논문 등을 분석하는 방법으로 '한국의 일본연구 동향'을 조사했다. 2005년 조사결과는 《한국 일본학의 현황과 과제》(2007년)라는 단행본으로 냈고, 2012년과 2019년 조사결과는 일본국제교류기금 서울문화센터 홈페이지 자료실에서 확인할 수 있다.

### 연구자 분석

1,654명의 연구자 중 문학과 어학 분야 연구자가 949명으로 약 57%를 차지한다. 연령은 50대가 634명(38%)으로 가장 많다. 30, 40대는 줄고 있고 50대와 60대는 늘고 있다. 어학과 문학 분야는 그래도 50세 이하가 타분야에 비해 많으나, 경제 · 경영 분야는 65세 이상이 가장 많다. 정치와 역사 분야는 50대 중후반 연구자가 대세이고, 차세대는 2012년 조사에 비해 절반으로 줄었다.

성비는 전체적으로 남자 52, 여자 48%로 고른 분포를 보이고 있다. 54세 미만에서는 여성 61.5%, 남성 38.5%로 여성의 비율이 압도적으로 높다. 54세 이하를 분야별로 보면 어학과 문학 분야는 여성 비율이 높고, 역사와 정치 분야는 아직 남성 비율이 높으나 점점 여성 비율이 높아지고 있다. 반면 경제 · 경영 분야에서는 여성의 비율이 매우 낮다.

한국의 일본연구 제1단계는 1945년부터 1980년대까지로 연구 기반 형성기이고, 제2단계는 1990년대 이후 양적 팽창과 질적 변화 모색기이고, 3단계는 2011년 이후 정체기와 쇠퇴기이다. 박사학위 취득자는 1990년대부터 2000년대 중반 사이가 가장 많고 그 이후부터는 모든 분야의 박사학위 취득자가 줄고 있다. 대학의 일본 관련 학과는 1980년대에 가장 많이 생겼고, 일본 관련 학회는 1990년대에 가장 많이 발족했다.

박사학위 취득 국가는 전체적으로 일본에서가 54%, 한국에서가 38%이며, 2010년 이후에는 한국에서 박사학위를 받은 비율이 일본보다 높다.

4년제 대학의 전임교수는 182명, 2 · 3년제는 21명, 통번역대학원은 7명이고, 일본인 교수도 140여명이 활동 중이다. 2012년 조사 때와 비교해 2019년에는 한국인 교수가 4년제대학에서 12%, 2 · 3년제에서 45% 이상이 줄었다.

### 연구 경향

2010년대 이후 일본 연구의 가장 큰 특징은 연구자의 고령화가 진행하면서 연구능력이 저하되고 있는 현상이다. 대학 학과의 통폐합도 원인 중 하나이다. 2012년에는 4년제 대학 99개에 일본 관련 학과가 있었으나 2019년에는 88개로 줄어들었다.

2012년에는 14개 주요 학술지에 1,099편의 일본 관련 논문이 실렸으나 2019년에는 762편으로 대폭 줄었다.

연구자의 고령화, 의욕감퇴와 더불어 최근의 일본연구에 영향을 미친 것은 한일간의 역사분쟁과 다양한 갈등이다. 일본연구도 사회적인 요구를 반영하기 시작한 것이다.

정치 분야는 사회적으로 주목받는 사안에 대한 연구가 상대적으로 증가하고 있다. 경제 · 경영 분야에서는 대학연구소와 대학밖 연구소의 관심이 달라지고 있다. 대학연구소는 여전히 이론적인 연구를 계속하지만, 대학밖 경제연구소는 '일본모델'의 쇠퇴로 인해 경제 · 산업 현안과 경제정책 분석으로 관심을 돌렸다. 어학 분야는 문법 연구가 줄어드는 대신 일본어교육 비중이 늘고 있고, 문학 분야에서는 문화 관련 연구가 늘고 있으며, 역사 분야에서는 일본과의 역사 인식 충돌에 따라 '관계사'가 각광을 받기 시작했다.

**대학 일본학과 83개**

4년제 대학의 일본 관련 학과는 진창수의 논문에서 2012년 99개, 2019년 88개라고 했으나 필자가 조사한 2021년 2월 시점에서는 더 줄어 83개(전공 포함)였다. (이 책 6장 참조)

**14개 학술지**

진창수의 논문에서 분석 대상으로 선정한 14개 주요학술지와 발행기관은 다음과 같다.

일본학보(한국일본학회) 일어일문학연구(한국일어일문학회) 일본연구논총(현대일본학회) 일본어교육(한국일본어교육학회) 일어일문학(대한일어일문학회) 일본역사연구(일본사학회) 일본어문학(일본어문학회) 일본어문학(한국일본어문학회) 일본문화학보(한국일본문화학회) 일본사상(한국일본사상사학회) 일본어학연구(한국일본어학회) 일본근대학연구(한국일본근대학회) 일본문화연구(동아시아일본학회) 일본언어문화(한국일본언어문화학회)

### 앞으로의 과제

어문학 편중 교육에서 탈피해 연계 전공을 확대할 필요가 있으며, 차세대 연구자들을 지원하거나 배출할 수 있는 효율적인 프로그램을 개발해야 한다.

일본 연구도 양에서 질로 전환하되, 특별한 지역연구 차원에 매몰될 것이 아니라 일반적인 학문 이론이나 논리에 근거를 두고 학문 내에서, 학문 간에 공동연구를 하도록 유도해야 한다.

일본 연구자 간의 네트워크를 강화해 일본연구를 '분절된 학문'에서 '융복합 학문'으로 거듭나도록 다양한 연구자가 참여하는 논의의 장을 만들어야 한다.

대중적인 관심에만 영합하지 말고, 일본에 대한 새로운 담론의 형성, 한국문제 해결을 위한 정책 발굴, 일본연구의 새로운 아젠더 설정에 노력해야 한다.

최은미의 논문은 「한국의 일본정치연구 – 동향과 과제: 2010년대 일본정치연구의 위기와 새로운 도전」이다. 이 논문도 세종연구소 일본연구센터가 2019년에 조사한 자료를 바탕으로 2011년부터 2019년까지 〈국제정치논총〉, 〈한국정치학회보〉, 〈일본학보〉, 〈일본연구논총〉, 〈국가전략〉, 〈국가안보와 전략〉, 〈통일정책연구〉, 〈국방정책연구〉 등 8개 학술지에 수록된 일본관련 논문을 조사 분석했다. 진창수의 논문은 일본관련 전 분야를 분석했지만, 최은미의 논문은 정치분야에, 그것도 2010년대에 초점을 맞추고 있다. 진창수의 논문에서 언급한 내용은 피하면서 이 논문의 요지를 소개하면 다음과 같다.

### 연구자 분석

2019년 4월 시점에서 정치외교 분야의 연구자는 모두 249명이고, 이 중 현직에 있는 연구자는 199명이다. 국내에서 일본정치를 연구하는 그룹의 주류는 50대(53.8%), 남성(59.5%), 일본에서 학위를 취득한(54.2%) 연구자들이다. 이들은 '제3세대' 연구자로 불리는 그룹으로, 1950~60년대 출생해, 1990년대에 박사학위를 받고 한국에 돌아와, 1990년대 중후반부터 2000년대 중반까지 왕성하게 연구 활동을 했다.

**4명의 학자**
최은미는 2019년에 쓴 이 논문에서 50대인 '제3세대 연구자'의 대표격으로 박철희 서울대 국제대학원 교수, 박영준 국방대 교수, 남창희 인하대 교수 등 3명을, 40대인 '제4세대 연구자'의 대표격으로 최희식 국민대 교수를 선정해 그들의 연구 활동 이력을 소개하고 있다.

50대 연구자의 뒤를 잇는 30, 40대 연구자는 27.6%(30대 5%, 40대 22.6%)로 50대 이상 연구자 72.4%(50대 53.8%, 60대 18.6%)의 절반에도 미치지 못한다. 40대는 '제4세대' 연구자로 불리는데, 이들은 일본, 일본인, 일본문화에 비교적 친숙하고, 이전 세대에 비해 일본에 대한 반감이 덜하다. 또 세계화 흐름 속에서 학계에 진입하기 전에 이미 다양한 매체와 연수, 교환학생, 인턴십 등을 통해 일본을 직간접적으로 경험한 경우가 많다.

이 시기에는 양자적 시각으로 한일 관계를 보지 않고, 동아시아와 국제정치적 측면에서 한일 관계를 보려는 경향도 나타난다.

국내 대학에 소속한 연구자들이 압도적으로 많지만(85.4%) 세대가 낮아질수록 대학 소속이 줄고 학교밖 연구소 취업이 늘어난다. 대학에서는 일본 관련 학과가 줄지만, 대학밖 정치 · 외교분야에서는 정책적 수요가 늘기 때문으로 보인다.

**2010년대 연구의 특징**

주요 학술지의 일본 관련 논문 수는 전반적으로 감소하고 있다. 연구 분야를 세분해 일본 국내정치, 동아시아 국제정치, 일본 외교안보, 일본 정치경제, 일본 역사, 한일연구 분야별로 논문 수를 분석해보면 2010년대는 정치경제 연구는 감소하고 외교안보 연구는 증가했다. 연구 테마는 전통적인 정당, 선거 연구 등에서 2010년대에는 시민사회, 복지, 노동, 지방행정 등으로 주제가 확대된다.

시대를 반영하고 현안과 연계된 논문이 늘어나는데, 2012년 센카쿠열도 분쟁에 따른 중일관계 연구, 2015년 한일 위안부합의를 둘러싼 논쟁 연구, 2011년 3 · 11 동일본 대지진과 민주당의 실패에 대한 연구 등이 대표적이다. 시의성이 있거나 사회적 요구에 부응하는 연구는 많으나 새로운 연구방법론을 시도하거나 연구를 심화발전시키는 선구적 연구는 부족하다.

**앞으로의 과제**

2000년대에 들어서면서 신진연구자의 감소와 연구자의 고령화 속에서 연구의 양적 감소와 질적 수준의 정체, 새로운 연구분야에 대한 도전 감소 등이 문제점으로 드러났다. 이를 극복하기 위해서는 차세대 연구자를 양성하고, 일본학연구의 질적 심화와 연구역량 강화를 위해 노력해야 한다. 한국의 대표적 학술지에 외국인 연구자와 외국어 논문을 게재하는 비율이 극히 저조하다. 이는 한국의 일본연구가 국내 수준을 탈피하지 못했다는 뜻으로 한국의 일본연구를 세계로 발신하도록 힘써야 한다.

두 논문의 현실 인식과 개선방안은 비슷하다. 그러나 현실은 언제나 예상보다 냉혹하다. 특히 일과성 현상이 아니라 사회 전반의 트렌드에서 비롯된 문제라면 처방이 더욱 힘들다. 인위적 처방을 통해 일본연구를 진작시켜야 하는지에 대한 반론도 있다. 한국에서의 일본연구의 기반이 흔들리고 있다는 사실은 여러 차원에서 재조정해야 하는 한일 관계의 한 측면일지 모른다.

## 이 책을 쓰는 데 도움을 주신 분들

* 직책은 취재 당시

| | |
|---|---|
| 강찬구 | 동아시아재단 선임간사 |
| 고바야시 나오히토 | 전 김&장 고문 |
| 권욱민 | 한진그룹 상무 |
| 김명성 | 샌드연구소 이사 |
| 김미정 | 국립외교원 일본연구센터 연구원 |
| 김봉섭 | 재외동포재단 전문위원 |
| 김석기 | 한일의원연맹 간사장(국민의힘) |
| 김선영 | 삼성언론재단 부장 |
| 김수연 | 한국국제교류재단 대리 |
| 김수웅 | 한일문화교류기금 사무국장 |
| 김아정 | 동서대 일본연구센터 |
| 김정희 | 동서대 국제교류센터장 |
| 김진아 | 대한민국시도지사협의회 국제협력부장 |
| 김현기 | 중앙일보 도쿄총국장 겸 순회특파원 |
| 남정호 | 중앙일보 논설위원 |
| 문윤정 | 한일문화교류회의 간사 |
| 박남수 | 한국국가전략연구원 국방전략센터장 |
| 박세원 | LG상남언론재단 부장 |
| 박정호 | 한일의원연맹 사무총장 |
| 박진원 | LG경제연구원 전무 |
| 박철희 | 서울대 국제대학원 교수 |
| 박희제 | 동아일보 인천본부장 |
| 변종국 | 동아일보 산업1부 기자 |
| 서석숭 | 한일경제협회 상근부회장 |
| 서영아 | 동아일보 논설위원 |
| 서유리 | 한국언론진흥재단 언론인연수팀 과장 |
| 서인원 | 일제강제동원피해자지원재단 기획홍보국 팀장 |
| 송부영 | 한일협회 이사장 |
| 신각수 | 전 주일대사 |

| | |
|---|---|
| 신경식 | 조선시대통신사현창회 사무국장 |
| 신나연 | 세종연구소 일본연구센터 |
| 신윤철 | 한국스미토모상사(주) 강재 · 개발팀 대리 |
| 심재현 | 한림대 일본학연구소 연구원 |
| 안정호 | 한반도평화만들기재단 팀장 |
| 양기호 | 성공회대 일본학과 교수 |
| 양희민 | 세토포럼 사무국장 |
| 연순옥 | 한일여성친선협회 사무총장 |
| 염동우 | 전북대학교 일문학과 조교 |
| 염동임 | 한일협력위원회 과장 |
| 오승희 | 동아시아연구원 수석연구원 |
| 오영환 | 중앙일보 지역전문기자 겸 대구지사장 |
| 옥경근 | 한일친선협회 사무총장 |
| 우병국 | 한국국제교류재단 글로벌네트워크사업부장 |
| 유재진 | 고려대 일어일문학과 교수 |
| 유주열 | 한일협력위원회 사무총장 |
| 육철수 | 관훈클럽 사무총장 |
| 윤덕민 | 한국외국어대 석좌교수 |
| 윤병세 | 전 외교부 장관 |
| 윤석정 | 국립외교원 일본연구센터 연구교수 |
| 이강민 | 한양대 일본학과 교수 |
| 이기태 | 통일연구원 연구위원 |
| 이면우 | 현대일본학회장 |
| 이선화 | 중앙대 일본연구소 연구원 |
| 이원덕 | 국민대 일본학과 교수 |
| 이진명 | 한일미래포럼 간사 |
| 이한주 | 한일미래포럼 간사 |
| 이현주 | 전 오사카 총영사 |
| 이호정 | 한국국제교류재단 디지털콘텐츠부 과장 |
| 장제국 | 동서대 총장 |
| 정구종 | 한일문화교류회의 위원장 |
| 정승호 | 동아일보 광주호남제주본부장 |

| | |
|---|---|
| 정재정 | 광주과학기술원 초빙석학교수 |
| 정해인 | 성곡언론문화재단 과장 |
| 조덕묘 | 한일경제협회 사무국장 |
| 조아라 | 국립외교원 일본연구센터 연구원 |
| 조양현 | 국립외교원 일본연구센터 책임교수 |
| 조용래 | 한일의원연맹 사무총장 |
| 조용휘 | 동아일보 부산울산경남본부장 |
| 조윤수 | 동북아역사재단 연구위원 |
| 조희용 | 전 국립외교원 일본연구센터 소장 |
| 지명훈 | 동아일보 대전충청강원본부장 |
| 진창수 | 세종연구소 일본연구센터장 |
| 차병석 | 한국경제신문 수석논설위원 |
| 최경희 | 샌드연구소 대표 |
| 최은미 | 아산정책연구원 연구위원 |
| 최희식 | 국민대 일본학연구소장 |
| 한의석 | 성신여대 동아시아연구소장 |

## 일러두기

이 책에는 한일 관련 단체와 인물이 많이 등장한다. 무슨 기준으로 선정했는지, 어떻게 취재했는지, 소개하는 글이 왜 길고 짧은지 등에 대한 궁금증이 있을 수 있다. 몇 가지 집필 기준에 대해 설명을 드린다.

**1. 단체나 일보다는 사람을 소개하려는 책이다**

이 책은 단체나 그 단체가 하는 일을 소개하려는 것이 아니라, 한일 문제에 관여하고 있는 전문가들을 소개하려는 데 집필 목적이 있다.

**2. 전문가 중에서도 정치, 외교, 안보 분야에 집중**

한일, 또는 일본 관련 분야는 상당히 넓다. 크게 나눠도 어학, 문학, 정치, 경제·경영, 역사, 문화 등이 있다. 이 책은 여러 분야 중에서도 정치, 외교, 안보 분야의 전문가에 집중한다. 단, 외교부와 청와대 등에서 근무하는 공직자는 제외했다. 다른 분야에서 활동하는 훌륭한 학자와 전문가도 많지만, 이 책의 성격상 언급하지 않은 점을 양해 바란다.

**3. 취재 마감은 대체로 2021년 초**

단체의 임원이나 학술지의 편집위원 등은 2, 3년 단위로 바뀌게 마련이다. 또 프로그램이 없어지거나 새로 시작하기도 한다. 그렇다고 변동사항을 모두 반영할 수는 없었다. 제작 기간 등을 고려해 이 책은 대체로 2021년 초를 데드라인(마감시한)으로 삼았다. 다만, 필자가 관여하고 있는 단체의 변동이나 자연스럽게 알게 된 정보, 학술지 등은 최근의 것도 반영했다.

**4. 홈페이지 활용과 직접 취재 병행**

이 책의 내용은 주로 각 단체나 기관의 홈페이지를 활용했다. 그러나 중요한 단체나 기관인데도—예를 들면 한일의원연맹, 한일협력위원회, 한일친선협회, 한일여성친선협회 등— 홈페이지가 없는 경우, 홈페이지가 있어도 필요한 팩트가 불분명한 경우에는 관계자에게 전화를 걸거나 이메일을 보내 직접 취재했다.

**5. 홈페이지가 충실하고 취재에 적극적이면 기사가 길다**

어떤 기관이나 단체의 설명은 길거나 충실하고, 어떤 기관이나 단체의 그것은 짧거나 부실하다. 홈페이지가 잘 돼 있고, 직접 취재에 적극 응해줬을 땐 기사를 길게 썼다. 역으로 보충하고 싶어도 홈페이지가 부실하거나 취재에 응하지 않아 그러지 못한 경우도 있다.

### 6. 게재는 비슷한 단체 – 공공기관 – 사립기관 – 대학 순

분류와 순서에 정확한 기준은 없다. 다만 필자의 판단에 따라 비슷한 성격의 단체는 같은 장(章)에 배치하고, 같은 장 안에서는 공공기관을 앞쪽에, 사립기관이나 대학을 뒤에 실었다. 역사와 규모 등도 고려했다. 같은 카테고리 안에서는 가나다순을 적용했다. 단, 2장의 연구센터, 연구원, 재단은 한경비지니스가 매년 발표하는 〈한국 100대 싱크탱크 순위〉를 참고했다. 7장의 대학연구소는 대학 이름을 기준으로 가나다 순에 따랐다. 8장의 학술지는 대학 밖 학회의 학술지를 앞에, 대학 내 연구소의 학술지를 뒤에 실었다.

### 7. 9장 전문가 인터뷰에 대하여

2020년 말에 질문지를 보내 답변을 받은 뒤 올해 초에 수정하거나 보충했다.

### 8. 10장의 전문가 명단에 대하여

10장의 전문가 명단에는 200여 명의 이름이 올라 있다. 이 책의 성격에 맞춰 정치, 외교, 안보 분야에서 활동하고 있는 학자, 관료, 언론인 위주로 실었다. 소수이긴 하지만 정치인과 경제인, 문화와 어학 관련 단체의 장(長)도 들어있다. 이 책을 쓰면서 자주 등장하는 사람과 누구나 인정할 만한 전문가 중에서 선별했다. 85%는 본인에게 약력을 받았으나, 나머지는 공개된 자료를 조사해서 필자가 작성했다. 당연히 명단에 올라야 할 사람이 빠진 경우도 있다. 연락이 안 되거나 공개된 자료가 없는 경우이다.

### 9. 증보판에 대하여

사전적 성격도 있는 이 책의 특성상, 달라진 내용을 수정하거나 새로 만든 단체 등을 보충해서 정기적으로 증보판이나 재판을 내는 것이 필요하다고 본다. 그러나 아직 그런 계획은 없다. 다만, 이 책의 독자 중 새로운 내용을 추가하거나 틀린 부분을 수정하고 싶은 분이 있다면 필자의 이메일 — ksshim560@gmail.com — 로 그 내용을 보내주시길 바란다. 접수한 내용을 모아두었다가 필요하면 재판을 고려하고자 한다.

# 1장. 연맹, 협회, 위원회, 기금

1. 한일의원연맹
   (+한일의원외교포럼, 한일의회미래대화)
2. 한일협력위원회
3. 한일친선협회
4. 한일여성친선협회
5. 한일경제인협회(한일경제인회의)
6. 한일협회
7. 한일문화교류기금
8. 한일문화교류회의
9. 한일지사회의
10. 조선시대통신사현창회
11. 부산한일문화교류협회

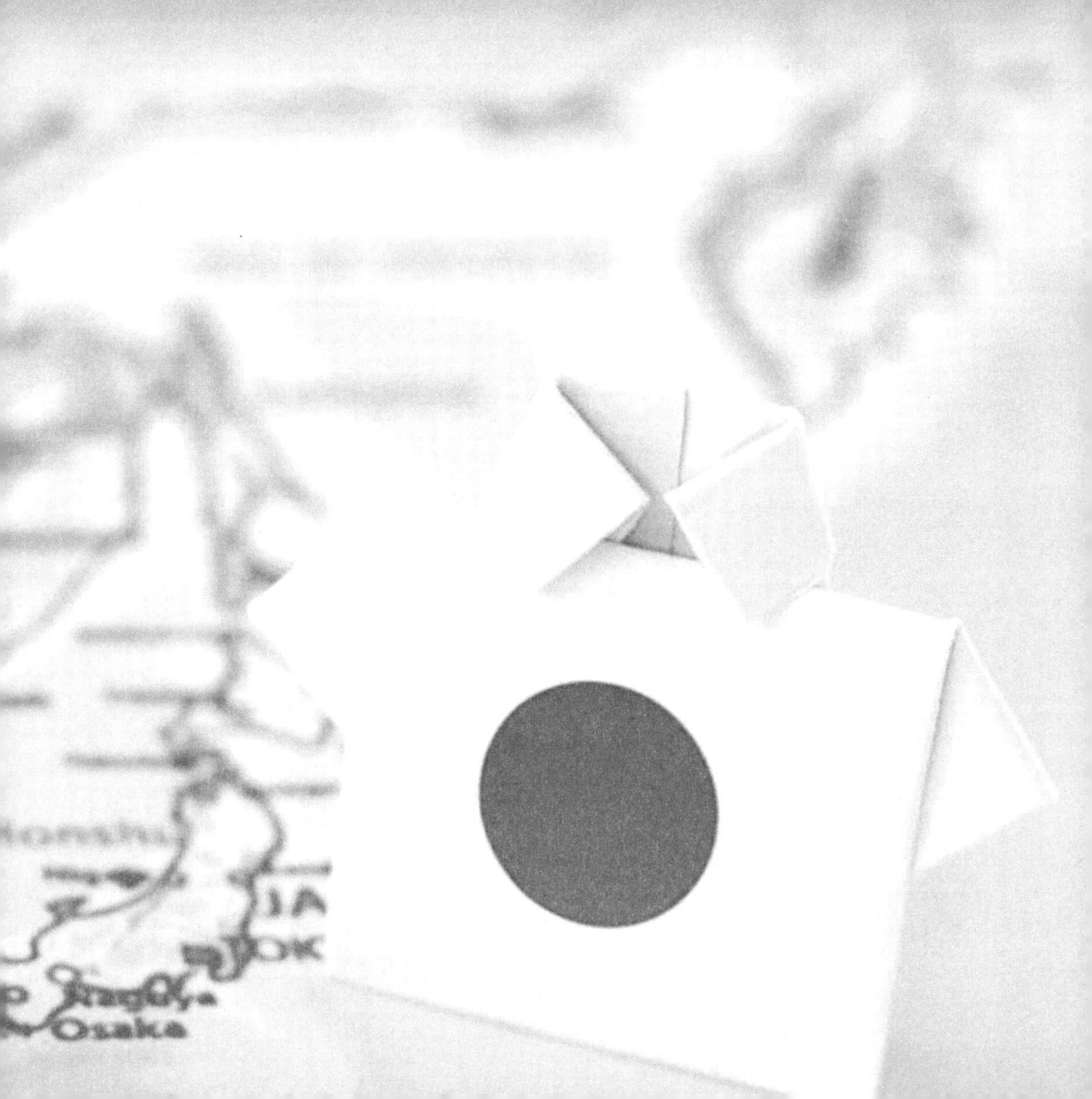

# 1. 한일의원연맹

한일의원연맹은 한일 의원들의 친목 도모와 교류를 통해 양국은 물론, 세계평화 번영에 기여하겠다는 목적으로 1975년에 설립했다.

한일의원연맹의 연혁은 다음과 같다.

| 일 시 | 장 소 | 내 용 |
| --- | --- | --- |
| 1972년 3월 | 도쿄 | 한국 국회의원 13명과 일본 자유민주당 의원 48명이 만나 '한일의원간친회' '일한의원간친회'를 만들기로 합의 |
| 1972년 5월 | 서울 | 한국 측 간사에 **이병희**(李秉禧)를, 일본 측 간사에 **우노 소스케**(宇野宗佑)를 선출 |
| 1973년 6월 | 도쿄 | 1975년에 '한일의원간친회' '일한의원간친회'를 '한일의원연맹' '일한의원연맹'으로 확대 개편하기로 합의 |
| 1974년 5월 | 서울 | |
| 1975년 1월 | 도쿄 | '한일의원연맹' '일한의원연맹' 발족 |
| 1975년 7월 | 서울 | 양측 모임에 회장을 두기로 하고, 한국 측 회장에 **김종필**(金鍾泌), 일본 측 회장에 **후나다 나카**(船田中) 선출 |
| 1979년 5월 | 도쿄 | 회칙을 개정해 운영위원회, 안보·외교위원회, 경제위원회, 사회·문화위원회, 재일한국인법적지위향상특별위원회 설치 |
| 1982년 8월 | | 교과서문제특별위원회 설치 |
| 1984년 5월 | 도쿄 | 교과서문제특별위원회 폐지 |
| 1992년 9월 | 도쿄 | 경제위원회를 경제과학기술위원회로 개칭 |
| 1993년 9월 | 서울 | 21세기위원회 설치 |
| 2007년 9월 | 서울 | 조선통신사위원회 설치 |
| 2010년 11월 | 도쿄 | 21세기위원회를 미래위원회로 개칭 |
| 2013년 11월 | 도쿄 | 여성위원회 설치 |
| 2016년 11월 | 서울 | 사단법인으로 발족 |

한일의원연맹은 회장(집권당 소속)과 간사장(제1야당 소속)을 두고 있으며 부회장, 운영위원장, 각 위원회 위원장, 상임 간사, 간사 체제로 운영하고 있다. 2021년 4월 현재 한일의원연맹에 가입한 의원은 300명 중 153명(51%)으로 더불어민주당 71명, 국민의힘 70명, 정의당 3명, 시대전환 1명, 국민의당 1명, 무소속 7명이다. 일본은 중의원 465명 중 207명, 참의원 245명 중 89명 등 전체 710명 중 296명(42%)이 가입해 있다. 일본의 가입률은 한일 관계 악화 때문인지 예전에 비해 숫자로는 70여 명, 비율로는 10%포인트 줄었다.

21대 국회 한일의원연맹 임원진(2021년 4월 현재)은 다음과 같다.

| 직 책 | 더불어민주당 | 국민의힘 | 무소속 등 |
|---|---|---|---|
| 명예회장 | **강창일**, **문희상** | | **서청원** |
| 회장 | **김진표** | | |
| 고문 | **변재일**, **송영길**, **안민석**, **이낙연**, **이상민**, **조정식** | **정진석**, **조경태**, **주호영** | **박병석**, **홍준표** |
| 간사장(겸 부회장) | | **김석기** | |
| 부회장 | **김영주**, **노웅래**, **우상호**, **윤호중**, **이인영** | **권성동**, **김기현**, **박진**, **이명수** | **심상정**, **윤상현** |
| 부간사장 | **오영훈** | **이양수** | |
| 운영위원장 | **윤호중**(정), **김영진**(부) | **윤영석**(부) | |
| 안보외교위원장 | **민홍철**(정), **김민석**(부) | **장제원**(부) | |
| 경제과학위원장 | **박재호**(정), **박정**(부) | **유성걸**(부) | |
| 사회문화위원장 | **소병훈**(부) | **이채익**(정), **정운천**(부) | |
| 법적지위위원장 | **백혜련**(부) | **윤재옥**(정), **곽상도**(부) | |
| 미래위원장 | **정청래**(정), **강병원**(부) | **김성원**(부) | |
| 여성위원장 | **전혜숙**(정), **정춘숙**(부) | **김정재**(부) | |
| 상임간사 | **김한정** | **성일종** | |
| 감사 | **임오경** | **조수진** | |
| 간사 | **강득구**, **고영인**, **김주영**, **문진석**, **소병철**, **송재호**, **윤영찬**, **이수진**(비), **이용선**, **이형석**, **임호선**, **정태호** | **강민국**, **김승수**, **배현진**, **유경준**, **이주환**, **정희용**, **조태용**, **박수영** | **강은미**, **조정훈** |

**전문가 부족**

한일의원연맹의 임원진에는 일본 전문가가 많지 않다. 도쿄대에서 박사학위를 받고 현재 주일대사로 있는 강창일 명예회장, 동아일보 도쿄특파원을 지낸 이낙연 고문, 일본 경찰대에서 6개월간 연수하고 주 오사카 총영사를 지낸 김석기 간사장, 외교부 차관을 지낸 조태용 간사 등이 전문가 그룹에 들어간다.

* 조선통신사위원회: 정진석(위원장), 김교흥(부위원장)
* 2020도쿄올림픽 · 패럴림픽 교류 · 협력위원회: 김진표(위원장), 윤관석(부위원장), 김석기(부위원장), (위원) 윤호중, 김병욱, 김한정, 오영훈, 양향자, 임오경, 정진석, 박진, 성일종, 이용

2021년 4월 현재 한일의원연맹에 가입한 국회의원 153명은 다음과 같다.

|  |  |
|---|---|
| 더불어민주당 (71명) | 강득구, 강병원, 고영인, 고용진, 권칠승, 기동민, 김경협, 김교흥, 김남국, 김민석, 김병욱, 김영배, 김영주, 김영진, 김종민, 김주영, 김진표, 김한정, 남인순, 노웅래, 문진석, 민홍철, 박광온, 박상혁, 박용진, 박재호, 박 정, 박찬대, 백혜련, 변재일, 서영교, 소병철, 소병훈, 송영길, 송옥주, 송재호, 신동근, 신영대, 안민석, 양향자, 어기구, 오영훈, 우상호, 유기홍, 유동수, 윤관석, 윤영찬, 윤재갑, 윤호중, 이개호, 이낙연, 이상민, 이수진(비례대표) 이용선, 이원욱, 이인영, 이재정, 이학영, 이형석, 임오경, 임호선, 전해철, 전혜숙, 정청래, 정춘숙, 정태호, 조응천, 조정식, 진선미, 한준호, 황운하 |
| 국민의힘(70명) | 강민국, 곽상도, 구자근, 권명호, 권성동, 김기현, 김미애, 김석기, 김선교, 김성원, 김승수, 김영식, 김정재, 김태흠, 김희곤, 류성걸, 박대출, 박성민, 박성중, 박수영, 박완수, 박 진, 배준영, 배현진, 백종헌, 서병수, 서일준, 서정숙, 성일종, 송석준, 신원식, 양금희, 유경준, 윤두현, 윤영석, 윤재옥, 윤주경, 윤한홍, 이만희, 이명수, 이양수, 이 영, 이 용, 이종배, 이종성, 이주환, 이채익, 이철규, 이헌승, 임이자, 장제원, 전주혜, 정경희, 정동만, 정운천, 정점식, 정진석, 정희용, 조경태, 조명희, 조수진, 조태용, 주호영, 추경호, 태영호, 하영제, 하태경, 허은아, 홍석준, 홍준표, 황보승희 |
| 정의당(3명) | 강은미, 심상정, 이은주 |
| 시대전환(1명) | 조정훈 |
| 국민의당(1명) | 최연숙 |
| 무소속(7명) | 김홍걸, 박덕흠, 박병석, 양정숙, 윤상현, 이용호 |

한일의원연맹은 창립 이래 양국 정부가 고민하는 현안을 막후에서 조정해 해결한 사례가 적지 않다. 이는 한일의원연맹의 힘이 그만큼 강했다는 의미이며, 한국도 일본도 역대 회장은 거물 정치인이 맡아왔다. 일본의 권력 구조는 내각책임제여서 국회와 의원이 권력을 쥐고 있다는 것도 강점으로 작용했다.

1980년대 이후 한일의원연맹이 거둔 성과의 일부를 소개한다(한일의원연맹 제공).

| 일시 | 내 용 |
|---|---|
| 1983 | 일본 역사교과서 왜곡 문제를 시정하기 위해 '한일(일한)문화교류기금'의 설립을 발의하고 지원했다. |
| 1987 | 재일한국인의 서울올림픽지원 성금 540억 원에 대해서는 면세조치를 하도록 일본 정부의 협조를 이끌어냈다. |
| 1993 | 재일한국인 지문날인 폐지 운동을 지원했다. |
| 1995~1997 | **데라우치 마사타케**(寺內正毅) 문고를 국내로 들여오도록 노력했고 실현했다. |
| 1997 | IMF를 맞아 **김윤환** 회장을 비롯한 임원진이 **다케시타 노보루** 일한의원연맹 회장(전 총리) 등과 만나 일본 정부가 한국 정부에 금융지원을 하도록 노력했다. |
| 1998 | 한일정상회담(**김대중-오부치 게이조**)에서 '21세기의 새로운 한일파트너십 공동선언'을 채택하도록 일본 국회의 분위기 조성 등에 노력했다. 양국 정상이 합의한 이 선언은 1965년 한일국교정상화 이래 가장 포괄적이고, 수준 높은 공동선언문이라는 평가를 받고 있다. |
| 2006 | **문희상-모리 요시로** 회장(전 총리) 라인을 가동해 독도 주변 해저탐사 문제로 빚어진 갈등을 해소하도록 지원했다. |
| 2008~2012 | 일본의 대한(對韓) 금융협력을 유도하고 일본 부품소재산업의 국내 유치를 위해 활동했다. 일본 도레이의 유치를 두고 한중이 경쟁할 때 연맹 고위 임원이 직접 도레이 본사를 찾아가 설득해 결국 구미에 탄소섬유공장을 유치하는 데 성공했다. |
| 2010~2012 | 일본이 한일 통화 스와프를 300억 달러로 늘리는 데 기여했다. |
| 2010 | **간 나오토**(菅直人) 총리가 한일병합 100년을 맞아 '간 나오토 담화'를 발표할 때 이를 측면 지원했다. |
| 2011 | 간 담화에서 약속한 조선왕실의궤 반환을 위해 노력했다. |
| 2016 | 연맹 고위 임원이 **아베 신조** 총리를 만나 재일동포 등을 위해 헤이트 스피치 금지법안을 만들어 달라고 요청했으며, 실제로 법안을 만들었다. |
| 2016 | 합동간사회의 한일 양국대표단은 공동성명을 통해 북한의 핵과 미사일 도발에 대해 강력하게 경고하고, 일본 국회가 북한 핵과 미사일 문제의 심각성을 재인식토록 하는 데 기여했다. |
| 2017 | 2017년 조선통신사 관련 기록물을 유네스코 세계기록유산으로 등재하는데 일한의원연맹과 공동으로 노력했다. 한일 양 연맹은 합동총회 등 여러 모임에서 400여 년 전 한일 평화외교와 문화교류의 상징이었던 조선통신사 관련 기록물을 유네스코 등재하는데 노력했다. 등재 추진 기관인 한국의 부산문화재단과 일본의 조선통신사연지연락협의회가 주최하는 행사를 측면 지원하고, 직접 참여도 하면서 등재의 필요성을 강조하고 유네스코 집행부의 관심을 유도했다. |

**간 담화**

한일병합 100년이 되던 2010년 8월 10일 간 나오토 총리가 발표한 담화이다. '무라야마 담화'(1985. 8.15)가 아시아 전체에 대해 사과한 데 반해 간 담화는 한국만을 대상으로 사과를 했다는 점에서 의미가 있다. 이 담화에는 "3·1 독립운동 등의 격렬한 저항에서도 나타났듯이, 정치·군사적 배경하에 당시 한국인들은 그 뜻에 반하여 이루어진 식민지 지배에 의해 국가와 문화를 빼앗기고, 민족의 자긍심에 깊은 상처를 입었다"는 내용이 들어있다. 몇 년 전부터 간 담화를 재평가해야 한다는 목소리가 있다.

의원연맹은 합동총회를 마치면 공동성명을 발표한다. 공동성명은 그해의 한일관계에 대한 문제의식과 해결방안을 담고 있다. 2018, 2019년 공동성명은 다음과 같다(2020년은 한일간의 분위기 경색과 코로나19로 인해 별다른 활동을 하지 못했다).

### 공동성명 (2018년)

한일 · 일한의원연맹은 2018년 12월 14일 대한민국 서울에서 제41차 합동총회를 개최하고, 다음과 같이 공동성명을 채택했다.

한일 양국 의원연맹은 한일 양국이 국교정상화 이후 50여 년간 자유, 인권, 민주주의, 시장경제 등의 기본적 가치를 공유하면서 선린우호관계를 발전시켜 온 점을 높이 평가하였다.

특히 과거를 직시하고 상호이해와 신뢰를 바탕으로 미래를 지향하는 정신을 담은 1998년의 21세기 한일파트너십 공동선언 20주년인 올해를 계기로 새로운 한일파트너십 선언을 위해 우호협력이 더욱 강화되도록 함께 노력해 나가기로 하였다.

또한 한국측은 일본정부가 무라야마 담화를 비롯하여 코노 담화, 칸 담화 등을 통해 침략과 식민지배에 대한 반성과 사죄 등 올바른 역사 인식위에 미래지향적 관계를 구축하는 것이 중요하다고 강조하였다. 일본측은 이러한 역대정권의 입장을 계승해 갈것을 재확인했다.

또한 한국 대법원의 강제징용소송에 대한 일본기업에의 배상명령, 한국정부의 위안부지원재단 해산 등과 관련하여 계속 야기된 사태에 깊은 우려를 표명하면서 한국정부가 국제법에 따라 적절한 대응을 취해 줄 것을 요청했다.

양국 의원연맹은 1965년의 국교정상화 이후 한일 양국이 쌓아온 양국 정부와 국민의 신뢰, 협력 관계가 인권과 민주주의의 가치에 기반하여 더욱 발전시켜 나가도록 한일 양국의 정부, 국회가 리더십을 발휘하여 어려운 문제를 관리, 계속해서 양호한 양국 관계를 구축해 나가야 한다고 강조했다.

아울러 양 연맹은 아베 총리의 평창동계올림픽 개회식 참석, 한일중 정상회담, UN총회 계기 한일정상회담 등 양국 정상의 빈번한 만남과 통화 등이 한일 양국간 우호 협력에 크게 기여할 것이라는데 인식을 함께하고 앞으로도 정상간 교류 확대에 기대를 표명하였다.

이와 함께 한일 양국의 의원연맹은 문재인 대통령의 일본공식 방문이 2019년 중 조기에 실현될 수 있도록 지원하기로 했다.

1. 양국 의원연맹은 잇단 남북 · 북미정상회담 등이 동북아 안정과 한반도 평화에 기여할 것이라는데 인식을 함께 하고, 앞으로도 북한 핵 · 탄도미사일의 폐기와 평화체제 구축을 위해 국제규범 아래 안보분야 협력을 강화해 나가기로 하였다.

또한 북한에 의한 납치 및 인권침해 문제를 지속적으로 세계로 발신하는 한편, 이 문제가 조속히 해결될 수 있도록 각각 자국 정부에 적절한 조치를 취하도록 촉구하기로 하였다.

2. 한일 양측은 미국 등의 보호주의 확대에 대응하기 위해 무역, 투자, 경제협력의 확대가 중요하다는데 인식을 함께 하였다. 아울러 양국 간 교역과 투자의 활성화를 위해 한일중 FTA와 역내포괄적경제동반자협정(RCEP), TPP 등 다자간무역협정을 전향적으로 검토하기로 하였다.

또한 양국은 파리기후협정 이행 등 에너지 패러다임의 전환기를 맞이하여 신재생에너지 비중을 확대해야 한다는 데 인식을 같이 하고, 전기자동차, 수소연료전지차 등 양국의 에너지 신산업분야 관련 정보를 공유하는 등 협력체제를 강화시켜 나가기로 하였다.

특히 최근 빈번히 발생하는 지진, 기상재해, 미세먼지, 세계적 유행병 등 재난재해에 양국의 공동대처를 강화하고 의회 차원의 체계적 협력방안 마련을 위해 노력하기로 하였다.

강제 징용자등 과거사에 기인하는 문제가 양국 젊은이들이 상대국가에서 취업하고 미래를 여는 기회를 가로막아서는 안 된다는데 인식을 함께 했다. 한일 양국의 경제교류를 더욱 심화시켜 양 국민이 함께 풍요로워지는 것이 외교문제와 역사문제를 해결하는 데 큰 힘이 되는 것을 확인했다.

3. 양국 의원연맹은 양국 민간 우호친선 강화를 위해 문화, 관광, 스포츠, 미디어 교류와 조선통신사 등 인적교류를 더욱 활성화시키기 위해 양국 국회에서 입법 및 예산확보에 적극적으로 노력해 나가기로 하였다.

아울러 문화교류의 중요성을 감안, 양국간 고대사 관련 유물교류전시회를 전향적으로 추진키로 하였다.

또한 양국 의원연맹은 앞으로도 유골봉환 등 과거사 문제의 해결을 위해 피해 당사자의 명예와 존엄이 회복되도록 한일파트너십선언의 취지에 따라 상호 호혜의 정신으로 함께 노력해 나가기로 하였다.

아울러 한국측은 일본측에서 검토중인 한국인 BC급전범의 명예회복 및 보상문제가 조속히 해결되도록 요청했고, 일본측도 전향적으로 추진하기로 하였다.

4. 한일 양국 의원연맹은 일본 국회에서 헤이트스피치 해소법이 제정된 것을 계기로 앞으로 한일우호를 저해하는 언동의 근절을 위한 보다 실효성 있는 시책 및 체제의 정비에 함께 노력해가면서, 한일 양국이 차별 없는 공생사회를 구축하기 위해 상호 협력하기로 하였다.

또한 1970-80년대 재일교포간첩사건 한국인 피해자의 일본특별영주권 회복을 위해 협력해 나가기로 하였다.

한국측은 한국에서 영주자격 취득 후 3년이 경과한 일본인을 포함한 외국인에게 지방참정권을 부여하는 법률이 시행되고 있음을 강조하면서, 일본 국회에서도 영주외국인에게 지방참정권을 부여하는 내용의 법안이 신속하게 성립되도록 각별한 협력을 요청하였다. 일본측은 법안

**한국인 BC급 전범**

일본 패전과 함께 연합군은 A급 전범과 함께 BC급 전범도 5,600여 명을 투옥했다. B급 전범은 전선에서 포로 관리를 지휘감독했던 장교나 부대장이고, C급 전범은 대부분 직접 포로 관리를 했던 하사관, 병사, 군속 등이었다. 조선총독부는 1942년 5월에 한반도 전역에서 포로감시원 3223명을 선발했다. 종전 후 한국인 포로감시원 148명이 유죄판결을 받았고, 이 중 23명은 사형판결을 받고 처형당했다. 나머지 125명은 현지 형무소에서 복역했다. 이들은 일본 정부를 상대로 피해보상소송을 제기했으나 모두 패소했다.

**헤이트 스피치 금지법**

일본은 2016년 6월 3일 '헤이트 스피치'(hate speech · 특정 집단에 대한 공개적 차별 · 혐오 발언)를 막기 위한 법률을 만들어 시행하고 있다. 일본 우익이 재일 한국인이나 조선인, 중국인 등에게 혐오 발언을 하지 못하도록 하는 법률이어서 의미가 있다. 다만 벌칙규정이 없어 실효성이 없다는 지적이 많다. 일본 정부는 표현의 자유를 들어 벌칙에는 소극적이다. 가나가와(神奈川)현 가와사키(川崎)시가 유일하게 2020년 7월부터 혐한(嫌韓) 시위 등을 반복하는 개인이나 단체에게 50만엔 이하의 벌금을 부과하는 조례를 시행하고 있다.

을 실현시키기 위해 앞으로도 더한층 노력할 것을 표명하였다.

일본 사회 속의 한국인과 공생을 촉진하는 것이 중요하므로 작년 11월에 시작된 「한국대학생을 4학년(또는 재학중) 때 일본대학에 유학시켜, 일본에 취직되도록」 하는 이른바 「한국에 의한 3+1 방안」의 추진을 위해 한일 상호간에 노력할 것을 약속하였다.

5. 한국측은 2018년 평창 동계올림픽 · 패럴림픽의 성공을 위해 지원을 아끼지 않은 일본측에 사의를 표명하였다. 아울러 2020년 도쿄 하계올림픽 · 패럴림픽의 성공을 위하여 양국 국회 차원의 적극적 지원을 아끼지 않기로 하였다. 아울러 올림픽 · 패럴림픽과 스포츠, 문화교류를 유기적으로 연계시켜 한일 양국간 협력과 교류가 더욱 활성화되도록 노력하기로 하였다.

양국 의원연맹은 미래지향적 교류확대 방안으로 평화 및 인권 등 보편적 가치를 수호하면서 제4차 산업혁명, 기후변화, IT분야, 정보통신기술 활용을 포함한 어린이 및 청소년 교류 · 교육 등 분야별 현안에 대해 적극 협력해 나가기로 하였다.

특히 양국의 주요 현안인 '국가균형발전(地方創生)'을 위해 정기교류 및 정례회의, 세미나, 공동연구 등 교류협력 활동을 적극 지원해 나가기로 했다.

6. 양국 의원연맹은 양국 문화의 특성상 여성의 정치 참여 확대를 위해 할당제를 포함한 정책적, 제도적 개선이 필요하다는데 인식을 같이하고, 여성의 활약을 저해하는 해러스먼트(성적 괴롭힘)가 없는 사회를 만들기 위하여 법적, 제도적 개혁 방안을 함께 추진하기로 하였다.

아울러 양국 공동과제인 저출산, 고령화 문제 해결을 위해 양국간 현황 비교연구 등을 통해 정보교환 및 협력 체제를 구축해 나가고 세계의 어린이들의 생명권 및 인권보호에 힘을 모으기로 합의하였다.

7. 양국 의원연맹은 제42차 합동총회를 2019년에 동경에서 개최하기로 하고, 일정 등에 관해서는 같은 해 서울에서 개최되는 합동간사회의에서 결정하기로 합의하였다.

2018년 12월 14일
한일의원연맹 간사장 김광림
일한의원연맹 간사장 카와무라 타케오

### 공동성명 (2019년)

한일 · 일한의원연맹은 2019년 11월 1일 일본국 동경에서 제42차 합동총회를 개최하고, 다음과 같이 공동성명을 채택했다.

한일 양국 의원연맹은 한일 양국이 국교정상화 이후 50여 년간 자유, 인권, 민주주의, 시장경제 등의 기본적 가치를 공유하면서 선린우호관계를 발전시켜 온 점을 높이 평가하였다.

특히 한국 측은 일본의 레이와시대 개막에 축의를 표하고, 이를 계기로 한일 우호 증진에 대한 기대를 표명하였다.

양국 의원연맹은 최근들어 강제징용소송, 한일간 수출규제 문제, 한일GSOMIA 등 현안으로 양국간 갈등이 심화되어 있는데 대해 깊은 우려를 표명하면서, 이같은 상황의 해결을 위해 과거를 직시하고 미래를 지향하는 김대중-오부치 21세기 한일파트너십 공동선언의 정신을 되살려 양국 관계를 조속히 정상화시켜야 한다는데 인식을 함께 했다.

이러한 현안 해결을 위해 한일 양국 국회가 양국 국민과 국가의 미래를 위해 보다 적극적으로 힘을 기울이고, 양국 정상회담 및 고위급 회담이 조속히 개최되도록 촉구하기로 하였다.

1. 양국 의원연맹은 북한 핵 · 탄도미사일의 폐기와 평화구축을 위해 안보분야 협력을 더욱 공고히 하고, 한일미 공조체제도 강화하기로 하였다.

또한 북한에 의한 일본인납치 등 인권침해 문제가 조속히 해결될 수 있도록 각각 자국 정부에 적절한 조치를 취하도록 촉구하기로 하였다.

2. 양국 의원연맹은 양국간 교역과 투자의 활성화를 위해 한일중 FTA와 역내포괄적경제동반자협정(RCEP) 등 다자간무역협정을 전향적으로 검토하기로 하였다.

또한 한일 양국 정부간 갈등으로 양국 젊은이들이 상대국가에서 취업하고 미래를 여는 기회가 가로 막혀서는 안 된다는 데 인식을 함께하고, 한일 양국의 경제교류를 더욱 심화시켜 나가야한다는 데 의견을 함께했다.

특히 지구온난화와 에너지문제 등 양국 공동으로 직면한 지구 규모의 과제에 대해 구체적으로 협력해 나가기로 했다.

아울러 과학기술의 기초연구력 향상을 위한 협력과 함께, 특히 중소기업 및 소규모사업자간 교류 확대 추진을 위해 지원을 아끼지 않기로 하였다.

3. 양국 의원연맹은 양국민간 우호친선 강화를 위해 문화, 관광, 스포츠, 미디어 교류와 조선통신사 등 인적교류를 더욱 활성화시키기 위해 적극적으로 노력하기로 하였다.

아울러 문화교류의 중요성을 감안, 양국간 고대사 이후의 유물교류전시회를 전향적으로 검토키로 하였다.

또한 한국 측은 일본 측에서 검토중인 한국인 BC급 전범의 명예회복 문제가 조속히 해결되도록 요청했고, 일본 측도 전향적으로 추진하기로 하였다.

양국 의원연맹은 태평양전쟁희생자들의 유해 발굴, DNA감식 및 유골봉환 사업을 미국을 비롯한 국제협력 하에 공동으로 추진할 수 있도록 노력하기로 했다.

또한 과거사 문제를 해결하기 위해 피해를 호소하는 당사자의 명예와 존엄이 회복될 수 있도록 한일파트너십 선언의 취지에 따라 상호 호혜의 정신으로 공동노력하기로 했다.

**RCEP**

역내포괄적경제동반자협정(Regional Comprehensive Economic Partnership)의 약자. 동남아시아국가연합(ASEAN) 10개국과 한·중·일, 호주, 뉴질랜드 등 15개국이 참여하고 있는 메가 자유무역협정(FTA)이다. 2020년 11월 15일 15개국이 모두 서명했다. 인도는 처음에는 참여했으나 중국과의 이해 충돌로 빠졌다. RCEP은 전 세계 국내총생산(GDP)의 30%, 무역규모의 28.7%, 인구의 29.9%를 차지한다.

4. 한일 양국 의원연맹은 일본 국회에서 헤이트스피치 해소법이 제정된 것을 계기로 앞으로 한일우호를 저해하는 언동의 근절을 위해 보다 실효성 있는 시책 및 체제 정비에 함께 노력하기로 하였다.

한국 측은 한국에서 영주자격취득 후 3년이 경과한 모든 외국인에게 지방참정권을 부여하는 법률이 시행되고 있음을 거듭 강조하고, 일본 국회도 영주외국인에게 지방참정권을 부여하는 내용의 법안이 신속하게 성립되도록 각별한 협력을 요청하였다. 일본 측은 법안을 실현시키기 위해 앞으로도 더한층 노력할 것을 표명하였다.

또한 1970-80년대 재일교포간첩사건으로 누명을 쓴 한국인 피해자의 일본재류자격에 관한 일본특별영주권 회복을 위해 협력해 나가기로 하였다.

5. 한국측은 2018년 평창동계올림픽 · 패럴림픽의 성공을 위해 지원을 아끼지 않은 일본측에 사의를 표하고, 2020년 도쿄하계올림픽 · 패럴림픽의 성공적 개최를 위하여 의원연맹 차원에서 협력을 하기로 하였다. 또한 양 연맹에 각각 도쿄올림픽 교류 · 협력 집행위원회를 설치하기로 하였다. 아울러 올림픽 · 패럴림픽과 스포츠, 문화교류를 연계하여 한일 양국간 교류가 더욱 활성화되도록 노력하고, 대회 후에도 이같은 노력을 지속하기로 하였다.

또한 양국 의원연맹은 미래지향적 교류확대 방안으로 제4차산업혁명, 기후변화, 어린이 및 청소년 교류 · 교육 등 분야별 현안에 대해서도 적극 협력해 나가기로 하였다.

특히 양국의 주요 현안인 국가균형발전(地方創生)을 위해 정기교류 및 정례회의, 세미나, 공동연구 등 교류협력 활동을 적극 지원해 나가기로 했다.

6. 양국 의원연맹은 여성의 정치 참여 확대를 위해 할당제를 포함한 정책적, 제도적 개선이 필요하다는데 인식을 같이하고 법적, 제도적 개혁 방안을 함께 추진하기로 하였다.

또한 여성의 경제적지위 향상을 위한 고용안정 제도 수립을 위해 긴밀히 협력하기로 하였다.

아울러 양국 공동과제인 저출산, 고령화 문제해결을 위해 협력체제를 구축해 나가기로 하였다.

7. 양국 의원연맹은 제43차 합동총회를 2020년에 한국에서 개최하기로 하고, 일정 등에 관해서는 같은해 일본에서 개최되는 합동간사회의에서 결정하기로 합의하였다.

2019년 11월 1일

한일의원연맹 간사장 김광림

일한의원연맹 간사장 가와무라 타케오

2020년의 활동을 소개하면 다음과 같다.

### 국제활동 (2020년)

| 일 시 | 활동 내용 | 참석자 | 현안 · 쟁점 |
|---|---|---|---|
| 1.9<br>~11 | 재일민단중앙본부 신년회<br>한일 양국의원연맹 오찬간담회<br>재일한국인연합회 신년회<br>오사카민단신년회<br>(강창일 회장은 누카가 후쿠시로 일한의원연맹 회장, 니카이 도시히로 자민당 간사장, 가와무라 다케오 일한의원연맹 간사장 면담) | 강창일 회장, 이진복 외교안보위원장, 윤호중 사회문화위원장, 김석기 상임간사, 지상욱 상임간사, 남관표 주일 대사, 배석 박정호 사무총장 등 | 민단의 애로사항 청취 및 지원방안 모색 |
| 11.12<br>~14 | 합동간사회의<br>양국 의원연맹 간사장 회의<br>주일특파원 간담회<br>양국 의원연맹 간사장 회의<br>(스가 요시히데 총리, 모리 요시로 도쿄올림픽위원장, 니카이 도시히로 자민당 간사장, 야마구치 나쓰오 공명당 대표, 에다노 유키오 입헌민주당 대표, 마에다 데루노부 NHK 회장, 기타무라 시게루 NSC국장 면담, 하토야마 유키오 전 총리) | 김진표 회장, 김석기 간사장, 윤호중 부회장, 이채익 사회문화위원장, 전혜숙 여성위원장, 김한정 상임간사, 성일종 상임간사, 배석 박정호 사무총장 | 도쿄올림픽 지원 방안 |

### 국내활동 (2020년)

| 일 시 | 활동 내용 | 참석자 | 현안 · 쟁점 |
|---|---|---|---|
| 1.2 | 일한의원연맹 사무국 방한 지원 | 박정호 사무총장, 김영완 국장 | |
| 2.13 | 도미타 고지 일본대사 부임 환영 오찬 | 강창일 회장, 원혜영, 정우택 고문, 김광림 간사장, 윤호중, 김세연 위원장, 김석기, 지상욱 상임간사 | |
| 2.18 | 일본특파원 초청 간담회 | 강창일 회장 | |
| 5.13 | 정기총회 | 강창일 회장 등 82명(위임 49명 포함) | 신임 이사 선출 등 |
| 5.20 | 도미타 고지 일본대사 초청 간담회 | 강창일 회장 | |
| 9.11 | 도미타 고지 일본대사 초청 간담회 | 김진표 의원(회장 내정) | |
| 10.16 | 제21대 국회 한일의원연맹 구성 총회 | 김진표 회장 등 85명 | 신임 집행부 선출 |

| | | | |
|---|---|---|---|
| 10.18 | **가와무라 다케오 간사장 방한 지원** | 김진표 회장, 강창일 명예회장, 정진석 고문, 김석기 간사장, 윤호중 운영위원장, 배석 박정호 사무총장 | |
| 11.4 | **도미타 고지 일본대사 초청 간담회** | 김진표 회장, 김석기 간사장, 윤호중 운영위원장, 이채익 사회문화위원장, 김한정, 성일종 상임간사, 배석 박정호 사무총장 | |
| 12.10 | **도미타 고지 일본대사 초청 간담회** | 김진표 회장, 김석기 간사장, 윤호중 운영위원장, 전혜숙 여성위원장, 김한정, 성일종 상임간사, 배석 박정호 사무총장 | |

2019년의 활동을 소개하면 다음과 같다.

**국제 활동 (2019년)**

| 일 시 | 활동 내용 | 참석자 | 현안 · 쟁점 |
|---|---|---|---|
| 1.10<br>~13 | **재일민단중앙본부 신년회**<br>**일한의원연맹 주최 오찬회**<br>**재일한국인연합회 신년회**<br>**오사카민단 신년회**<br>**재일한국상공인연합회 주최 간담회**<br>**재일한국인 출신 교수단 간담회**<br>(모리 요시로 동경올림픽조직위원장, 누카가 후쿠시로 일한의원연맹 회장 면담) | 강창일 회장, 박병석 고문, 오제세, 정진석 부회장, 김광림 간사장, 김영주, 유승희 부간사장, 노웅래 운영위원장, 이원욱 운영위 부위원장, 김석기 상임간사, 주승용, 박용진 의원, 배석 박정호 사무총장 | 한국대법원 강제징용 배상 판결, 한국 해군과 일본 해상자위대 레이더 조사(照射) 사건 |
| 7.24<br>~26 | **한일 골프국가대표 친선경기 격려**<br>**재일한국인상공회의소 고문 간담회**<br>**동경민단 주최 만찬**<br>(누카가 후쿠시로 일한의원연맹 회장, 가와무라 다케오 간사장 면담) | 강창일 회장, 배석 박정호 사무총장 | 일본의 수출 규제조치와 한국 화이트리스트 제외 |
| 7.31<br>~8.1 | **재일한국인연합회 간담회**<br>**한국특파원단 간담회**<br>(야마구치 나쓰오 공명당 대표, 재일민단 대표, 다마키 유이치로 국민민주당 대표, 후쿠야마 데쓰로 입헌민주당 간사장 면담) | 강창일 회장, 원혜영, 원유철 고문, 김광림 간사장, 서청원, 김진표, 김동철, 조배숙, 윤상현, 이정미 의원, 배석 박정호 사무총장 | 일본의 수출 규제조치 |

| | | | |
|---|---|---|---|
| 9.27 ~28 | 일한의원연맹 주최 만찬<br>도쿄 한일축제한마당 개회식<br>재일한국인연합회 현황 청취 | 노웅래 운영위원장, 김한정, 김석기, 김순례 의원, 배석 박정호 사무총장 | 한일관계 복원 가능성 논의 |
| 10.31 ~11.2 | 제42차 한일(일한)의원연맹 합동총회 | 강창일 회장 등 의원 39명 | 강제징용문제 |

## 국내 활동(2019년)

| 일 시 | 활동 내용 | 참석자 | 현안·쟁점 |
|---|---|---|---|
| 2월 22일 등 4차례 | 일본특파원 초청 간담회 | 강창일 회장, 하종문 한신대 교수, 배석 박정호 사무총장 | |
| 3.19 | 주일한국대사 내정자 간담회 | 강창일 회장, 남관표 주일대사 내정자, 배석 박정호 사무총장 | |
| 3.22 | 임원회의 | 강창일 회장, 오제세, 정진석 부회장, 김영주, 유승희 부간사장, 노웅래 운영위원장, 김석기 상임간사, 이원욱 운영위 부위원장, 배석 박정호 사무총장 | |
| 3.28 | 정기총회 | 강창일 회장 등 80명(위임 38명 포함) | |
| 4.26 | 합동세미나 "한일관계 현안, 어떻게 풀어낼 것인가" | 강창일 회장, 박병석, 원혜영 고문, 김광림 간사장, 오제세 부회장, 유승희 부간사장, 이진복 안보외교위원장, 최운열 경제과학부위원장, 윤호중 사회문화위원장, 김석기, 오영훈 상임간사, 김한정 간사, 정운현 국무총리 비서실장, 조현 외교부 제1차관, 김용길 외교부 동북아국장, 배석 박정호 사무총장 등 | |
| 5.9 | 나가미네 야스마사 주한일본대사 간담회 | 강창일 회장, 정우택 고문, 유승희 부간사장, 김세연 위원장, 최운열 부위원장, 오영훈 상임간사, 지상욱 | |

| | | | |
|---|---|---|---|
| | | 상임간사, 김한정 간사, 배석 박정호 사무총장 | |
| 5.17 | 일본전문가그룹 초청 간담회 | 강창일 회장, 하종문 한신대 교수, 장완익, 김민철, 이신철 변호사 등 | 강제징용문제 법률자문 등 |
| 6.13 | 한일현안 관련 '세카이(世界)'와 마이니치 신문 인터뷰 | 강창일 회장, 배석 박정호 사무총장 | |
| 5.19 | 2019년도 합동간사회의 | 김광림 간사장, 이진복 안보외교위원장, 장병완 경제과학기술위원장, 윤호중 사회문화위원장, 이채익 법적지위위원장 대리, 김석기, 지상욱 상임간사, 배석 박정호 사무총장 | 제42차 합동총회 의제 토의. 북핵, 레이더 조사(照射), 헤이트 스피치 |
| 9.19 | 일본전문가그룹 초청 간담회 | 강창일 회장, 이수훈 전 주일대사, 하종문 한신대 교수, 김기정 연세대 교수, 김도형 동북아역사재단 이사장 | |
| 10.29 | 강제동원피해자 지원그룹 간담회 | 강창일 회장, 하종문 한신대 교수, 장완익, 김민철, 이신철 변호사 | |
| 11.8 | 나가미네 야스마사 주한 일본대사 이임 만찬 | 강창일 회장, 원혜영, 정우택 고문, 김광림 간사장, 노웅래, 윤호중 위원장, 김석기, 지상욱 상임간사, 김한정 간사, 배석 박정호 사무총장 | |
| 12.30 | 사업결과 보고회 | 강창일 회장, 오제세, 정진석 부회장, 김광림 간사장, 유승희 부간사장, 김세연 위원장, 오영훈, 김석기, 지상욱 상임간사, 노웅래, 이진복 의원, 배석 박정호 사무총장 | |

## 일한의원연맹, 민단 임원 방한 지원 (2019년)

| 일 시 | 활동 내용 | 참석자 | 현안·쟁점 |
|---|---|---|---|
| 1.31 | 최종태 재일한국인상공회의소 고문 등 방한 | 강창일 회장, 유승희, 김영주 부간사장, 김석기 상임간사, 이원욱 운영위원장, 배석 박정호 사무총장 | 재일동포의 어려움 호소 |
| 2.12 | 누카가 후쿠시로 일한의원연맹 회장 방한 | 강창일 회장, 배석 박정호 사무총장 | 화해치유재단 해산, 강제징용 문제 등 |
| 4.16 | 가와무라 다케오 일한의원연맹 간사장 방한 | 김광림 간사장, 김석기 상임간사 등, 배석 박정호 사무총장 | |
| 6.14 | 누카가 후쿠시로 일한의원연맹 회장 방한 | 강창일 회장, 김한정 간사 | 고 이희호 여사 유가족 위로 |
| 6.24 | 일한의원연맹 사무국 방한 | 박정호 사무총장 | |
| 7.16 | 여건이 재일민단 중앙본부 단장 방한 | 강창일 회장, 오영훈 상임간사, 배석 박정호 사무총장 | 재일동포의 어려움 호소 |
| 7.30 | 중부일본 글로벌리더그룹 방한 | 박정호 사무총장 | |
| 9.2 | 가와무라 다케오 일한의원연맹 간사장 방한 | 강창일 회장, 윤호중 사회문화위원장, 배석 박정호 사무총장 | 한일축제한마당 참석 |
| 9.4 | 일본유신회 의원대표단 방한 | 강창일 회장, 김광림 간사장, 오영훈 상임간사, 배석 박정호 사무총장 | |
| 9.19 | 일한문화교류기금 임원단 방한 | 강창일 회장, 배석 박정호 사무총장 | |
| 11.12 | 마에하라 세이지 전 민진당 대표 방한 | 강창일 회장, 배석 박정호 사무총장 | 강제징용, 지소미아, 수출규제 등 |
| 12.19 | 자민당 의원대표단 방한 | 강창일 회장, 김석기 상임간사, 배석 박정호 사무총장 | 강제징용문제 등 |

**한일축제한마당**

한일국교정상화 40주년을 기념하기 위해 양국 정부가 만든 '2005년 한일 우정의 해'가 시작이다. 2006년부터는 매년 한일 양국의 유지(有志)와 기업들이 개최하는 민간행사로 바뀌었다. 2009년부터는 일본 도쿄에서도 일한축제한마당을 열고 있다. 매년 5만 명 이상이 참가하는 국내 최대의 한일 문화교류행사로 자리잡았다. 2020년 16회 행사는 코로나 때문에 온라인으로 치렀다.

최근 들어 한일의원연맹의 영향력이 줄어들었다는 지적을 받고 있다. 양국의 사회 분위기가 막후가 아니라 공개적으로 일을 처리하는 것을 선호하고, 과거사문제가 재부상하면서 갈등의 골이 깊어진 것이 원인이다. 또 한국의 국력 신장으로 양국 간에 구조적인 이해충돌이 벌어지고, 중국과 북한에 대한 시각차도 커지면서 두 나라 사이에 국익갈등도 빚어지고 있다. 그래서 한일(일한)의원연맹이 예전 같은 영향력을 회복하기는 어려울 것이라는 지적도 있지만, 활용 여부에 따라서는 한일(일한)의원연맹은 양국 간의 문제 해결과 친선 도모에 여전히 영향력을 행사할 수 있다고 본다.

한일(일한)의원연맹은 합동총회에서 현안을 논의하는데, 합동총회는 연 1회 개최가 원칙이고, 양국을 오가며 연다. 합동총회에서는 상임위원회별로 주요 현안을 토의하고 공동성명을 발표한다. 또 총회에 참석한 의원들은 그 나라의 주요 인사를 면담하거나 의원 교류에도 힘쓰고 있다.

합동총회에서 무엇을 논의할지 사전 준비를 하는 것이 합동간사회의이다. 합동간사회도 합동총회와 마찬가지로 연 1회 개최하고, 양국을 오가며 연다.

**한일의원연맹과 일한의원연맹 역대 합동총회 기록**

| 회 차 | 개최일 | 개최지 | 참석의원 | 참가 정당 |
|---|---|---|---|---|
| 발기총회 | 1972. 3. 16 | 도쿄 | 한국 13 | 공화당, 신민당 |
| | | | 일본 48 | 자민당 |
| 창립총회 | 1973. 5. 2 | 서울 | 한국 37 | 공화당, 신민당 |
| | | | 일본 26 | 자민당 |
| 2차 | 1973. 6. 12 | 도쿄 | 한국 28 | 공화당, 신민당 |
| | | | 일본 86 | 자민당 |
| 3차 | 1974. 5. 4 | 서울 | 한국 50 | 공화당, 신민당 |
| | | | 일본 30 | 자민당 |
| 4차 | 1975. 1. 22 | 도쿄 | 한국 40 | 공화당, 신민당 |
| | | | 일본 101 | 자민당 |
| 5차 | 1975. 7. 10 | 서울 | 한국 86 | 공화당, 신민당 |
| | | | 일본 67 | 자민당, 민사당 |
| 6차 | 1977. 2. 16 | 도쿄 | 한국 40 | 공화당, 신민당 |

| 회 차 | 개최일 | 개최지 | 참석의원 | 참가 정당 |
|---|---|---|---|---|
| | | | 일본 92 | 자민당, 민사당 |
| 7차 | 1978. 1. 13 | 서울 | 한국 105 | 공화당, 신민당 |
| | | | 일본 46 | 자민당, 민사당 |
| 8차 | 1979. 5. 23 | 도쿄 | 한국 50 | 공화당, 신민당 |
| | | | 일본 115 | 자민당, 민사당 |
| 9차 | 1981. 9. 16 | 서울 | 한국 165 | 민정당, 민한당, 국민당, 신정당, 민권당, 무소속 |
| | | | 일본 56 | 자민당, 민사당 |
| 10차 | 1982. 12. 31 | 도쿄 | 한국 50 | 민정당, 민한당, 국민당, 신정당, 민권당, 무소속 |
| | | | 일본 112 | 자민당, 민사당, 신자유구락부 |
| 11차 | 1983. 9. 6 | 서울 | 한국 137 | 민정당, 민한당, 국민당, 신정당, 민권당, 무소속 |
| | | | 일본 45 | 자민당, 민사당, 신자유구락부 |
| 12차 | 1984. 8. 9 | 도쿄 | 한국 51 | 민정당, 민한당, 국민당, 신정당, 민권당, 무소속 |
| | | | 일본 130 | 자민당, 민사당, 신자유구락부 |
| 13차 | 1985. 10. 23 | 서울 | 한국 110 | 민정당, 신민당, 국민당, 민한당, 무소속 |
| | | | 일본 33 | 자민당, 민사당, 무소속 |
| 14차 | 1986. 9. 2 | 도쿄 | 한국 45 | 민정당, 신민당, 국민당, 민한당, 무소속 |
| | | | 일본 100 | 자민당, 민사당, 무소속 |
| 15차 | 1987. 9. 12 | 서울 | 한국 120 | 민정당, 민주당, 신민당, 국민당, 민한당, 무소속 |
| | | | 일본 58 | 자민당, 민사당, 무소속 |
| 16차 | 1988. 12. 22 | 도쿄 | 한국 53 | 민정당, 평민당, 민주당, 공화당, 무소속 |
| | | | 일본 100 | 자민당, 민사당, 공명당, 사민련 |
| 17차 | 1989. 9. 8 | 서울 | 한국 120 | 민정당, 평민당, 민주당, 공화당, 무소속 |
| | | | 일본 33 | 자민당, 민사당, 공명당, 사민련 |
| 18차 | 1990. 9. 5 | 도쿄 | 한국 44 | 민자당 |
| | | | 일본 140 | 자민당, 민사당, 공명당, 사민련 |
| 19차 | 1991. 8. 12 | 서울 | 한국 100 | 민자당, 신민당, 민주당, 무소속 |
| | | | 일본 42 | 자민당, 공명당, 민사당 |

| 회 차 | 개최일 | 개최지 | 참석의원 | 참가 정당 |
|---|---|---|---|---|
| 20차 | 1992. 9. 3 | 도쿄 | **한국** 44 | 민자당, 민주당, 국민당 |
| | | | **일본** 100 | 자민당, 공명당, 민사당, 무소속 |
| 21차 | 1993. 9. 2 | 서울 | **한국** 95 | 민자당, 민주당, 무소속 |
| | | | **일본** 39 | 자민당, 신생당, 공명당, 민사당, 사키가케, 일본신당, 무소속 |
| 22차 | 1994. 9. 6 | 도쿄 | **한국** 47 | 민자당, 민주당 |
| | | | **일본** 97 | 자민당, 공명당, 신생당, 일본신당, 사회당, 사키가케 |
| 23차 | 1996. 12. 15 | 서울 | **한국** 120 | 신한국당, 국민회의, 자민련, 무소속 |
| | | | **일본** 33 | 자민당, 신진당, 민주당, 무소속 |
| 24차 | 1997. 9. 3 | 도쿄 | **한국** 32 | 신한국당, 국민회의, 자민련, 무소속 |
| | | | **일본** 120 | 자민당, 신진당, 민주당, 태양의당, 공명당, 민사당, 무소속 |
| 25차 | 1998. 9. 5 | 서울 | **한국** 80 | 한나라, 국민회의, 자민련, 무소속 |
| | | | **일본** 39 | 자민당, 민주당, 자유당, 신당평화, 개혁 |
| 26차 | 1999. 11. 5 | 도쿄 | **한국** 38 | 한나라당, 국민회의, 자민련 |
| | | | **일본** 70 | 자민당, 자유당, 공명당, 민주당, 개혁, 사민당, 무소속 |
| 27차 | 2001. 12. 12. | 서울 | **한국** 88 | 한나라당, 민주당, 자민련, 무소속 |
| | | | **일본** 36 | 자민당, 민주당, 공명당, 민사당, 자유당, 보수 |
| 28차 | 2002. 9. 7 | 도쿄 | **한국** 38 | 한나라당, 민주당, 자민련 |
| | | | **일본** 32 | 자민당, 민주당, 자유당, 공명당, 보수 |
| 29차 | 2003. 12. 5 | 서울 | **한국** 49 | 한나라당, 민주당, 열린우리당, 자민련 |
| | | | **일본** 20 | 자민당, 민주당, 자유당, 공명당, 보수 |
| 30차 | 2004. 11. 29 | 도쿄 | **한국** 37 | 열린우리당, 한나라당, 민주당, 무소속 |
| | | | **일본** 80 | 자민당, 민주당, 공명당, 무소속 |
| 31차 | 2005. 11. 11 | 서울 | **한국** 108 | 열린우리당, 한나라당, 민주당, 무소속 |
| | | | **일본** 28 | 자민당, 민주당, 공명당, 무소속 |
| 32차 | 2006. 11. 17 | 도쿄 | **한국** 46 | 열린우리당, 한나라당, 민주당, 무소속 |
| | | | **일본** 91 | 자민당, 민주당, 공명당, 사민당, 무소속 |

| 회 차 | 개최일 | 개최지 | 참석의원 | 참가 정당 |
|---|---|---|---|---|
| 33차 | 2007. 9. 3 | 서울 | 한국 67 | 열린우리당, 한나라당, 민주당, 무소속 |
| | | | 일본 17 | 자민당, 민주당, 공명당, 사민당 |
| 34차 | 2010. 11. 29 | 도쿄 | 한국 35 | 한나라당, 민주당, 자유선진당, 미래희망연대, 무소속 |
| | | | 일본 107 | 민주당, 자민당, 공명당, 공산당, 타치아가레 일본(일어서라 일본) 무소속 |
| 35차 | 2011. 11. 28 | 서울 | 한국 52 | 한나라당, 민주당, 자유선진당, 미래희망연대 |
| | | | 일본 24 | 민주당, 자민당, 공명당, 공산당, 민나(모두) |
| 36차 | 2013. 11. 29 | 도쿄 | 한국 34 | 새누리당, 민주당 |
| | | | 일본 106 | 자민당, 민주당, 공명당, 민나(모두), 사민당, 신당개혁, 유신회, 무소속 |
| 37차 | 2014. 10. 25 | 서울 | 한국 62 | 새누리당, 민주통합당, 무소속 |
| | | | 일본 30 | 자민당, 민주당, 공명당, 유신회 |
| 38차 | 2015. 7. 10 | 도쿄 | 한국 39 | 새누리당, 민주통합당, 무소속 |
| | | | 일본 102 | 자민당, 민주당, 공명당, 공산당, 생활당, 유신당, 무소속 |
| 39차 | 2016. 11. 4 | 서울 | 한국 98 | 새누리당, 더불어민주당, 국민의당, 무소속 |
| | | | 일본 26 | 자민당, 민진당, 공명당, 공산당, 유신당, 무소속 |
| 40차 | 2017. 12. 11 | 도쿄 | 한국 55 | 더불어민주당, 자유한국당, 국민의당, 바른정당 |
| | | | 일본 84 | 자민당, 민진당, 공명당, 희망당, 입헌민주당, 공산당, 유신당, 무소속 |
| 41차 | 2018. 12. 14 | 서울 | 한국 55 | 더불어민주당, 새누리당, 바른미래, 민주평화당, 무소속 |
| | | | 일본 30 | 자민당, 공명당, 입헌민주당, 국민의당, 공산당, 무소속 |
| 42차 | 2019. 11. 2 | 도쿄 | 한국 40 | 더불어민주당, 자유한국당, 바른미래, 우리공화당, 무소속 |
| | | | 일본 105 | 자민당, 공명당, 입헌민주당, 국민의당, 공산당, 일본유신회, 무소속 |

한일의원연맹과 일한의원연맹의 역대 회장은 다음과 같다.

| 구분 | 이 름 | 당직(당시) | 재임기간 |
|---|---|---|---|
| 한국 | **김종필(金鐘泌)** | 공화당 의장 | 1976.8.25~1979.12.26 |
| | **정일권(丁一權)** | 공화당 총재상임고문 | 1980.2.14~1980.10.27 |
| | **박태준(朴泰俊)** | 입법회의 경제위원장 | 1980.11.22~1981.4.10 |
| | **이재형(李載瀅)** | 민정당 상임고문 | 1981.4.20~1985.4.10 |
| | **권익현(權翊鉉)** | 민정당 상임고문 | 1985.4.10~1988.5.29 |
| | **박태준(朴泰俊)** | 민자당 최고위원 | 1988.9.15~1992.12.26 |
| | **김재순(金在淳)** | 민자당 상임고문 | 1993.2.10~1993.4.22 |
| | **김윤환(金潤煥)** | 신한국당 상임고문 | 1993.4.26~1998.12.14 |
| | **박태준(朴泰俊)** | 자유민주연합 총재 | 1998.12.15~2000.1.11 |
| | **김종필(金鍾泌)** | 자유민주연합 명예총재 | 2000.7.20~2004.4.20 |
| | **문희상(文喜相)** | 열린우리당 상임고문 | 2004.7.5~2008.5.29 |
| | **이상득(李相得)** | 국회부의장 | 2008.11.7~2012.5.29 |
| | **황우여(黃祐呂)** | 새누리당 대표 | 2012.11.23~2014.10.14 |
| | **서청원(徐淸源)** | 새누리당 최고위원 | 2014.10.15~2017.6.14 |
| | **강창일(姜昌一)** | 국회 산자위원장 | 2017.6.15~2020.5.29 |
| | **김진표(金振杓)** | 더불어민주당 의원 | 2020.10.6~ |
| 일본 | **후나다 나카(船田中)** | 자민당 고문 | 1975.5.31~1979.4.12 |
| | **가스가 잇코(春日一幸)** | 민사당 고문 | 1975.5.17~1981.6.2 |
| | **야스이 겐(安井謙)** | 자민당 최고고문 | 1981.6.3~1986.3.10 |
| | **후쿠다 다케오(福田赳夫)** | 자민당 최고고문 | 1986.8.1~1990.4.5 |
| | **다케시타 노보루(竹下登)** | 자민당 최고고문 | 1990.4.5~2000.6.19 |
| | **이토 소이치로(伊藤宗一郎)** | 전 중의원 의장 | 2000.9.7~2001.9.2 |
| | **모리 요시로(森喜朗)** | 전 총리 | 2001.11.6~2010.6.15 |
| | **와타나베 고조(渡部恒三)** | 민주당 최고고문 | 2010.6.15~2012.12.16 |
| | **누카가 후쿠시로(額賀福志郎)** | 전 재무대신 | 2013.1.29~현재 |

한국과 일본의 역대 간사장은 다음과 같다.

| 구분 | 이 름 | 당직(당시) | 재임기간 |
|---|---|---|---|
| 한국 | **이병희(李秉禧)** | 공화당 당무위원 | 1972.5.5~1980.7.4 |
| | **장승태(張承台)** | 공화당 정책위 부의장 | 1980.11.22~1981.4.10 |
| | **김윤환(金潤煥)** | 민정당 중앙집행위원 | 1981.4.20~1982.2.3 |
| | **이상익(李相翊)** | 민정당 중앙집행위원 | 1982.2.3~1985.4.8 |
| | **김숙현(金淑鉉)** | 민정당 인천동북구위원장 | 1985.4.8~1988.5.29 |
| | **정석모(鄭石謨)** | 민자당 중앙위 의장 | 1988.9.15~1993.4.29 |
| | **나웅배(羅雄培)** | 민자당 당무위원 | 1993.4.30~1994.10.23 |
| | **양정규(梁正圭)** | 신한국당 당무위원 | 1994.10.24~2000.5.29 |
| | **유흥수(柳興洙)** | 한나라당 당무위원 | 2000.7.20~2004.5.29 |
| | **권철현(權哲賢)** | 한나라당 대변인 | 2004.7.15~2008.4.14 |
| | **이낙연(李洛淵)** | 민주당 사무총장 | 2008.11.7~2012.5.29 |
| | **강창일(姜昌一)** | 국회 지식경제위원장 | 2012.11.23~2017.6.18 |
| | **김광림(金光琳)** | 새누리당 정책위의장 | 2017.6.19~2020.5. |
| | **김석기(金碩基)** | 국민의힘 재외동포위원장 | 2020.10.6~ |
| 일본 | **우노 소스케(宇野宗佑)** | 자민당 국회대책위원장 | 1972.2.5~1975.1.30 |
| | **모리 마쓰헤이(毛利松平)** | 자민당 부간사장 | 1975.1.30~1984.2.7 |
| | **가토 무쓰키(加藤六月)** | 자민당 전국조직위원장 | 1984.2~1985.8.1 |
| | **하라다 겐(原田憲)** | 자민당 기본문제회장 | 1985.8.1~1989.3.7 |
| | **가토 무쓰키(加藤六月)** | 정무조사회장 | 1989.3.7~1994.6.1 |
| | **이시바시 가즈야(石橋一彌)** | 전 문부대신 | 1994.6.2~1996.7.22 |
| | **가와라 쓰토무(瓦力)** | 자민당 정치개혁본부장 | 1996.7.23~2000.9.7 |
| | **누카가 후쿠시로(額賀福志郎)** | 재무대신 | 2000.9.7~2013.1.28 |
| | **가와무라 다케오(河村建夫)** | 관방장관 | 2013.1.29~현재 |

2005년부터 연맹 살림을 맡아온 박정호 사무총장은 2020년 말로 퇴임하고 후임은 조용래 광주대 초빙교수(전 국민일보 편집인)가 이어받았다.

**한일의원연맹은 (07238) 서울특별시 영등포구 국회대로 70길7 동아빌딩 301호에 있다.**
**전화 (02) 784-6500, 이메일은 kjpu7@naver.com**

국회에는 한의의원연맹 말고도 다음과 같은 모임이 있다.

**한일의회외교포럼**

20대 국회가 만든 것이다. 다음은 발족 당시의 기사이다.

문희상 국회의장은 지난 24일(2019년 5월 24일 - 필자) '한 · 일 의회외교포럼' 출범식에 참석해 서청원 의원(8선, 무소속) 의원을 한 · 일 의회외교포럼 회장으로 임명하며 '외교입국(外交立國) 대한민국'으로 거듭날 것을 당부했다.

이 자리에서 문 의장은 "온 나라가 자국의 이익을 위해 외교경쟁을 하는 시대다"라면서 "정부에만 외교를 맡기지 않고 의회외교를 활성화하는 것이 아주 중요하다"고 말했다.

또한 문 의장은 "한일관계는 아주 중요하다"며 "이 자리가 한일관계를 빠른 시일 안에 복원시키기 위한 해법을 모색하는 자리가 되길 바란다"고 강조했다.

이날 문 의장은 '한 · 일 의회외교포럼' 출범식에서 서청원 회장의 임명 외에도 여야를 초월해 대 일본 의회외교 적임자로 15명 안팎의 의원들을 내정했다.

이날 행사에는 "한일 관계, 이대로 좋은가?"라는 주제로 제1차 간담회가 진행됐으며, 최상용 전 주일대사, 이원덕 국민대 교수, 정재정 서울시립대 교수, 심규선 전 동아일보 편집국장 등 일본 전문가들이 참석했다. 이날 회의에서는 한일관계 발전을 위해 국회가 해야 하는 다양한 방안들이 논의됐다.

의회외교포럼은 문 의장이 의욕적으로 추진 중인 의회외교(Parliamentary Diplomacy)의 기본 틀이다.

문 의장은 평소 "남은 임기동안 의원외교 활성화에 초점을 맞춰 적극 추진하겠다"면서 "성공적인 의회외교 혁신을 위해서 '기초제도의 틀'만큼은 확실하게 마련해 놓겠다"고 강조한 바 있다.

특히, 문 의장은 지난 4월 5선 이상 중진의원 모임인 '이금회' 회동에서 중진의원들이 12개 주요 국가 및 지역을 하나씩 맡아 책임지고 활동하는 '국가전담 책임제'를 제안했다. 또 전 의원들이 각국의 의회외교포럼에 소속돼 전문성을 발휘할 수 있도록 했다.

외교활동의 내용에 있어서도 형식적 교류에 그치는 것이 아니라 전문가 세미나 개최 등을 통해 양국 현안을 허심탄회하게 소통하고, 인적 네트워크를 토대로 탄탄한 의회외교가 이루어질 수 있도록 '의회외교의 내실화'에 각별히 신경 쓸 것을 국회사무처 담당부서에도 주문했다.

또한 문 의장은 의회외교포럼의 구성 및 활동지원에 대한 제도적 근거를 뒷받침하기 위해 지난 2일 '국회의원의 외교활동 등에 관한 규정'을 개정했으며, 미국 정세균 의원, 일본 서청원 의원, 중국 박병석 · 원유철 의원(공동), 러시아 추미애 의원 등 국가 및 지역별 의회외교포럼 회장 명단도 확정했다.

특히, 이번에 출범한 한 · 일 의회외교포럼의 경우 한일 관계의 특수성을 감안해 문 의장이 더욱 공을 들이고 있는 것으로 알려졌다. 이에 따라 문 의장은 직접 포럼 명예회장을 맡아 대일본 의회외교를 적극 뒷받침할 계획이다.

한 · 일 의회외교포럼은 5월말~6월 중 15명 안팎 규모로 의원 방문단을 구성해 일본방문을 추진할 예정이다.

방일 이후에도 일본 측의 답방을 기획하는 등 대 일본 의회외교가 탄탄한 인적 네트워크를 토대로 원활히 추진될 수 있도록 국회의 외교 역량을 한데 모을 계획이다.

이날 '한 · 일 의회외교포럼' 출범식과 간담회에는 서청원 의원, 이주영 부의장, 원유철 의원, 원혜영 의원, 강창일 의원, 정진석 의원, 김광림 의원, 김재원 의원, 지상욱 의원, 최상용 전 주일대사, 이원덕 국민대 교수, 정재정 서울시립대 교수, 심규선 전 동아일보 편집국장 등이 참석했다. (시사브리핑 2019년 5월 25일 입력)

**한일의회외교포럼 대표단은 2019년 7월 31일 도쿄에서 일본의원들과 만난 뒤 언론발표문을 발표했다.**

### 언론발표문

**- 현안문제 논의를 위한 의원대표단의 방일 결과**

한일의회외교포럼 · 한일의원연맹 등 한국 측 국회의원 10명과 일한의원연맹 소속 일본 측 국회의원 10명은 2019년 7월 31일 도쿄에서 회의를 통해 서로의 의견을 교환한 것에 대한 결과를 다음과 같이 보고한다.

1. 한일 양국 의원단은 현재의 한일관계가 매우 심각한 상황이라는 데 인식을 같이 하고, 양국관계가 더 이상 악화되지 않도록 함께 노력하기로 하였다.

2. 한국 측은 일본이 3개 품목에 대한 수출규제 및 한국의 화이트리스트 제외 움직임을 철회·유예할 것을 요청하였다. 아울러 화이트리스트에서 한국이 제외될 경우, 한일 우호관계의 근간이 훼손되고 향후 한일간 현안문제를 미래지향적으로 푸는데 결정적인 장애로 작용하게 될 수 있다는 심각한 우려를 표명하였다. 한국 측은 즉각 양국 간 외교적 협상이 이루어져야 함을 주장하였다.

3, 일본 측은 상기 조치가 수출관리체제의 적정한 조치이며, 수출규제가 아니라고 설명하고 안전보장 측면에서의 공통인식을 향해, 한일 양국이 열린 자세로 의견 교환을 통해 납득할 수 있는 방안을 도출해야 한다고 주장하였다.

4. 강제징용피해자문제에 대해 한국 측은 일본 측에 제안했던 1+1안을 포함하여, 열린 자세로 양국 국민과 피해자들의 공감을 얻을 수 있는 합리적인 방안을 모색하도록 양국 정부의 외교적 협의를 촉구하였다. 또한, 입법적 조치가 필요할 경우, 한국의 각 정당은 이에 적극적으로 협조할 예정임을 밝혔다. 이에 대하여 일본 측은 1965년 『한일청구권협정』으로 모두 해결되었다는 기존 입장을 표명하였다.

5. 최근 한일 양국 일부 지역에서 학생·스포츠·문화교류 등이 중단되고 있는 사태에 대해 힐본 의원단은 우려를 표명하고, 미래지향적 한일관계를 위하여 양국 의원단이 각기 정부, 지자체에 양국 간 교류를 계속하도록 권유하기를 요청하였다. 한국 측은 한일간 외교문제로 인한 긴장관계가 경제·인적교류 등 한일관계 전반에 확대되는 것에 대해 우려를 표명하고, 양국 의회가 함께 노력하자고 답하였다.

6. 한일 양국 의원단은 양국 정부당국이 한일관계가 더 이상 악화되지 않도록 보다 책임있는 자세로 문제해결을 위한 대화에 적극적으로 나설 것을 촉구하였다.

이 포럼의 회장은 김진표 더불어민주당 의원과 정진석 국민의힘 의원이 공동으로 맡고 있다. 그러나 한일의원연맹조차 옛날 같지 않은 터여서 이 포럼의 앞날도 그리 밝지 않은 듯하다.

### 한일의회 미래대화

다음은 2016년 5월 국회가 낸 보도자료이다. 이를 통해 〈한일의회 미래대화〉의 설립취지와 역할 등을 알 수 있다.

정의화 국회의장은 (2016년) 5월 17일(화) 오전 9시 30분 일본 도쿄 중의원 제1의원회관에서 개최된 「제1회 한 · 일의회 미래대화」에 참석, 미래지향적 한일관계 발전을 주제로 기조연설을 했다.

정 의장은 "한국과 일본의 의회 지도자들이 함께 모여 양국의 미래와 협력, 동아시아의 번영과 발전에 대해서 논의하게 된 것은 매우 의미가 크다고 생각한다"며 연설을 시작했다.

정 의장은 이어 "제가 국회의장으로 취임한 이후 가장 먼저 방문한 나라와 마지막으로 방문한 나라가 일본"이라면서 "이는 선린외교(善隣外交)를 통한 양국간 우호협력 없이 미래의 양국 평화와 번영을 이루기 어렵다고 판단했기 때문"이라고 밝혔다.

정 의장은 "200년에 걸친 조선통신사, 전후 양국의 경제적 번영에서 보듯 두 나라의 협력과 우애만이 양국을 번영으로 이끌었다"면서 "「한일의회 미래대화」가 양국 관계의 진정한 '和'를 이루고, 동아시아 전체의 평화와 번영을 가져오는 소중한 계기가 될 것으로 기대한다"고 말했다.

정 의장은 이어 새로운 한일 관계 구축을 위해 추구해야 할 이념과 가치들로 ①'한일 양국은 미래지향적 자세'로 양국간 장애요인 및 세대 변화 요인 등을 극복하고 양국 관계 발전을 도모할 것 ②한반도, 동아시아지역, 글로벌 영역에 걸쳐 협력할 수 있도록 '네트워크적 관점을 가질 것' ③정치, 안보 등 과거 패러다임을 넘어 문화, 환경, 재난, 정보지식 등 '다양한 분야에서 협력을 적극 추진할 것' 등을 제안했다.

정 의장은 또한 양국 의회차원에서 해결해야 할 과제들로 '「한일의회 미래대화」 정례화' 및 '입법 · 정책에 대한 경험과 지식교류 활성화'를 통한 의원외교의 외연 확대, '한일 국회 간의 다층적 교류와 협력체계' 및 '한일 미래세대의 교류 활성화 프로그램 구축' 등을 제시했다.

정 의장은 끝으로 "저 역시 한일 두 나라 국민의 상호이해와 존중이 한층 더 깊어질 수 있도록 최선을 다할 것"이라면서 "한반도와 동북아의 평화, 그리고 두 나라 국민의 영원한 우의를 위해 함께 손잡고 나아가자"고 연설을 마무리했다.

정 의장에 앞서 기조발언을 한 오오시마 중의원 의장은 "오늘 회의가 상대국 정책을 서로 배우고 양국 관계를 심화 · 발전시키기 위해 협력하는 초석이 되길 기대한다"면서 "동북아시아 평화와 번영을 위해서는 미래지향적 자세로 양국이 긴밀하게 협력해야 한다"고 밝혔다.

이날 회의에는 정 의장을 비롯해 정병국 의원, 김태환 의원, 주호영 의원, 류지영 의원, 양창영 의원과 김영주 의원, 윤후덕 의원 등이 참석해 일본 의원들과 오늘 회의의 주제인 '한일관계 및 동북아 협력' 및 '저출산 고령화에 대한 대응'에 대해 토론했다.

오늘 열린 「한 · 일미래대화」는 지난 2014년 10월 정 의장이 일본을 방문했을 때 이부키 분메이(伊吹文明) 전 중의원 의장에게 양국 국회의장 간 교류 정례화를 제안하고, 지난해 10월 오오시마 타다모리(大島理森) 중의원 의장이 방한해 화답하면서 성사됐다.

**조선통신사**

임진왜란이 끝나고 불과 9년 뒤인 1607년부터 1811년까지 12차례에 걸쳐 조선 국왕이 일본의 쇼군(將軍)에게 보낸 공식 외교 · 문화사절단이다. 조선은 북쪽에서 발호하고 있는 후금(나중의 淸) 방어에 전념하기 위해 일본과의 화친이 필요했고, 끌려간 포로를 송환해야 했으며, 새 정권인 도쿠가와 막부에 대한 정보도 필요했다. 도쿠가와 막부로서는 새 정권의 안정을 위해 세 과시와 조선의 승인이 필요했다. 최근 한일 갈등이 깊어지면서 조선통신사의 성신교린 정신을 되살리자는 이야기가 나오고 있다.

**다음은 국회보 2018년 3월호에 실린 글이다.**

국회는 2월 12일 서울 웨스틴조선호텔에서 '제2회 한일의회 미래대화'를 개최했다.

'제2회 한일의회 미래대화'는 한일 의회 정상 간 정기적 교류를 통한 미래지향적인 협력 관계를 구축하기 위한 회의로, 정세균 국회의장을 비롯한 한국 의원 10여 명과 일본 중의원의 오오시마 타다모리 의장 등 의원 9명이 참석했다.

이번 회의에서 참석자들은 '북한의 핵 · 미사일 도발 상황에서 한반도 평화 구축을 위한 한일 협력방안'과 '문화 · 관광 등 한일 인적교류 활성화'라는 두 가지 의제에 대해 심도 있는 토론을 벌였다.

이번 행사는 2월 11일 정세균 국회의장 주최 환영만찬을 시작으로 2월 12일 본회의가 열렸다. 회의는 정세균 국회의장과 오오시마 중의원 의장의 개회사에 이어 세션별로 양국 대표단 의원 1인의 기조발표 뒤 양국 대표단 전원의 자유토론 방식으로 진행됐다.

'한일의회 미래대화'는 한일-일한 의원연맹을 중심으로 이뤄진 의원외교에 더해 양국 의회 정상이 주도하는 정기적 교류와 소통의 장을 마련하기 위해 창설됐다. 2016년 5월 일본 도쿄에서 열린 '제1회 한일의회 미래대화'에서 제2회 회의를 대한민국 서울에서 개최하기로 합의한 바 있다.

**그러나 이 대화도 그리 안정적이지 않다. 2019년에 열릴 제3회 대화는 당시 문희상 의장의 천황 관련 발언으로 열리지 않았다. 다음은 연합뉴스 도쿄발 기사이다.**

2016년 시작된 한일 양국 국회의 교류 행사인 '한일의회 미래대화'가 올해는 열리지 않을 것으로 예상된다.

문희상 한국 국회의장이 지난 (2019년) 2월 일본군 위안부 문제에 관해 일왕이 사죄해야 한다는 취지의 발언을 한 것을 문제 삼아 일본 측이 올해 한일의회 미래대화를 보류할 전망이라고 교도통신이 1일 보도했다.

보도에 따르면 일왕의 사죄가 필요하다는 문 의장의 발언에 대한 일본 측의 반발이 뿌리 깊고 한일의회 미래대화를 계기로 문 의장이 일본을 방문하는 것에 대한 혐오감으로 인해 올해 행사가 열리지 않을 것으로 보인다고 관계자는 설명했다.

문 의장은 일왕의 사죄가 필요하다는 발언에 대해 앞서 반복해 사과의 뜻을 표명했음에도 일본 정치권은 이를 계속 문제 삼는 것으로 풀이된다.

일본 중의원 간부 사이에는 '문 의장이 사죄 요구 발언을 철회하지 않았다'는 불신감이 남아 있으며 결국 올해 행사를 보류하는 상황이 되고 있다고 교도는 전했다.

문 의장은 올해 2월 보도된 블룸버그 통신과의 인터뷰에서 아키히토(明仁) 당시 일왕을 '전쟁범죄의 주범 아들'이라고 칭하면서 "일본을 대표하는 총리나 곧 퇴위하는 일왕의 한마디면 된다. 고령 위안부의 손을 잡고 진정 미안했다고 말하면 그것으로 (위안부 문제가) 해결된다"고 말했다.

일본 중의원 사무국 관계자는 2일 연합뉴스와의 통화에서 올해 한일의회 미래대화를 개최할지 여부와 관련해 결정된 사항이 없다면서도 "올해 일본이 개최할 차례지만 아직 일정을 조율하지 않고 있다"고 설명했다.

한일의회 미래대화는 양국이 공통으로 직면한 문제를 미래 지향적으로 논의하자는 취지로 2016년 5월 도쿄에서 처음 열렸다.

2017년에는 일본 중의원 해산과 총선으로 인해 열리지 않았고 작년에는 서울에서 열렸다.
(2019년 12월 2일 입력)

KOREA-JAPAN

## 2. 한일협력위원회

한일 양국은 1965년 국교를 정상화했으나 오랜 단절로 인해 정부 간 공식회담 이외에도 민간차원의 접촉과 교섭 창구가 필요하다고 생각했다. 이러한 시대적 요청에 따라 양국 정부의 협조로 두 나라 원로들이 수차례 만나 협의를 한 뒤 1969년 2월 12일 도쿄의 게이단렌(經團連)에서 공동으로 한일협력위원회와 일한협력위원회의 창립총회를 개최했다. 두 단체는 서로를 상대국 위원회로 삼는 민간외교 단체로 성장했다.

한일협력위원회는 양국의 정치, 경제, 사회, 문화 등에 대한 정보 수집과 분석을 통해 상호이해와 교류를 추진하고 우호친선과 상호협력을 증진하는 것을 목적으로 하고 있다.

한일협력위원회는 이를 위해 일본과의 협력 추진, 차세대 지도자와 원로지식인 교류(연 1회), 한일 협력방안 개발을 위한 강연, 간담회, 심포지엄(국제심포지엄 연 1회), 한일 합동총회(연 1회)와 합동간부회의(연 1회), 기관지 〈한일협력〉 발행(연 4회) 등의 사업을 하고 있다. 한일(일한)협력위원회는 매년 서울과 도쿄에서 교대로 개최하는 합동총회에서 수렴한 의견을 양국 관계기관에 보내거나, 양국의 우호증진을 위한 방안을 제시하기도 한다.

한일협력위원회는 그동안 다음과 같은 실적을 거뒀다고 밝혔다.

1. 한일 대륙붕협정 문제 협의
2. 지하철 건설차관과 기술 도입
3. 포항종합제철 건설사업 협력
4. 마산수출산업공단에 일본 업체 유치
5. 미곡(米穀) 수입교섭문제 협의
6. 3억 달러 프로그램 론 도입 교섭
7. 부산 페리호운항 협의
8. 농업개발기금 3억 달러 도입
9. KAL기 격추 시 일한협력위를 통한 정보입수와 소련의 만행 폭로

10. 영친왕과 방자비의 복식을 포함해 272점의 이조왕실 문화재 반환
11. 일본 역사교과서 문제 해결을 위한 막후 지원
12. 2002년 월드컵 공동 개최 때 김포－하네다 간 직항로 개설 막후 교섭
13. 2003년 노무현 대통령 일본 국빈 방문 지원
14. 2004년 일본 조야의 한국 핵개발 의혹 불식
15. 「한일우정의 해 2005」 사업 지원
16. 한일중 공동 상용한자 표준화 추진사업 지원
17. 한일 FTA 체결 기반조성 지원
18. 한일 원로와 차세대 지도자 교류
19. 이명박 대통령 G8 정상회의 참석을 후쿠다 일본 총리에게 건의해 실현

**김포-하네다 직항로**

한국의 김포공항과 일본 도쿄 인근의 하네다(羽田)공항은 한국과 일본을 잇는 최적의 항공노선으로 서울과 도쿄에서 가까운 것이 큰 장점이다. 그러나 한국이 2001년 인천공항을 개항하면서 한일 간 정기 국제노선은 인천공항과 일본 지바현(千葉縣)의 나리타(成田)공항을 이용하게 됐고, 김포-하네다는 비정기 전세 노선으로 바뀌었다. 이후 김포-하네다의 정기노선 부활을 요구하는 목소리가 높았다. 2002년 한일 월드컵 공동개최에 따라 일시적으로 직항로를 재개한 이후 항공편을 늘려왔으며 현재는 정기노선으로 운영하고 있다.

한일협력위원회의 역대 회장은 다음과 같다.

| 회장 · 대행 | 이 름 | 직 책 | 재임기간 |
|---|---|---|---|
| 회장 | **백두진** | 전 국무총리 | 1969.2.12~1971.6.30 |
| | **정일권** | 전 국무총리 | 1971.7.1~1973.6.30 |
| | **백두진** | 전 국무총리 | 1973.7.1~1979.2.28 |
| | **정일권** | 전 국무총리 | 1979.3.1~1981.6.25 |
| 대행 | **김영선** | 전 재무장관 | 1981.6.26~1982.2.7 |
| 회장 | **남덕우** | 전 국무총리 | 1982.2.9~1983.12.11 |
| | **신현확** | 전 국무총리 | 1983.12.12~1986.1.28 |
| | **유창순** | 전 국무총리 | 1986.1.29~1989.3.24 |
| | **김정렬** | 전 국무총리 | 1989.3.25~1992.9.7 |
| | **신현확** | 전 국무총리 | 1993.4.9~2003.5.19 |
| | **남덕우** | 전 국무총리 | 2003.5.20~2013.5.18 |
| 대행 | **이승윤** | 전 경제부총리 | 2013.5.19~2014.12.31 |
| 회장 | **이승윤** | 전 경제부총리 | 2015.1.1~2020.3.13 |
| 대행 | **이대순** | 전 체신부장관 | 2020.3.14~ |

한일협력위원회의 고문은 김수한 전 국회의장, 김재철 전 한국무역협회 회장이 맡고 있다. 부회장은 구범모 전 국회의원, 김기병 ㈜롯데관광 회장, 이충구 유닉

**미즈사키 린타로 (水崎林太郎)**

일본 기후현 출신으로 조선에 온 개척 농민. 일제강점기인 1927년 대구에서 조선인들과 수리조합을 만들어 수성못을 건설해 농업용수를 확보했다. 죽으면 못이 내려다보이는 언덕에 조선식으로 묻어달라고 유언해 현재 못의 남쪽 언덕에 그의 무덤이 있다. 해마다 묘 앞에서 추모제를 연다. 그의 공적이 부풀려졌다며 추모제를 중단하라는 요구도 있다.

스전자 회장, 강흥구 계명대 초빙교수, 심정구 선광 명예회장, 이수홍 아제르바이잔 문화원장, 이연택 전 대한체육회장, 이유사 미즈사키 린타로 현창회 후원회장 등이다. 이밖에 정치 경제 사회 문화 등 각계 원로지도자 100여 명이 참여하고 있다.

일한협력위원회의 역대 회장은 다음과 같다.

| 대수 | 이 름 | 경 력 | 재임기간 |
|---|---|---|---|
| 초대 | **기시 노부스케(岸信介)** | 전 총리 | 1969.2~1987.6 |
| 2대 | **후쿠다 다케오(福田赳夫)** | 전 총리 | 1989.11~1995. 7 |
| 3대 | **나카소네 야스히로(中曾根康弘)** | 전 총리 | 1998.10~2013.11 |
| 4대 | **아소 다로(麻生太郎)** | 전 총리(현 부총리겸 재무대신) | 2014.11~ |

**한일협력위원회는 (03186) 서울특별시 종로구 새문안로 92 오피시아빌딩 18층에 있다.**

**전화 (02) 3276-3551**

# 3. 한일친선협회

KOREA-JAPAN

1975년 한일(일한)의원연맹을 설립한 이후 양국은 국회의원만이 아니라 민간인이 참여하는 '풀뿌리 민간 외교창구'가 필요하다는 지적에 따라 한일친선협회와 일한친선협회를 결성하기로 합의했다. 당시 일본 측은 이미 각 현(縣) 단위로 일한친선협회를 조직한 곳이 꽤 있었다. 1976년 일본은 일한친선협회중앙회를 설립하면서 전국적인 조직으로 키웠고, 중앙회는 현 단위 일한친선협회가 모인 연합회 형식으로 운영했다.
한국 측은 1977년 11월 한일의원연맹 주도로 한일친선협회중앙회를 설립하고, 각 시도에 지방친선협회 결성을 추진했다. 지방친선협회는 주로 각 시도의 상공회의소를 중심으로 구성했다. 한국의 중앙회와 지방협회도 관리와 재정은 독립적으로 운영하면서 연합회 형식으로 협조하고 있다. 중앙회는 1986년 7월 외교부로부터 사단법인설립 허가(제188호)를 받았다.

친선협회의 주요사업은 ▷일본 측 중앙회 및 지방친선협회와 교류 ▷재일동포 지원 ▷강연과 간담회 ▷청소년교류 ▷스포츠 · 음악 · 연극 · 무용 등 문화교류 등이다.
친선협회가 1993년부터 2019년까지 26년간 접견한 일본 측 중앙회와 지방친선협회 방한단(국회의원, 지사, 시장, 지방의회의원 포함)은 총 835회, 3만 4,360명이다(연평균 32회, 1322명).
재일동포 지원은 일본의 중앙친선협회와 각 지방친선협회 조직의 중추적 역할을 맡고 있는 재일본대한민국민단 중앙본부와 지방본부의 행사에 참여하는 것이다.
한일관계의 중요성과 역사 인식을 강조하는 강연과 간담회도 그동안 250여 차례 개최했다.
청소년교류사업은 중고생과 대학생 약 20명을 선발해 격년으로 상대국에 보내 홈스테이 등을 경험하게 하는 것이다. 1987년부터 2019년까지 32년간 45회(방일 31회, 방한 14회)의 교류 행사를 치렀으며 참가한 학생은 845명이다.
스포츠 · 음악 · 연극 · 무용 등 문화교류 사업은 1993년 대전EXPO와 2005년 '한국 방문의 해'에 일본 방한단 유치, 같은 대전EXPO에 일본 미야자키현(宮崎縣) 난고

손(南郷村) 백제왕족 신위(神位) 귀국, 2004년 '오스모(大相撲) 한국공연'(서울, 부산), 2005년부터 '한일 축제한마당' 행사(서울, 도쿄)와 2008년부터 조선통신사 재현 행사를 매년 지원하고 있다. 1996년에 데라우치 마사다케 문고(寺内正毅文庫)를 국내에 들여올 때도 협력했다.

**데라우치 마사타케(寺内正毅) 문고**

초대 조선 총독이었던 데라우치 마사타케(1852~1919)는 방대한 양의 한중일 고서를 모았는데, 이를 데라우치 문고라고 한다. 야마구치여대(나중에 야마구치현립대)가 1957년 문고 일체를 넘겨받았고, 한국 고서 중 일부인 조선 시대 간찰, 그림, 탁본 등 98종 135책 1959점을 1996년 자매대학인 경남대에 무상 기증했다. 경상남도는 이를 일괄해서 경상남도 유형 문화재 제509호로 지정했다.

양국 친선협회는 모두 지방조직을 두고 있으나 한국보다는 일본이 더 많다. 한국은 2020년 4월 현재 인천, 충북, 대전, 충남, 대구, 울산, 부산, 경남, 제주 등 9개 지방협회(회원 505명)가 있으나 서울, 경기, 강원, 경북, 광주, 전남, 전북 협회는 없다.

일본은 47개 도도부현 중 시즈오카(静岡), 야마나시(山梨), 기후(岐阜), 시가(滋賀), 에히메(愛媛), 가가와(香川), 도쿠시마(徳島) 등 8개 현을 제외하고 41개 지역에 모두 지방협회가 있다(도쿄에는 도쿄도협회와 별도로 니시도쿄(西東京)협회가 있지만 니시도쿄협회는 중앙회에는 가입하지 않고 있다).

2019년 한국친선협회중앙회에 일본에서 18개 단체 432명이 내방했다. 중의원과 참의원 7명, 지사 1명, 현(縣)의원 등 지방의원 13명, 경제단체장과 상공인 180명, 공무원 3명, 기타 228명이다. 주요 내방객으로는 미야자키(宮崎縣) 친선협회 청년부 미네야마 도시나리(峰山和成) 회장, 재일본대한민국부인회 박선악 회장, 아이치현(愛知縣) 일한친선협회 사이토 미노루(斎藤実) 회장, 미야자키(宮崎縣) 일한친선협회 메라 미쓰노리(米良充典) 회장, 일한문화교류기금 오노 마사아키(小野正昭) 이사장, 니시도쿄(西東京) 일한친선협회연합회 이토 이사오(伊藤勳) 최고고문, 하야시 모토오(林幹雄) 전 경제산업대신 일행 등이다.

2019년의 국내외활동을 정리하면 다음과 같다.

### 국내 활동

| 행사명 | 일시와 장소 | 참석자 |
|---|---|---|
| **재일한국인본국투자협회 초청 만찬회(축사)** | 3월 26일<br>서울<br>로얄호텔 | 유흥수 한일친선협회중앙회장, 배태수 상근부회장, 옥경근 사무국장, 민단중앙본부 여건이 단장, 박안순 의장, 양동일 감찰위원장, 조용병 신한금융지주 회장, 진옥동 신한은행장, 김화남 재일한국인본국투자협회장 등 150명 |
| **남관표 신임 주일대사 초청 간담회** | 4월 23일<br>서울 | 유흥수 회장 등 임원 12명 |

| | | |
|---|---|---|
| **부산한일친선협회 창립 39주년 기념 리셉션(축사)** | 6월 13일<br>부산 코모도 호텔 | 유흥수 회장, 유재중 부회장(국회의원), 김세연 부회장(국회의원), 미치가미 히사시(道上尙史) 주부산 일본 총영사, 겐나지 랴브코프 주 부산 러시아 총영사, 더니지침보 빔바더르지 주부산 몽골 총영사, 오사 노부히로(長信宏) 주 부산 일본인학교장, 쓰다 히로후미 재부산 일본인회 회장, 이종규 부산협회 명예회장, 박홍규 부산협회장, 최상결 경남협회장, 이종완 울산협회 상임부회장, 강영호 창원협회장 등 250여 명 |
| **나가미네 야스마사(長嶺安政) 주한 일본대사 초청 오찬 간담회** | 6월 17일<br>서울<br>일본대사관저 | 유흥수 회장, 김태환 이사장, 이대순 오제세 김석기 김일주 심윤조 양인집 배태수 부회장, 박상규 이사, 옥경근 사무국장, 오응준 대전협회장, 최상결 경상남도협회장, 박홍규 부산협회장, 이종완 울산협회 상임부회장, 강영호 창원협회장, 김형균 충북협회 사무처장, 최태연 충남협회 사무국장, 주한일본대사관 마루야마 고헤이(丸山浩平) 총무공사, 시노하라 히로아키(篠原弘明) 정무참사관, 우에노 유다이(上野裕大) 경제참사관, 후지사와 기이치(藤澤葵一) 서기관 |
| **'기업에서 바라본 한일 관계' 토론회** | 6월 26일<br>서울프레스센터 | 한국경영자총협회, 한일경제협회 공동 주최, 발제 서석숭 한일경제협회 상근부회장, 참석 유흥수 회장, 손경식 한국경영자총협회장, 김윤 한일경제협회장 등 한일 양국 기업인과 경제단체 관계자 100여 명 |
| **길정본(吉正本) 작가의 '천대운(天大運)' 나전공예 전시회** | 6월 28일<br>계룡산자연사박물관내(內)<br>길정본<br>나전공예관 | 가와무라 다케오(河村建夫) 일한친선협회중앙회장, 배태수 한일친선협회중앙회 상근부회장, 오응준 대전시한일친선협회장 등 |
| **양인집 부회장 강연** | 7월 16일<br>대전롯데시티호텔 | **'일본 시장의 이해와 한일관계'**, 한국무역협회 대전 · 세종 · 충남 지역 CEO 130여 명 |
| | 9월 28일<br>서울상명아트센터 | **'한일 미래를 위한 다면적 사고'**, 상명대 공연예술경영학과 박사과정 40여 명 |
| **배태수 상근부회장 강연** | 8월 1일<br>서울올림픽파크텔 | **'한일관계와 차세대의 역할, 그리고 기대'**, 2019 재일동포 차세대 서머스쿨 고교생 참가자 58명. (민단은 재일동포 자녀들의 모국방문을 통해 차세대의 민족적 아이덴티티를 확립하기 위해 매년 '재일동포 차세대 서머스쿨'을 개최하고 있다. 2019년은 중학생 102명, 고교생 58명 참가) |
| | 12월 8일<br>서울 로얄호텔 | **'한일관계와 재일동포의 역할'**, 민단 히로시마(広島)지방본부 간부 30여 명 |
| **'한일축제한마당' 2019 in Seoul 개막식** | 9월 1일<br>서울 코엑스 D홀(3층) | 테마 **축제 15년 새로운 내일로(おまつり 15年 新たな明日へ)**<br>한일친선협회 측 유흥수 회장, 김태환 이사장, 이대순 · 김광림 · 김석기 · 심윤조 · 이준규 · 배태수 부회장, 옥경근 사무 |

| | | |
|---|---|---|
| | | 국장<br>일한친선협회 측 가와무라 다케오(河村建夫) 회장, 다케다 료타(武田良太) 상임간사(중의원), 미야우치 히데키(宮内秀樹) 중의원, 이시이 가즈미(石井和美) 이사장. (일한교류축제 2019 in Tokyo는 2019년 9월 28(토), 29일(일) 도쿄 히비야공원에서 개최). |
| **'한일축제한마당' 개막식 참석차 방한한 가와무라 다케오(河村建夫) 일한친선협회중앙회 회장 일행과 만찬 간담회** | 9월 1일<br>서울 | 가와무라 다케오 회장, 나가미네 야스마사(長嶺安政) 주한일본대사, 다케다 료타(武田良太) 일본중앙회 상임 이사(중의원), 미야우치 히데키(宮内秀樹) 중의원, 이시이 가즈미(石井和美) 이사장, 유흥수 회장, 김태환 이사장, 심윤조·이준규·배태수 부회장, 옥경근 사무국장 등 |
| **이낙연 총리 오찬 간담회** | 9월 2일<br>서울 삼청동 총리공관 | 유흥수 회장, 가와무라 다케오 회장 |
| **제35회 일한문화교류기금 한국방문단(제20회 일한문화기금상 시상식) 환영 만찬회** | 9월 17일<br>서울 | 사메지마 후미오(鮫島章男) 일한문화교류기금회장, 오노 마사아키(小野正昭) 이사장, 도쓰카 신야(戸塚進也) 고문, 우치다 도미오(内田富夫) 고문 등, 이홍구 한일문화교류기금 회장, 이상우 한일문화교류기금 이사장, 유흥수 한일친선협회중앙회 회장 등 |
| **미야자키현(宮崎縣) 고노 슌지(河野俊嗣) 지사 일행 오찬 간담회** | 10월 24일<br>서울 | 고노 슌지 지사, 메라 미쓰노리(米良充典) 미야자키현 일한친선협회 회장 등 10명, 유흥수 회장, 심윤조·이준규·배태수·황종길 부회장, 김현명 감사, 박상규 이사 등 |
| **동서대 일본연구센터 〈東西사랑방〉 주최 나가미네 야스마사(長嶺安政) 주한 일본대사 초청 강연회** | 10월 29일<br>서울 가든호텔 | 김태환 이사장, 이대순 부회장, 공로명 전 외무부 장관, 유명환 전 외교통상부 장관, 최서면 국제한국연구원장, 이요식 한일여성친선협회장, 정구종 한일문화교류회의 위원장, 이상우 한일문화교류기금 이사장, 윤덕민 전 국립외교원장, 서울 일본인기자회 등 100여 명 |
| **나가미네 야스마사 주한 일본대사 이임 환송회** | 11월 7일<br>서울 | 나가미네 야스마사 대사, 미바에 다이스케(実生泰介) 정무공사, 유흥수 회장, 김태환 이사장, 오제세·김광림·김세연·유재중·김석기·이대순·김일주·심윤조·배태수 부회장, 김현명 감사 |
| **제14대 심수관 선생 추모회(한일협력위원회 주최)** | 11월 18일<br>서울 프레지던트호텔 | 제15대 심수관 등 제14대 심수관 유족, 이대순 한일친선협회중앙회 부회장, 나가미네 야스마사 주한 일본대사, 이요식 한일여성친선협회장, 이상우 한일문화교류기금 이사장, 정구종 한일문화교류회의 위원장 등 |

## 방일 활동

| 행사명 | 일시와 장소 | 참석자 |
|---|---|---|
| **민단중앙본부 신년회** | 1월 10~12일<br>도쿄 | 유흥수 회장 대행, 이대순 · 김광림 · 김석기 · 배태수 · 황종길 부회장, 박상규 이사. 민단중앙본부 신년회에 참석해서 축사. 니카이 도시히로(二階俊博) 자민당 간사장, 야치 쇼타로(谷内正太郎) 국가안전보장국(NSC) 국장, 모리 요시로(森喜朗) 전 총리 등과 면담 |
| **일한친선협회중앙회 신년회** | 1월 28~30<br>도쿄 | 김태환 이사장, 심윤조 · 양인집 · 황종길 부회장, 박상규 이사 |
| **일한친선협회중앙회 연차총회** | 5월 26~26일<br>도쿄 | 유흥수 회장, 배태수 · 양인집 부회장, 사사키 미키오(佐々木幹夫) 일한경제협회장, 가와무라 다케오(河村建夫) 일한친선협회중앙회장, 민단 중앙 간부들과도 면담 |
| **제45차 하계 한일청소년 교류<br>(우리 측 방일)** | 7월 29~<br>8월 2일<br>도쿄,<br>도치기현<br>(栃木縣) | 경북 구미의 오상고교 1학년 김하빈 군 등 고교생과 대학생 20명, 인솔자 1명. 도쿄에서 오다이바(お台場), 국회의사당, 주일한국대사관, 왕인박사 묘비, 에도도쿄(江戶東京) 박물관, 민단중앙본부, 재일한인역사자료관, 도쿄디즈니씨(Sea) 등을 방문하고 꽃꽂이(셋슈류) 체험. 도치기현으로 이동해 삭신(作新)학원고교에서 학생교류회를 열고, 조선통신사 기념비, 세계문화유산 닛코 도쇼구(日光 東照宮)를 방문하고 평가회 개최. |
| **한일 전현직 국회의원 세미나** | 8월 20일<br>도쿄 중의원<br>제1회관<br>국제회의실 | 주제 '**가까운 이웃나라 공존 · 공영하는 한일 양국**', 유경현 대한민국헌정회 회장, 정대철 전 민주당 대표, 이대순 · 김일주 한일친선협회중앙회 부회장 등 20여 명. 에토 세이시로(衛藤征士郎) 자민당 외교조사회장, 하야시 요시마사(林芳正) 전 문부과학상, 시모무라 하쿠분(下村博文) 자민당 헌법개정추진본부장 등 20여 명. |
| **재일본대한민국부인회 창립 70주년 기념식** | 10월 9~11일<br>도쿄 | 유흥수 회장, 이준규 부회장. 여건이 민단중앙본부 단장, 남관표 주일 대사. 가와무라 다케오(河村建夫) 일한친선협회중앙회장 예방 |
| **'길정본(吉正本) 나전전시관' 도치기현 개관식 기념행사** | 11월 18~20일<br>도치기현 | 배태수 상근부회장, 도치기현(栃木縣) 일한친선협회가 후원하는 '길정본 나전(螺鈿)전시관 개관식'에 참석하고 이시이 가즈미(石井和美)일한친선협회중앙회 이사장과 업무협의 |

**일본 NSC(National Security Council)**

일본은 2013년 11월 27일 참의원 본회의에서 일본판 국가안전보장회의(NSC) 설치법을 찬성 213, 반대 18로 통과시켰다. 이에 따라 2013년 12월 '국가안전보장회의(NSC)'가 발족했다. 일본의 NSC는 총리를 중심으로 외교 · 안보 분야의 중장기 국가전략수립과 외교 · 안보 · 테러 · 치안 등과 관련한 위기관리 및 정보 수집 등을 총괄적으로 담당한다. 이 조직은 미국 NSC를 모델로 했으며 출범 직후에는 새로운 국가안전보장 전략, 방위계획대강, 중기방위력 정비계획 등 3종의 문서를 채택해 새로운 안보정책 수립을 시도하고 있다. (전권천, 일본의 국가안전보장회의(NSC) 강화와 한국에 대한 시사점. 2014.)

**도쇼구(東照宮)**

일본 도치기현 닛코(日光)에 있는 신사로, 일본을 통일하고 에도막부를 연 도쿠가와 이에야스(德川家康)의 사당이다. 원래는 크지 않은 신사였으나, 에도막부의 3대 장군이자 이에야스의 손자인 도쿠가와 이에미쓰(德川家光)가 조부를 기리기 위해 전면적으로 개수했다. 일본 천태종의 본산인 린노사(輪王寺)와 함께 닛코를 대표하는 유적으로 유네스코 세계문화유산이다. 일본의 전통적인 신사건축과 사찰건축을 혼합한 독특한 양식의 건축물로 모모야마(桃山) 문화를 대표한다. 신사 내에 있는 '보지 않고, 말하지 않고, 듣지 않는다'는 3마리 원숭이 조각상이 유명하다. (두산백과) 1600년대 일본을 방문했던 4, 5, 6차 조선통신사 일행은 일본 측의 요청으로 에도에서 다시 도쇼구까지 가서 참배했다.

한일친선협회중앙회 회장단은 다음과 같다(2021년 2월 현재).

| 직 위 | 성 명 | 현 직 | 전 직 |
|---|---|---|---|
| 명예회장 | **김수한** | | 전 국회의장 |
| 상임고문 | **손경식** | 한국경영자총협회 회장 | CJ그룹 회장 |
| | **최종태** | 재일한국상공회의소 명예회장 | |
| 회장 | **유흥수** | | 전 주일 대사, 전 국회의원 |
| 이사장 | **김태환** | 오상교육재단 이사장 | 전 한일의원연맹 회장대행, 전 국회의원 |
| 부회장 | **김광림** | 퇴계학연구원 이사장 | 전 국회의원 |
| | **김석기** | 한일의원연맹 간사장 | |
| | **김세연** | | 전 국회의원 |
| | **김일주** | 한국지도자아카데미 이사장 | 전 국회의원 |
| | **심윤조** | 국민대 정치대학원 교수 | 전 국회의원 |
| | **양인집** | ONYCOM 대표 | 전 주일한국기업연합회 회장 |
| | **오제세** | 대한노인회 선임이사 | 전 국회의원 |
| | **유재중** | | 전 국회의원 |
| | **이대순** | 한일협력위원회 회장 | 전 국회의원, 전 체신부 장관 |
| | **이준규** | 외교협회장, 인도포럼회장 | 전 주일대사 |
| | **황종길** | 재일한국상공회의소 전무 | |
| | **구 철** | | 전 재일본한국인연합회 회장 |
| 상근부회장 | **배태수** | | 전 후쿠오카 총영사, 니가타 총영사 |
| 감사 | **김현명** | | 전 이라크 대사, 전 LA 총영사 |
| 이사 | **박상규** | 대성ELTEC 대표 | |

한일친선협회중앙회 역대 회장 및 이사장은 다음과 같다.

| 회 장 | 재임기간 | 이사장 | 재임기간 |
|---|---|---|---|
| **김종필**(전 국무총리) | 77.11.22~80.6.20 | **이병희** | 77.11.22~80.7.4 |
| | | **장승태** | 80.11.22~81.4.9 |
| **이재형**(전 국회의장) | 81.11.1~92.1.30 | **김윤환** | 81.4.10~82.2.2 |
| | | **이상익** | 82.2.3~85.4.7 |
| | | **김숙현** | 85.4.8~92.7.13 |
| **김재순**(전 국회의장) | 92.7.14~93.4.22 | **이원조** | 92.7.14~93.4.22 |
| **김수한**(전 국회의장) | 93.4.23~<br>2019.3.19 | **정석모** | 93.4.23~95.4.27 |
| | | **최운지** | 95.4.28~95.12.12 |
| | | **송두호** | 95.12.13~2002.5.21 |
| | | **강성모** | 2002.5.22~08.12.8 |
| | | **유흥수** | 08.12.9~14.7.31 |
| | | **김재호** | 15.4.14~17.3.24 |
| **유흥수**(전 주일대사) | 2019.3.20~현재 | **김태환** | 17.3.25~현재 |

일한친선협회중앙회 회장단은 다음과 같다(2021년 2월 현재).

| 직 위 | 이 름 | 현 직 |
|---|---|---|
| 회장 | **가와무라 다케오(河村建夫)** | 중의원의원(10선, 야마구치) 전 관방장관, 문부대신 |
| 명예고문 | **누카가 후쿠시로(額賀福志郎)** | 중의원의원(12선, 이바라기) 일한의원연맹 회장 |
| | **여건이** | 민단중앙본부 단장 |
| | **한창우** | 마루한 회장 |
| 이사장 | **이시이 가즈미(石井和美)** | 동아종합개발 대표 |
| 부회장 | **홍채식** | 재일한국상공회의소 상임고문 |
| | **사토 후미오(齋藤文夫)** | 가나가와협회장 |
| | **다나카 고지(田中浩二)** | 후쿠오카협회장 |
| | **다카다 마코토(高田眞)** | 도야마협회장 |

| | | |
|---|---|---|
| 부회장 | **호사카 산조(保坂三藏)** | 도쿄협회장 |
| | **나카가와 가즈오(中川和雄)** | 오사카협회장 |
| | **임태수** | 민단중앙본부 부단장 |

일한친선협회중앙회 역대 회장은 다음과 같다.

| 이 름 | 경 력 | 재임기간 |
|---|---|---|
| **시이나 에쓰사부로(椎名悅三郎)** | 전 외상 | 1976.5~1979.9 |
| **마치무라 긴고(町村金五)** | 전 자치대신 | 1979.10~1984.5 |
| **다나카 다쓰오(田中龍夫)** | 전 문부대신 | 1984.5~1997.6 |
| **미쓰즈카 히로시(三塚博)** | 전 대장대신 | 1997.6~2004.5 |
| **사이토 쥬로(齋藤十朗)** | 전 참의원의장 | 2004.5~2009.5 |
| **오치 미치오(越智通雄)** | 전 경제기획청장관 | 2009.6~2015.5 |
| **가와무라 다케오(河村建夫)** | 전 관방장관 | 2015.5~ |

한일친선협회중앙회는 (07238) 서울특별시 영등포구 국회대로70길 7(동아빌딩)에 있다. 전화 (02) 784-6500.

# 4. 한일여성친선협회

KOREA-JAPAN

한일여성친선협회(Korea Japan Women's Association)는 2021년에 창립 44주년을 맞은 사단법인이다.

1976년 8월 24일부터 31일까지 한국에서 열린 제7차 아시아지역국제여성대회(FAWA)가 협회를 만드는 계기가 됐다. 당시는 역사교과서문제로 양국 여성단체 사이에는 교류가 없었다. 이런 상황에서 이요식 한국여성단체협의회 사무처장의 제의로 대회 기간 중인 8월 28일 이숙종 대회장(당시 국회의원), 박정자 여성문제연구회장(당시 국회의원)이 일본 대표 소마 유키카(相馬雪香) 아시아여성복지연합회장을 만나 양국의 관계개선에 여성의 역할이 필요하다고 의견을 모으면서 협회 창립으로 이어졌다.

양국의 여성단체 관계자는 이듬해인 1977년 7월에는 도쿄에서, 11월에는 서울에서 예비모임을 갖고 협회 창립을 추진했다. 도쿄 예비모임의 단장은 박정자 회장이었고, 여성문제연구회 이사 10여 명이 참가했다. 박 회장은 평소 한일의원연맹에 참가하면서 한일 여성의 적극적인 교류를 주장해 왔다.

일본 측은 1978년 5월에, 한국 측은 10월에 창립총회를 갖고 협회를 발족했다. 한국의 창립총회에는 박정자 회장, 김인규, 김혜영, 윤근향, 윤용숙, 이복련 여성문제연구회 이사, 박용경 진명여고 교장, 안정애 대한적십자사 봉사부장, 황산성 변호사, 이숙종 아시아지역국제여성대회 준비위원장, 김영의, 이철경 준비위원회 부회장, 전산초 간호협회장, 홍숙자 새여성회장, 양순담 새여성문화생활회장, 이연숙 국제존타클럽 이사, 이요식 여성단체협의회 사무처장 등 발기인이 모여 박정자 회장을 초대 한일여성친선협회 회장으로 선임하고, 발기인 전원을 이사로 선출했다(일본은 소마 유키카 씨가 초대 일한여성친선협회 회장이 됐다).

한일여성친선협회는 현재 서울에서 300여 명의 회원이 활동 중이고, 나중에 충주(2008년 11월), 대구(2010년 5월), 전북지부(2012년 6월)가 생겼다. 각 지부의 회원은 100여 명 정도이다.

여성친선협회의 사업 중 특기할 만한 것은 양국 초등학교와 유치원 어린이들의 그림과 글을 전시하는 작품교류회다. 국제연합(UN)이 협회 창립 이듬해인 1979년을 '세계 아동의 해'로 선포한 것을 계기로 작품교류회를 시작해 2019년 40회를 맞았다. 어린이들에게 그림과 글의 주제를 주고 작품을 모아 심사를 통해 전시작품을 선정한다. 이 전시회는 문구회사 '주식회사 모나미'(회장 송하경)가 20년 가까이 후원하고 있다. 1998년부터는 전시장 현장에서도 그림그리기 행사를 갖고 일본 공보문화원 원장상을 시상하고 있으며, 2004년부터는 일본 나리타시(成田市)가 주최하는 국제어린이회화전에도 참가하고 있다.

다음은 '한일아동작품교류전시회' 실적이다(괄호 안 숫자는 입상작품 수이다).

**한일아동작품교류전시회 세부 내용**

| 회차 | 전시기간 | 그림과 작문 주제 | 전시작품 수 | | | | 전시장소 |
|---|---|---|---|---|---|---|---|
| | | | 한국 | | 일본 | | |
| | | | 그림 | 작문 | 그림 | 작문 | |
| 1 | 79.10.22~25 | 나의 가족 | 50 | 20 | 27 | 18 | 서울미동초등학교 |
| 2 | 81.3.16~25 | 나의 친구 | 23 | 19 | 19 | 13 | 국립여성복지원 |
| 3 | 82.4.25~28 | 내가 어른이 되면 | 90 | 28 | 39 | 24 | 시청지하도 전시장 |
| 4 | 83.7.18~20 | 나의 어머니 | 76 | 24 | 35 | 13 | 종로3가 지하철역 전시장 |
| 5 | 84.11.28~30 | 우주 | 54 | 20 | 59 | 37 | 주한 일본대사관 공보문화원 |
| 6 | 85.11.11~13 | 올림픽 | 84 | 16 | 100 | 35 | 〃 |
| 7 | 87.4.14~16 | 나의 아버지 | 47 | 28 | 47 | 14 | 지하철 충무로역 |
| 8 | 88.2.5~8 | 정월 | 67 | 26 | 56 | 9 | 〃 |
| 9 | 89.1.18~21 | 올림픽 | 44 | 11 | 60 | 17 | 〃 |
| 10 | 89.10.27~29 | 어른이 된다면(되면) | 75 | 25 | 80 | 29 | 주한 일본대사관 공보문화원 |
| 11 | 90.12.18~22 | 내가 좋아하는 것(일) | 81 | 19 | 75 | 25 | 시립 남산도서관 전시실 |
| 12 | 91.12.12~15 | 꿈 | 60 | 18 | 80 | 13 | 〃 |
| 13 | 92.12.22~26 | 회망 | 78 | 31 | 79 | 24 | 〃 |
| 14 | 93.7.12~15 | 내가 좋아하는 것(일) | 59 | 33 | 54 | 11 | 〃 |
| 15 | 94.8.2~7 | 우리집 근처 | 102 | 36 | 87 | 36 | 〃 |
| 16 | 95.8.16~21 | 나의 아버지 | 111 | 27 | 87 | 28 | 〃 |
| 17 | 96.8.20~23 | 내가 제일 좋아하는 동물 | 37 | 34 | 69 | 14 | 주한 일본대사관 공보문화원 |
| 18 | 97.8.21~28 | 2002 월드컵 | 100 | 25 | 127 | 40 | 〃 |

<table>
<tr><th rowspan="3">회수</th><th rowspan="3">전시기간</th><th rowspan="3">그림과 작문 주제</th><th colspan="4">전시작품수</th><th rowspan="3">전시장소</th></tr>
<tr><th colspan="2">한국</th><th colspan="2">일본</th></tr>
<tr><th>그림</th><th>작문</th><th>그림</th><th>작문</th></tr>
<tr><td rowspan="2">19</td><td rowspan="2">98.8.10~15</td><td rowspan="2">내가 즐겨 하는 것(일)</td><td>1097<br>(262)</td><td>25</td><td>250</td><td>15</td><td>주한 일본대사관 공보문화원</td></tr>
<tr><td>110</td><td></td><td></td><td></td><td>현장그림그리기</td></tr>
<tr><td rowspan="2">20</td><td rowspan="2">99.8.10~15</td><td rowspan="2">나의 할아버지와 할머니(노인에 대하여)</td><td>720<br>(220)</td><td>17</td><td>157</td><td>33</td><td>주한 일본대사관 공보문화원</td></tr>
<tr><td>120</td><td></td><td></td><td></td><td>현장그림그리기</td></tr>
<tr><td rowspan="2">21</td><td rowspan="2">2000.8.22~25</td><td rowspan="2">환경에 대하여</td><td>913<br>(402)</td><td>22</td><td>107</td><td>23</td><td>주한 일본대사관 공보문화원</td></tr>
<tr><td>213</td><td></td><td></td><td></td><td>현장그림그리기</td></tr>
<tr><td rowspan="2">22</td><td rowspan="2">2001.8.20~24</td><td rowspan="2">올림픽 자원봉사에 대하여</td><td>1100<br>(372)</td><td>21</td><td>145</td><td>24</td><td>주한 일본대사관 공보문화원</td></tr>
<tr><td>220</td><td></td><td></td><td></td><td>현장그림그리기</td></tr>
<tr><td rowspan="2">23</td><td rowspan="2">2002.8.19~23</td><td rowspan="2">어머니, 아버지(부모에 대하여)</td><td>1201<br>(362)</td><td>16</td><td>106</td><td>16</td><td>주한 일본대사관 공보문화원</td></tr>
<tr><td>196</td><td></td><td></td><td></td><td>현장그림그리기</td></tr>
<tr><td rowspan="2">24</td><td rowspan="2">2003.8.4~8</td><td rowspan="2">우주에 대하여</td><td>752<br>(357)</td><td>37</td><td>94</td><td>15</td><td>주한 일본대사관 공보문화원<br>(찬조출품 54점)</td></tr>
<tr><td>157</td><td></td><td></td><td></td><td>현장그림그리기</td></tr>
<tr><td rowspan="3">25</td><td rowspan="2">2004.8.16~20</td><td rowspan="3">컴퓨터에 대하여</td><td>1050<br>(315)</td><td>31</td><td>63</td><td>12</td><td>주한 일본대사관 공보문화원</td></tr>
<tr><td>157</td><td></td><td></td><td></td><td>현장그림그리기</td></tr>
<tr><td>2004.10.30.<br>~11.23</td><td>60</td><td></td><td></td><td></td><td>일본 나리타시 주최<br>제7회 국제어린이회화전 출품</td></tr>
<tr><td rowspan="3">26</td><td>2005.8.16~19</td><td rowspan="3">2005 한일 우정의 해, 이웃나라 친구</td><td>800<br>(303)</td><td>7</td><td>103</td><td>27</td><td>주한 일본대사관 공보문화원</td></tr>
<tr><td rowspan="2">2005.10.31.<br>~11.30</td><td>136<br>(85)</td><td></td><td></td><td></td><td>현장그림그리기</td></tr>
<tr><td>30</td><td></td><td></td><td></td><td>일본 나리타시 주최<br>제8회 국제어린이회화전 출품</td></tr>
</table>

| 회수 | 전시기간 | 그림과 작문 주제 | 전시작품수 | | | | 전시장소 |
|---|---|---|---|---|---|---|---|
| | | | 한국 | | 일본 | | |
| | | | 그림 | 작문 | 그림 | 작문 | |
| 27 | 2006.8.16~22 | **강아지** | 1066 (283) | 60(15) | 87 | 21 | 주한 일본대사관 공보문화원 |
| | | | 126 (94) | | | | 현장그림그리기 |
| | 2006.10.31 | | 37 | | | | 일본 나리타시 주최 제9회 국제어린이회화전 출품 |
| 28 | 2007.8.13~21 | **색에 대하여, 내가 좋아하는 색** | 1060 (309) | 66 | 113 | 4 | 주한 일본대사관 공보문화 |
| | | | 127 | | | | 현장그림그리기 |
| | 2007.11.2 | | 31 | | | | 일본 나리타시 주최 제10회 국제어린이회화전 출품 |
| 29 | 2008.8.13~22 | **스포츠** | 950 (312) | 86 | 108 | 2 | 주한 일본대사관 공보문화원 |
| | | | 125 (68) | | | | 현장그림그리기 |
| | 2008.11.2 | | 37 | | | | 일본 나리타시 주최 제11회 국제어린이회화전 출품 |
| 30 | 2009.8.13~21 | **친구** | 1060 (320) | 105 | 106 | 0 | 주한 일본대사관 공보문화원 |
| | | | 89(65) | | | | 현장그림그리기 |
| | 2009.11.2 | | 32 | | | | 일본 나리타시 주최 제12회 국제어린이회화전 출품 |
| 31 | 2010.8.12~20 | **물** | 1120 (360) | 85(23) | 220 | 0 | 주한 일본대사관 공보문화원 |
| | | | 86(75) | | | | 현장그림그리기 |
| | 2010.10.30 | | 41 | | | | 일본 나리타시 주최 제13회 국제어린이회화전 출품 |

| 회수 | 전시기간 | 그림과 작문 주제 | 전시작품수 | | | | 전시장소 |
|---|---|---|---|---|---|---|---|
| | | | 한국 | | 일본 | | |
| | | | 그림 | 작문 | 그림 | 작문 | |
| 32 | 2011.8.11~19 | **생명, 물** | 893 (332) | 120 | 252 | 0 | 주한 일본대사관 공보문화원 |
| 33 | 2012.8.13~21 | **환경과 원자력** | 1338 (366) | 144 (44) | 218 | 0 | 주한 일본대사관 공보문화원 |
| | | | 36(36) | | | | 현장그림그리기 |
| | | | 35 | | | | 일본 나리타시 주최 국제어린이회화전 출품 |
| 34 | 2013.8-12~20 | **가족** | 1248 (363) | 38(38) | 165 | 3 | 주한 일본대사관 공보문화원 |
| | | | 43(42) | | | | 현장그림그리기 |
| | | | 30(2) | | | | 일본 나리타시 주최 국제어린이회화전 출품 |
| 35 | 2014.8.13~21 | **자원봉사** | 821 (352) | 13(13) | 116 | 0 | 주한 일본대사관 공보문화원 |
| | | | 34(33) | | | | 현장그림그리기 |
| | | | 30(2) | | | | 일본 나리타시 주최 국제어린이회화전 출품 |
| 36 | 2015.8.12~20 | **내가 좋아하는 자연, 내가 좋아하는 동물** | 920 (357) | 47(47) | 8(서울일본인학교) | 0 | 주한 일본대사관 공보문화원 |
| | | | 35(35) | | | | 현장그림그리기 |
| | 2015.11.1 | | 53(2) | | | | 일본 나리타시 주최 국제어린이회화전 출품 |
| 37 | 2016.8.16~23 | **내가 어른이 되면** | 1500 (398) | 146 (46) | 160+10 | 0 | 주한 일본대사관 공보문화원 |
| | | | 28(28) | | | | 현장그림그리기 |
| | 2016.11.1 | **우정** | 28(3) | | | | 일본 나리타시 주최 국제어린이회화전 출품 |

| 회수 | 전시기간 | 그림과 작문 주제 | 전시작품수 | | | | 전시장소 |
|---|---|---|---|---|---|---|---|
| | | | 한국 | | 일본 | | |
| | | | 그림 | 작문 | 그림 | 작문 | |
| 38 | 2017.8.11~18 | **올림픽에 대하여** | 1300 (344) | 51(27) | 101+ 10 | | 주한 일본대사관 공보문화원 |
| | | | 13(13) | | | | 현장그림그리기 |
| | 2017.11.1 | **음식** | 30 | | | | 일본 나리타시 주최 국제어린이회화전 출품 |
| 39 | 2018.8.10~17 | **내가 어른이 되면** | 1008 (389) | 42(17) | 54+16 +50 | 0 | 주한 일본대사관 공보문화원 |
| | | | 13(13) | | | | 현장그림그리기 |
| | 2018.11,1 | **축제** | 23(3) | | | | 일본 나리타시 주최 국제어린이회화전 출품 |
| 40 | 2019.8.12~14 | **지금의 나** | 670 (340) | 20(20) | 64+52 +28 | | 주한 일본대사관 공보문화원 |
| | | | 6(6) | | | | 현장그림그리기 |
| | 2019.11.1 | **스포츠** | 21(4) | | | | 일본 나리타시 주최 국제어린이회화전 출품 |

여성친선협회는 청년과 대학생 교류사업도 꾸준히 실시하고 있다. 1984년 한일대학생교류(KJSE: Korea Japan Student Exchange)와 일한대학생교류(JKSE: Japan Korea Student Exchange)사업을 시작했다. 이 프로그램에는 토론회, 유적지 답사, 전통문화 체험, 대학교방문, 합숙과 민박 등이 들어있다. 1993년 10월 서울에서는 이 프로그램(1~30회)에 참가했던 사회인들이 OB클럽을 결성했고, 도쿄에서도 1994년 같은 모임을 만들었다.

다음은 청년 · 대학생 교류프로그램 실적이다.

## 한일여성친선협회 청년 · 대학생 교류 내용

| 회차 | 장소 | 기 간 | 주 제 | 참가자 | |
|---|---|---|---|---|---|
| | | | | 한국 | 일본 |
| 1 | 한국 | 84.3.14~17 | 코스모폴리탄의 사명과 역할 | 19 | 16 |
| 2 | 한국 | 8610.1~6 | 21세기를 위한 한일 청년들의 역할 | 20 | 10 |
| 3 | 일본 | 87.7.2~29 | 저널리즘 | 8 | 15 |
| 4 | 한국 | 88.3.9~15 | 청년교류의 의의와 방향 | 4 | 24 |
| 5 | 일본 | 88.7.25~28 | 양국 청년교류의 의의-88올림픽과 한국경제 | 19 | 20 |
| 6 | 한국 | 89.3.15~20 | 한국과 일본의 미래 | 18 | 13 |
| 7 | 일본 | 89.8.2~7 | 한일관계의 현재와 미래를 위한 공동과제 | 17 | 20 |
| 8 | 한국 | 90.3.14~21 | 한일관계사-역사적 특수성을 중심으로 | 20 | 17 |
| 9 | 일본 | 90.8.2~8 | 분과토의 ①경제 ②재일동포 법적지위 ③여성 | 21 | 30 |
| 10 | 한국 | 91.3.8~14 | 분과토의 ①문화 ②정치 | 16 | 10 |
| 11 | 일본 | 91.8.1~10 | 분과토의 ①한일학생들의 직업관 비교<br>②한일학생들의 성(性)의식구조 비교 | 22 | 17 |
| 12 | 한국 | 92.3.11~17 | 21세기를 향한 양국 청년들의 바람직한 자세<br>분과토의 ①PKO ②정신대 ③교육제도 | 23 | 10 |
| 13 | 일본 | 92.7.29~8.4 | 공감대 형성을 통한 상호유대와 사고격차 완화<br>분과토의 ①여성의 지위<br>②북한문제<br>③아시아에서의 한일의 역할 | 15 | 25 |
| 14 | 한국 | 93.3.1~16 | 한일 양국의 문화와 청년의식<br>분과토의 ①신세대 ②UR과 한일 양국의 대처방안 | 22 | 12 |
| 15 | 일본 | 93.7.27~31 | 21세기의 한국과 일본<br>분과토의 ①10년 후의 한일관계(한일학생교류)<br>②신세대의 경제관 | 18 | 24 |
| 16 | 한국 | 94.3.10~16 | 21세기를 준비하는 젊은이<br>분과토의 ①국제화<br>②동북아(남북한 및 일본)의 현재 환경 및 변화 가능성<br>③신세대의 성개념과 여성의 사회적 지위 | 18 | 10 |

**UR(우루과이 라운드)**

관세 및 무역에 관한 일반 협정(GATT)의 제8차 다자간 무역협상. 1986년 9월 우루과이에서 첫 회합을 연 이래 여러 차례의 협상을 거쳐 1993년 12월에 타결했고, 1995년부터 발효했다. 과거 7차례의 다자간 협상과 다른 점은 우루과이 라운드(UR)가 새로운 시대상황에 맞춰 매우 광범위한 의제를 다루었다는 점이다. 농산물과 섬유류를 협상 테이블로 갖고 왔고, 서비스, 무역관련 투자조치와 지적재산권 등을 처음으로 다뤘으며, GATT 규범을 현실에 맞게 수정해 세이프가드, 보조금 상계관세, 반덤핑관세 등을 도입했다. 또 GATT의 기능을 강화했는데, 그 결과가 세계무역기구(WTO)의 출범이다. (두산백과)

| 회차 | 장소 | 기 간 | 주 제 | 참가자 | |
|---|---|---|---|---|---|
| | | | | 한국 | 일본 |
| 17 | 일본 | 94.7.26~8.2 | 분과토의 ①농산물개방 ②지구환경 | 29 | 30 |
| 18 | 한국 | 95.3.7~12 | 분과토의 ①교육과정에 나타난 양국에 대한 인식<br>②일본 대중문화 개방 | 25 | 17 |
| 19 | 일본 | 95.7.26~8.4 | 분과토의 ①추한 한국인 ②일본은 없다 | 27 | 28 |
| 20 | 한국 | 96.2.22~29 | 분과토의 ①노령화사회 ②여성문제 | 26 | 10 |
| 21 | 일본 | 96.7.27~8.3 | 분과토의 ①2002年 월드컵<br>②보도매체에 나타난 양국의 관계 | 16 | 20 |
| 22 | 한국 | 97.2.15~22 | 분과토의 ①양국에서의 대기업에 대한 인식과 문제 그리고 파급효과<br>②현대사회에서 가정의 의의와 문제 그리고 해결방안 | 7 | 23 |
| 23 | 일본 | 97.7.26~8.2 | 분과토의 ①한일 양국의 대학문화 비교<br>②서구문화가 양국문화에 미치는 영향 | 13 | 28 |
| 24 | 한국 | 98.2.21~28 | 분과토의 낙태의 사회적문제와 또 다른 시각 | 14 | 8 |
| 25 | 일본 | 98.7.26~8.2 | 분과토의 학교폭력(이지메) | 9 | 10 |
| 26 | 한국 | 99.2.20~27 | 분과토의 ①한국과 일본의 가족해체<br>②한일 정치인의 도덕성 | 19 | 9 |
| 27 | 일본 | 99.8.13~20 | 분과토의 ①역사교육의 체계<br>②역사 교육의 목적<br>③역사교육의 내용<br>④한국 고등학교 역사교과서 속의 일본<br>⑤일본에 대한 이해를 키우려면 | 7 | 11 |
| 28 | 일본 | 2000.2.18.~25 | 분과토의 ①학교문제 ②청소년의 성 문제 | 15 | 11 |
| 29 | 한국 | 2000.8.12.~19 | 분과토의 ①변화하는 동북아 정세<br>②변화하는 성의식 및 이에 대한 사회적 대응<br>③향후 활동 개선 방안 토의 | 23 | 9 |
| 30 | 일본 | 2001.2.15.~22 | 분과토의 ①재일조선인의 형성<br>②재일동포의 사회문제<br>③한일 역사교과서 문제 | 14 | 10 |
| 31 | 한국 | 2001.8.1~8 | 분과토의 ①한국과 일본 간의 교류와 미래<br>②한일 양국에서 재일동포를 바라보는 시각과 그들의 법적 지위 | 18 | 18 |

| 회차 | 장소 | 기 간 | 주 제 | 참가자 | |
|---|---|---|---|---|---|
| | | | | 한국 | 일본 |
| 32 | 일본 | 2002.2.15~22 | 분과토의 ① 대학생과 대학문화<br>② 여성이 처한 현 상황과 한일 여성관 비교 | 9 | 13 |
| 33 | 한국 | 2002.8.1~8 | 분과토의 ① 한국과 일본의 성문화<br>② 한국과 일본의 대중문화 | 19 | 12 |
| 34 | 일본 | 2003.2.12~19 | 분과토의 ① 교통수단 비교분석 ② 동북아의 미래 | 13 | 17 |
| 35 | 한국 | 2003.8.14.<br>~21 | 분과토의 ① 한국과 일본의 학교생활<br>② 한국과 일본의 식사예절<br>③ 한국과 일본의 비즈니스 예절<br>④ 한국과 일본의 목욕 및 양자 문제<br>⑤ 한국과 일본의 장례식의 공통점과 차이점 | 31 | 16 |
| 36 | 일본 | 2004.2.13.~22 | 분과토의 ① 현대의 젊은이들 ② 여성문제 | 18 | 17 |
| 37 | 한국 | 2004.8.2~9 | 분과토의 ① 이라크전쟁과 테러에 관한 양국의 시각<br>② 양국의 결혼과 성문화<br>③ 저작권 | 18 | 13 |
| 38 | 일본 | 2005.2.13.<br>~20 | 분과토의 ① 음식문화<br>② 매스미디어어 - 한류<br>③ 생명윤리 | 24 | 23 |
| 39 | 한국 | 2005.8.2~9 | 분과토의 ① 교육문제 ② 대학문화 ③ 사생활 침해 | 38 | 24 |
| 40 | 일본 | 2006.2.16~23 | 분과토의 ① 문화교류<br>② 식민지시대<br>③ 한일문화 비교 | 16 | 23 |
| 41 | 한국 | 2006.8.6~13 | 분과토의 ① 한일 양국의 의식 차이 ② 경제상황 비교 | 28 | 19 |
| 42 | 일본 | 2007.2.9~16 | 분과토의 ① 직업 ② 범죄 | 15 | 22 |
| 43 | 한국 | 2007.8.2~9 | 분과토의 ① 환경문제 ② 교육문제 ③ 복지문제 | 15 | 14 |
| 44 | 일본 | 2008.2.11~18 | 분과토의 ① 대학생활 ② 스포츠 ③ 소비 | 17 | 23 |
| 45 | 한국 | 2008.8.5~12 | 분과토의 ① 건강 ② 방송 ③ 여행 | 31 | 13 |
| 46 | 일본 | 2009.2.9~16 | 분과토의 ① 예의범절 ② 전통문화 | 19 | 14 |
| 47 | 한국 | 2009.8.10~17 | 분과토의 ① 라이프 스타일 ② 학교 형태 ③ 문학 | 30 | 23 |
| 48 | 일본 | 2010.2 | 분과토의 ① 패션 ② 환경 ③ 녹색성장 | 14 | 24 |
| 49 | 한국 | 2010.8.4~11 | 분과토의 ① 연애(사랑) ② 디지털문화 ③ 법 | 26 | 27 |

**이라크전쟁(Iraq War)**

2003년 3월 20일부터 2011년 12월 18일까지 미국과 영국 등 연합군이 이라크를 상대로 벌인 전쟁이다. 미국은 2001년 9월 11일 대규모 테러사건을 당한 후 2002년 1월 북한·이라크·이란을 '악의 축'으로 규정했다. 이후 이라크의 대량살상무기(WMD)를 제거하고 자국민 보호와 세계평화에 이바지한다는 명분을 내세워 영국, 오스트레일리아와 함께 전쟁을 개시했다. 작전명은 '이라크의 자유(Freedom of Iraq)'. 미군과 영국군등 총 30만명이 참가했고, '전자전'으로 불릴 만큼 각종 첨단무기(개량형 스마트폭탄, 펄스탄, 프레데터, 에이브럼스전차 등)가 등장했다. 한국은 약 600명의 공병대와 의료지원단을 파견해 이라크 재건을 도왔다. 미국이 이라크의 자유보다 원유확보, 친미블록구축, 중동정치구도 재편 등에 속셈이 있다는 비난도 많았다. (두산백과)

| 회차 | 장소 | 기 간 | 주 제 | 참가자 | |
|---|---|---|---|---|---|
| | | | | 한국 | 일본 |
| 50 | 일본 | 2011.2.9~16 | 분과토의 ① 교육 ② 안락사 ③ 방송(TV) | 9 | 16 |
| 51 | 한국 | 2011.8.6~13 | 분과토의 ① 커뮤니케이션 ② 학교생활 ③ 에너지 | 18 | 15 |
| 52 | 일본 | 2012.2.9~16 | 분과토의 ① 국제결혼 ② 사회문제 ③ 국제화 | 10 | 15 |
| 53 | 한국 | 2012.8.6~13 | 분과토의 ① 문화 ② 美 ③ 국민생활 | 16 | 20 |
| 54 | 일본 | 2013.2.13~20 | 분과토의 ① 공공문화 ② 다이어트 ③ 환경 | 8 | 11 |
| 55 | 한국 | 2013.8.6~13 | 분과토의 ① SNS ② 페스티벌 ③ 식습관 ④ 물류 | 21 | 14 |
| 56 | 일본 | 2014.2.10~20 | 분과토의 ① 사회문제 ② 레저 ③ 학교생활 | 13 | 18 |
| 57 | 한국 | 2014.8.4~11 | 분과토의 ① 패션 ② 연애(사랑) ③ 대학문화 | 19 | 13 |
| 58 | 일본 | 2015.2.10~17 | 분과토의 ① 오락 ② 미용 ③ 학교생활 | 11 | 14 |
| 59 | 한국 | 2015.8.4~7 | 분과토의 ① 재일동포<br>② 독도분쟁과 하시마섬 유네스코 등재 | 14 | (메르스) |
| 60 | 일본 | 2016.2.11~18 | 분과토의 ① 오락 ② 음식 ③ 서브컬처 | 11 | 15 |
| 61 | 한국 | 2016.8.4~11 | 분과토의 ① 학교생활 ② 건강 | 15 | 28 |
| 62 | 일본 | 2017.2.11~18 | 분과토의 ① 학교생활 ② 패션 ③ 직업 | 18 | 14 |
| 63 | 한국 | 2017.8.6~13 | 분과토의 ① 음식 ② 샵(Shop) ③ 취미 | 27 | 14 |
| 64 | 일본 | 2018.2.6~13 | 분과토의 ① 학교 ② 문화 ③ 연례행사 | 19 | 9 |
| 65 | 한국 | 2018.8.4~11 | 특강 한일 청년들의 미래지향적 협력 관계<br>분과토의 ① 경제 ② 국제관계 ③ 고용 | 24 | 13 |
| 66 | 일본 | 2019.2.9~16 | 분과토의 ① 국가 ② 대학 ③ 스포츠 | 14 | 8 |
| 67 | 한국 | 2019.8.3~10 | 분과토의 ① 음식 ② 사회 ③ 미디어 | 28 | 19 |
| 68 | 일본 | 2020.2.8~15 | 분과토의 ① 라이프 스타일 ② 문화 ③ 산업 | 12 | 14 |

양국 협회는 1997년까지는 매년 두 나라를 오가며 합동총회를 열면서 한 해 두 번의 합동총회를 한 번으로 계산했다. 그러나 1998년부터는 두 나라를 오가며 1년에 한 번만 합동총회를 열고 있다.

합동총회 참석자들은 문화행사를 곁들인 총회와 강연회, 간단한 여행 프로그램 등에 참가하면서 매번 공동선언문을 채택한다. 한일여성친선협회는 일한여성친선협회의 지부(오키나와, 간사이, 이바라기, 도치기, 후쿠오카, 미야코) 총회에도 대표를 보내고 있다. 또 재한일본여성이나 한국을 방문하는 일본의 전문직여성과의 교류에도 힘을 쏟고 있다. 한일여성친선협회는 1989년부터 매년 4차례 〈한일여성〉이라는 기관지를 발행해오다 2007년부터는 연 1회 발행하고 있다.

한일여성친선협회는 순수한 민간단체로서 이런 활동을 통해 양국 여성 지도자들의 우의를 다지고, 상대국에 비판적인 여성들의 시각을 교정함으로써 양국의 협력강화와 관계개선에 기여하고 있다고 자평한다.

비교적 길었던 창립 30주년 공동선언문을 소개한다.

올해는 한일여성 친선교류운동이 뿌리를 내린 지 30년이 되는 해이며, 동시에 조선통신사를 처음으로 보낸 지 400년이 되는 뜻깊은 해로서 서울에서 기념행사를 가지게 되어 기쁩니다.

지난날 양국의 여성친선협회 활동과 교류는 한일 여성 간의 우호의 폭과 협력을 높이는데 크게 기여하여 왔습니다. 특히 우리는 보다 나은 미래를 위해 30년간 청년대학생 교류, 한일 아동 그림, 작문 작품교류회를 꾸준히 개최하였으며, 이들이 장래 특히 한일 우호관계를 이끌어나갈 주역이 될 것이라고 확신합니다.

그러나 앞으로 우리는 겸손한 마음으로 지난날 전개하여온 한일여성운동을 냉정하게 평가해보고, 새로운 장래를 향한 다양한 면으로 한일 네트워크 구축에 힘쓰겠습니다. 앞으로도 변함없는 우정과 상호신뢰 아래 양 국민의 우호친선과 평화공존의 유대를 더한층 공고히 하기 위하여 다 함께 최선을 다할 것을 선언합니다.

2007년 10월 23일

한일여성친선협회 초대 회장은 박정자 씨가 맡아 1978년 5월부터 1998년 2월까지 20년간을, 후임 회장은 이요식 씨가 이어받아 2021년 4월까지 23년간 재임했다. 이후 김정령 씨가 신임회장으로 협회를 이끌고 있다.

한일여성친선협회의 임원진은 다음과 같다(2021년 7월 현재).

| 직 책 | 이 름 | 경 력 |
|---|---|---|
| 명예회장 | **이요식** | (전)한국여성개발원 부원장, 한국여성단체협의회 이사<br>(전)한일여성친선협회 회장 |
| 고문 | **김수은** | (전)한국몬테소리협회 회장, 한국걸스카우트연맹 부총재<br>(전)한일여성친선협회 부회장 |
| | **정주화** | (전)학교법인 고려학원 이사장, 한일여성친선협회 부회장 |
| | **이진태** | (전)인터콘티넨털 파리바켓 사장, 한일여성친선협회 부회장 |
| 회장 | **김정령** | 성악가, 강남시니어합창단 지휘자, 한일여성친선협회 부회장 |
| 부회장 | **최연자** | 의료법인 재단이사, (전)재일한국인지위향상추진위원회장 |
| | **이혜정** | 수필가 |
| | **박영순** | 서울용문고등학교 운영위원 |
| | **오정주** | 서울재팬클럽 합창단 |
| | **함방자** | 한일합창단 단장 |
| 이사 | **고예영** | (전)중학교 교사 |
| | **권혜경** | (전)여행사 근무 |
| | **김매자** | 의료법인DM(成田) 이사 |
| | **박기영** | 사업가 |
| | **김영자** | (전)초등학교 교사 |
| | **류명숙** | (전)여행사 근무 |
| | **박윤정** | 의상디자이너. (전)에스모드서울 대표, 유진미스박 대표 |
| | **이영자** | 작곡가 |
| | **이해경** | 일어강사, 박물관 해설사 |
| | **이혜순** | (전)Canada Bank of Montreal PVBank 부장 |
| | **윤영희** | 한일합창단 서기 |
| | **정순희** | 하남시 시민장학재단 이사<br>(전)제4대 경기도 도의원, 한국청소년운동연합 초대 총재 |
| | **조혜숙** | (전)여성문제연구회 이사, 한영알미늄 회장 |

| | | |
|---|---|---|
| 이사 | **최영숙** | (주)오륜 대표 |
| | **한용란** | (전)〈여원〉잡지사 기자, 한일합창단 총무 |
| 지부장 | **차미선**(충주) | 큰나무어린이집 원장. (전)민주평화통일 자문위원, |
| | **윤은자**(대구) | (전)한일지교사랑방문화원 원장 |
| | **김남순**(전북) | 약사. 전라북도 여성단체협의회 이사 |
| 사무총장 | **연순옥** | (전)한국걸스카우트 서울연맹 사무처장,<br>(전)한일여성친선협회 사무총장 |

**한일여성친선협회는 (04618) 서울특별시 중구 동호로 27길 30(대학문화원 306호)에 있다.**

**전화 (02) 2273-7645, 2278-2373, 팩스 (02) 2278-2373, 이메일 kjwsas@hanmail.net**

# 5. 한일경제협회(한일경제인회의)

KOREA-JAPAN

한일 경제인들의 공식적인 회의체로는 1969년 한일민간합동경제위원회(현 한일경제인회의)가 있었고, 1981년에 한일경제협회가 탄생한다. 협회를 만들기까지의 경위는 다음과 같다.

<table>
<tr><th>일시/장소</th><th colspan="2">협의 내용</th></tr>
<tr><td>1965년 6월</td><td colspan="2">한일기본조약 조인, 국교정상화</td></tr>
<tr><td>1966년 2월, 도쿄</td><td colspan="2">한일민간합동경제간담회. 양국을 오가며 매년 한 차례씩 간담회를 열기로 합의. 한국측 단장 김용완 한국경제인협회장</td></tr>
<tr><td>1967년 3월, 서울</td><td colspan="2">제2회 간담회 개최</td></tr>
<tr><td>1968년 2월, 도쿄</td><td colspan="2">제3회 간담회 개최. 간담회를 상설기구인 한일민간합동경제위원회로 격상시키기로 합의</td></tr>
<tr><td rowspan="3">1969년 1월, 서울</td><td>일본</td><td>일한민간합동경제위원회 일본측 위원회인 일한경제위원회 설립, 위원장에 우에무라 고고로(植村甲午郎) 게이단렌회장</td></tr>
<tr><td>한국</td><td>한일민간합동경제위원회 한국측 위원회인 한일경제위원회 설립. 위원장에 김용완 한국경제인협회장, 고문에 박두병 대한상공회의소 회장, 이활 한국무역협회장, 홍재선 전국경제인연합회장.</td></tr>
<tr><td colspan="2">제1회 한일(일한) 민간합동경제위원회 개최</td></tr>
</table>

한일(일한)민간합동경제위원회는 1998년 30회 회의 때부터 '한일(일한)경제인회의'로 이름을 바꾼다. 한일(일한)경제인회의는 반드시 공동성명을 채택한다.

한일경제인회의 첫 5년과 최근 5년에 어떤 논의가 있었는지 정리해 소개하면 다음과 같다. 1969년부터 1973년까지와 2015년부터 2019년까지를 비교해 보면 두 나라의 경제 사정이 얼마나 달라졌는지 엿볼 수 있다.

### 한일경제인회의 첫 5년의 논의 내용

| 연도/회차 | 일시/장소 | 참가자 | 논의 또는 합의 내용(요약) |
|---|---|---|---|
| 1969년<br>제1회 | 1.27~29<br>서울 | 한국: **김용완** 단장 등 114명<br>일본: **우에무라 고고로**(植村甲午郎) 단장 등 26명 | 공동성명 한국의 안정과 번영은 일본의 안정과 번영으로 이어진다. 한일경제협력이 경제협력의 모범이 될 수 있도록 한국 측은 적극적으로 노력한다.<br>합의사항 합의사항은 양쪽 정부에 각각 전달한다. 이를 통해 조세, 합작투자, 조세감면 등의 변화가 있었다. |
| 1970년<br>제2회 | 5.15~16<br>도쿄 | 한국: **이활** 단장 등 48명<br>일본: **우에무라 고고로** 단장 등 54명 | 공동성명 합작투자의 촉진을 강조하며, 일본은 프로젝트 추진에 도움을 줄 수 있는 소수의 전문가로 공동기구를 만들자는 한국 측의 제안이 실현되도록 노력한다. |
| 1971년<br>제3회 | 3.2~4<br>서울 | 한국: **이활** 단장 등 64명<br>일본: 우에무라 고고로 단장 등 26명 | 사흘간 한국 측이 강조한 내용은 "한국경제가 바야흐로 전환기를 맞고 있다"는 것이다. 한국 측은 한일합작 투자금융회사의 설립을 기대했고 양측은 합의까지 했으나 결국에는 실현하지 못했다. |
| 1972년<br>제4회 | 3.2~4 | 한국: **박두병** 단장 등 22명<br>일본: 우에무라 고고로 단장 등 26명 | 한국 측은 한국의 경제개발 3차 5개년계획을 달성하기 위해 일본의 적극적인 협력을 요구했으나 일본은 종전처럼 공업소유권보호협정과 통상항해조약의 조기체결을 요구했다. |
| 1973년<br>제5회 | 3.6<br>서울 | 한국: **박두병** 단장 등 55명<br>일본: 우에무라 고고로 단장 등 34명 | 1. 일본이 한국산업 장기개발계획 조사단을 한국에 파견해 중화학공업 프로젝트에 대한 조사를 실시하고 한국의 담당관에게 설명한다.<br>2. 관세제도 개선, 새마을사업에 대한 엔차관, 포항제철 제2기 공사에 대한 수출입은행 특별융자에 합의했다. |

**첫 5년, 최근 5년**

1969년부터 시작한 한일경제인회의의 첫 5년을 보면 한국 측이 일본 측에 무엇인가를 해 달라는 것이 많았고, 일본은 이를 선별적으로 수용하거나 거부했다. 그러나 2015년부터 2019년까지의 토론 주제를 보면 파트너십, 협력, 교류, 미래지향 등의 단어가 많다. 40여 년의 시간이 흐르면서 한국의 경제력이 그만큼 커졌다는 것을 극명하게 보여준다.

### 한일경제인회의 최근 5년의 논의 내용

| 연도/회차 | 일시/장소 | 참가자 | 논의 또는 합의 내용(요약) |
|---|---|---|---|
| 2015년<br>제47회 | 5.13~14<br>서울 | 한국: **김윤** 단장 등 192명<br>일본: **사사키 미키오**(佐々木幹夫)단장 등 115명 | 전체주제 **새로운 50년을 향한 동반성장, 공동번영의 세계로**<br>**제1세션 새로운 50년을 향한 동반성장의 길**<br>사회 이경태(고려대 석좌교수)<br>한국 측 발표 노성태(전 한국경제연구원장), 조현준(㈜효성 사장)<br>일본 측 발표 후지야마 도모히코(藤山知彦, 미쓰비시상사㈜ 상근 고문), 야스하라 다카히코(安原貴彦, ㈜미즈호은행 집행임원)<br>**제2세션 Look Korea, Look Japan** 사회 히라노 가 |

| 연도/회차 | 일시/장소 | 참가자 | 논의 또는 합의 내용(요약) |
|---|---|---|---|
| | | | 쓰미(平野克己, 일본무역기구 아시아경제연구소 수석주임연구원)<br>한국 측 발표 윤인호(도쿄이과대 교수), 나영일(서울대 교수)<br>일본 측 발표 이시야마 히로쓰구(石山博嗣)(전 서울재팬클럽 이사장), 고레나가 가즈오(是永和夫)(일한경제협회 전무) |
| 2016년<br>제48회 | 5.17~18<br>도쿄 | 한국: **김윤** 단장 등 136명<br>일본: **사사키 미키오** 단장 등 182명 | 전체주제 **한일우호 경제협력 원년, 함께 손잡고 경제, 인재, 문화교류를 확대하여 새시대를 열어가요!**<br>**제1세션 아시아 세기에 있어서의 한일 신시대**<br>사회 이경태(고려대 석좌교수)<br>일본 측 발표 이시야마 히로쓰구(전 서울재팬클럽 이사장), 양인집(진로㈜ 사장)<br>한국 측 발표 박상진(삼성전자㈜ 사장), 권태신(한국경제연구원장)<br>**제2세션 향후 50년을 향한 새로운 한일 파트너십 구축**<br>사회 히라노 가쓰미(平野克己, 일본무역진흥기구 이사)<br>일본 측 발표 가토 마사히코(加藤勝彦, 한국미즈호은행 서울지점장), 이노우에 다케노부(井上剛伸, 국립장애인재활센터연구소 부장)<br>한국 측 발표 박태호(서울대 국제대학원 교수), 홍정국(재일한국과학기술자협회 고문) |
| 2017년<br>제49회 | 9.26~27<br>서울 | 한국: **김윤** 단장 등 193명<br>일본: **사사키 미키오** 단장 등 108명 | **제1세션 변화하는 세계 속의 한일협력**<br>좌장 노성태(우리은행 이사회 의장)<br>발표 정인교(인하대 대외 부총장), 후지야마 도모히코(藤山知彦, 국립연구개발법인 과학기술진흥기구 연구개발전략센터 상석 펠로우), 안덕근(서울대 국제대학원 교수), 오가와라 아키오(大河原昭夫, 일본 국제교류센터 이사장)<br>**제2세션 새로운 분야에의 도전, 가일층의 한일경제협력을 향해서**<br>좌장 고하리 스스무(小針進, 시즈오카현립대 교수)<br>발표 이우광(한일산업기술협력재단 자문위원), 후지요시 유코(藤吉優行, 한국미쓰비시상사㈜ 대표), 이민화(창조경제연구회 이사장), 다카야스 유이치(高安雄一, 다이토분카(大東文化)대 경제학부 교수)<br>코멘테이터 호리야마 아키코(堀山明子, 마이니치신문 외신부 기자) |
| 2018년 | 5.15~16 | 한국: **김윤** 단장 등 | 전체 주제 **제50회 한일경제인회의 다 함께 축하하고, 경제·인재·문화교류 통해 다음 50년을 창조해 가자!** |

| 연도/회차 | 일시/장소 | 참가자 | 논의 또는 합의 내용(요약) |
|---|---|---|---|
| 50회 | 도쿄 | 114명<br>일본: **다카마도노미야 비 히사코**(高円宮妃 久子), **아베 신조**(安倍晋三) 총리, **사사키 미키오** 단장 등 188명 | **제1세션 한일경제제휴와 교류, 거시적 · 미시적 관점**<br>좌장 이경태 고려대 명예교수<br>발표 후쿠다 야스시(福田康, 스미토모상사㈜ 이사 · 물류인프라사업본부장), 이영관(도레이첨단소재㈜ 회장 · 한일경제협회 상임이사), 다카하시 가쓰노리(高橋克周, ㈜미쓰이스미토모은행 서울지점장), 서석숭((사)한일경제협회 부회장)<br>**제2세션 미래지향, 다음 50년의 관점**<br>좌장 고하리 스스무(시즈오카현립대 교수)<br>발표 미키 아쓰유키(三木篤行, JA미쓰이리스㈜ 상무이사 · 전 SJC이사장), 신각수(전 주일한국대사 · 세토포럼 이사장)<br><br>**한일 차세대 공동발표 '미래 50년의 주역인 한일 양국 청소년들의 희망과 비전'**<br>오쿠보 다쿠마(大久保匠馬, 마쓰다케㈜ 직원), 임기훈(법무법인 세종 변호사), 사사키 니이나(佐々木仁渚, 조치(上智)대생(신문방송학)), 김세훈(도호쿠대 대학원생(물리학)) |
| 2019년<br>51회 | 9.24~25 | 한국: **김윤** 단장 등 203명<br>일본: **사사키 미키오** 단장 등 106명 | 전체 주제 **격동하는 세계경제 속의 한일협력**<br>**제1세션 한일관계의 새로운 도약**<br>좌장 염재호(전 고려대 총장)<br>발표 이우광(전 삼성경제연구원 수석연구원), 무코야마 히데히코(向山英彦, ㈜일본종합연구소 수석주임연구원), 장제국(동서대 총장), 모리야마 도모유키(森山朋之, SJC이사장 · 한국미쓰이물산㈜ 사장)<br>**제2세션 한일 공통과제의 실현**<br>좌장 고하리 스스무(시즈오카현립대 교수)<br>발표 이수훈(전 주일대사), 오쿠다 사토루(奥田聡, 아세아대 아시아연구소 교수), 서석숭((재)한일경제협회 상근부회장), 전유미(Kelly Services, Ltd. 대표) |

한일경제인회의가 매년 채택하는 공동성명은 그 시점에서 한일 양국 경제계가 안고 있는 문제의식을 잘 보여준다. 2019년은 한국 대법원의 강제징용자 판결 문제(2018년 10월 30일) 등으로 한일관계가 매우 악화한 시기였고, 그해 5월 13일부터 사흘간 서울에서 열 예정이던 제51회 한일경제인회의는 9월 이후로 연기했다. 회의를 연기한 것은 50년 동안에 처음이었다. 연기했던 회의는 우여곡절 끝에 그해 9월 24, 25일에 개최했다. 다음은 이때 발표한 공동성명이다.

### 격동하는 세계경제 속의 한일협력

제51회 한일경제인회의는 2019년 9월 24일과 25일 이틀에 걸쳐 대한민국 서울특별시에서 개최되었으며, 한국 측에서는 김윤 단장 등 203명, 일본 측에서는 사사키 미키오 단장 등 106명이 참가하였다.

작년 5월, 도쿄에서 성황리에 개최된 기념비적인 제50회 한일경제인회의 이후, 국제정세는 크게 요동치고 있다. 유럽에서는 영국의 EU탈퇴(Brexit) 문제가 장기화하고 있고, 아시아 태평양지역에서는 미중 통상마찰이 서플라이 체인의 연관성에 악영향을 미치기 시작했다. 또한 중동에서는 최근, 지정학적 리스크가 더한층 고조되어, 한일의 에너지 자원 수입에도 큰 위협이 되고 있다.

또한 최근, 한일 양국의 정치 · 외교 관계는 출구가 보이지 않는 매우 어려운 상황이 계속되고 있고, 경제면에서도, 문화 · 스포츠교류 등의 분야에서도, 안타깝게도 한일관계는 긴장의 연속이다. 우리는 그동안 양국 민관의 선배들이 쌓아온 호혜적, 양호한 경제관계가 위기에 처해 있음을 깊이 우려한다.

우리 한일 양국 경제인은, 이러한 어려운 시기일수록, 지금까지 발전시켜 온 경제교류의 유대가 끊어져서는 안 된다는 신념을 확인했다. 양국을 잇는 가교로서, 양국 경제계는 미래지향의 원점으로 되돌아가, 잠재적 성장력과 보완관계를 극대화할 방안을 찾지 않으면 안 된다.

우리는 이러한 인식을 공유하고, 어제 24일과 오늘 25일 양일간, '급변하는 세계경제 속의 한일협력'을 주제로, 진지하게 미래지향의 양국 경제관계에 대해 토의했다. 공통의 사회적 과제에 입각하여, 양국 경제계가 협력하여 문제들을 해결하고, 국경없는 협업 확대를 통해 새로운 도약을 꾀하기 위해, 기탄없는 의견을 나누었다.

한편 아시아의 안정, 그리고 발전을 위해서는, 중추가 되는 한일 양국의 정치 외교와 비즈니스 환경이 양호하게 유지되는 것이 중요하며, 이를 위해서는 우리 경제계가 민간의 입장에서 경제 · 인재 · 문화 교류를 통해, 양국 경제계의 신뢰관계와 양 국민의 원활한 왕래가 조성되도록 활동해 나가지 않으면 안 된다고 결의하기에 이르렀다.

아울러, 한일의 호혜적인 경제 관계의 유지 · 발전을 위해서는, 정치 · 외교 관계의 복원이 필요하다는데 인식을 같이했다.

양국 경제의 상호발전을 도모하기 위해, 정치 · 외교관계가 양국 기업 협력의 걸림돌이 되지 않도록, 우리는 양국 정부의 대화 촉진에 의해 한일관계의 새로운 지평을 열어나가기 위한 적절한 조치가 강구되기를 강력히 요망한다.

제51회 한일경제인회의에서 양국 경제인은, 한일의 보다 밝은 미래와 발전을 위하여, 다음과 같은 과제에 관해 연계하여 추진해 나가기로 했다.

－다　음－

1. 제3국에서의 한일 협업의 지속적 추진
2. 양국의 고용 문제, 인재개발 등에 관한 공통과제의 해결을 위한 협력
3. 경제 · 인재 · 문화 교류의 지속 · 확대
4. 차세대 네트워크 · 지방교류 활성화 등, 한일의 우호적 인프라의 재구축
5. 도쿄 올림픽 · 패럴림픽의 성공을 향한 협력

그리고, 다음 제52회 한일경제인회의는 2020년 일본에서 개최하기로 했다.

2019년 9월 25일

한국 측 대표단 단장　김 윤
일본 측 대표단 단장　佐々木幹夫

한일경제협회(Korea-Japan Economic Association · KJE)는 한일경제인회의보다는 12년 늦은 1981년 2월에 출범했다. 양국 간의 민간 경제교류가 활발해지면서 두 나라 경제계의 결속과 상호이해의 필요성이 높아졌기 때문이다. 설립목적은 한일간 민간경제협력, 무역증진, 산업협력을 통한 상호번영 등이다.
구체적으로는 한일경제인회의 개최, 한일 신산업 무역 회의 개최(기존의 무역, 기계, 산업일반위원회 등 3개 위원회를 통합해 1999년 10월 발족), 한일 양국 지역 간 협력 강화, 한일 대학생 교류, 회원사 간담회, 업종별 네트워크 구축과 비즈니스 교류, 제3국 공동진출 확대 등에 노력하고 있다. 한일경제협회와 일한경제협회는 한일(일한)학생미래회의(KJSFF, JKSFF)를 지원하고 있다.
한일경제협회는 수시로 '일본경제리포트'를, 한 달에 한 번씩 '일본경제동향'을, 1년에 두 차례씩 협회지 〈한일경제협회 NEWS〉를 발간하고 있다.

## 한일경제협회가 걸어온 길

| 일시 | 내 용 |
|---|---|
| 1981년 2월 | 발기인회(**박태준** 포철 회장, **정수창** 대한상공회의소 회장, **정주영** 전경련 회장, **김원기** 한국무협협회장, **유기정** 중고기업협동조합중앙회장), 창립총회, 설립인가 |
| 1983년 3월 | 한일중견중소기업협력 전문위원회 시작 |
| 1984년 7월 | 한국방일수출촉진단 파견 시작 |
| 1985년 | 4월 한일국교정상화 20주년 기념 제17회 한일민간합동경제위원회 개최<br>7월 한일청소년교류(대학생) 사업 시작 |
| 1986년 2월 | 한일국교정상화 20주년기념 세미나 |
| 1989년 | 4월 **노태우** 대통령 예방(제21회 한일민간합동경제위원회 일본 측 단장단)<br>5월 일본경제연구회 발기인회 |
| 1990년 6월 | 주한일본대사 초청 간담회 시작 |
| 1991년 | 1월 한일산업일반위원회 시작<br>9월 **노태우** 대통령 예방(제23회 한일민간합동경제위원회 일본 측 단장단) |
| 1992년 9월 | (재)한일산업기술협력재단 설립 |
| 1993년 11월 | 한일(규슈) 경제교류회의 시작 |
| 1995년 4월 | 한일국교정상화 30주년 기념 제27회 한일민간합동경제위원회 개최. **김영삼** 대통령 예방(일본 측 단장단) |
| 1997년 4월 | **김영삼** 대통령 예방(제29회 한일민간합동경제위원회 일본 측 단장단) |
| 1998년 8월 | 무역투자 · 기계공업 · 산업일반 등 3개 전문위원회를 한일산업무역회(현 한일신산업무역회의)로 통합 |
| 1999년 | 3월 (재)한일산업기술협력재단과 사무국 통합<br>4월 **김대중** 대통령 예방(제31회 한일경제인회의 일본 측 단장단)<br>5월 주한일본대사관과의 친선교류 프로그램 시작 |
| 2000년 6월 | **모리 요시로**(森喜朗) 총리 예방(제32회 한일경제인회의 한국 측 단장단) |
| 2001년 | 2월 '한일축제한마당' 개최 지원<br>3월 한중일 환황해경제기술교류회의 시작<br>4월 **김대중** 대통령 예방(제33회 한일경제인회의 일본 측 단장단) |
| 2002년 | 2월 '한일 국민교류의 해' 개막식 지원<br>4월 **고이즈미 준이치로**(小泉純一郎) 총리 예방(제34회 한일경제인회의 한국 측 단장단)<br>6월 Korea Super EXPO in Tokyo 지원 |
| 2003년 4월 | **노무현** 대통령 예방(제35회 한일경제인회의 일본 측 단장단) |

| 일시 | 내 용 |
| --- | --- |
| 2004년 | 1월 한일 고교생 교류캠프(현 한일 산업인재육성 사업) 개시<br>4월 **고이즈미 준이치로** 총리 예방(제36회 한일경제인회의 한국 측 단장단) |
| 2005년 | 1월 (재)한일산업기술협력재단과 사무국 분리<br>4월 한일국교정상화 40주년 기념 제37회 한일경제인회 개최 |
| 2006년 5월 | **고이즈미 준이치로** 총리 예방(제38회 한일경제인회의 한국 측 단장단) |
| 2008년 | 5월 **후쿠다 야스오**(福田康夫) 총리 예방(제40회 한일경제인회의 한국 측 단장단)<br>9월 한일경제협회 회원사 간담회 사업 시작 |
| 2009년 4월 | **이명박** 대통령 예방(제41회 한일경제인회의 일본 측 단장단) |
| 2012년 11월 | 업종별 네트워크구축(자동차부문) 사업 시작 |
| 2014년 5월 | **아베 신조**(安倍晋三) 총리 예방(제46회 한일경제인회의 한국 측 단장단) |
| 2015년 | 5월 한일국교정상화 50주년 기념 제47회 한일경제인회의 개최,<br>**박근혜** 대통령 예방(일본 측 단장단)<br>6월 한일국교정상화 50주년 기념 한일경제교류회의 개최 |
| 2016년 8월 | 업종별 네트워크구축(게임부문) 사업 시작 |
| 2017년 | 3월 제18회 한일 신산업무역회의<br>7월 제24회 한일고교생 교류캠프<br>8월 제18회 한일(호쿠리쿠) 경제교류회의<br>11월 제24회 한일(규슈)경제교류회의 및 제16회 환황해경제기술교류회의 |
| 2018년 | 3월 제19회 한일 신산업무역회의<br>7월 제25회 한일고교생 교류캠프<br>11월 제25회 한일(규슈)경제교류회의 및 제17회 환황해경제기술교류회의 |
| 2019년 | 3월 제20회 한일 신산업무역회의<br>8월 제26회 한일고교생 교류캠프<br>11월 제18회 환황해경제기술교류회의(중국 산둥성 지닝시) |
| 2021년 | 2월 한일경제협회 창립 40주년 |

한일경제협회를 말하면서 빼놓을 수 없는 것이 재단법인 한일산업기술협력재단(Korea-Japan Cooperation Foundation for Industry and Technology · KJCF)이다. 일본의 카운터파트로는 일한산업기술협력재단이 있다. 이 재단은 경제협회와 형제처럼 활동하고 있어 경제협회의 이사장과 상근이사가 재단의 이사장과 상근이사를 겸직한다. 이 재단에 대한 자세한 설명은 피하고 1992년 8월의 '설립취지문'의 일부를 소개한다. 한일간의 오랜 현안인 무역불균형은 기술력 차이에서 오고, 그 차이를 줄이

려면 한국의 기술 수준을 높여야 하고, 기술 수준을 높이려면 일본과의 기술협력이 필요하고, 기술협력을 하려면 이를 전담하는 재단이 필요하다는 논리이다.

"(전략) 이와 같은 한일 양국간 오랜 현안인 무역불균형의 근본 요인은 양국간 기술력의 격차임이 인식되어 왔으며, 이의 해소를 위해서는 상호 기술협력 확대를 위한 양국간의 이해와 협력이 절실히 요구되어 왔습니다. (중략) 이런 상황에서 지난 (1992년) 1월 개최된 한일정상회담에서 양국 간 무역불균형 시정 등을 위한 구체적 실천계획을 6월까지 마련키로 하였으며 (중략) 이 실천계획합의서에서 한일 양국의 민간 관계자 간에 한일산업기술협력을 촉진하기 위한 새로운 재단을 1992년 말까지 양국에 각각 설립하고, 양국 정부는 상당규모의 보조금 지원을 통해 재단의 각종 산업기술협력사업을 지원키로 상호 합의한 것은 우리 재계로서도 환영할 만한 것이 아닐 수 없습니다 (후략)"

**한일정상회담**

1992년 1월에 개최한 한일정상회담은 노태우 대통령과 미야자와 기이치(宮澤喜一) 총리가 서울에서 만난 것이다. 두 사람은 같은 해 11월 교토에서 다시 만난다. 역대 대통령의 한일정상회담 횟수(한중일 정상회담 등 다자회담에서 만난 것 포함)는 이승만 비공식 1회, 박정희 3회(국가재건최고회의 의장 자격으로 비공식 회담한 것을 포함하면 4회), 전두환 4회, 노태우 6회, 김영삼 9회, 김대중 10회, 노무현 9회, 이명박 21회, 박근혜 4회, 문재인 6회이다.

한일경제협회 임원진은 다음과 같다.

| 직 책 | 이 름 |
|---|---|
| 회장 | **김윤**(삼양홀딩스) |
| 명예회장 | **조석래**(효성그룹) |
| 고문 | **허창수**(전경련회장) **최태원**(대한상공회의소 회장)<br>**구자열**(한국무역협회장) **김기문**(중소기업중앙회장)<br>**손경식**(한국경영자총협회장) **이윤우**(화인테크) |
| 부회장 | **김승연**(한화), **우석형**(신도리코), **류진**(풍산), **신동빈**(롯데), **장세주**(동국제강), **이휘령**(세아제강), **조현준**(효성), **윤종규**(KB금융그룹), **문규영**(아주그룹), **손봉락**(TCC스틸), **조용병**(신한금융지주), **구자균**(LS산전), **최정우**(포스코), **허진수**(GS칼텍), **조원태**(한진), **이인용**(삼성전자), **장동현**(SK)<br>**서석숭**(상근부회장 · 2017년 2월부터) |
| 상임이사 | **서민석**(DI동일), **김희용**(동일물산기업), **이수철**(GH홀딩스), **박인구**(동원그룹), **이영관**(도레이첨단소재), **이경재**(삼진엘앤디), **이상준**(화인), **최우각**(대성하이텍), **양무승**(투어2000), **채승우**(삼남석유화학), **김천주**(캐논코리아 비즈니스 솔루션), **박남숙**(교세이국제특허정보), **우기홍**(대한항공) |
| 감사 | **이승호**(법무법인 세종), **황호균**(대성이노텍) |

한일경제협회 역대 회장은 다음과 같다.

| 대 수 | 이 름 | 직 책 | 재 임 |
|---|---|---|---|
| 1, 2, 3대 | **박태준** | 포항제철 회장 | 1981.2~1988.10 |
| 4, 5, 6대 | **박용학** | 대농그룹 회장 | 1988.10~1998.2 |
| 7, 8대 | **김상하** | 삼양그룹 회장 | 1998.2~2005.2 |
| 9, 10, 11대 | **조석래** | 효성그룹 회장 | 2005.2~2014.2 |
| 12, 13, 14대 | **김 윤** | 삼양홀딩스 회장 | 2014.2~ |

2021년 2월 현재 한일경제협회의 회원 기업은 다음과 같다(112개사).

삼양홀딩스, 한화그룹, 신도리코, 풍산, 롯데그룹, 동국제강, 세아제강, 효성그룹, KB금융지주, 아주그룹, TCC스틸, 신한금융지주, LS일렉트릭. 포스코, GS칼텍스, 한진그룹, 삼성전자, SK, DI동일, 동양물산기업, CJ건설/GH홀딩스, 동원그룹, 도레이첨단소재, 삼진엘앤디, 화인, 대성하이텍, 투어2000, 삼남석유화학, 캐논코리아 비즈니스 솔루션, 한화생명, 교세이국제특허정보, 대한항공, 전국경제인연합회, 대한상공회의소, 한국무역협회, 중소기업중앙회, 한국경영자총협회, 가나피앤엘, 금호타이어, 김&장 법률사무소, 네오티스, 농심, 다이이치교통산업코리아, 대농, 대성산업, 대상중공업, 대영회계법인, 동아쏘시오홀딩스, 동화Entec, 두산, 롯데케미칼, 모던인테크, 바로여행사, 반석정밀공업, Best Western Korea, 보문, 산업연구원(KIET), 삼익테크, 삼양화성, 삼일씨엔에프, 삼코, 삼성물산, 새만금개발청, 서포트포유, 수산중공업, 세무사 이치열 사무소, 식탁이 있는 삶, 신한은행, 신현권세무회계사무소, 신흥에스이씨, CJ제일제당, 슈퍼라이트케이스, 아띠글로벌, SLK국보, ㈜에스씨케이, SK네트웍스, HG신소재, 엔에스사인기획, 우성정공, 유승산업, 이노라이프, ㈜재성, (사)재일한국인본국투자협회, 재영솔루텍, 조선내화, 지오네이션, 지엠케이코리아, GGM, 캐리마, 캐피탈원, 티시스틸, 티티에스, TS대한제당, 팬코, 프로텍, 하이드로텍, 한국가스공사, 한국기계산업진흥회, 한국닛켄, ㈜한국보팍터미날, 한국섬유산업연합회, 한국수출입은행, 한국SMC, 한국에이엔디, 한국OSG, (사)한국우량제품진흥협회, 한영넉스, 한일금속공업, (재)한일산업기술협력재단, 현우무역, 롯테호텔, 히카리정보

**한일경제협회는 (06059) 서울특별시 강남구 선릉로 131길 18-4(논현2동 112-15)에 있다.**

**전화 (02) 3014-9888, 팩스 (02) 3014-9899, 홈페이지 kje.or.kr**

# 6. 한일협회

한일협회(Korean Japanese Association)는 1971년 9월 사회 지도층 인사들이 민간차원에서 한일 양국 간 우호친선과 공동번영을 도모하기 위해 만든 사단법인이다. 협회는 주요 사업으로 ▷한일학술회의, 강연회, 좌담회 ▷공연(음악, 무용, 연극 등) ▷전시회(도자기, 회화, 서도, 꽃꽂이, 다도 등) ▷일본어능력시험 주관(1989.12~1991.12) ▷중소기업을 중심으로 한 이업종 교류와 기술연수생 파견 등 ▷'아리타 야키(有田燒)' 등 재일 유명 도자기 원로 6명의 '400년 만의 귀향전' ▷야마모토 이치타(山本一太) 일본 외무성 차관의 서울 라이브콘서트 ▷일본유학박람회(1997.9~현재) ▷전국중고교생 일본어학력경시대회(1999.6~현재) ▷일본유학시험 주관(2002.6~현재) ▷전국대학생 일본어번역대회 개최(2013.10~현재) 등을 꼽고 있다.

**아리타야키(有田燒)**

임진재란 때 일본으로 끌려간 한국인 도공 이삼평(李參平 · 나중에 도조(陶祖)로 추앙받는다)이 1616년 사가현(佐賀縣) 아리타시(有田市)에서 만들기 시작한 도자기를 말한다. 일본 전역에서 호평을 받았고, 1659년부터는 네덜란드의 동인도회사를 통해 세계로 수출했다. 아리타에서 12km쯤 떨어진 이마리(伊萬里)항을 통해 출하했기 때문에 '이마리 야키'라고도 한다.

이 중 몇 가지 사업을 상술하면 다음과 같다.

### 전국중고등학생 일본어학력경시대회

1999년부터 매년 실시하고 있다. 전국의 중고생 중에서 학교장의 추천을 받은 학생이 대상이다. 1차 시험(1월)은 일본어능력 N1레벨과 N2레벨의 필답고사를 치러 상위 23명의 성적우수자를 선발하고, 2차 시험(8월)은 스피치 콘테스트로 치른다. 중등부, 고등부로 나눠 각각 최우수상, 우수상, 장려상을 준다. 협회는 경시대회의 성적 상위 10명(중등부 5명, 고등부 5명)을 4박 5일간 일본 연수를 보내준다. 수상자들의 결속을 위해 2011년 2월 협회 홈페이지(www.koja.or.kr)에 '전일경(全日競)클럽' 카페를 개설해 운영하고 있다.

### 한일청소년교류

2012년부터 일본 NPO법인 히로시마한일국제교류센터와 협정을 맺고, 협회와 센터는 매년 각각 10명의 청소년을 선발해 교환 방문을 하고 있다. 협회는 협회가 주관하는 '전국중고생 일본어학력경시대회'에서 수상한 중학생 5명, 고등학생 5명을 파견한다. 학생들은 4박 5일간 히로시마를 방문해 히로시마여학원고교 등과 교류하며, 히로시마 평화공원과 원폭기념관, 방송국과 양로원, 미야지마와 히로시마 시내 등도 방문한다.

### 전국대학생 일본어번역대회

2013년부터 시작했다. 전국의 각 대학에서 일본어를 공부하는 학생을 대상으로 소속 대학교수의 추천을 받아 응시자를 모집한다. 서울과 부산에 시험장을 설치하고 일본어를 한국어로 번역하는 문제와 한국어를 일본어로 번역하는 문제로 평가한다. 최우수상 수상자는 상금과 함께 일본에 9박 10일간 연수를 보내주고 우수상, 준우수상, 장려상 수상자에게는 소정의 상금을 준다. 이 대회 수상자를 회원으로 하는 블로그를 개설해 커뮤니케이션 기회를 제공하고 정기모임을 개최한다. 일본어 번역에 관한 스터디, 연구활동, 번역물 수주 등도 지원한다(블로그 http://cafe.naver.com/kojaute).

### 일본유학시험(EJU) 위탁사업

일본학생지원기구의 위탁을 받아 매년 6월과 11월, 연 2회 시험장을 설치해 시험을 치르고 성적을 통보해 준다. 서울지역은 협회가, 부산지역은 사단법인 '부산한일교류센터'가 대행한다. 이 시험 성적은 외국인 학생이 일본의 고등교육기관(대학, 대학원, 전문학교 포함)에 입학할 때 필요하다. 초기에는 응시자가 수백 명에 불과했으나 최근에는 서울은 2000명, 부산은 600명가량이 응시한다. 성적 우수자에게는 월 4만 8,000엔의 학습장려비를 준다[www.ejutest.com(한국공식사이트), www.jasso.go.jp(일본학생지원기구)].

### 일본유학박람회 공동주최

1997년부터 매년 9월에 일본의 대학(원), 전문학교, 일본어학교와 관계기관이 합동으로 서울과 부산에서 개최하는 박람회이다. 현장에서 개별상담, 세미나개최, 자료배부 등을 한다. 매년 180~190여 개 학교가 참가하며 서울 4000여 명, 부산 2400여 명(부산행사장은 부산한일교류센터가 준비)의 일본유학 희망자가 방문한다(www.e-studyjapan.co.kr).

### 이수현 씨 기념 한국 청소년 일본 초빙사업

2001년 도쿄 유학 중 선로에 떨어진 일본인을 구하려다 숨진 이수현 씨를 기리는 사업이다. 이 사업은 본래 일본국제교류기금의 사업이지만, 협회가 공동주최자로 참가해 2002년도부터 실시하고 있다. 고교 재학생을 대상으로 1차는 논술과 일본어시험으로 60명가량을 선발하고, 2차는 한국어와 일본어로 면접을 보고 최종적으로 30명가량을 선발한다. 초기에는 매년 10명을 선발했으나 차츰 규모가 늘어나 2007년부터는 30명을 선발하고 있다. 선발된 학생은 매년 1월 중순에 11일 동안 도쿄, 교토, 히로시마 등을 방문해 일본어 연수, 일본 청소년과의 교류, 일본문화 체험, 산업시설 견학 등을 한다.

한일협회 역대 회장은 다음과 같다.

| 대 수 | 이 름 | 경 력 | 재임기간 |
|---|---|---|---|
| 1 | **황종률** | 전 재무부장관 | 1971.9.7~1972.11.29 |
| 2 | **김용주** | 전 주일특명전권공사 | 1972.11.30~1985.4.17 |
| 3 | **문홍주** | 전 문교부장관 | 1985.4.18~1986.7.11 |
| 4 | **이동원** | 전 외무부장관 | 1986.7.12~1987.2.19 |
| 5 | **김인득** | 전 벽산그룹회장 | 1987.2.20~1988.8.29 |
| 6 | **정일권** | 전 국무총리 | 1988.8.30~1989.6.21 |
| 7 | **조만제** | 전 한일협회 전무 | 1989.6.22~1996.11.5 |
| 8 | **정석규** | 전 대구대 대학원장 | 1996.11.6~2001.6.7 |
| 9 | **송부영** | 해외교육사업단 대표 | 2001.6.8~2003.3.9 |
| 10 | **손대준** | 전 한국일어일문학회장 | 2003.3.10~2006.2.26 |
| 이사장 | **송부영** | 해외교육사업단 대표 | 2006.2~ |

10대 회장 임기가 끝난 후부터는 회장제를 이사장제로 바꾸고 9대 회장을 지냈던 송부영 씨가 2006년 2월부터 초대 이사장으로 일하고 있다.

설립 초기부터 1999년경까지 재직한 이사는 다음과 같다.

황종률, 박두병, 이호, 김용완, 김철호, 이동원, 허정구, 이동환, 추성칠, 엄효섭, 홍용희, 이종우, 김영철, 김유택, 최태섭, 이동화, 권일, 박건석, 선우종원, 김봉학, 신격호, 안재우, 유홍렬, 장덕진, 조홍제, 허필석, 홍익표, 한무숙, 한병기, 김용주, 김남조, 김형일, 민병권, 안광호, 조중훈, 최두고, 최치환, 김인득, 조만제, 이동녕, 김봉재, 김상문, 김상영, 김성곤, 김용태, 박충훈, 백태문, 오판술, 이필섭, 김택권, 조영철, 조중호, 현영원, 모윤숙, 정석규, 문홍주, 주경효, 이대수, 오언, 조심, 양

찬우, 백영훈, 김종대, 박용곤, 배동환, 김경래, 남해용, 최운상, 김영관, 신효순, 나석호, 우병규, 정일권, 김봉균, 방자명, 임종철, 진성재, 장학식, 박성필

**한일협회는 (06620) 서울특별시 서초구 강남대로 381(서초동 1319-11) 두산베어스텔 709호에 있다.**
**전화 (02) 3452-5999, 팩스 (02) 552-1062, 이메일 koja@koja.or.kr, 홈페이지 http://www.koja.or.kr**

# 7. 한일문화교류기금

한일문화교류기금(The Korea-Japan Cultural Foundation)은 한일 양국 국민 간의 문화교류와 상호이해를 증진하고, 아시아의 안정과 번영에 기여한다는 목적으로 1984년에 설립한 비영리 공익재단법인이다. 일본에도 일한문화교류기금이 있다.
문화교류기금의 사업은 크게 인적교류 사업과 문화교류 사업으로 나눌 수 있다. 인적교류 사업은 한국전문가를 일본에 파견하고 일본 문화인을 국내로 초빙하는 것이다. 문화교류사업은 한일 양국의 문화 연구나 회의, 전시, 공연 등을 개최하거나 지원하는 것이다.

구체적으로는 다음과 같은 사업을 하고 있다.

### 한일문화강좌

1987년부터 정기적으로 열고 있다. 한국인 학자, 예술가, 언론인은 물론, 일본인 전문가들도 초빙해 한국과 일본의 정치, 경제, 사회, 문화 등 거의 모든 영역에 걸쳐 강의를 하고 참석자들과 질의응답을 한다. 참석자들은 기금에서 가지고 있는 메일 리스트와 학생단체 등을 통해 모집하는데 보통 40~50여 명이 참가한다.

| 회차 | 주 제 | 발표자 | 사회자 |
|---|---|---|---|
| 1 | 일본개신교회의 한국침투와 유신회 사건 | 이광린(서강대 교수) | 고병익(한림대 교수) |
| 2 | 일본의 재군비 - 그 실상과 의도에 대한 하나의 분석 | 이도형(조선일보 논설위원) | 이상우(서강대 교수) |
| 3 | 일본인의 원형과 기업 의식 | 김용운(한양대 교수) | 이왕세(방송문화연구소장) |
| 4 | 일본의 교과서 왜곡 시비에 붙이는 방주(旁註) - 독일 현대사에 관한 논의를 중심으로 | 최정호(연세대 교수) | 서기원(작가) |
| 5 | 일본의 근대화를 생각한다 | 최상용(고려대 교수) | 유근호(성신여대 교수) |
| 6 | 일본의 기업경영과 노사관계 | 조규하(전경련 전무) | 이종윤(한국외대 교수) |

**유신회사건**
조선총독부가 1913년 YMCA 부총무 김린을 매수해 유신회를 조직한 뒤 한국YMCA를 일본 YMCA에 예속시킨 사건이다. 총독부는 일제에 반항적인 한국YMCA를 눈엣가시로 여기고 이 단체를 일본 YMCA 산하로 넣으려 했다. 그러나 YMCA가 이를 거부하자 어용단체인 유신회를 만들어 유신회가 한국YMCA는 일본YMCA 산하로 가는 것이 좋다는 건의를 하도록 한다. 결국 총독부의 의도대로 1913년 4월 한국YMCA는 일본YMCA 밑으로 들어간다.

| 회차 | 주 제 | 발표자 | 사회자 |
|---|---|---|---|
| 7 | 춘향전과 《주신구라(忠臣藏)》를 통해서 본 한일 문화의 비교 | 이어령(이화여대 교수) | 김태준(동국대 교수) |
| 8 | 한국과 일본의 고대 음악 | 한만영(서울대 교수) | 황병기(이화여대 교수) |
| 9 | 군왜(群倭)와 기화요초(琪花瑤草) - 조선통신사의 일본관 | 고병익(한림대 교수) | 이광린(서강대 교수) |
| 10 | 일본의 전후 책임과 재일한국인 문제 | 다나카 히로시(田中宏, 아이치현립대 교수) | 한영구(외교안보연구소 교수) |
| 11 | 한일문화의 범형(範型) 비교 - 불교를 주축으로 | 심재룡(서울대 교수) | 최병헌(서울대 교수) |
| 12 | 일본고전 《만요슈》(萬葉集)는 우리말 노래 | 이영희(한국여류문학인회장) | 구중서(수원대 교수) |
| 13 | 한국인의 대일관(對日觀) - 한일관계를 중심으로 | 오택섭(고려대 교수) | 유재천(서강대 교수) |
| 14 | 지는 법을 몰랐던 일본 | 하야시 다테히코(林建彦, 도카이대 교수) | 이도형(조선일보 논설위원) |
| 15 | 나에게 있어서의 모국과 일본 | 이양지(재일동포 작가) | 이근삼(서강대 교수) |
| 16 | 다시 일본과 독일과 그리고 우리 | 최정호(연세대 교수) | 유재천(서강대 교수) |
| 17 | 앞으로의 한일관계에 바란다 | 쓰노다 후사코(角田房子, 작가) | 이광린(서강대 교수) |
| 18 | 일본말의 뿌리는 우리말이다 | 박병식(일본 시마네종합연구소 객원연구위원) | 김용운(한양대 교수) |
| 19 | 동아시아지역에 있어서의 영토분쟁의 특징 - 일소(日蘇) 북방영토를 중심으로 | 박춘호(고려대 교수) | 지정일(국제법학회 이사) |
| 20 | 8·15 이후 일본에서의 한국문학 수용의 발자취 | 안우식(재일동포 문학평론가) | 김병익(문학과지성사 대표) |
| 21 | 금석명문(金石銘文)을 통해 본 무령왕의 세계 - 대왕의 세계 | 소진철(원광대 교수) | 이태영(국제교과서연구소장) |
| 22 | 한국음악과 일본음악의 비교 | 서우석(서울대 교수) | 권오성(한양대 교수) |
| 23 | 일본의 전후보상처리의 전후처리를 생각한다 | 다나카 히로시(田中宏, 아이치현립대 교수) | 한영구(외교안보연구소 교수) |
| 24 | 미 점령당국의 언론정책과 전후 일본의 정치발전 | 김정기(한국외대 교수) | 유재천(서강대 교수) |

**《주신구라(忠臣藏)》**

1702년 옛 아코번(赤穗藩·지금의 효고현 고베시)의 무사 47명(또는 46명)이 주군의 원수를 살해해 복수한 사건을 제재로 한 작품이다. 이 사건은 지금도 인형극, 가부키, 드라마, 영화로 리메이크해 큰 인기를 끌고 있다. 1701년 에도성을 방문한 천황 사절의 접대역이었던 아코번의 영주 아사노 나가노리(浅野長矩)가 막부 중역인 기라 요시나카(吉良義央)와 다툼 끝에 칼로 부상을 입힌다. 아사노는 당장 할복하라는 명을 받았지만 기라는 무사했고, 아코번은 다른 다이묘(大名)에게 넘어간다. 낭인이 된 아코번 사무라이 47명이 오이시 구라노스케(大石内藏助)를 중심으로 복수를 준비해 이듬해 기라의 저택을 습격해 그의 목을 베어 주군의 묘에 바친다. 서민들은 이들을 아코 의사(赤穗義士)라고 부르며 열광했으나 막부는 전원에게 할복을 명했다.

**《만요슈(萬葉集)》**

일본의 가장 오래된 가집(歌集). 편자 미상. 만든 때도 확실치 않으나 630년대에서 760년대로 추정한다. 수록한 노래는 4536수로, 장가(長歌) 265수, 단가(短歌) 4207수, 기타 64수이다. 작자는 천황과 귀족부터 평범한 농민까지 다양하다. 이 가집은 가장 오래되었을 뿐만 아니라 문학적 가치도 높아 일본사상사와 생활사 연구의 귀중한 자료로 평가받고 있다.

**순종칙령 위조수결(純宗勅令 僞造手決)**

1992년 서울대 규장각 관장으로 있던 이태진 교수가 밝힌 것이다. 이 교수는 을사조약 이후 1907년 순종이 여러 행정부처를 일본식으로 개편하는 것을 골자로 한 48건의 칙령에 서명한 수결을 분석한 결과, 순종 자필이 아니고 누군가가 대리로 서명한 것으로 확인했다고 공개했다. 이는 일제가 조선의 식민지화를 서두르기 위해 국왕의 서명까지 날조했음을 보여주는 증거라는 것이다. 이 교수는 규장각이 소장하고 있는 구한말 법령 등을 정리해《규장각 자료총서 - 근대법령편》3권을 간행하는 과정에서 이런 사실을 확인했다고 밝혔다.

| 회차 | 주 제 | 발표자 | 사회자 |
|---|---|---|---|
| 25 | 순종칙령 위조수결(純宗勅令 僞造手決) 발견 경위와 그 의의 | 이태진(서울대 교수) | 백충현(서울대 교수) |
| 26 | 또 다른 얼굴, 내향화(內向化)하는 일본 | 한수산(작가) | 김병익(문학평론가) |
| 27 | 조선조 후반기의 한일 관계 - 새로운 선린관계 구축을 위해 | 이진희(재일사학자) | 임병태(숭실대 교수) |
| 28 | 일본은 변하지 않는다 | 이도형(〈한국논단〉 발행인) | 한상일(국민대 교수) |
| 29 | 어떤 일본 지식인의 대한관(對韓觀) | 한상일(국민대 교수) | 박명흠(창원대 교수) |
| 30 | 금석명문(金石銘文)을 통해 본 무령왕의 세계 | 소진철(원광대 교수) | 이태영(국제교과서연구소장) |
| 31 | 특별한 일본인의 특별한 역사의식 | 전여옥(KBS기자) | 김용덕(서울대 교수) |
| 32 | 일본의 지역문화정책 | 김문환(서울대 교수) | 이상우(서강대 교수) |
| 33 | 세기말의 현대일본문학 | 윤상인(한양대 교수) | 우찬제(문학평론가) |
| 34 | 한국 대중가요의 발생과 변천 - 일본 대중가요와의 관계를 중심으로 | 민경찬(한국예술종합학교 한국예술연구소 연구위원) | 홍승찬(서울대 강사) |
| 35 | 우리나라 양화(洋畵) 도입과정에 미친 일본의 영향 | 최경한(서울여대 교수) | 이만익(서양화가) |
| 36 | 한일 만화비교론 | 이원복(덕성여대 교수) | 성완경(인하대 교수) |
| 37 | 일본에 건너간 우리 음식문화 | 김광언(인하대 교수) | 장철수(정신문화연구원 교수) |
| 38 | 일본을 어떻게 볼 것인가 | 최상용(고려대 교수) | 유근호(성신여대 교수) |
| 39 | 일본의 고등학교 교육개혁에 관하여 | 엄규백(양정고 교장) | 이용숙(덕성여대 교수) |
| 40 | 일본의 국제화와 내셔널리즘 - 한일간의 비교 시각에서 | 김용서(이화여대 교수) | 어수영(이화여대 교수) |
| 41 | 한일 정치체제 비교 | 김영명(한림대 교수) | 진창수(세종연구소 연구위원) |
| 42 | 일본의 대한(對韓)문화정책과 일본문화의 유입 | 유재천(한림대 교수) | 이상희(서울대 명예교수) |
| 43 | 역사 속의 기억과 망각 - 한일관계, 어제와 오늘 | 이상희(서울대 명예교수) | 유재천(한림대 교수) |

| 회차 | 주 제 | 발표자 | 사회자 |
|---|---|---|---|
| 44 | 미일 신안보공동선언과 방위협력지침 | 송영선(한국국방연구원 일본연구실장) | 김태효(신아시아연구소 외교안보연구실장) |
| 45 | 한국 서정시인들과 나 | 이마미치 도모노부(今道友信, 도쿄대 명예교수) | 고병익(전 서울대 총장) |
| 46 | 재일 조총련의 과거, 현재, 미래 | 이왕세(연합통신 동북아정보문화센터 소장) | 정광섭(경기대 교수) |
| 47 | 동아시아 경제위기와 일본의 역할 | 안충영(중앙대 국제대학원장) | 김완순(고려대 교수) |
| 48 | 문화로 본 한일관계 | 지명관(한림대 일본연구소장) | 김태준(동국대 교수) |
| 49 | 근대 일본에 있어서 대외적 자립의 수준과 위기의식 | 김용덕(서울대 교수) | 장인성(서울대 교수) |
| 50 | '오야코 우타(親子唄)'와 경상도 모노래(모내기노래-필자) | 이소라(문화재관리국 전문위원) | 전인평(중앙대 교수) |
| 51 | 한일 영화의 이해 | 이장호(영화감독) | 조재홍(시나리오작가) |
| 52 | 한국민요와 관련 있는 일본민요에 대하여 | 야마다 지카히로(山田親弘, 일본민요연구·평론가) | 이소라(문화재관리국 전문위원) |
| 53 | 한일파트너십 어떻게 전개될 것인가 | 공로명(동국대 일본연구소장) | 조창화(한국체대 교수) |
| 54 | 한일관계의 현황과 바람직한 방향 | 김석규(외교통상부 본부대사) | 조창화(한국체대 교수) |
| 55 | 근세 한일 법률 교류사 | 최종고(서울대 교수) | 한영구(중부대 상임이사) |
| 56 | 일본의 교육개혁-한일비교의 관점에서 | 우마코시 도루(馬越徹, 나고야대 교수) | 이대순(한국고등교육학회장) |
| 57 | 한국어 일본어의 차등화법 | 고병익(문화재위원회 위원장) | 정명환(학술원회원) |
| 58 | 일본의 침략주의적 역사교과서를 비판한다 | 기미시마 가즈히코(君島和彦, 도쿄학예대 교육학부 교수) | 손승철(강원대 교수) |
| 59 | 조선통신사와 21세기 한일관계 | 손승철(강원대 교수) | 오성(세종대 교수) |

**《해동제국기(海東諸國記)》**

1443년(세종 25) 서장관으로 일본에 다녀온 신숙주(申叔舟 · 1417~1475)가 1471년(성종 2) 왕명으로 일본의 정치 · 외교 · 사회 · 풍속 · 지리 등을 종합적으로 정리한 책이다. 해동제국은 일본 본국, 규슈와 대마도, 일기도(壹岐島), 유구국(琉球國)을 총칭한다. 이 책에는 '일본본국지도'가 실렸는데, 세계 최초로 인쇄된 일본지도이다. 15세기 일본의 역사와 지리, 한일외교사 연구에 귀중한 자료이다.

**신국사상(神國思想)**

일본 국토와 거기에 있는 모든 것은 신이 만들었고, 신이 보호하고 있다는 사상. 원래는 농경의례 등과 결부한 소박한 신앙이었지만, 정치적 통일을 이루고 타국과 타민족에 대한 의식이 싹트면서 일본은 타국보다 우수한 국가라고 주장하는 근거가 되었다. 13세기 말 여몽연합군을 물리친 바람을 '가미가제(神風)'로 부르고 도요토미 히데요시가 기독교를 탄압하는 근거로 일본을 '신국'으로 칭한 것도 이런 사상에 근거를 두고 있다. 에도시대 후기에 외세의 압력이 심해지면서 신국사상을 고취하고 배외주의를 주창하는 사람이 늘어났다. 신국사상은 전쟁 때마다 강조되었으며, 국가신도를 지탱하는 정신적 근거가 되었다. (종교학대사전)

| 회차 | 주 제 | 발표자 | 사회자 |
|---|---|---|---|
| 60 | 일본출판문화 · 애니메이션의 문화비즈니스 전략 | 박인하(청강문화산업대 교수) | 최일(경기대 교수) |
| 61 | 일본주자학과 조선의 유학 | 양일모(한림대 교수) | 이봉규(인하대 교수) |
| 62 | 《해동제국기(海東諸國記)》에 나타난 중세 조선-일본 간의 상호이해 | 무라이 쇼스케(村井章介, 도쿄대 교수) | 손승철(강원대 교수) |
| 63 | 조선 후기 한일관계와 인삼 | 오성(세종대 교수) | 한철호(동국대 교수) |
| 64 | 일본과 이슬람세계와의 만남 | 정수일(고려대 강사) | 김선호(부산외대 국제통상지역원 교수) |
| 65 | 함께 살아가는 아름다움-일본 조합주택의 실례(實例) | 이윤희(도쿄대 교수) | 주영정(전주대 겸임교수) |
| 66 | 동북아 경제통합과 한일FTA | 안충영(대외경제정책연구원장) | 김영희(중앙일보 국제문제 대기자) |
| 67 | 조선사료 속의 동아시아 해역(海域) 세계 | 다카하시 기미아키(高橋公明, 나고야대 대학원 교수) | 손승철(강원대 교수) |
| 68 | 나쓰메 소세키(夏目漱石)와 근대 일본 | 박유하(세종대 교수) | 김철(연세대 교수) |
| 69 | 한일 전통사회의 비교-일본인 한국사 연구자의 입장에서 | 미야지마 히로시(宮嶋博史, 성균관대 동아시아학술원 교수) | 오성(세종대 교수) |
| 70 | 고려와 일본의 상호인식-몽골의 일본침략과 관련하여 | 남기학(한림대 교수) | 윤병남(서강대 교수) |
| 71 | 외교와 문화교류 | 히라노 겐이치로(平野健一郎, 와세다대 정경학부 교수) | 김용덕(서울대 국제대학원장) |
| 72 | 신국(神國)사상, 군사주의, 그리고 히데요시(秀吉)의 조선침략 | 허남린(캐나다 브리티시컬럼비아대 교수) | 민덕기(청주대 교수) |
| 73 | 동아시아에서의 한일 고대도시의 전개 | 사토 마코토(佐藤信, 도쿄대 대학원 교수) | 박석순(강원대 교수) |
| 74 | 한국과 일본의 전통주택 공간 | 김광현(서울대 교수) | 전영훈(중앙대 교수) |
| 75 | 조선 전기의 세계관과 일본 인식 | 하우봉(전북대 교수) | 손승철(강원대 교수) |
| 76 | 일본 농촌사회의 결혼난-'이에(家)'에서 '개인', 그리고 '사회'로 | 황달기(계명대 교수) | 백운용(계명대 강사) |

| 회차 | 주 제 | 발표자 | 사회자 |
|---|---|---|---|
| 77 | 독도문제와 한일관계 | 호사카 유지(保坂友二, 세종대 교수) | 손승철(강원대 교수) |
| 78 | 일본 밖 일본: 회고록을 통해서 본 식민지시기 재조선 일본인사회 | 권숙인(서울대 교수) | 한영혜(서울대 국제대학원 교수) |
| 79 | 에도시대부터 메이지기에 걸쳐 일본에서 사용된 한국어 학습서 | 사토 아케미(佐藤明美, 한림대 교수) | 김기민(한림대 강사) |
| 80 | 대마도로 떠나는 한국 지명 여행 | 심보경(한림대 교수) | 손승철(강원대 교수) |
| 81 | 근세 조일 양국의 무기와 전술-임진왜란을 중심으로 | 박제광(전쟁기념관 학예연구관) | 강신엽(육군박물관 학예연구관) |
| 82 | 한일관계-상호이해를 위한 미디어의 역할과 시민교류 | 아오키 다카나오(青木隆直, 홋카이도신문 도쿄지국장 겸 논설위원) | 손승철(강원대 교수) |
| 83 | 조선시대의 한일 사신 접대음식 문화 | 김상보(대전보건대 교수) | 석대권(대전보건대 교수) |
| 84 | 일본문화를 이해하는 통로, 신토(神道) | 정혜선(성균관대 인문과학연구소 연구 조교수) | 이재범(경기대 교수) |
| 85 | 일본과 일본 사상 | 이기동(성균관대 교수) | 이동준(성균관대 명예교수) |
| 86 | 일본전쟁기념관과 기억의 정치 | 여문환(국가경영전략연구원 수석연구원) | 김용환(동북아역사재단 연구위원) |
| 87 | 조선백자와 일본 | 윤용이(명지대 교수) | 방병선(고려대 교수) |
| 88 | 메이지유신과 일본의 근대화 | 박훈(서울대 교수) | 이원우(동북아역사재단 연구위원) |
| 89 | 정체하는 일본, 어디로 가는가 | 윤덕민(외교안보연구원 교수) | 이상우(신아시아연구소장) |
| 90 | 도요토미 히데요시(豊臣秀吉) 다시 보기 | 박수철(서울대 교수) | 김문자(상명대 교수) |
| 91 | 왜구-약탈의 시대에서 공존의 시대로 | 마쓰오 히로키(松尾弘毅, 규슈대 강사) | 손승철(강원대 교수) |
| 92 | 동일본 대지진 이후의 일본 정치·사회의 현상과 전망 | 하코다 데쓰야(箱田哲也, 아사히신문 서울지국장) | 예영준(중앙일보 차장) |
| 93 | 대마도 조선어통사가 본 조선-오다 이쿠고로(小田幾五郎)의 경우 | 미노와 요시쓰구(箕輪吉次, 경희대 교수) | 손승철(강원대 교수) |

**신토(神道)**

신토는 일본의 고유 민족 신앙으로 선조나 자연을 숭배하는 토착 신앙이다. 종교라기보다는 숱한 가미(神)를 받들어 모시는 국민신앙이라 할 수 있다. 그러나 1868년 메이지유신 이후 신토는 천황의 권위를 유지하기 위한 국가종교가 된다. 국가와 종교의 합체는 국수주의적인 기풍을 몰고 왔으며, 특히 1930년대 이후에는 '국가신토'가 널리 보급된다. 제2차 세계대전 패전 이후 일본의 모든 종교는 국가와 분리된다. (시사상식사전)

| 회차 | 주 제 | 발표자 | 사회자 |
|---|---|---|---|
| 94 | 야마자 엔지로(山座圓次郎)와 독도 | 예영준(중앙일보 차장) | 손승철(강원대 교수) |
| 95 | 일본의 문화교류정책과 대중문화 | 강태웅(광운대 교수) | 한정선(고려대 교수) |
| 96 | 메세나와 봉사 | 하정웅(수림문화재단 이사장) | 노치환(ANC-KOREA TODAY 서울지국장) |
| 97 | 조선 전기 일본인 왜구, 교류자와 위조교류자에 대하여 | 케네스 로빈슨(Kenneth R. Robinson, 동북아역사재단 초빙교수) | 손승철(강원대 교수) |
| 98 | 나의 하이쿠(俳句) 기행 | 김정례(전남대 일어일문학과 교수) | 김용덕(광주과학기술원 석좌교수) |
| 99 | 한일 음악교류와 동요 | 민경찬(한국예술종합학교 음악학과 교수) | 홍승찬(한국예술종합학교 예술전공 교수) |
| 100 | 한국인이 보는 일본인 | 윤덕민(국립외교원장) | |
| 101 | 국제법을 통해 본 한일관계 150년 | 신각수(국립외교원 국제법센터 소장) | 조정현(국립외교원 교수) |
| 102 | 일본인 기원연구와 한국인 | 세키네 히데유키(關根英行, 가천대 교수) | 송완범(고려대 일본연구센터 교수) |
| 103 | 후쿠시마 원전사고 이후 일본의 우경화와 시민사회의 변화 | 임병걸(KBS 수신료현실화 추진단장) | 김대홍(KBS 문화부 팀장) |
| 104 | 한일 양국의 언어문화에서 보는 일본어 교육 | 나가하라 나리카쓰(長原成功, 강원대 교수) | 배진영(백석대 교수) |
| 105 | 오타쿠문화를 통해 본 한일문화교류 | 김효진(서울대 일본연구소 교수) | 박삼헌(건국대 교수) |
| 106 | 일제의 문화재 수탈과 수난 - 조선총독부박물관과 관련하여 | 김인덕(청암대 교수) | 김울림(국립중앙박물관 학예연구관) |
| 107 | 한일 언어행동문화 비교론 - 한일차이를 넘어선 아름다운 동행 | 겐코 히로아키(檢校裕朗, 극동대 교수) | 배진영(백석대 교수) |
| 108 | 후쿠자와 유키치(福澤諭吉)와 김옥균 | 김민규(동북아역사재단 연구위원) | 방광석(고려대 아세아문제연구소 연구교수) |
| 109 | 한국 대학교의 일본어교육과 연구 현황 | 조남성(한밭대 교수) | 조선영(배재대 교수) |
| 110 | 식민지시기 일본 재류 조선인을 묘사한 미술작품 | 미즈노 나오키(水野直樹, 리쓰메이칸대 문학부 객원교수) | 한승미(연세대 국제학대학원 교수) |

**오타쿠(御宅)**

한 분야에 마니아나 전문가 이상으로 빠져든 사람을 말한다. 1983년 일본에서 처음 사용했다. 본래 의미는 '당신', '댁'을 뜻하는 높임말이다. 초기에는 만화나 애니메이션, 게임, 퍼스널 컴퓨터, 비디오 등 특정 대중문화에 몰두한 사람들이 서로를 존중하는 의미에서 사용했다. 그러나 1989년 연속 유아유괴 살인범인 미야자키 쓰토무(宮崎勤)가 '오타쿠'로 알려지면서 '게임에 파묻혀 사는 인간', '집에서 틀어박혀 사는 녀석'이라는 뜻으로 변질됐다. 그 뒤 비평가들이 '오타쿠'를 새롭게 조명하면서 일본의 하위문화를 대표하는 전문 집단으로 인식하게 됐다. (만화애니메이션사전)

| 회차 | 주 제 | 발표자 | 사회자 |
|---|---|---|---|
| 111 | 《신찬성씨록(新撰姓氏錄)》과 고대 일본의 도래인 | 송완범(고려대 글로벌일본연구원 부원장 겸 교수) | 나행주(대진대 강의교수) |
| 112 | 이토 히로부미(伊藤博文)과 안중근 | 방광석(고려대 아세아문제연구소 연구교수) | 강의교(동덕여대 강의교수) |
| 113 | 조선전기의 한일관계-본격적인 한일 경제교류의 시작 | 아라키 가즈노리(荒木和憲, 일본국립역사민속박물관 준교수) | 손승철(강원대 명예교수) |
| 114 | 아버지 신기수(辛基秀)와 나 | 신이화(프리랜서 리서처) | 심규선(서울대 언론정보학과 기금교수) |
| 115 | 젠더의 시점에서 본 혐한주의와 그 역사적 배경 | 송연옥(아오야마가쿠인대 명예교수) | 한승미(연세대 국제학대학원 교수) |
| 116 | 조선통신사를 통해 본 필담창화(筆談唱和)와 문학세계 | 허경진(연세대 교수) | 장진엽(연세대 강사) |
| 117 | 아리랑, 일본에서 유행하다 | 진용선(아리랑 박물관장) | 손승철(강원대 명예교수) |
| 118 | 근대시가를 통해 본 한국인과 일본인의 정서 | 하야시 요코(林陽子, 인덕대 부교수) | 박상도(서울여대 교수) |
| 119 | 나의 한일고대사 유적 답사 | 홍성화(건국대 글로벌캠퍼스 교양대 교수) | 송완범(고려대 글로벌일본연구원 부원장 겸 교수) |

**《신찬성씨록(新撰姓氏錄)》**

헤이안(平安) 시대 초기인 815년에 사가(嵯峨) 천황의 명으로 편찬한 일본 고대 씨족 일람. 헤이안쿄(平安京)와 수도권(기나이·畿內)에 사는 1182 씨족을 출신에 따라 황별(皇別·황실의 자손), 신별(神別·신의 자손), 제번(諸蕃·한반도에 온 도래인의 자손)으로 분류하고, 그들의 조상과 씨족 이름의 유래, 분가(分家) 경위 등을 기술했다. 일본 고대 씨족과 일본 고대사 연구 전반에 중요한 자료로, 2020년 동북아역사재단이 3권으로 번역 출간했다.

**필담창화(筆談唱和)**

일본에 간 조선통신사는 지나가는 지역의 학자·승려·의원 등과 한문으로 필담을 나눴다. 필담 중에서도 한시를 주고받는 것은 '창화'라고 한다. 일본인들은 이때 주고받은 글과 그림 등을 묶어 '필담창화집'으로 발간했다. 조선과 일본의 역사의식, 풍습, 의술, 외교 등 다양한 지식이 들어 있어, 조선통신사로 일본을 다녀온 조선 관료가 쓴 〈사행록〉과 함께 중요한 1차 자료이다. 2013년 허경진 연세대 국어국문학과 교수가 이끄는 연세대 필담창화집 연구단 14명이 5년 작업 끝에 필담창화집 178권을 우리말로 완역해 60권으로 출판했다.

### 합동학술회의

1982년에 있었던 역사 교과서 왜곡 파동을 계기로 시작했다. 양국 정부 관계자와 정치인들이 한일(일한)문화교류기금을 중심으로 교과서문제 개선을 위해 해마다 양국을 오가며 '한일합동학술회의'를 16차례나 열었다(1986~2001년). 2003년 17차 회의부터는 관련 학회의 도움을 받아 교류기금이 단독으로 운영하고 있으며 2019년에 33차 회의를 열었다. 회의 장소는 서울과 도쿄가 가장 많지만 서귀포, 부산, 경주, 양양(낙산), 춘천, 김포, 안동, 여수, 인천, 하코네, 후쿠오카 등도 있다.

### 일본문화사업시찰단

한국의 각계 각층 인사들이 일본으로 가 일본의 역사 유적과 문화시설을 둘러보고, 현지에서 일본의 지식인들과 간담회 등을 연다. 1988년부터 시작해 2019년까지 31차례 실시했다(모두 157명). 이 프로그램에 참가한 한국 인사들을 직업별로 보면 다음과 같다(직책은 당시).

| | |
|---|---|
| 중고교 교사 (10명) | 김동구(해안중) 김문국(영암고) 김재욱(고령여자종고) 손한기(청주고) 우효상(학성중) 유일호(안면고) 이길자(가야여중) 이재욱(당곡고) 이학연(이리여고) 황홍근(수성고) |
| 대학교수 (69명) | 〈사회계열(32명)〉<br>강근형(제주대 국민윤리학과) 강정인(서강대 정외과) 공로명(한림대 일본연구소장) 구본학(한림국제대학원대) 김병국(고려대 정외과) 김영수(서강대 정외과) 박광희(新亞硏 사무국장) 박호성(서강대 정외과) 성낙인(서울대 법과대학장) 손호철(서강대 정외과) 안계춘(연세대 사회학과) 오기평(서강대 정외과) 오택섭(고려대 신방과) 원우현(고려대 신방과) 유재천(서강대 신방과) 이경숙(숙명여대 총장) 이규영(서강대 국제대학원) 이종걸(한국외대 경제과) 이태욱(서강대 경제과) 전상인(한림대 사회학과) 정긍식(서울대 법학과) 정종욱(아주대 석좌교수) 조명한(서울대 심리학과) 조은(동국대 사회학과) 조정남(고려대 정외과) 진덕규(이화여대 정외과) 최명(서울대 정치과) 최송화(서울대 법학과) 최완규(경남대 북한대학원) 최정호(연세대 신방과) 한승미(연세대 국제대학원) 함재봉(연세대 정외과)<br><br>〈인문계열(33명)〉<br>강경숙(충북대 고고미술사학과) 권정웅(경북대 사학과) 김광규(한양대 사범대) 김광언(인하대 사범대) 김성한(고려대 국제대학원) 김용덕(서울대 국제대학원장) 민현구(고려대 사학과) 박정자(상명대 불어교육과) 박철희(서울대 국제대학원) 변영섭(고려대 고고미술사학과) 서정완(한림대 일본학과) 손덕수(효성여대 사회복지학과) 손승철(강원대 사학과 명예교수) 오성(세종대 역사학과) 원유한(동국대 국사교육과) 윤덕민(국립외교원) 윤현숙(한림대 사회복지학과) 이광린(중부대학장) 이기동(동국대 사학과) 이배용(이화여대 사학과) 이우경(중앙대 영어교육과) 이인호(서울대 서양사학과) 이종욱(서강대 사학과) 이지원(한림대 일본학과) 이희덕(연세대 사학과) 임계순(한양대 사학과) 정두희(전북대 사학과) 정진수(성균관대 영문과) 정진홍(서울대 명예교수) 최태강(한림대 러시아학과) 한영우(서울대 명예교수) 황동규(서울대 영문학과)<br><br>〈예술계열(10명)〉<br>김선숙(충남대 음악과) 김혜경(서울대 성악과) 남정호(경성대 무용과) 박정순(총신대 종교음악과) 박한진(서울시립대 산업미술과) 서우석(서울대 작곡과) 오원배(동국대 미술학부) 이소미(계원예술대 매체예술과) 이정희(중앙대 무용과) 최경한(서울여대 미술대)<br><br>〈이공계열(4명)〉<br>김용선(일송생명과학연구소장) 윤대원(일송학원 이사장) 이경운(전 지질자원연구원장) 최수영(한림대 교무처장) |

| | |
|---|---|
| 문화예술인 (10명) | 김병익(문학과지성사 대표) 김원일(작가) 김태령(일민미술관 디렉터) 김희숙(플루트 연주자) 박애경(성악가) 이만익(서양화가) 이장호(영화감독) 진휘연(미술사가) 홍성원(작가) 황주리(서양화가) |
| 정계 재계 관계 언론계 (63명) | 강기원(변호사) 강영규(한일문화교류기금 이사) 강위석(전 중앙일보 논설고문) 강천석(조선일보 주필) 김대중(조선일보 주필) 김민배(조선일보 편집국 부국장) 김서웅(서울경제신문 부사장) 김숙현(변호사) 김순덕(동아일보 편집국 부국장) 김영희(중앙일보 대기자) 김재순(전 국회의장) 김창혁(동아일보 논설위원) 노미혜(한국여성개발원 부원장) 문명호(문화일보 논설위원) 문창극(중앙일보 주필) 박선이(조선일보 생활부 기자) 박승평(한국일보 수석논설위원) 박영애(KBS기자) 박용옥(한국국방연구원 연구자문위원) 박원홍(국회의원) 박정화(코리아포커스 편집장) 박진(국회의원) 박태욱(중앙일보 논설실장) 박효성(한일문화교류기금 운영위원) 배인준(동아일보 주필) 선우정(조선일보 논설위원) 성병욱(중앙일보 주필) 손세일(국회의원) 손정미(조선일보 국제부 기자) 신각수(전 주일대사) 신동호(스포츠조선 사장) 신예리(중앙일보 국제부 기자) 심규선(동아일보 대기자) 안병훈(전 조선일보 편집국장) 안혜리(중앙일보 국제부 기자) 예영준(중앙일보 논설위원) 오태돈(MBC 영상편집부 기자) 유근일(조선일본 논설실장) 유명환(전 외교통상부장관) 윤호미(조선일보 편집국 부국장) 이대순(호남대 총장) 이동복(국회의원) 이석용(한일문화교류기금 이사) 이요식(여성개발원 부원장) 이재춘(전 러시아대사) 이재호(동아일보 국제부장) 이태원(한일문화교류기금 이사) 이한수(조선일보 기자) 이한우(조선일보 기자) 이홍구(서울국제포럼 이사장) 인보길(디지털조선일보 사장) 전재희(광명시장) 정구영(변호사) 정재관(서울컨벤션 뷰로 대표) 조성원(KBS 기자) 조창화(LG그룹 고문) 최병렬(서울시장) 최보식(조선일보 기자) 최영민(KBS강릉방송국 총국장) 함석재(국회의원) 현홍주(전 주미대사) 홍준호(조선일보 편집국 부국장) 홍찬식(동아일보 논설위원) |
| 그 외 (5명) | 강인성(신아시아연구소 사무국장) 백정란(Indeco 사장) 이선영(신아시아연구소 연구원) 이종욱(서울대 의과대학장) 한명숙(여성민우회 대표) |

**출판사업**

한일문화강좌나 한일합동학술회의에서 발표했던 논문들을 단행본으로 묶어 관련 인사나 유관단체 등에 배포하고 있다. 지금까지 출판한 책은 20여 권이다.

☑ 한일고대문화의 연계(서울프레스)

☑ 조선왕조실록속의 한국과 일본(이하 모두 경인문화사)

☑ 되돌아본 한일관계사

☑ 일본의 정치 · 경제 · 사회

☑ 한국사람, 일본사람의 생각과 삶

☑ 한일도자문화의 교류양상

- ☑ 東아시아속의 渤海와 日本
- ☑ 몽골의 고려·일본 침공과 한일관계
- ☑ 임진왜란과 동아시아세계의 변동
- ☑ 1910년-그 이전 100년: 한국과 일본의 서양문명 수용
- ☑ 韓日文化交流基金 25年史
- ☑ 한일관계 속의 왜관
- ☑ 朝鮮時代의 韓國과 日本
- ☑ 대한제국과 한일관계
- ☑ 일본을 말하다
- ☑ 한일관계, 과거와 현재
- ☑ 한국인과 일본인의 삶과 죽음
- ☑ 한일 상호인식과 善隣의 길
- ☑ 韓日兩國, 서로를 어떻게 記錄했는가?
- ☑ 조선통신사 기록물의 UNESCO 세계기록 문화유산

**기당한국연구기금**

한일문화교류기금은 초기 10년간 이사장으로 일해온 기당 이한기(箕堂 李漢基) 박사의 유지를 잇기 위해 〈기당한국연구기금〉을 만들고, 1997년부터 일본학자 또는 재일한국인 2세 학자가 한국에 와서 연구할 수 있도록 돕고 있다.
이 기금으로 한국에 온 학자는 다음과 같다.

- ☑ 박일 오사카시립대 경제학부 교수(연구 테마, 재일 한국인문제에 대한 한국정부의 대응과 그 문제점: 1952~1990년)
- ☑ 아쿠즈 히로야스(阿久津博康) 호주 국립대 연구원(1993~94년 미국-북한의 교섭과 1994년 후의 합의 조항에 대한 연구)
- ☑ 소에야 요시히데(添谷芳秀) 게이오대 교수(한국의 대중 어프로치)
- ☑ 무라이 쇼스케(村井章介) 도쿄대 대학원 연구과 교수(고려~조선 전기의 한일 양국인의 상호 인식)
- ☑ 다카하시 기미아키(高橋公明) 나고야대학원 교수(조선왕조에서 바라본 海域세계: 1419~1510년)
- ☑ 사토 마코토(佐藤信) 도쿄대 대학원 교수(고대 동아시아의 한자 문화와 도시의 비교연구)
- ☑ 에노모토 마사루(榎本渉) 도쿄대 문학부 연구원(신라·고려와 일본의 교류)

☑ 마쓰오 히로키(松尾弘毅) 후쿠오카공업대 단기부 비상근 강사(14~16세기 한일관계에서의 일본인 통교자(通交者)와 조선왕조의 대응)

☑ 김경호 도쿄대 박사과정(해방 직후~1950년대에 걸친 재일지식인 생활빈곤문제와 한일관계)

☑ 미즈노 나오키(水野直樹) 리쓰메이칸대 문학부 객원교수(교토에 유학한 한국인의 귀국 후 활동에 관한 연구)

☑ 아라키 가즈노리(荒木和憲) 일본 국립역사박물관 준교수(17세기 전반의 한일교류사에 관한 역사문화자료의 조사 연구)

☑ 송연옥 아오야마가쿠인대 명예교수(한국 근현대사에 있어서의 일본제국과 재일동포를 바라보는 시각의 변화)

한일문화교류기금 운영진은 다음과 같다.

| 직 책 | 이 름 | 경 력 |
|---|---|---|
| 명예회장 | **이홍구** | 서울국제포럼 이사장, (전)국무총리, 주미대사, 국회의원 |
| 회장 | **이상우** | 신아시아연구소장, (전)한림대 총장, 국방선진화추진위원장 |
| 이사장 | **유명환** | 김앤장 법률사무소 고문, (전)외교통상부 장관, |
| 이사 | **이대순** | 한일협력위원회 이사장, (전)체신부장관, 국회의원 |
| | **이재춘** | (전)러시아 대사, 벨기에 EU대사, 방글라데시 대사 |
| | **손승철** | 강원대 명예교수 |
| | **신각수** | 법무법인 세종 고문, (전)주일 대사 |
| 상임이사 | **김수웅** | 한일문화교류기금 사무국장 |
| 감사 | **박광희** | 강남대 교수 |
| | **구본학** | 한림국제대학원대 교수 |

한일문화교류기금 운영자문위원회의 멤버는 다음과 같다.

| 직책 | 이름 | 경력 |
|---|---|---|
| 위원장 | **이상우** | 한일문화교류기금 이사장 |
| 위원 | **김영수** | 서강대 교수 |
| | **김희숙** | 플루트 연주가 |
| | **예영준** | 중앙일보 논설위원 |
| | **조성원** | KBS 베이징 특파원 |
| | **한승미** | 연세대 교수 |

한일문화교류기금의 일본 측 카운터파트인 일한문화교류기금은 매년 '한국방문단'을 조직해 우리나라를 방문하고 있다.

2019년 일한문화교류기금 방한단은 다음과 같다.

| 직책 | 이 름 | 현직과 전직 |
|---|---|---|
| 단장 | **사메지마 후미오(鮫島章男)** | 일한문화교류기금 회장, 태평양시멘트㈜ 명예고문 |
| 부단장 | **오노 마사아키(小野正昭)** | 일한문화교류기금 이사장, 해외법인 안전협회 회장 |
| 고문 | **도쓰카 신야(戸塚進也)** | 일한문화교류기금 이사, (전)중의원 의원, 가게카와(掛川)시장 |
| 고문 | **우치다 도미오(內田富夫)** | 일한문화교류기금 고문, (전)일한문화교류기금 이사장 |
| 단원 | **나라사키 마사히로(楢崎正博)** | 일한문화교류기금 이사, (전)關電산업㈜ 고문 |
| 단원 | **오타케 요코(大竹洋子)** | 일한문화교류기금 평의원, (전)도쿄국제여성영화제 디렉터 |
| 단원 | **이토 아비토(伊藤亞人)** | 일한문화교류기금 평의원, 도쿄대 명예교수 |
| 단원 | **사토 도시유키(佐藤俊行)** | 일한문화교류기금 평의원 |
| 단원 | **요시다 미쓰오(吉田光男)** | 도쿄대 명예교수, 방송대 명예교수 |
| 수행 | **오사 히사미쓰(長久光)** | 일한문화교류기금 총무부장 |
| 수행 | **기카이 히로유키(鬼海裕之)** | 일한문화교류기금 홍보반장 |

**한일문화교류기금은 (07238) 서울특별시 영등포구 국회대로 70길7(여의도동 14-2) 동아빌딩 3층에 있다. 전화 (02) 784-1023, 홈페이지 www.kjcf.org**

# 8. 한일문화교류회의

KOREA-JAPAN

한일문화교류회의(The Korea-Japan Cultural Exchange Council)는 1998년 10월 김대중 대통령과 오부치 게이조(小渕惠三) 총리가 발표한 '21세기 새로운 한일 파트너십 공동선언'의 정신과 1999년 3월 서울에서 개최한 한일정상회담의 합의에 따라 탄생했다. 양국의 민간레벨에서 문화교류 전반에 걸쳐 허심탄회하게 논의할 수 있는 공식 채널이 필요하다는 판단에 따라 1999년 6월 양국 문화계를 대표하는 11명씩으로 만든 한일문화교류회의가 시작이다. 일본에는 일한문화교류회의가 있다.

한일문화교류회의 공동선언문은 이렇게 되어 있다.

1. 한 · 일 양국은, 지난해 10월 김대중 대통령의 국빈방문시 양국정상간 합의 발표된 「21세기의 새로운 한 · 일 파트너십 공동선언」의 정신을 살리고 그 이후 조성된 양국간 우호협력분위기를 보다 실질적 · 구체적으로 고양시킨다는 차원에서, 지난 99년 3월 서울개최 한 · 일 정상회담시 민간레벨의 「한 · 일 문화교류회의」를 구성키로 원칙합의한바 있다.

2. 이에 따라 한 · 일 양국관계를 전반적으로 조망할 수 있는 인사와 문화 · 예술계인사를 중심으로 한 · 일 문화교류회의 양측위원이 각기 구성됨으로써 금일 「한 · 일 문화교류회의」가 정식 발족하게 되었다.

3. 「한 · 일 문화교류회의」는 연 1회 전체회의를 개최할 계획으로 있으며, 또한 동 회의의 효율적 운영과 전체회의 준비, 의제선정 등을 위해 위원장 포함 소수인 회의를 수시 개최할 방침으로 있는 바, 동 전체회의 개최시기 및 소수인 회의의 명칭, 구성 등은 앞으로 양측 사무국간 협의 · 결정될 예정이다.

4. 「한 · 일 문화교류회의」는 한 · 일 양국간의 전반적인 문화 · 예술교류 촉진문제를 폭넓게 협의함과 동시에, 한 · 일 양국간 문화교류 증진에 적극적 역할을 하는 자리로서 앞으로 양국간 국민 · 문화교류를 폭넓게 증진시켜 전반적인 양국관계 발전에 기여할 것으로 기대된다.

**21세기 새로운 한일 파트너십 공동선언**

1998년 10월 8일, 일본을 방문한 김대중 대통령이 오부치 게이조 총리와 공동으로 한일관계의 미래 청사진을 제시한 선언이다. 이 선언은 부속서를 통해 정치 · 안보 · 경제 · 인적 및 문화교류 등 5개 분야 43개 항목에 걸쳐 구체적인 실천과제를 제시했다는 것이 큰 특징이다. 1965년 국교정상화 이후의 한일관계를 시대 구분하는 사건 중에 하나로 이 선언을 꼽는 학자가 많다. 2018년 양국에서는 이 선언의 20주년을 기념하는 행사가 많이 열렸다.

문화교류회의는 양국 정부에 문화협력을 촉진하기 위한 정책과 방안을 건의하거나 문화단체들이 추진하는 교류사업을 돕기도 한다. 자체적으로 미술 전시, 전통음악감상 등의 교류사업과 일본 국민문화제 참가, 청소년 예술단 일본공연, 한일 지방자치단체 간 교류실태조사, 일본에 한국문학소개 등의 사업도 하고 있다. 한일(일한)문화교류회의는 각자 운영위원회와 전체회의를 두고 있고, 공동 운영회의와 전체회의를 열어 사업을 논의한다.

**시와스마쓰리(師走祭り)**

일본 미야자키현(宮崎縣) 난고손(南郷村)에서 열리는 축제다. 660년 백제가 나당연합군에게 패망하자 백제 왕족들은 규슈로 망명한다. 정가왕(禎嘉王)과 아들 복지왕(福智王)도 망명 중 폭풍우를 만나 미야자키에 표착하면서 헤어졌는데, 그 지역의 정변에 휘말려 다시는 만나지 못하고 모두 숨졌다. 마을 사람들은 부자의 혼백이라도 만나게 해주려고 매년 음력 12월 이 축제를 연다. 히키(比木) 신사에 있는 아들 복지왕의 영혼이 미카도(神門) 신사에 있는 아버지 정가왕을 만나고 돌아오는 2박 3일 90km의 여정을 제사의식과 축제로 만들어 1300년 넘게 이어오고 있다.

**미마지와 기악**

미마지(味摩之)는 일본에 건너가 일본의 전통가면극인 기가쿠(伎樂 · 기악)의 형성에 기여한 백제의 예인이다. 8세기 일본 나라 시대의 사서인 《니혼쇼키(日本書紀)》에는 스이코 천황(推古天皇 · 554~628) 때인 612년(무왕 13) 음력 5월에, 일찍이 오(吳)나라에서 기악무를 익히고 돌아온 백제사람 미마지가 일본으로 건너와 이를 전했다는 내용이 있다. 이는 일본의 전통가면극인 기가쿠에 관한 가장 오래된 기록이다. 그래서 수사적인 표현으로 미마지를 '한류의 원조'라고 부르기도 한다.

**한일문화교류회의와 일한문화교류회의가 최근 공동으로 진행한 프로그램**

| 제 목 | 차수 | 일 시 | 장 소 | 내 용 |
|---|---|---|---|---|
| 한일문화교류 연작 시리즈 〈동행〉 | 4회 | 2015.10.4 | 서울 국립극장 | **〈백제춤의 귀향〉** 1300년 전 백제 왕족의 일본정착을 기념하는 일본 미야자키현(宮崎縣) 난고손(南鄕村)의 시와스마쓰리(師走祭) 중 주요 장면을 재현하고 8개의 백제춤(가구라 · 新樂)을 소개 |
| | 5회 | 2016.10.9 | 〃 | **〈한일교류의 맥박, 그 숨소리〉** 한일 양국을 대표하는 북춤 등 전통악기와 현대음악의 콜라보레이션 무대 등을 통해 한일 문화교류의 역동성을 표현 |
| | 6회 | 2017.11.12 | 〃 | **〈사신연(使臣宴)의 꽃〉** 만요슈(万葉集)에 기록된 내용을 바탕으로 한국과 일본이 아름다운 노래로 선린 교류를 나누던 고대의 역사를 재현한 창작극. 일본의 유명 여배우 마쓰자카 게이코(松板慶子) 출연 |
| | 7회 | 2018.9.10 | 서울 중앙아트센터 | **〈한일교류의 원류를 찾아서〉** 최초의 한류 백제인인 미마지가 일본에 전한 '기악(伎楽)'과 그 원류로 일컬어지는 봉산탈춤을 함께 선보여 한일 양국의 가면무의 원류를 찾는 무대 |
| | 8회 | 2019.10.4 | 오사카 산케이 브리제 홀 | **〈한일교류의 휘황찬란한 유산〉** 한일 양국 거장들의 합동 무대(안숙선, 사쿠라마 우진(櫻間右陳), 국수호 등), 한일 양국 전통북춤, 가야금과 샤쿠하치(尺八)의 협연, 한일교류 20년 기념 특별위촉곡 '휘황(輝煌)' 초연 등 |
| 한일작가 문학낭독회 | 1회 | 2013.12.15 | 가나가와 근대문학관 | 작가 정이현과 에쿠니 가오리(江國香織)가 낭독을 하고 쓰지하라 노보루(辻原登)의 사회로 대담 |
| | 2회 | 2014.10.21 | 주한일본 공보문화원 | 작가 정이현과 에쿠니 가오리가 낭독을 하고 쓰지하라 노보루의 사회로 문학평론가와 대담, 관객과 질의응답 |

| 국제심포지엄 | 2011.3.11 | 서울 프레스센터 | **〈한일문화교류의 새로운 흐름〉** 한류·일류의 상호 수용 실태와 '문화 현상' 분석 |
|---|---|---|---|
| | 2011.9.29 | 교토 리쓰메이칸 대학 | **〈창조적인 한일교류의 시대로〉** 문화 콜라보레이션의 가능성 |

다음은 2019년 10월 4일 일본 오사카에서 공연한 〈동행〉에 대한 동아일보의 예고기사이다(본공연 기사를 싣지 않고 예고 기사를 싣는 이유는 예고 기사가 본공연 기사보다 더 자세하게 〈동행〉 프로그램을 소개하고 있기 때문이다).

**日서 공연, 한국서 공동전시… 한일 문화교류는 계속된다**

오래전부터 준비한 한일 문화 교류 행사가 10월 들어 잇따라 개막하고 있다. "외교는 경색돼도 한일 문화 교류는 흔들리지 않고 있다"는 평가다.

일본 오사카에서는 4일 한일 양국의 전통 소리와 음악, 무용이 어우러지는 공연 '동행'이 열린다. 2012년부터 8회째로 한국과 일본에서 번갈아 열리는 공연이다. 공연을 주최하는 민간 문화 교류 협의체 한일문화교류회의의 정구종 위원장은 "외교, 경제 갈등에도 불구하고 문화 교류는 '운명적 이웃'인 양국이 서로를 이해하는 창구라는 측면에서 가치가 크다"고 말했다.

4일 일본 오사카에서 열리는 '동행'에서 공연하는 국수호 디딤무용단 예술감독. 한일문화교류회의·국립진주박물관·국립민속박물관 제공

피날레로 한일 창작 협연 '휘황(輝煌)'을 선보인다. 한국의 생황(이한석)과 판소리(안숙선, 장서윤), 일본의 비파(구보타 아키코)와 전통 가면무용인 '노(能·사쿠라마 우진)'가 한 무대에서 어우러진다. 피아니스트이자 작곡가인 강상구 씨가 곡을 만들었다. '노'는 일본에서 가장 오래된 예능으로 1400년 전 백제인 미마지가 일본 나라현 사쿠라이시에 있는 쓰치부타이(土舞臺)에서 기악무를 전수한 것이 기원으로 알려져 있다. '동행'의 한국 공연단은 5일 사쿠라이시를 방문해 미마지의 업적을 기리는 공연도 펼친다.

한일문화교류회의는 1998년 김대중 전 대통령과 오부치 게이조 전 일본 총리의 파트너십 선언에 따라 양국 문화계 인사가 1999년 설립했다. 이번 공연은 주오사카 한국문화원이 공동 주최하고, 문화체육관광부와 일한문화교류기금이 후원한다. 조종엽 jjj@donga.com·정성택 기자

**한일문화교류회의 최근 행사**

| 제 목 | 일 시 | 장 소 | 내 용 |
|---|---|---|---|
| 국제학술회의 | 2018.10.12 | 서울 프레스센터 | '한·일 21세기의 새로운 파트너십 공동선언' 20주년과 조선통신사 유네스코 세계기록유산 한일 공동등재 기념 |
| 한일 사회문화 세미나 | 2019.5.31 | 주한 일본 공보문화원 | 일본의 저출산 고령화 대책에 대한 일본 전문가 강연과 질의응답 |
| 한일문화교류 관련 정책 보고서 및 실태조사서 발간 | | | |

**조선통신사 기록물**

한국의 부산문화재단과 일본의 조선통신사연지연락협의회는 조선통신사 관련 기록물을 유네스코 세계기록유산(일본은 '세계기억유산')에 공동으로 등재하기로 합의하고 2012년부터 준비했다. 2016년 3월 유네스코에 등재신청서를 냈고, 유네스코는 2017년 10월 31일 조선통신사 관련 기록물 111건 333점을 세계기록유산에 등재했다. 국가기관이 아닌 양국의 민간단체들이, 수년에 걸친 연구와 협의를 통해, 공통의 목적을 달성했다는 점에서 의의가 크다. 이 자체가 조선통신사의 정신을 구현한 것이라는 평가도 있다.

한일(일한)문화교류회의는 중국과의 연계 필요성도 느끼고 2005년부터 〈한중일 문화교류포럼〉도 발족시켰다. 〈한중일 문화교류포럼〉은 결성 취지를 다음과 같이 설명하고 있다.

- 이 지역 3국 국민의 오래되고 밀접한 역사적 교류를 통해 상호 간에 축적해 온 공동의 역사적, 문화적 전통과 성취에서 나온 발상이다.
- 3국 간의 문화적 동질성과 인접성, 그러면서도 각자가 이룩해온 개성 있는 문화적 다양성을 서로 존중하는 바탕 위에서 결성한 대화의 장이다.
- 최근 새로운 국제환경 속에서 이 지역 간의 교류와 교역 등 국민교류가 역동적으로 진전되어 가고 있는 고무적인 추세에서, 상호 간의 문화적 교류를 더욱 실천적으로 활성화시킴으로써, 창조적인 동북아 문화의 창달을 도모하는 동시에 문화시장의 개척을 모색하고 상호이익을 증진시킬 수 있다고 확신한다.
- 향후 동북아지역에서 민간을 주도로 하는 문화교류를 적극적으로 전개하고, 이 지역의 공동번영과 발전에 기여하기 위해, 한중일 문화교류 포럼의 창설에 합의한다.

세 나라 관계자는 〈제1회 한중일문화교류포럼 3국 전체회의〉를 2005년 12월 6일 서울 신라호텔에서 열었다. 지금까지 열린 한중일문화교류포럼을 소개하면 다음과 같다.

### 한중일문화교류포럼 3국 전체회의

| 회차 | 일 시 | 장 소 | 테 마 |
|---|---|---|---|
| 1회 | 2005.12.6 | 서울 | (1) 2008년 북경올림픽 기념 3국 대표화가의 작품 공동전시<br>(2) 한중일 문화교류포럼 창설 취지문 및 회의세칙 채택 |
| 2회 | 2006.12.19 | (중국) 베이징 | (1) 청소년 축구 교류시합 개최<br>(2) 2007년 봄에 사무국 간 실무회의 개최 |
| 3회 | 2007.10.11 | (일본) 도쿄 | (1) 일본에서 열리는 한글스피치대회에 일본 측 사무국 적극적 협력 결의<br>(2) 포럼 로고와 홈페이지 제작 논의 |
| 4회 | 2008.11.27 | 제주도 | 상생의 동북아시아 문화공동체의 형성 |
| 5회 | 2009.10.15 | (중국) 양주 | 한중일 문화교류의 미래를 맞이하여 |
| 6회 | 2010.11.16 | (일본) 나라 | 동아시아 공동체 형성에 있어서의 문화의 역할(나라·奈良 천도 1300년 기념) |
| 7회 | 2011.9.21 | 경주 | 동아시아 문화교류 추진을 위한 방안(세계문화EXPO 기념): 재해와 문화, 시민이 주도하고 참여하는 문화교류 |
| 8회 | 2012.10.27 | (중국) 무석 | 문화의 포용과 융합: 문화교류와 해외진출 기업의 역할 |
| 9회 | 2013.11.15 | (일본) 니가타 | 지방문화의 진흥와 국제교류 추진: 일본 측 미야타 료헤이(宮田亮平) 부위원장 제의로 어린이합창단 공연 |
| 10회 | 2014.10.8 | 부산 | 한중일 영화제작의 현황과 상호 협력(부산국제영화제 기념) |
| 11회 | 2015.11.18 | (중국) 원저우 | 전통과 혁신: 한중일 패션과 문화 창의 산업의 발전 현황 및 협력 전망 |
| 12회 | 2016.11.17 | (일본) 히로시마 | 한중일 각국의 식문화와 국제교류: 오바마 미 대통령의 히로시마 방문·평화기원 기념 |
| 13회 | 2017.11.2 | 강릉·평창 | 한중일 올림픽과 동아시아의 문화예술교류: 2018년 평창, 2020년 도쿄, 2022년 베이징 올림픽 개최를 계기로 |
| 14회 | 2018.9.16 | (중국) 귀양 | 차(茶) 문화의 잠재력 발굴과 인류운명공동체 구축 |
| 15회 | 2019.11.14 | (일본) 도쿄 | 아시아를 잇는 현(弦)의 울림: 2020년 도쿄올림픽 개최 기념 |

한일문화교류회의 1기(1999.6~2003.6) 위원장은 지명관 한림대 일본연구소장이었고, 2기(2003.6~2008.12) 위원장은 김용운 한양대 명예교수였다. 지금은 정구종 동서대 일본연구센터 고문이 3기 위원장(2009.9~ )을 맡고 있다.

한일문화교류회의 3기 운영진은 다음과 같다.

**오바마와 히로시마**

2016년 5월 27일 버락 오바마 대통령은 미국 현직 대통령으로는 처음으로 히로시마 평화공원을 방문했다. 그는 미에(三重) 현 이세시마(伊勢志摩)에서 열린 G7 정상회의 참석하기 위해 일본을 방문 중이었다. 오바마 대통령은 위령비에 헌화하고 "71년 전 하늘로부터 떨어진 죽음이 세상을 바꿔 놨다"며 핵무기 없는 세계를 만들자고 강조했다. 그는 이어 "원폭 투하로 수십만 명의 일본인과 여성, 아이들, 그리고 수천 명의 한국인, 수십 명의 미국인이 목숨을 잃었다"며 한국인 희생자도 언급했다. 그러나 연설 장소에서 2,3분 떨어져 있는 한국인희생자위령비는 찾지 않아 논란이 있었다.

| 직 책 | 이 름 | 경 력 |
|---|---|---|
| 위원장 | **정구종** | 동서대 일본연구센터 고문, (전)동아일보 편집국장, 도쿄특파원 |
| 위원 | **국수호** | 디딤무용단장, (전)국립무용단장, 월드컵개막식 안무 총괄 |
| | **김형준** | 다인필름 대표, 한국영화아카데미 교수, (전)한국영화제작가협회장 |
| | **남궁연** | 대중음악가, Studio FAT대표, (전)서울디지털포럼 소셜디렉터 |
| | **박성원** | 한국예술종합학교 조형예술과 교수 |
| | **박전열** | 중앙대 일어일문학과 교수, (전)일본국립민족학박물관 객원교수 |
| | **손정우** | 연극연출가, 경기대 공연예술학과 교수, (전)한국연극연출가협회장 |
| | **정기영** | 네오위즈게임즈 부사장 |
| | **정이현** | 소설가 |
| | **최종일** | 한국 애니메이션제작자협회장, 아이코닉스 대표 |
| | **최태지** | 광주시립발레단 예술감독, (전)국립발레단장, 정동극장장 |
| 사무국장 | **이강민** | 한양대 일본학과 교수, (전)한국일본학회장 |

일한문화교류회의 운영진은 다음과 같다.

| 직 책 | 이 름 | 경 력 |
|---|---|---|
| 위원장 | **가와구치 기요후미(川口清史)** | 교토대 출신 경제학자, (전)리쓰메이칸대 총장, |
| 위원 | **아리카와 세쓰오(有川節夫)** | 방송대학학원 이사장, (전)규슈대 총장, |
| | **오구라 기조(小倉紀蔵)** | 교토대 교수(전공 한국철학 및 한국사회론) |
| | **가와부치 사부로(川淵三郎)** | 도쿄올림픽 · 패럴림픽조직위 평의원회 의장 |
| | **기무라 노리코(木村典子)** | 무대 코디네이터 |
| | **구라모토 유키(倉本裕基)** | 작곡가, 피아니스트 |
| | **고하리 스스무(小針進)** | 시즈오카현립대 교수, 일한포럼 운영위원 |
| | **쓰지하라 노보루(辻原登)** | 유명 소설가, (전)도카이대 교수 |
| | **데라와키 겐(寺脇研)** | 교토조형예술대 교수, 영화평론가 |
| | **야마무라 고지(山村浩二)** | 도쿄예술대 교수, 애니메이션과 그림책 작가 |

**한일문화교류회의는 (30100) 세종특별자치시 갈매로 364 푸르지오시티 1705호에 있다.**

**전화 (044) 868-6825, 팩스 (044) 868-6826, 홈페이지 www.kjcec.or.kr**

# 9. 한일지사회의



한일지사회의는 1998년 2월 김대중 대통령 취임식에 참석한 일본전국지사회 회장 쓰치야 요시히코(土屋義彥) 사이타마현 지사가 한일 시도지사 교류를 제안하면서 태동했다. 한국에서는 지방분권을 추진하면서 지방외교의 중요성을 강조하던 시점이어서 쓰치야 회장의 제안은 자연스럽게 한일지사회의 발족으로 이어졌다. 1999년 1월 한국지사협의회와 일본전국지사회는 두 나라 지방정부 간의 교류증진과 협력방안을 모색하기 위해 '한일지사회의'를 만들고 2년마다 두 나라에서 번갈아 가며 개최하기로 합의했다. 1999년 11월 제1회 한일지사회의가 '한일 교류 확대 및 지방자치의 발전'이라는 주제로 도쿄에서 열렸다. 1회 회의 때 참석자들은 본회의 전에 오부치 게이조(小渊惠三) 총리를 예방했다.

제2회 한일지사회의는 '월드컵 한일 공동 개최'로 양국 간 교류협력의 분위기가 무르익던 2002년에 열렸다.

제3회 회의는 2004년 '한 · 일 관광 · 문화 교류협력'이라는 주제로 지방정부 간 협력에 대해 폭넓게 의견을 나눴다.

2006년에 열기로 한 제4회 회의는 독도영유권 문제와 일본 총리의 야스쿠니 신사 참배 등의 악재가 이어지면서 연기됐다. 이듬해인 2007년에도 일본전국지사회 측의 지방분권 사업 추진 등 국내 사정으로 열지 못하고 결국 2008년에야 개최했다. 제5회 회의는 역사교과서 문제 등 첨예한 한일갈등으로 7년 동안 열리지 못했다.

2015년 한일 수교 50주년을 기념해 제5회 회의를 도쿄에서 개최했다. 또 한일 수교 50주년의 의의를 지방정부 차원에서 찾아보자는 의미로 그해 10월 '저출산 고령화 대응을 위한 지방정부의 역할'이라는 주제로 '한일 수교 50주년 기념 한일 지방자치 포럼'을 개최했다.

제6회 회의는 2017년 부산에서 열고 지방정부 간 교류협력에 대한 공감대를 이어갔다. 제7회 회의는 2019년 일본에서 개최할 예정이었으나 일본 지방선거와 천황 즉위식 행사 등으로 연기했고, 2020년은 코로나 팬데믹으로 열지 못했다.

**고이즈미 야스쿠니 참배**

2001년부터 2006년까지 총리를 지낸 고이즈미 준이치로(小泉純一郎)는 총리선거 공약으로 야스쿠니신사(靖國神社) 참배를 내걸었다. 그는 2001년 8월 13일 총리 자격으로 야스쿠니를 공식참배해 한국과 중국의 강한 반발을 샀다. 그러나 2002년 4월, 2003년 1월, 2004년 1월에도 참배했다. 그는 2006년 8월 15일 일본의 종전기념일까지 공식참배를 한 뒤 그해 9월 20일 퇴임했다. (시사상식사전)

**한일지사회의 개최 현황**

| 회차 | 일시/장소 | 주 제 | 참석자 |
|---|---|---|---|
| 1 | 1999.11.8~12<br>도쿄 | **한일교류 확대 및 지방자치의 발전** | 고건(서울시장), 안상영(부산시장), 허경만(전남지사), 쓰치야 요시히코(사이타마현 지사), 기무라 모리오(아오모리현 지사), 데라다 스케지로(아키타현 지사), 히라야마 이쿠오(니가타현 지사), 가타야마 요시히로(돗토리현 지사), 쓰가 다쓰로(가고시마현 지사), 아오야마 야스시(도쿄도 부지사), 기무라 이사오(교토부 지사), 가지모토 노리히코(오사카부 지사), 이토 도시조(효고현 지사), 오이즈미 히로코(야마구치현 지사), 나가사와 준이치(후쿠오카현 지사), 오타케 구니미(사가현 지사) |
| 2 | 2002.11.16~19<br>서울 | **한일 자치단체 간 교류협력 촉진** | 이명박(서울시장), 안상수(인천시장), 박광태(광주시장), 박맹우(울산시장), 손학규(경기지사), 심대평(충남지사), 강현욱(전북지사), 박태영(전남지사), 쓰치야 요시히코(사이타마현 지사), 호리 다쓰야(홋카이도 지사), 마스다 히로야(이와테현 지사), 가타야마 요시히로(돗토리현 지사), 야마구치 마사요시(아오모리현 지사), 와키타 미노루(가고시마현 지사) |
| 3 | 2004.9.1~4<br>도쿄 | **한일 관광·문화 교류협력** | 박맹우(울산시장), 김진선(강원지사), 박준영(전남지사), 김태호(경남지사), 김태환(제주지사), 가지와라 다쿠(기후현 지사), 도모토 아키코(지바현 지사), 가타야마 요시히로(돗토리현 지사), 이토 유이치로(가고시마현 지사), 다케우치 시게노리(이와테현 지사), 기타자키 슈이치(야마나시현 지사), 미야케 요시히코(마야자키현 지사) |
| 4 | 2008.4.9~11<br>서울 | **-한일 지방분권의 현황과 전망**<br>**-한일 지자체 국제교류의 역할과 향후 발전 방향** | 김진선(강원지사), 김범일(대구시장), 이완구(충남지사), 아소 와타루(후쿠오카현 지사), 야마다 게이지(교토부 지사), 이시카와 요시노부(시즈오카현 지사), 데라다 스케지로(아키타현 지사), 히라이 신지(돗토리현 지사) |
| 5 | 2015.1.29~31<br>도쿄 | **지역 경제·관광·문화 교류 활성화** | 이시종(충북지사), 유정복(인천시장), 김기현(울산시장), 이춘희(세종시장), 이낙연(전남지사), 원희룡(제주지사), 히라이 신지(돗토리현 지사), 아베 슈이치(나가노현 지사), 아라이 쇼고(나라현 지사), 미조구치 젠베(시마네현 지사), 마에다 노부히로(도쿄도 부지사), 이와자키 야스오(사이타마현 부지사) |
| 6 | 2017.11.2~4<br>부산 | **-재해 대책 및 복구 시책**<br>**-지역경제 활성화를 위한 도시재생 추진 시책** | 김관용(경북지사), 서병수(부산시장), 권영진(대구시장), 김기현(울산시장), 이춘희(세종시장), 한경호(경남지사 권한대행), 후쿠다 도미카즈(도치기현 지사), 야마다 게이지(교토부 지사), 히라이 신지(돗토리현 지사), 이바라기 류타(오카야마현 지사), 니시하라 요시카즈(가가와현 부지사), 사토미 스스무(나가사키현 부지사) |

한일지사회의는 2회 때부터 매번 공동발표문을 내고 있다. 5회 회의 때 채택한 공동발표문을 소개한다.

**한일 국교정상화 50주년 기념**
**제5회 한일지사회의 공동발표**

한일 국교정상화 50주년인 2015년에 도쿄에서 제5회 한일지사회의를 개최하였다. 이 기념적인 해에 한국 측 6명, 일본 측 7명, 모두 13명이라는 많은 양국 지사·시장이 참가하여 솔직한 의견을 교환하였다.

한국과 일본은 경제, 문화 등 많은 면에서 깊은 유대를 가진 이웃국가이다. 동아시아의 안정과 번영을 위해서도 한일양국은 친밀하게 협력할 필요가 있으며, 그런 의미에서 지방정부 간의 교류는 지극히 중요한 의미를 갖는다.

1999년 11월 9일 도쿄에서 제1회 한일지사회의가 열린 이후 15년이 경과하였으며, 그동안 한일 양국의 문화교류와 경제교류에서 지방정부 간의 교류는 지대한 역할을 해왔다.

한일 양국 지방정부가 직면하는 과제에는 각국의 독자적인 것도 있는 한편, 공통된 것도 적지 않다. 이러한 양국의 지방정부들이 정보교환과 사업연계를 도모하는 것은 양국 지역주민에게 많은 이익을 가져다 줄 수 있을 것으로 인식하고 있다.

이번 회의에서도 「지방경제교류」「지방관광교류」「지방문화교류」라는 3개 분야에서, 양국의 지방정부 간에는 이미 폭넓은 교류와 연계의 실적이 있으며, 양국 지방정부에 의미 있는 성과를 내고 있고, 또한 이 지방정부 간의 관계를 향후 한층 더 심화하는 것이 중요하다는 것을 재확인하였다.

오늘 이 자리에서 대한민국 전국시도지사협의회와 일본 전국지사회는 한일국교정상화 50주년을 맞이하여 지방정부 간의 긴밀한 관계 강화가 양국민의 이익이 되며, 새로운 한일관계 구축에도 도움이 된다는 것을 인식하고, '한일 국교정상화 50주년 기념 지방자치 포럼'을 대한민국에서 개최하는 것을 검토하기로 하였으며, 2017년 제6회 한일지사회의를 대한민국에서 개최하여 연계와 교류의 심화를 위해 한층 더 노력할 것을 합의하였다.

2015년 1월 30일
전국시도지사협의회 회장 이시종
일본전국지사회 회장 야마다 게이지

한일지사회의가 구체적으로 어떤 방식으로 이뤄지는 보여주기 위해 대한민국시도지사협의회가 작성한 제6회 한일지사회의 결과보고서를 소개한다(일부 생략 및 정리).

### 제6회 한일지사회의 개요

1. **개요**

□ 개최일정 : 2017.11.2(목)~11.4(토)

□ 장　　소 : 부산광역시 부산힐튼호텔

□ 주　　제

(1) 재해 대책 및 복구 시책

(2) 지역경제 활성화를 위한 도시재생 추진 시책

□ 참석인원 : 12명

○한국 : 6명 – 경북, 부산, 대구, 울산, 세종, 경남(지사권한대행)

○일본 : 6명 – 교토, 도치기, 돗토리, 오카야마, 가가와, 나가사키(부지사)

※ 가가와현 지사 : 11월 2일 일정 참석 후 귀국, 11월 3일 본회의 부지사 대리 참석

□ 주요일정

| 구분 | 1일차(11월 2일) | 2일차(11월 3일) | 3일차(11월 4일) |
|---|---|---|---|
| 오전 | 한국 입국 | 행정시찰(감천문화마을) | 일본대표단 출국 및 일부 지역시찰 |
| 오찬 | 국무총리 오찬(총리관저) | 부산시장 주최 환영오찬(다이아몬드베이) | |
| 오후 | 주한일본대사 간담회(주한일본대사관) | 제6회 한일지사회의(부산힐튼호텔) | |
| 만찬 | 주부산 일본총영사 주최 만찬(총영사관저) | 시도지사협의회장 주최 기념 만찬(부산힐튼호텔) | |

2. **본회의 일정**

| 시 간 | 구 분 | 내 용 |
|---|---|---|
| 14:00~14:10 | 한국측 인사 | 시도지사협의회장 인사 및 한국시도지사 소개 |
| 14:10~14:20 | 일본측 인사 | 일본지사회장 인사 및 일본시도지사 소개 |
| 14:25~15:30 | 세션1 **재해 대책 및 복구시책**<br>발표 도치기현, 돗토리현, 경상남도, 나가사키 순<br>자유토론 참석자 전원 | |

| | |
|---|---|
| 15:30~15:40 | 기념촬영 |
| 16:00~17:10 | 세션2 **지역경제활성화를 위한 지자체의 도시재생 추진 시책**<br>발표 오카야마현, 부산시, 가가와현, 세종시 순<br>자유토론 참석자 전원 |
| 17:10~17:30 | 한일공동발표문 서명 및 교환식 |
| 17:30 | 폐회 |

## 3. 본회의 주요 발언 내용

▷세션1 : 재해 대책 및 복구 시책

| 발표자 | 발표 내용 |
|---|---|
| 후쿠다 도미카즈<br>도치기현 지사 | **재해 발생 시 대처 순서**<br>①지사 핫라인 사용: 재해 발생 시 지사가 각 시정촌의 장(長)에게 직접 연락<br>②피해 현장 상황 파악<br>③재해 복구 활동 |
| 히라이 신지<br>돗토리현 지사 | **재해 발생 시 대처 순서**<br>①신속한 초등대응(피해 시정촌 직원 파견 등)<br>②자원봉사센터 개설(발생 2일째)<br>③피해주택 재건지원(발생 3일째)<br>④재해 발생 즉시, 피해 입은 중소기업인 상점 등을 대상으로 재건 및 자금조달 지원 개시 |
| 한경호<br>경상남도지사 권한 대행 | **재해 대응 추진 전략**<br>①사전 재해예방 : 재해위험지구(236개소) 정비, 주민 중심 자율방재단 운영<br>②즉시 현장 대응 복구 : 안전신문고로 스마트한 재해 신고, 민간 협력하여 재난 자막 방송 무료 서비스 실시 등<br>③새로운 재해유형 대처 : 무더위쉼터 운영 등 |
| 사토미 스스무<br>나가사키현 부지사 | **재해 원인 제거 주력**<br>①나카시마강 관련 복구사업<br>②하천개수와 댐건설을 통한 홍수대책<br>③사방댐을 통한 토사재해 대책<br>④하천수위 및 강우량 정보 제공 |

▷세션2 : 지역경제 활성화를 위한 도시재생 추진 시책

| 발표자 | 발표 내용 |
|---|---|
| 이바라기 류타<br>오카야마현 지사 | **오카야마현 지역경제 활성화 정책**<br>①신규 기업 유치, 입지 기업 투자 촉진<br>②전기자동차, 항공기 등 새로운 산업 분야 주력<br>③수도권에 오카야마현 특산품 판로 개척<br>④인바운드 관광 추진 |
| 서병수 부산시장 | **부산형 도시 재생**<br>①다복동과 연계한 주민 생활 업그레이드<br>②원도심 중심축 종합 재생으로 도심 활성화<br>③노후 산업단지 재생<br>④지역자산을 활용한 지역맞춤형 관광 브랜드화 |
| 니시하라 요시카즈<br>가가와현 부지사 | **가가와현 창생(創生) 종합전략**<br>①지역자원을 활용한 브랜드 전략 – 고품질 농수산물, 현특산물<br>②전통기술 및 독자적 자원 활용 – 가가와 칠기와 희소당(希少糖)<br>③다카마쓰 공항 항공 네트워크 확장 – 서울 등 동아시아 4개 도시에 주 20편 직항 운행 |
| 이춘희 세종시장 | **청춘 조치원 프로젝트**<br>①세종형 도시재생 거버넌스 기반 구축<br>②차별화된 중간지원조직 운영<br>③여러 부처 사업을 장소중심적으로 추진<br>④주민주도 재생 사업 실시 |

한일지사회의는 한일 관계의 풍향계라고 할 만큼, 양국 갈등의 영향을 직접적으로 받아왔다. 2021년 4월에는 일본 정부의 후쿠시마 원전 오염수 방류 결정에 대해 한국시도지사협의회가 한목소리로 규탄했으므로, 한일지사회의는 또다시 악재를 만난 것으로 보인다.

일본의 오염수 방류 문제에 대한 한국시도지사협의회의 주장을 소개한다.

대한민국시도지사협의회(회장 송하진 전북도지사)는 최근 일본 정부의 후쿠시마(福島) 원전 오염수 해양 방류 결정에 대해 '즉각적인 취소와 함께 우리나라 등 인접국과 다시 협의할 것'을 강력히 촉구했다.

시도지사협의회는 (4월) 15일 17개 시 · 도지사 공동성명서 채택을 통해 일본 정부의 후쿠시마 방사능 오염수 해양방류 결정에 대해 심각한 우려를 표했다.

이번 공동성명서는 대한민국시도지사협의회가 지난해 12월 일본 후쿠시마 방사능 오염수 방류 논의를 즉각 중단할 것을 촉구했음에도, 일본정부가 이를 받아들이지 않고 강행하는 것에

따른 것이다.

일본 정부는 지난 13일 후쿠시마 원전의 방사능 오염수를 2년 후에 해양에 방류하기로 결정했다.

일본의 일방적 결정에 대해 한국과 중국 등 주변 인접 국가는 물론 태평양 연안국가와 지구촌 전체의 해양환경 안전에 심각한 위협이 될 것으로 우려하고 있다.

특히 일본과 가장 가까운 우리나라에게는 해양 오염과 주민 건강 위협 문제는 매우 엄중한 사안이기에 국제사회와 함께 방사능 오염수 해양 방류에 반대하고 있는 상황이다.

이에 따라 송하진 전북도지사의 제안에 전국 시도지사가 적극 공감하면서 만장일치로 채택됐다.

협의회는 공동성명서를 통해 "일본 정부는 오염수 처리 과정 등 전반적인 절차와 안정성 정보를 투명하게 공개하고 국제사회의 객관적 검증을 수용해야 한다"고 강력하게 촉구했다.

협의회장인 송하진 전북도지사는 "국민의 안전과 건강을 최우선한다는 원칙 하에 중앙정부 및 17개 시도와 공조해 후쿠시마 원전 오염수 해양 방류에 적극 대응해 나가겠다"며 "정부에서도 국민의 안전과 해양환경 피해 방지를 위한 구체적인 방안을 강구해 실행해야 한다"고 강조했다. (뉴시스, 2021년 4월 15일 입력)

**한일지사회의 사무국은 대한민국시도지사협의회가 맡고 있다. 시도지사협의회는 (04513) 서울특별시 중구 서소문로 106, 15층(서소문동, 동화빌딩)에 있다.**

**전화 (02) 2170-6015, 팩스 (02) 2170-6081,6082, 홈페이지 www.gaok.or.kr**

# 10. 조선시대통신사현창회

조선시대통신사현창회(朝鮮時代通信使顯彰會)는 2007년 11월 2일 서울 종로3가에서 조선통신사의 후손인 조동호, 홍우식, 오영환, 여운준, 경창선 씨 등 12명이 모여 창립총회를 열고 발족했다. 창립 당시의 이름은 '조선통신사기념사업회'였다. 이 모임을 처음 제안한 사람은 부산에서 만든 '조선통신사문화사업회'의 집행위원장을 맡고 있던 강남주 전 부경대 총장이었다.

현창회는 2008년 4월 정기총회를 열고 회장에 조동호, 부회장에 홍성익, 감사에 여운준 씨를 선출하고 고문에 정범진 전 성균관대 총장을 추대했다. 이때 단체명을 '조선통신사현창회'로 바꿨다. 부산의 '조선통신사문화사업회'가 이름이 비슷하다며 개명을 요구했기 때문이다.

2013년 4월 정기총회는 윤성진 이사를 2대 회장으로 선출했다.

2015년 4월 1일부터 5월 20일까지 서울~도쿄 간 제5차 조선통신사 한일우정걷기 행사가 열렸는데 여운준 감사가 참가해 전 구간을 완주했다.

2016년 4월 정기총회에서 홍우식 이사가 제3대 회장이 됐다. 8월 22일 업무를 인수인계하며 홍우식 회장, 신경식 총무 체제가 출범했다. 이때부터 공식문서 작성과 자료 보존이라는 기초적인 업무 외에 조선통신사로 다녀온 사행단 명부를 만들고 선조들의 업적을 기리는 작업을 시작했다.

조선통신사현창회는 매년 5월 부산 조선통신사 축제, 8월 대마도 조선통신사 축제, 10월 영천 조선통신사 축제 등에 조선통신사 후손으로서 정사나 부사 등을 파견하거나 관객으로 참여하고 있다. 또 서울과 지방에서 열리는 조선통신사 연구와 학술대회, 통신사 선조 제향 등에 참가하고 있으며 조선통신사 후손을 찾아 회원으로 가입시키는 일에도 힘을 쏟고 있다.

2016년 11월에는 일본 사이타마(埼玉)현 가와고에(川越)시에서 매년 개최하는 '도진소로이(唐人揃い)' 행사에 여운준 감사가 참가했다. 이 행사는 선린우호와 평화공존을 표방하는 조선통신사 가장행렬이다.

2017년에는 조선통신사현창회의 마크와 로고 등을 만들었고, 같은 해 11월 '조선통신사 현창회 창립 10년사'를 발간했다. 현창회원 주소록도 어느 정도 완성했다. '조선통신사 인명사전' 제작과 미발굴된 조선들의 책을 찾아내는 작업에도 착수

**조선통신사와 도로명**

조선통신사의 이름이 도로명이 된 경우는 두 곳이다. 울산광역시는 세종 치세에서 대일외교전문가로 일했던 이예(李藝 · 1373~1445)를 기려 그가 태어난 곳을 통과하는 옥동~농소구간 1712m의 이름을 2017년 '이예로'로 명명했다(이후 구간 연장). 강원도 원주시는 1763년(영조 39년) 조선통신사 정사로 일본을 다녀온 조엄(趙曮 · 1719~1777)의 묘가 있는 간현리부터 가곡리까지 6456m를 2007년 '조엄로'로 명명했다. 조엄은 일본에서 고구마를 가져와 조선에 전파한 인물이다.

했다. 이해 10월 31일 '조선통신사 관련 기록물'이 한국의 부산문화재단과 일본의 조선통신사연지연락협의회의 공동 노력으로 유네스코 세계기록유산에 등재됐다.
2018년 4월 정기총회에서 황재하 박사가 제4대 회장에 취임했다. 6월 운영위원회를 열어 단체 명칭을 '조선시대통신사현창회'로 바꾸었다.
같은 해 하반기 사업으로 분기별 1회, 1년에 4번 현창회보 〈交隣(교린)〉을 발행키로 했다. 현창회보는 알림소식지, 정보공유의 장, 의견표명의 장, 역사기록지 등으로 기능하고 있으며 현창회 활동상황, 사업계획, 사업결과, 연구결과, 회원 동정 등으로 꾸미고 있다(2020년 10월 1일 제10호 발행).
2018년에는 한국과 일본에서 여러 행사에 참여했다. 1월 27일과 4월 26일 서울시 용산구에서 조선시대통신사 옛길을 답사했고, 연구결과도 발표했다. 3월 16일 부산문화재단이 주관한 조선통신사 네트워크 구축회의에 참석했다. 이 해에 참가한 축제로는 5월 첫째 주말 부산 조선통신사 축제, 8월 첫째 주말 쓰시마(對馬島) 이즈하라(嚴原) 조선통신사 축제, 8월 셋째 주말 시모노세키(下關) 조선통신사 축제, 10월 첫째 주말 영천 조선통신사 축제, 10월 셋째 주말 시즈오카(靜岡) 조선통신사 축제, 11월 둘째 주말 가와고에 도진소로이 축제 등이 있다.
2018년 6월 22일 서울 종로로 사무실을 이전했다.
2019년에는 4월 1일부터 5월 20일까지 서울~도쿄 간 제7차 조선통신사 한일우정걷기 행사에 참여했다. 5월 4, 5일 부산 조선통신사 축제에 단체로 참여했다. 그러나 일제강점기 강제징용자 대법원 판결문제로 한일관계가 악화하면서 조선통신사 관련 행사는 축소됐다. 국내외에서 열리는 조선통신 관련 행사에도 개인적으로, 또는 소규모로 참가하고 있다.
2020년 1월에는 서울시에 등록한 사단법인으로 재출범했다.
6월 13일에는 부설연구단체로 '조선시대통신사연구소'를 개설했다. 연구소장은 조선통신사 연구의 권위자인 손승철 강원대 명예교수가 맡았다. 연구소는 '조선시대통신사 역사문화 강좌'를 열기로 했으나 코로나19로 인해 연기했다.
7월에는 현창회 홈페이지(http://tongsinsa.net)를 개설했다.
현창회 홈페이지는 설립 목적을 다음과 같이 밝히고 있다.

본회의 목적은 선조들의 유업을 길이 보전·선양하며 회원 상호간의 친목을 도모함과 동시에 선조들의 한일우호 정신을 계승하고 나아가 아시아와 세계의 평화에 기여함에 있다. 본회는 위의 목적(창립취지)을 달성하기 위하여 다음의 사업을 지원하거나 수행한다.

**임진왜란 이후 통신사만 조선통신사?**

보통 '조선통신사'라고 하면 임진·정유재란이 끝나고 1607년부터 1811년까지 12차례에 걸쳐 조선 국왕이 일본 에도막부의 최고권력자인 쇼군(將軍)에게 파견한 통신사를 의미한다. 그러나 조선 전기에도 똑같이 12차례나 조선의 국왕과 일본의 쇼군이 인정한 최고 레벨의 통신사 파견이 있었다고 한다. 〈조선시대통신사현창회〉로 이름을 바꾼 것은 조선시대 전후기를 막론하고 일본에 파견했던 통신사 후손들을 모두 받아들이기 위한 것이다.

① 통신사와 관련한 각종 기록유산 · 유물 · 유품 · 유적의 발굴과 보존
② 통신사기록물의 유네스코 기록유산 등록 및 유지와 관련한 각종 사업과 협력
③ 통신사와 관련한 각종 연구 · 조사와 정보교환
④ 통신사와 관련한 도서의 출판 또는 영상물의 제작
⑤ 통신사와 관련한 기념비와 동상 등 구조물의 건립
⑥ 통신사와 관련한 자료관 및 기념관 등의 건립
⑦ 통신사와 관련한 교육 · 홍보 · 문화 · 예술 · 체육 · 관광 · 축제 · 정보화 추진을 위한 협력
⑧ 통신사와 관련한 사업을 수행하는 국내외 단체와의 협조와 정보교환
⑨ 기타 본회의 목적 달성에 필요하다고 인정되는 사업이다.

황재하 회장은 이 중에서도 주요 사업으로 다음과 같은 것을 제시하고 있다.
첫째, 조선통신사로 일본에 다녀오신 선조 7,000여 명 중 지금까지 1,297명을 찾았으나 계속 찾겠으며, 현재 회원은 509명이나 2020년에는 1,000명이 넘는 후손을 찾겠다.
둘째, 대한민국과 일본에 통신사 공원을 건설해야 하겠다.
셋째, 서울 용산 등 통신사로를 찾아 복원하겠다.
넷째, 국가에서 발주하는 통신사 관련 행사를 수주하여 사단법인의 이점을 살려야 하겠다.

**용산 통신사로**
특별히 서울 용산의 통신사로를 복원하겠다고 언급한 것은 덕수궁에서 출발한 통신사들이 용산지역을 지나갔으나 미군 부대와 용산공원으로 인해 그 길이 끊기거나 흔적이 사라졌기 때문이다. 용산으로 가는 길목에 통신사와 인연이 있는 곳은 경성 남쪽의 관우 사당으로서 통신사들이 작별인사를 한 남관왕묘(南關王廟 · 중구 남대문로5가 530 · 1979년 사당동으로 이전), 궁중 제례에 쓸 가축을 기르던 곳으로 통신사들에게 전별연을 열어주던 전생서(典牲署 · 용산구 후암로4길 70) 등이 있다. 두 곳 다 지금은 흔적만 남아 있다. 숭례문 앞에는 '조선통신사의 길' 표지석이 있는데 조선통신사 400주년을 기념해 조선통신사문화사업회가 2007년 4월에 건립한 것이다.

황재하 회장은 2020년 7월 현창회 홈페이지 개설에 따른 인사말에서 한일 관계를 이렇게 규정했다.

그러나, (임진왜란에도 불구하고 – 필자) 삼국시대 이래 지금까지, 일본이 우리의 중요한 이웃이라는 사실에는 변함이 없습니다. 힘들수록 돌아가고, 어려울수록 본질을 들여다봅니다. 그리하여, 우리의 선조들이 '교린이신' 및 '교린이성'이라는 외교철학으로, '통신'이라는 수단을 통해 추구했던 '교린'이라는 목적을 다시 한 번 가슴에 되새기게 됩니다. 결국 일본은 우리가 손잡아야 할, 함께 아시아와 세계의 평화에 기여해야 할 동반자일 수밖에 없습니다. 앞으로 일본의 반성과 선의를 끌어내고 같은 방향으로 함께 걸어갈 길이 열릴 것으로 믿어 마지않습니다.

2000년 8월 13일에는 충남역사박물관에서 충남역사문화연구원과 업무협약을 맺었고, 같은 날 공주대 공주학연구원에서 공주학연구원과 공동으로 '조선통신사

신유 학술세미나'를 개최했다.

9월 26일에는 현장회 회장단이 충남 예산군 신양면 죽천리에 있는 조선시대 마지막 조선통신사 죽리 김이교 선생 묘소를 참배했다.

2020년 7월 현재 조선시대통신사현창회의 조직과 임원은 다음과 같다.

| | |
|---|---|
| 고문 | 황금추(동광건설 회장), 강남주(전 부경대 총장, 전 부산문화재단 대표), 남상해(의령남씨대종회장, 하림각회장), 손승철(강원대 명예교수), 조동호(초대 회장), 홍우식(전 한국감정원, 3대 회장) |
| 자문위원 | 강기호(예비역 준장), 강호신(진주강씨 초당공파 회장), 경광현(청주경씨 칠송공파 회장), 경규달, 경만선(서울시의원), 경수현(청주경씨 칠송공파 회장), 고광인(하나투어여행사 대표), 구자광(따봉방문요양쎈타 대표), 구지현(선문대 교수), 김각빈(세무사), 김봉곤(청학동 훈장), 김슬옹(교수), 김인기(동국대 미술학과 교수), 김홍렬(용산공원전략팀 주무관), 나정희(전 고교 일본어교사), 나천수(문학박사), 남종현, 다시카 마사노리(선문대 국어과교수), 민정희(충남역시박물관장), 박병훈(율정선생기념사업회 회장, 본초당한약방), 박상화(홈피사장), 박외수(사단법인 대한민국아카데미미술협회 이사장), 박형상(변호사), 박화진(부경대 사학과 교수), 배우리, 선상규(한국체육진흥회장), 송희경(전 국회의원), 신광성(고령신씨 문충공파 회장), 신근우(청아석재), 신기수, 신동호(고령신씨 봉례공파 회장), 신방수(고령신씨 정민공파 회장), 신왕수(고려인삼연구 사장), 신원호(고령신씨대종회 사무국장), 신중현, 신화수(송헌문화재단 이사장), 신홍식(광천교회 목사), 신회용, 심규선(전 동아일보 편집국장), 야나기 아라(일본), 양효성(사행로연구위원회), 엄기표(단국대 교수), 위성전(일본 호세이대 교수), 윤용혁(전 공주대 교수), 이기범(경기대 교수), 이동호(부산), 이동호(전 서울시립대 교수), 이상길, 이상석, 이원욱(국회의원), 이원조(영천 대창면장), 이은희(농협지점장), 이정걸, 이준락, 이한석(법무사), 임상규(안산 시립국악단 상임지휘자), 정성일(광주여대 교수), 정진석(행정사), 조성태(사단법인 국제해외파병평화봉사교류연합회 중앙회장), 최경애, 최범순(영남대 교수), 하우봉(전 전북대 교수), 한태문(부산대 교수), 허경진(전 연세대 교수), 홍순재(국립해양문화재연구소 학예연구사), 홍영선, 황무석(창원황씨 평주공파 회장), 황병연(창원황씨 호안공파 회장), 황승환(창원회산황씨 자윤공파 회장), 황원석(창원황씨 장무공파 회장), 황인세(창원황씨 장무공파 총무), 황장효(장수황씨대종회장), 황진욱, 황태원(장수황씨 열성공파 회장) |
| 회장 | 황재하(교수) |
| 수석부회장 | 김상규(전 고교 교장) |
| 부회장 | 강연달(진주강씨 초당공파 총무이사), 경중선, 김현진, 남봉현, 문미순(소향회 대표), 박성갑, 박정하(고령박씨대종회 사무총장), 박형상(변호사), 손영보(인쇄향 사장), 신석호, 여운준, 윤동설, 이명훈(전 고려대 교수), 정해창, 조남성(풍양조씨 한산군파 부회장), 조성두, 홍봉기, 홍석호(남양홍씨 남양공파 부회 |

| | |
|---|---|
| | 장), 황량(전 KBS아나운서), 황민환(전 한국감정원) |
| 이사 | 강종규, 경세현, 경제원, 김원태, 이상기(문학박사), 이수진, 이용재, 정성희(나주정씨 충정회관), 정준화, 정해성, 정행복, 황복순, 황연하, 황의지(장수황씨 호안공파 총무), 황재석, 황필주 |
| 감사 | 경은선, 황민주 |
| 사무국 | 총무 신경식(사무국장), 재무 황의지(장수황씨 호안공파 총무이사), 학술 이상기(문학박사), 홍보 신석호(부회장) |
| 지부장 | 우형택(일본), 김인기(부산), 박병훈(대구), 박성갑(원주), 양효성(천안), 윤용혁(공주), 이명훈(울산), 이상기(충주) |
| 단체(협의체) | (사)송헌문화재단, (사)영광내산서원보존회, 경기문화재단, 고령신씨대종회, 고령신씨문충공파, 고령신씨안협공파, 고령신씨암헌회, 고령신씨정민공파, 부산문화재단, 소향한지예술창작회, 안산시립국악단, 영천시청, 영천조선통신사기념사업회, 서울용산문화원, 율정기념사업회, 이예선생기념사업회, 장수황씨묘하대종중, 장수황씨호안공파, 조선통신사충남연구회, 창원황씨문민공파, 청주경씨감역공파, 충주문화원, 충청남도역사박물관, 파주문화원, 풍양조씨풍안공파, 한국체육진흥회 |
| 대의원 | 경은선, 경중선, 경규달, 김상규(김해), 김현진, 남봉현, 문미순, 박성갑, 박정하, 손승철, 손영보, 신경식, 신기수, 신석호, 여운준, 우형택, 윤동설, 이동호, 이명훈, 이상기, 이상석, 정해창, 조남성, 조성두, 홍봉기, 홍석호, 황민주, 황민환, 황복순, 황연하, 황의지, 황재석, 황재하, 황필주 |
| 소식지 편집인 | 이상기(문학박사) |
| 부설연구소 | 소장 손승철(강원대 명예교수), 연구원 이명훈(전 고려대교수), 박형상(변호사), 이상기(문학박사), 임선빈(전 한국학중앙연구원), 김근태(교수), 황의지(현창회 재무이사), 경은선(현창회 감사), 신석호(현창회 부회장), 손영보(현창회 부회장), 황민주(현창회 감사) |

**조선시대통신사현창회 사무실은 (03191) 서울특별시 종로구 삼일대로 20길 19 서광빌딩 303호에 있다. 전화 (02) 2268-8160, 팩스 (02) 2269-8160, 홈페이지는 http://tongsinsa.net**

**조선통신사와 지자체**

한국의 지방자치단체는 일본에 비해 조선통신사에 대한 관심이 적다. 일본의 조선통신사연지연락협의회의 '연지(緣地)'는 '인연이 있는 땅'이란 뜻으로 조선통신사가 지나간 곳을 말한다. 1995년에 만든 이 단체에는 필자가 조사한 바에 따르면 2017년 10월 현재 19개 지자체, 67개 단체, 102명이 가입해 있었다. 그러나 우리나라에는 그런 단체가 없다. 현재로서는 조선통신사가 모여 출발했던 부산이 가장 관심이 크고, 일본에서 가장 인기를 누렸던 마상재(馬上才)를 마지막으로 연습한 영천, 이예의 고향 울산, 고구마 전래자 조엄을 기리는 원주, 전별연을 열고 두 명의 부사(박재, 김세렴)를 배출한 충주, 일본에서 돌아와 〈일동장유가(日東壯遊歌)〉를 지어 유명해진 김인겸의 고향 공주가 관심을 보이고 있다.

# 11. 부산한일문화교류협회

KOREA-JAPAN

부산한일문화교류협회(Korea-Japan Cultural Exchange Association · KOJAC)는 초대 회장을 지낸 고 최성천 최성천성형외과원장이 1987년 11월에 설립했다.

협회는 정관에서 설립 목적을 "한국과 일본의 문화교류를 전개하기 위한 비영리 민간교류활동을 수행하여 양국 간의 상호이해와 신뢰를 바탕으로 우호친선 관계를 도모하며, 한일 지역간 정보교류와 전문가 네트워크 구축에 필요한 평생교육 시설 설치와 운영을 통해 지역의 국제화와 국가사회 발전에 기여한다"고 밝히고 있다. 협회는 2000년부터 1년에 한 차례 〈아시안프랜드〉라는 협회 기관지를 발간하고 있다.

협회는 다음과 같은 사업을 하고 있다.

### 인적교류

- 도모다치 100: 일본 사가현 사가시에서 개최하는 한중일 대학생 풀뿌리 교류 행사
- 가미쓰시마 홈스테이: 1990년 중반부터 가미쓰시마교린협회와 공동으로 개최하는 일본의 가정 문화 및 자연경관 체험 행사
- 와카바와의 교류: 1988년부터 일본 사가현 가라쓰시 히젠초에서 히젠초국제교류협회와 공동으로 개최하는 홈스테이 겸 봉사활동
- 아시아컬리지: 부산 · 경남지역과 일본 야마구치현 대학생들이 직접 행사를 기획하고 운영하는 교류행사. 8월에는 부산 · 경남의 대학생이 야마구치를 방문하고, 2월에는 야마구치의 대학생이 부산 · 경남을 방문해 캠핑, 문화체험, 홈스테이, 평화학습, 토론 등의 프로그램에 참여
- 재일동포 어린이 부산캠프: 일본 후쿠오카와 나가사키 지역의 재일동포 어린이를 부산으로 초청해 홈스테이, 한복 · 전통놀이 체험, 한국어강좌 등 다양한 프로그램 제공

### 문화교류

- 일본가요대회: 주 부산일본국총영사관, 쓰시마시와 함께 2004년부터 매년 개최

- 회원 방일투어: 부산한일문화교류협회의 후원회원들을 위해 기획한 일본문화 이해 사업
- 창립기념 한일우호의밤: 내국인과 일본 관계자를 초청해 매년 개최. 이 자리에서 차세대 한일교류 인재를 육성하기 위한 한일교류프론티어 장학금과 우치다 겐이치 장학금 전달

### 학술 · 교육교류

- 고교생 일본어 말하기대회: 2004년부터 주 부산일본국총영사관과 함께 영남지역 고등학생을 대상으로 주최. 입상자에게는 10일간 일본 연수와 쓰시마 방문 기회 제공
- 즐기자 한국어 후쿠오카대회: 후쿠오카의 중고교생 대상으로 낭독, K-pop, 창작낭독의 3개 부문으로 실시. 각 부문 최우수상자는 부산으로 초청
- 한일교류 프론티어 장학금: 부산 권역의 대학과 대학원에 재학 중인 일본인 유학생에게 주는 장학금
- 인문학 특강 · 인문체험: 부경대 인문한국플러스(HK+)사업단과 함께 동북아해역과 인문네트워크의 역동성을 주제로 부산시민과 부산에 거주하는 일본인을 대상으로 진행

### 의인 이수현 기념사업

협회는 2001년 도쿄 유학 중 신오쿠보역에서 선로에 추락한 일본인을 구하려다 목숨을 잃은 부산 출신 이수현 씨를 기리기 위해 2010년 '아름다운 청년 이수현 모임'(아이모)을 만들어 여러 사업을 전개하고 있다. 아이모는 부산에 사는 일본인 대학생 15명과 한국인 대학생 15명 등 30명으로 구성한다.

협회는 이수현 씨가 숨진 지 20주기가 되는 올 2021년 상반기에 ▷의인 이수현 추모비 건립(1월 22일, 이수현 씨 모교 동래중학교 교정) ▷의인 이수현 전시회(1월 24~30일, 부산시청 제3전시실) ▷평전《이수현, 1월의 햇살》 출간(1월 26일, 호밀밭 출판사) ▷《이수현, 1월의 햇살》 출판기념 추모음악회 및 독후감 공모전 시상식(5월 8일, 금정문화회관 금빛누리홀) 등의 행사를 열었다.

**이수현 기념사업**

이수현기념사업은 일본국제교류기금(재팬 파운데이션 · JF) 서울문화센터가 주관하고 한일협회와 부산한일문화교류협회가 대행하고 있다. 서울문화센터는 매년 '이수현 씨 기념 한국청소년 방일연수' 프로그램을 운영하고 있다. 2022년 사업은 21회째로 17명을 선발해 1월에 11박 12일 동안 도쿄와 오사카 등지에서 진행할 예정이다.

### 그 밖의 사업들

협회는 그동안 ▷한일우호의 배 ▷아시아태평양우호협회 교류(APOF) ▷부산문화인 방일단 ▷교육관계자 교류 ▷한일 신세대포럼 ▷한일시민우호교류회 ▷힛포

패밀리클럽 홈스테이 ▷작은지구계획 & 구마모토 소년의 배 ▷부산지역 대학생 방일 연수단 ▷한일학술문화 청소년교류 ▷오우치초(相知町) 홈스테이 ▷〈히비키(響)〉와 〈제비(쓰바메)〉 공연 ▷락페스티벌 〈보더 잼〉 ▷부산 한일꽃문화회 ▷한일 차(茶)회 ▷한일합창단 교류 ▷일본어 연극제 ▷국제교류기금 순회전 ▷피아노 페스티벌 ▷해양스포츠 교류 ▷스시만들기 체험 ▷한중일 도예교류전 ▷일본어 변론대회 ▷한일 어린이 심포지엄 ▷한국어강좌 등의 사업을 했거나 하고 있다. 협회는 또 부산재팬아카데미(BJA)라는 고급 일본어 강좌를 운영하고 있고, 일본어능력시험(JLPT)의 공동주최기관이기도 하다.

역대 회장 및 이사장은 다음과 같다.

| 단체 성격 | 대수 및 직함 | | 이 름 |
|---|---|---|---|
| 사회단체 | 1~4대 회장 | | **최성천** |
| | 5~7대 회장 | | **고송구** |
| 사단법인 | 초대 | 이사장 | **고송구** |
| | | 회장 | **손해식** |
| | 2대 | 이사장 | **오강웅** |
| | | 회장 | **윤명길** |
| | 3대 | 이사장 | **윤명길** |
| | | 회장 | **박명흠** |
| | 4대 | 이사장 | **박명흠** |
| | | 회장 | **손동주** |
| | 5대(현재) | 이사장 | **손동주** |
| | | 회장 | **김영건** |

역대 임원은 다음과 같다(직책은 처음 임원을 맡았을 때).

강성봉(삼성여자고등학교 이사장), 강승호(종합법률사무소 혜담 대표변호사), 고송구(신아흥업㈜대표), 곽규택(곽규택법률사무소 변호사), 권해호(권해호회계사무소 세무사), 김남순(부산대 국악과 교수), 김대식(동서대 일어일문학과 교수), 김동률(SK증권 구서지점장), 김무남(부산안전생활실천시민연합 공동대표), 김영건(갤러리안과 원장), 김일곤(㈜아주관광 대표), 김정규(동남은행 은행장), 김정숙(동방꽃꽂이 이사), 김종원((주)삼우화학공업 대표), 김종한((주)우신시스템 대표), 김진교(동원산업 대표), 김태석(동의대 컴퓨터소프트웨어공학부 교수), 김현숙(동아대 음악과 교수), 나카노 도모아키(中野智昭 · 일본청년국제교류기구 부회장), 도홍길((주)아름에셋 회장), 박명흠(다도 우라센케담교회 부산협회장), 박수자(동다송문화회장), 박영수((주)YJ조선 총무이사), 박영충(세방금속(주)대표), 박청정(부일여중 교감), 서운학(한국전력공사 부산지사장), 성한경(신한여객 대표), 손동주(부경대 일어일문학과 교수), 손열(KBS 편집부장), 손해식(동아대 경영대학장), 신후범((주)현대칼라 대표), 안기웅(ABC안과 행정부원장), 오강웅(태공보세장치장(주)대표), 오경록(원봉빌딩 대표), 유충렬(부경대 무역학과 교수), 윤명길((주)동남대표), 이병찬(삼일회계법인 영남본부장), 이상준((주)화인 대표), 이성수(이성수 한의원 원장), 이운조(법무법인 서면 변호사), 이운호(이운호 법률사무소 변리사), 이인준(새부산예식장 대표), 이재영(한일꽃문화회 회장) 이춘식(이춘식안과의원 원장), 임준상((주)해성 대표), 장청수(한국플라스틱상사 대표), 정기영(부산외대 일본어창의융합학부 교수), 정길영((주)현대상호신용금고 대표), 정충영((주)삼보상사 사장), 조만석((주)삼부통운 대표), 조수형(백성사 대표), 천병태(부산대 법과대학 교수), 최광준(신라대 일어일문학과 교수), 최상진(학교법인 동성 기획실장), 최성천(최성천성형외과의원 원장), 최태양(럭키증권 투자고문), 하숙경(부산한일문화교류협회 사무처장)

2021년 임원진은 다음과 같다.

| 직 책 | 이 름 | 소 속 |
|---|---|---|
| 이사장 | **손동주** | 부경대 일어일문학과 교수 |
| 회장 | **김영건** | 갤러리안과 원장 |
| 고문 | **고송구** | 신아홍업(주) 대표 |
| | **오강웅** | 태공보세장치장(주) 대표 |
| | **윤명길** | 칩슨푸드(주) 대표 |
| | **박명흠** | 다도우라센케담교회 부산협회장 |
| | **박영충** | 셋방금속(주) 대표 |
| | **권해호** | 권해호회계사무소 세무사 |
| | **이재영** | 부산한일꽃문화회 회장 |
| | **강성봉** | 삼성여고 이사장 |

| | | |
|---|---|---|
| 고문 | **이병찬** | 삼일회계법인 이사장 |
| | **후치타 마모루(渕田護)** | 다카시미로타리클럽 전 회장 |
| | **오자키 히로야스(小崎博保)** | 다카시마로타리클럽 전 회장 |
| | **모리타 게이스케(森田桂价)** | 다카시마로타리클럽 전 회장 |
| 일본측 부회장 | **혼조 도시히코(本庄敏彦)** | 다카시마로타리클럽 전 회장 |
| 대외 부회장 | **박수자** | 동다송문화회 회장 |
| 문화교류 부회장 | **김현숙** | 동아대 음악과 교수 |
| 교육교류 부회장 | **정기영** | 부산외대 일본어창의융합학과 교수 |
| 이사 | **김남순** | 부산대 국악과 교수 |
| | **최광준** | 신라대 일어일문학과 교수 |
| | **조문수** | 다솜의원 원장 |
| | **이상준** | ㈜화인 대표 |
| | **정충영** | ㈜삼보상사 사장 |
| | **김동률** | SK증권 구서지점장 |
| | **안가웅** | ABC안과 행정부원장 |
| | **곽규택** | 곽규택법률사무소 변호사 |
| | **강승호** | 종합법률사무소 혜담 대표변호사 |
| | **하숙경** | 협회 사무처장 |
| | **나카노 도모아키(中野智昭)** | 일본청년국제교류기구 부회장 |
| 감사 | **도홍길** | ㈜아름에셋 회장 |

**부산한일문화교류협회는 (48792) 부산광역시 동구 중앙대로 319, 1501호(초량동, 부산YMCA)에 있다. 전화 교류센터 (051) 464-3554, 유학센터 (051) 714-2182, 팩스 (051) 441-7606, 메일 kojac@kojac.or.kr, 홈페이지 http://www.kojac.or.kr**

# 2장. 연구센터, 연구원, 재단

1. 국립외교원 외교안보연구소 일본연구센터
2. 세종연구소 일본연구센터
3. 통일연구원
4. 한국국방연구원
5. 국가안보전략연구원
6. 아산정책연구원
7. 동아시아연구원(EAI) 일본연구센터
8. 국방대 안전보장문제연구소
9. 제주평화연구원
10. 동아시아재단
11. 한국국가전략연구원 일본연구센터
12. 신아시아연구소
13. 최종현학술원
14. 샌드연구소
15. 공감한반도
16. 동북아역사재단 한일역사문제연구소, 일본군'위안부' 연구센터
17. 일제강제동원피해자지원재단
18. 한국국제교류재단(KF)
19. 재외동포재단
20. 이희건한일교류재단
21. 언론재단 (성곡언론문화재단, 삼성언론재단, LG상남언론재단, 한국언론진흥재단, 관훈클럽)
22. 부산한일교류센터
23. 부산문화재단

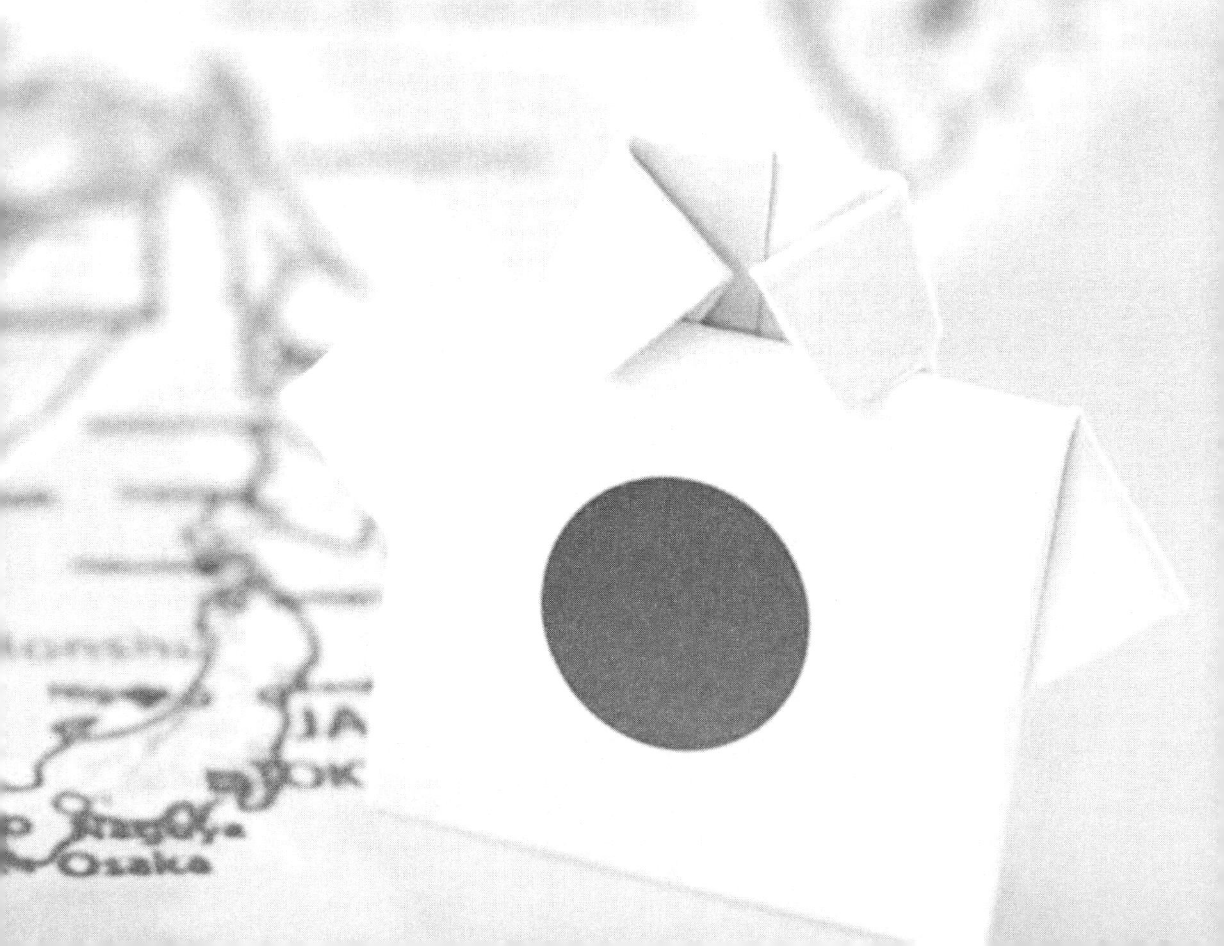

# 1. 국립외교원 외교안보연구소 일본연구센터

KOREA-JAPAN

한국 정부는 1963년 미국 아시아재단(Asia Foundation)의 지원을 받아 외무공무원 교육 훈련기관인 '외무공무원교육원(EIFSO: Educational Institute of Foreign Service Officers)'을 설립했다.

외무공무원교육원은 외교 문제에 관한 연구기능을 보강해 1965년 '외교연구원(RIFA: Research Institute of Foreign Affairs)'으로 개편하면서 외무공무원 훈련 기능과 외교정책연구라는 두 가지 핵심 기능을 갖추게 된다.

박정희 대통령이 1975년 10월 "국가 안보전략을 체계적, 조직적으로 발전시키고 국내에 관계기관, 연구소, 학회 등을 설립하라"고 지시하자 1976년 12월 외교연구원을 지역별 연구부와 기능별 연구부를 갖춘 '외교안보연구원(IFANS: Institute of Foreign Affairs and National Security)'으로 개편한다. 외교안보연구원은 1990년 서울 남부순환로(서초2동) 현재의 단독 청사로 이전했다.

정부는 급변하는 국제정세에 대처할 수 있는 외교 인재를 양성하고, 국가의 중장기 외교정책을 연구해야 한다는 시대적 변화를 수용해 외교안보연구원을 2012년 3월 1일 '국립외교원(KNDA: Korea National Diplomatic Academy)'으로 확대 개편했다.

국립외교원은 교육과 훈련, 연구와 학술교류라는 기능 외에 외교역량을 평가하고 개발하는 기능도 수행하고 있다. 국립외교원장 밑에는 이 세 가지 기능을 수행하는 세 개의 조직이 있다. 외교관의 교육과 훈련은 교수부장이, 외교역량 평가와 개발은 기획부장이, 연구와 학술 교류는 외교안보연구소장이 맡고 있다.

외교안보연구소(The Institute of Foreign Affairs and National Security · IFANS)는 정부의 중장기 외교정책과 전략을 연구, 분석, 개발하고, 외교 현안에 대한 정책보고 활동을 설립목적으로 하고 있다. 또 국내외 학계 및 연구기관과 정책연구 네트워킹을 구축하고 한국의 외교 어젠다를 다양한 플랫폼을 통해 국내외에 발신하고 있다. 외교안보연구소는 'IFANS FOCUS' '주요국제문제분석', '국제정세전망', '정책연구시리즈' 등을 통해 연구결과를 발신하고 있다.

외교안보연구소 밑에는 5개의 연구부와 6개의 연구센터가 있다. 연구부는 안보통일연구부, 아시아태평양연구부, 미주연구부, 유럽아프리카연구부, 경제통상연구부이고, 연구센터는 중국연구센터, 일본연구센터, 아세안 · 인도연구센터, 외교사연구센터, 국제법센터, 외교전략센터이다. 국립외교원 내에 있는 외교사료관도 외교안보연구소 소관이다.

일본연구센터는 2015년 8월 12일 개소했다. 한일관계 및 중장기 대일외교정책 연구, 국내외 일본 관련 기관과의 네트워킹, 대일 공공외교 강화를 목적으로 하고 있다. 일본연구센터의 활동은 일본 · 동아시아 전문가 포럼, 브라운백 세미나, 정책간담회 등으로 나눌 수 있다. 일본의 개황이나 한일관계를 1년 단위로 정리하는 연감 형식의 책도 일본연구센터가 발간하고 있다. 일본연구센터가 해온 일본 · 동아시아전문가포럼, 브라운백세미나, 정책간담회(정책간담회는 2017년 이후)의 내용을 소개하면 다음과 같다. 이들 행사의 사회는 대부분 조양현 일본연구센터 책임교수가 맡았다.

**일본 · 동아시아 전문가포럼**

| 일 시 | 주 제 | 참가자 |
|---|---|---|
| 2019.8.7 | 미중 경쟁과 일본 외교 | 발표 사하시 료(佐橋亮 · 도쿄대)<br>토론 전재성(서울대), 박영준(국방대), 배기찬(국립외교원) |
| 2019.8.28 | 미일 안보조약과 한일관계 | 발표 마고사키 우케루(孫崎享 · 동아시아공동체연구소장)<br>토론 조성렬(국가안보전략연구원), 배기찬(국립외교원) |
| 2019.9.9 | 포스트 · 포스트 냉전기의 동아시아와 일본 외교 | 발표 나카니시 히로시(中西寬 · 교토대)<br>토론 김기정(연세대), 김영호(국방대), 이원덕(국민대) |
| 2019.9.27 | 동아시아 정세와 한일관계 | 발표 야부나카 미토지(藪中三十二 · 리쓰메이칸대 · 전 외무성 사무차관)<br>토론 김재신(국립외교원 일본연구센터), 조용래(광주대), 마상윤(가톨릭대) |
| 2019.12.13 | '자유롭고 열린 인도 · 태평양' 구상과 일본 외교: 지역질서 형성을 위한 리더십 | 발표 호소야 유이치(細谷雄一 · 게이오대)<br>토론 박철희(서울대), 이명찬(동북아역사재단), 배기찬(국립외교원) |
| 2020.8.25 | 일본의 한반도 전략: 안전보장문제를 중심으로 | 발표 미치시타 나루시게(道下德成 · 정책연구대학원대)<br>토론 배기찬(국립외교원), 송화섭(한국국방연구원), 이기태(통일연구원), 최우선(국립외교원) |
| 2021.2.22 | 바이든 정부와 한일관계 | 발표 니시노 준야(西野純也 · 게이오대)<br>토론 기미야 다다시(木宮正史 · 도쿄대), 김현욱(국립외교원), 양기호(성공회대), 이원덕(국민대) |

**서희와 이예**

서울 서초구 남부순환로에 있는 국립외교원에는 2명의 동상이 서 있다. 본관 앞에는 장위공 서희(徐熙 · 942~998)의 동상이 있다. 서희는 고려의 외교관이자 문신으로 993년 거란이 쳐들어왔을 때 서경(西京) 이북을 할양하고 강화하자는 다른 신하들의 주장을 극력 반대했다. 그리고 자진해서 국서를 받아들고 적장 소손녕과 담판을 벌여 거란군을 철수시키고 강동6주를 회복한다. 본관 뒤편 외교사료관으로 들어가는 길목에는 충숙공 이예(李藝 · 1373~1445)의 동상이 있다. 그는 1400년부터 1443년까지 40여 차례나 일본을 오가며 667명의 포로를 송환했다.

**자유롭고 열린 인도 · 태평양 구상**

자유롭고 열린 인도 태평양(Free and Open Indo-Pacific, FOIP) 구상은 미중 대결 국면에서 뜨겁게 부상해 있는 이슈 중 하나다. 미국은 이를 구현하기 위해 기존의 동맹을 강화하면서 미국, 일본, 호주, 인도의 4개국 연대(쿼드 · Quad)도 강조하고 있다. 중국은 '인도 태평양판 새로운 NATO'라며 반발하고 있다. 이 구상이 중국의 일대일로(一帶一路)를 의식한 중국 포위망이라는 지적을 받자 '전략'을 '구상'으로 완화하면서 주변국의 참여를 독려하고 있다. 한국도 동참을 요구받고 고민 중이다.

## 브라운백 세미나

| 일시 | 주제 | 참석자 |
|---|---|---|
| 2018.4.25 | 현 동북아정세와 한일관계의 의미: 역사적 접근 | 발표 배기찬(국가안보전략연구원)<br>토론 정재정(서울시립대), 배긍찬(국립외교원), 남기정(서울대) |
| 2018.5.31 | 인도·태평양 지역구상과 일본 외교 | 발표 기쿠치 쓰토무(아오야마가쿠인대)<br>토론 진창수(세종연구소장), 황재호(한국외대) |
| 2018.6.11 | 냉전의 종식, 동북아의 역사 대화를 위한 전제조건 | 발표 한혜인(성균관대 동아시아역사연구소)<br>토론 김창록(경북대), 홍종욱(서울대), 유준구(국립외교원) |
| 2018.6.26 | 한반도 정세변화와 일본 외교 | 발표 다나카 히토시(일본총합연구소 국제전략연구소 이사장)<br>토론 추규호(한일미래포럼 대표), 심규선(전 동아일보 대기자), 박철희(서울대) |
| 2018.7.11 | 북일 경제교류 재개까지의 길 | 발표 미무라 미쓰히로(ERINA 주임연구원)<br>토론 성원용(인천대), 동용승(굿파머스연구소장), 강선주(국립외교원) |
| 2018.7.30 | 남북·북미정상회담 이후의 한국 외교 | 발표 하용출(워싱턴대 잭슨스쿨 석좌교수)<br>토론 이동휘(한국외교협회), 조동준(서울대 통일평화연구원), 이중구(한국국방연구원) |
| 2018.8.29 | 북미회담 이후의 북일관계 전망 | 발표 이와무라 가즈야(교도통신 논설위원)<br>토론 오사와 분고(지바과학대), 신정화(동서대), 윤홍석(명지대) |
| 2018.9.18 | 미일동맹의 관점에서 본 한반도의 전략적 가치 | 발표 간 히데키(교토외국어대)<br>토론 송화섭(한국국방연구원), 남창희(인하대) |
| 2018.10.2 | 아베 정권의 외교안보 전략과 한일관계 | 발표 이종원(와세다대)<br>토론 박영준(국방대), 최은봉(이화여대) |
| 2019.3.28 | 일본 천황의 생전퇴위가 일본 사회 및 한일관계에 미치는 함의 | 발표 후루카와 다카히사(니혼대)<br>토론 하종문(한신대), 김용민(건국대) |
| 2019.6.26 | 전환 모색하는 일본의 대(對) 한반도 전략 인식 - 외교·안보·경제 등 한일의 전략적 가치 저울질 | 발표 정구종(동서대 석좌교수·한일문화교류회의 위원장)<br>토론 황영식(단국대), 전진호(광운대) |
| 2019.7.2 | 이수훈 전 주일대사 귀임 보고: 한일관계와 한국 외교 | 토론 양기호(성공회대), 이원덕(국민대) |

**천황 퇴위 후 한국방문?**

아키히토(明仁) 천황은 2019년 4월 30일 나루히토(德仁) 황태자에게 황위를 물려주고 상황(上皇)으로 물러났다. 아키히토 천황이 2016년 퇴위 의사를 밝혔을 때 한국에서는 퇴위 후 한국을 방문하면 좋겠다는 이야기가 나왔다. 태평양전쟁 때 일제의 침략을 받은 국가 중 그가 방문하지 않은 유일한 국가가 한국이니 퇴위 후 천황가와 관련이 깊은 공주 등 옛 백제지역을 돌아보면 좋지 않겠느냐는 것이었다. 그러나 후루카와 다카히사(古川隆久) 니혼대 교수는 국립외교원 브라운백 세미나에서 "퇴위를 해도 한국 방문은 정치적인 행위이기 때문에 어려울 것"이라며 부정적으로 전망했고, 실제로 그런 논의는 잦아들었다.

## 일본 전문가 간담회

| 일 시 | 주 제 | 참가자 |
|---|---|---|
| 2017.1.9 | 2016년 한일관계 회고와 2017년 전망 | 발표 이원덕(국민대 일본학연구소장)<br>토론 오태규(한겨레신문 논설실장), 조양현(국립외교원)<br>참석 김상준(연세대), 김창범(서울특별시청 국제관계대사), 남상구(동북아역사재단), 박영준(국방대), 서승원(고려대), 심규선(동아일보), 연상모(전 니가타 총영사), 유의상(동북아역사재단), 전진호(광운대), 정재정(서울시립대), 조세영(동서대), 황영식(한국일보) |
| 2017.1.25 | 한반도 현안 및 동북아 안보와 2017년 한일관계 전망 | 오코노기 마사오(게이오대), 이즈미 하지메(도쿄국제대), 히라이 히사시(교도통신), 무로오카 데쓰오(방위대), 니시노 준야(게이오대), 이무라 도모키(일본국제문제연구소) |
| 2018.1.12 | 2017년 한일관계 회고와 2018년 전망 | 이원덕(국민대), 남상구(동북아역사재단), 박영준(국방대), 서승원(고려대) 심규선(서울대 일본연구소), 오태규(전 한겨레신문), 이정환(서울대), 정재정(서울시립대), 조세영(동서대), 이면우(세종연구소), 한영혜(서울대) |
| 2019.7.9 | 강제징용문제와 한일관계의 해법 | 발표 최은미(국립외교원), 이지평(LG경제연구원), 신우정(청주지법 부장판사)<br>토론 김형주(산업통상자원부), 남기정(서울대), 손열(연세대), 양기호(성공회대), 유의상(전 국제표기명칭대사), 진창수(세종연구소), 최희식(국민대), 길윤형(한겨레신문), 서영아(동아일보), 유신모(경향신문), 허원순(한국경제신문), 이상렬(외교부) |
| 2020.4.21 | 코로나19 위기와 2020 한일관계 전망 | 발표 양기호(성공회대)<br>토론 심규선(서울대 일본연구소), 진창수(세종연구소), 남기정(서울대), 한의석(성신여대), 엄태봉(국민대), 국립외교원 참석자는 김준형 국립외교원장, 오영주 외교안보연구소장, 김재신 일본연구센터 고문, 김양희 경제통상연구부장, 윤석정 일본연구센터 연구교수. |
| 2020.4.23 | 코로나 19 위기와 일본 정치 | 발표 진창수(세종연구소)<br>토론 고선규(와세다대), 김성조(순천대), 이원덕(국민대), 전진호(광운대), 호리야마 아키코(마이니치신문 서울지국장), 국립외교원 참석자는 김양희 경제통상개발연구부장, 오영주 외교안보연구소장, 김한권 중국연구센터 책임교수, 김영무 아시아태평양연구부장 등 |
| 2020.5.6 | 코로나 19 위기와 일본 외교 | 발표 황세희(여시재 미래디자인실장)<br>토론 임은정(공주대), 김숙현(국가안보전략연구원), 최운도(동북아역사재단), 최희식(국민대), 도요우라 준이치(요미우리신문 서울지국장), 국립외교원 참석자는 김재신 일본연구센터 고문, 오영주 외교안보연구소장, 김영무 아시아태평양연구부장, 윤석정 일본연구센터 연구교수 등 |

| 일 시 | 주 제 | 참가자 |
|---|---|---|
| 2020.5.12 | **수출규제 이후 한일 경제관계 변화** | 발표 김규판(대외경제정책연구원 선임연구위원)<br>토론 이지평(LG경제연구원), 이형오(숙명여대), 정승연 (인하대), 스즈키 소타로(니혼게이자이신문 서울지국장, 국립외교원 참석자는 김양희 경제통상개발연구부장, 이효영 경제통상개발연구부 조교수, 김영무 아시아태평양연구부장, 오영주 외교안보연구소장, 김재신 일본연구센터 고문 등 |
| 2020.5.18 | **코로나 19와 아베노믹스** | 발표 이정환(서울대 정치외교학부)<br>토론 손열(연세대), 김현철(서울대), 정성춘(대외경제정책연구원), 이창민(한국외대), 가미야 다케시(아사히신문 서울지국장), 국립외교원 참석자는 김양희 경제통상개발연구부장, 김영무 아시아태평양연구부장, 오영주 외교안보연구소장 등. |
| 2020.5.28 | **코로나 19와 한일 상호 인식 변화** | 발표 남기정(서울대 일본연구소)<br>토론 박명희(국회입법조사처), 정재정(광주과학기술원), 이명찬(동북아역사재단), 한혜인(아시아평화와역사연구소), 나카무라 아키히로(도쿄신문 서울지국장), 국립외교원 참석자는 김재신 일본연구센터 고문, 윤석정 일본연구센터 연구교수 등 |
| 2020.6.16 | **강제징용문제의 현황과 대응방안** | 발표 남상구(동북아역사재단), 이원덕(국민대)<br>토론 김장현(외교부), 추규호(한일미래포럼), 임한택(국립외교원), 심규선(서울대 일본연구소), 양기호(성공회대), 남기정(서울대), 박명희(국회입법조사처), 엄태봉(국민대), 국립외교원 참석자는 김재신 일본연구센터 고문, 김영무 아시아태평양연구부장, 김양희 경제통상개발연구부장, 하태신(외교부), 윤석정 일본연구센터 연구교수 |
| 2020.7.30 | **전시 여성인권 문제의 국제적 논의 동향과 일본군 '위안부' 문제** | 발표 신혜수(유엔인권정책센터 이사장), 이헌미(서강대 트랜스내셔널인문학연구소)<br>토론 조영숙(양성평등대사), 남상구(동북아역사재단), 김소라(일본군'위안부'문제연구소장), 한혜인(아시아평화와역사연구소), 황현이(외교부), 국립외교원 참석자는 오영주 외교안보연구소장, 김재신 일본연구센터 고문 등 |
| 2020.9.17 | **포스트 아베 시대의 일본정치와 대외관계** | 발표 진창수(세종연구소), 이종원(와세다대), 기미야 다다시(도쿄대)<br>토론 니시노 준야(게이오대), 손열(연세대), 남기정(서울대), 도요우라 준이치(요미우리신문 서울지국장), 호리야마 아키코(마이니치신문 서울지국장), 박철희(서울대) |

## 정책간담회

| 일시 | 주제 | 참가자 |
|---|---|---|
| 2017.3.27 | 한일관계 현황과 향후 발전방안 | 발표 정구종(동서대)<br>토론 최영호(영산대), 김준섭(국방대), 유의상(동북아역사재단)<br>참석 남기정(서울대), 오태규(한겨레신문), 이면우(세종연구소), 이정환(서울대), 조진구(고려대), 추규호(한일미래포럼 대표), 한혜인(성균관대), 현대송(한국해양수산개발원) |
| 2017.5.30 | 전후 일본인의 한국관과 재일한국인 | 발표 문경수(리쓰메이칸대)<br>토론 이완범(한국학중앙연구원), 조양현(국립외교원)<br>참석 김웅기(홍익대), 김숭배(연세대), 심규선(동아일보), 이범준(경향신문), 조관자(서울대), 김완중(외교부 재외동포영사국장) |
| 2017.8.30 | 트럼프 정권 출범 이후의 미일 관계 | 발표 양기웅(한림대)<br>토론 정한범(국방대), 조양현(국립외교원)<br>참석 김준섭(국방대), 오태규(전 한겨레신문), 이동선(고려대), 이원덕(국민대), 이정환(서울대) |
| 2017.10.18 | 한일 사회 변화와 한일 관계 | 발표 한영혜(서울대 일본연구소장)<br>토론 김동호(중앙일보), 이홍천(도쿄도시대)<br>참석 김웅기(홍익대), 김현욱(국민대), 심규선(동아일보), 이기호(한신대), 이원덕(국민대) |
| 2017.12.4 | 일본의 대한국 인식 동향과 대응방안 | 발표 이시바시 가쿠(石橋学 · 가나가와신문 보도부 기자 · 헤이트 스피치 추적 보도), 김숭배(연세대 통일연구원), 김웅기(홍익대), 김현욱(국민대), 문연주(방송통신심의위원회), 송석원(경희대) |
| 2018.3.23 | 북한문제 관련 일본 입장 및 일본 견인 방안 | 권태환(국방대), 박철희(서울대), 오영환(중앙일보) |
| 2018.4.5 | 한중일 정상회의 대응 방안 | 이상현(세종연구소), 정영록(서울대), 차재복(동북아역사재단), 김영호(국방대), 심규선(서울대 일본연구소) |
| 2018.6.5 | 문재인 정부의 대일정책 -2018년 한일파트너십을 통한 한일 시민사회의 대화 | **제1세션**<br>발표 남기정(서울대)<br>토론 이케하타 슈헤이(NHK 서울지국장), 김준섭(국방대), 양기호(성공회대)<br>**제2세션**<br>발표 이정환(서울대)<br>토론 호리야마 아키코(마이니치신문 서울지국장), 기미시마 시케타(교도통신 서울지국 특파원), 천자현(연세대) |

## 국제회의, 언론인세미나 등

| 일 시 | 형식/주제 | 내 용 |
|---|---|---|
| 2017.11.6 | **한일언론인 세미나 : 한일관계 발전을 위한 언론의 역할** | 김대홍(KBS 보도기획 부장), 박소영(중앙일보 피플앤이슈 부장), 심규선(동아일보 고문), 이충원(연합뉴스 미디어여론독자부 뉴미디어팀장), 정남구(한겨레신문 논설위원), 나카지마 겐타로(요미우리신문 서울지국장), 다케다 하지무(아사히신문 서울특파원), 아와쿠라 요시카쓰 (교도통신 서울지국장), 이케하타 슈헤이(NHK 서울지국장), 요네무라 고이치(마이니치신문 서울지국장), 이원덕(국민대 일본학연구소장), 서승원(고려대 글로벌일본연구원장), 김득환(외교부 부대변인), 김영완(외교부 정책총괄담당관실 심의관), 김광재(외교부 정책공공외교담당관) |
| 2017.11.28 | **국제회의: 동아시아 국제정세와 한일관계 - 성숙한 미래지향적 한일관계를 향하여** | **제1세션**<br>발표 박영준(국방대), 이종원(와세다대)<br>토론 손열(연세대), 미즈시마 고이치(水嶋光一 · 주한일본대사관 총괄공사), 조세영(동서대)<br>**제2세션**<br>발표 기미야 다다시(木宮正史 · 도쿄대), 이원덕(국민대)<br>토론 양기호(성공회대), 나카지마 켄타로(中島健太郎 · 요미우리신문 서울지국장), 심규선(동아일보) |
| 2018.9.4 | **김대중-오부치 한일파트너십 공동선언 20주년 기념 한일관계 토론회 : 동아시아의 평화와 번영을 위한 문재인 정부의 대일외교** | 발표 양기호(성공회대), 김준섭(국방대), 이정환(서울대), 남기정(서울대)<br>토론 조세영(동서대), 송화섭(한국국방연구원), 김기석 (강원대), 이면우(세종연구소) |
| 2018.9.12 | **일본평화안전보장연구소(Research Institute for Peace and Security · RIPS)와 제12차 한일 협력을 위한 CJS/KNDA-RIPS 전략대화** | 한국 측은 국립외교원의 김재신 일본연구센터 고문, 현오석 석좌교수, 전재만 고문, 조양현, 최원기, 김현욱, 황일도, 김한권 교수, 최진백, 이상숙, 조원득, 최은미 연구교수, 최완규 전 북한대학원대학 총장, 배기찬 국가안보전략연구원 고문, 황재호 한국외대 교수, 박원곤 한동대 교수 등이, 일본 측은 니시하라 마사시 RIPS 이사장, 이즈미 하지메 도쿄국제대 교수, 가토 요이치 아시아퍼시픽 이니셔티브(Asia Pacific Initiative) 연구주간, 요시자키 다쓰히코 소지쓰(双日)종합연구소 부소장, 야마오카 구니히코 홋카이도 교육대 교수 등 |
| 2018.12.18 | **신진연구자 간담회 : 2018 한일관계 평가와 향후 과제** | 김숭배(연세대), 임현정(한양대), 엄태봉(국민대), 윤석정(국민대), 조은일(한국국방연구원) |
| 2019.9.7 | **한일언론인 세미나** | 강태호(르몽드디플로마티크(한국판) 편집위원장), 길윤형(한겨레신문 국제뉴스팀 기자), 김대홍(KBS 시사제작국 |

**김대중-오부치 선언 20주년 일본 측 기념행사**

2018년 한국에서는 '김대중-오부치 선언' 20주년을 기념하는 행사가 많이 열렸다. 일본에서는 한국보다 덜 했으나 대표적인 행사가 있었다. 일본 외무성은 2018년 10월 9일 도쿄 오쿠라호텔에서 기념심포지엄을 열었고, 아베 신조 총리가 깜짝 참석했다. 아베 총리는 인사말에서 "파트너십 선언을 발표했을 때 나는 젊은 의원으로 정권에 압력을 가하는 쪽이었다"며 "하지만 이런 여론과 압력을 극복하고 최고 지도자들이 결단했기 때문에 양국 관계가 미래지향적이 되었고 전진할 수 있었다"고 했다. 1998년 파트너십 선언 당시 외상이던 고무라 마사히코(高村正彦) 전 자민당 부총재는 기조연설을 했다. 이수훈 주일 대사도 참석했다. 심포지엄은 오코노기 마사오(小此木政夫) 게이오대 명예교수의 사회로 일본 측에서는 사사에 겐이치로(佐々江賢一郎) 일본국제문제연구소 이사장과 도쿠라 마사카즈(十倉雅和) 게이단렌 부회장이, 한국 측에서는 최상용 전 주일 대사와 심규선 전 동아일보 편집국장이 참석했다.

| 일 시 | 형식/주제 | 내 용 |
|---|---|---|
| | | 시사기획 '창' 팀장), 남정호(중앙일보 논설위원), 노석조(조선일보 정치부 기자), 서의동(경향신문 논설위원), 이대근(경향신문 논설주간), 이미숙(문화일보 논설위원), 이준영(시사저널e 기자), 한지연(아주경제신문 기자), 허원순(한국경제신문 논설위원), 나무라 다카히로(산케이신문 서울지국장), 나카무라 아키히로(도쿄신문 기자), 사카이다 미오(도쿄신문 서울지국장), 오카사카 켄타로(교도통신 서울지국장), 와타나베 야스히로(후지TV 서울지국장), 하라다 겐이치(지지통신 서울특파원) |
| 2019.10.31 ~11.3 | 대만 타이페이 '제4회 동아시아일본연구자협의회 국제학술회의' 참가 | **일본연구센터 기획세션** 사회 조양현(일본연구센터)<br>발표 박정진(쓰다주쿠대), 나카토 사치오(리쓰메이칸대)<br>토론 림찬티용(우한대), 최은미(일본연구센터) |
| 2019.11.25 | 국제학술회의: 국제 정세 변화와 한일협력 - 한일의 대외전략과 미래비전 | 외부 참석자는 김기정(연세대), 김상준(연세대), 박명희(국회입법조사처), 박인휘(이화여대), 신성호(서울대), 윤영관(서울대), 이원덕(국민대), 이정철(숭실대), 조성렬 (국가안보전략연구원), 주재우(경희대), 최경원(규슈대), 최희식(국민대), 니시노 준야(게이오대), 아키야마 노부마사(히토쓰바시대), 고타니 데쓰오(일본국제문제연구소), 국립외교원 참석자는 전봉근 외교안보연구소장, 김재신 일본연구센터 고문, 배기찬 아세안 · 인도연구센터 고문, 조양현 일본연구센터 책임교수, 김태환 유럽 · 아프리카연구부 교수, 황일도 안보통일연구부 조교수 |
| 2020.6.19 | 신진연구자 간담회: 2020년 한일관계 진단 및 정책 대응방안 논의 | 김숭배(충남대), 석주희(한림대), 송정현(동국대), 엄태봉(대진대), 이기태(통일연구원), 이정환(서울대), 임은정(공주대), 조은일(한국국방연구원), 최은미(아산정책연구원), 이민경(외교부 아태1과장) 씨가, 국립외교원에서는 오영주 외교안보연구소장, 조양현 일본연구센터 책임교수, 윤석정 일본연구센터 연구교수 등 |
| 2020.6.25 | 신진연구자 간담회: 2020년 한일관계 진단 및 정책 대응방안 논의 | 권연이(서울시립대), 김지영(한양대), 박경민(국민대), 서인원(일제강제동원피해자지원재단), 손석의(서울대), 오승희(동아시아연구원), 이창민(한국외국어대), 김장현(외교부 아태국 심의관), 이현경(외교부 아태1과 사무관) 씨가, 국립외교원에서는 오영주 외교안보연구소장, 김재신 일본연구센터 고문, 조양현 일본연구센터 책임교수, 윤석정 일본연구센터 연구교수 등 |
| 2020.10.12 | 게이오대 현대한국센터와의 전문가 간담회 | **제1세션 국내정치와 외교정책**<br>발표 최희식(국민대), 스즈키 히로나오(시즈오카대)<br>**제2세션 국제정세 변화와 한일관계**<br>발표 최우선(국립외교원), 아나미 유스케(도호쿠대) |

| 일 시 | 형식/주제 | 내 용 |
|---|---|---|
| | | **제3세션 대북한 인식과 안보정책**<br>발표 황일도(국립외교원), 고타니 데쓰오(메이카이대)<br>그밖에 한국에서는 박인휘(이화여대), 이창민(한국외대), 국립외교원의 김재신 일본연구센터 고문, 김양희 경제통상개발연구부장, 김한권 아시아태평양연구부 부교수, 조양현 일본연구센터 책임교수, 윤석정 일본연구센터 연구교수, 김미정 · 조아라 일본연구센터 연구원이, 일본에서는 니시노 준야 게이오대 현대한국연구센터장, 오코노기 마사오 게이오대 명예교수 등 |
| 2020.11.23 | 국제회의: 스가 시대의 일본과 한일관계 | 개회사<br>오영주(국립외교원 외교안보연구소장)<br>김현철(서울대 일본연구소장)<br>**제1세션** 사회 남기정(서울대)<br>발표<br>박승현(서울대 일본연구소) **코로나19와 일본 사회**<br>손석의(서울대 일본연구소) **스가 내각의 탄생**<br>이정환(서울대 정치외교학부) **아베노믹스의 총결산**<br>일본 현지 보고<br>김경주(도카이대), 박정진(쓰다주쿠대)<br>**제2세션** 사회 조양현(국립외교원)<br>라운드 테이블 최희식(국민대), 남기정(서울대), 이종원(와세다대), 히라이와 슌지(난잔대) |
| 2020.12.2 | 한일언론인 세미나 | 개회사 오영주(국립외교원 외교안보연구소장)<br>**제1세션 한일관계 현황과 과제**<br>사회 김재신(국립외교원 일본연구센터 고문)<br>발표 길윤형(한겨레신문 통일외교팀 기자)<br>호리야마 아키코(마이니치신문 서울지국장)<br>토론 참석자 전원<br>**제2세션 미국 대선 이후의 미중관계와 한일관계**<br>사회 조양현(국립외교원 일본연구센터 책임교수)<br>발표 남정호(중앙일보 논설위원)<br>도요우라 준이치(요미우리신문 서울지국장)<br>토론 참석자 전원<br>이밖에 한국 언론인으로는 고승일(연합뉴스 논설위원실장), 김대홍(KBS 보도기획부장), 서영아(동아일보 논설위원), 서의동(경향신문 논설위원), 서태교(News Stance 편집장), 이미숙(문화일보 논설위원), 허원순(한국경제신문 논설위원), 황성기(서울신문 논설위원), 일본 언론인으로는 나무라 다카히로(산케이신문 서울지국장), 나카무라 아키히로(도쿄신문 서울지국장), 스즈키 소타로(니혼게이자이신문 서울지국장) 등이, 국립외교원에서는 윤석정 일본연구센터 연구교수, 김미정 · 조아라 일본연구센터 연구원 등 |

일본연구센터는 김원진 전 캄보디아 대사(전 일본대사관 정무공사)가 고문으로 있고, 조양현 책임교수, 윤석정 연구교수, 김미정 · 조아라 연구원이 있다. 초대 센터장은 조희용 전 캐나다 대사였고, 김재신 고문(전 외교부 아태국장), 박명희 객원교수(국회입법조사처), 최은미 연구교수(아산연구원) 등이 이곳을 거쳐 갔다. 위의 표에서 소개한 '일본 · 동아시아 전문가포럼'과 '브라운백 세미나'에 발표자나 토론자가 아니면서 포럼과 세미나에 한 번 이상 참석했던 국립외교원 밖의 인사는 다음과 같다.

가세다 요시노리(리쓰메이칸 아시아태평양대 교수), 강우철(서강대 사회과학연구소), 구로다 가쓰히로(산케이신문 객원논설위원), 권연이(쓰쿠바대 박사), 김광민(코리아NGO센터 사무국장), 김동호(중앙일보 논설위원), 김민경(외교부 정세분석담당관실 사무관), 김범수(건국대 교수), 김석우(21세기 국가발전연구원장), 김선일(경희대 국제대학원 교수), 김성조(순천대 교수), 김영근(고려대 글로벌일본연구원 교수), 김용민(건국대 교수), 김원희(한국해양수산개발원 전문연구원), 김정록(시사저널 기자), 김창수(한국국가전략연구원 자문위원), 김철웅(외교부 정세분석담당관실 행정관), 김태지(전 주일대사), 김현철(서울대 일본연구소장), 나무라 다카히로(산케이신문 서울지국장), 나카지마 겐타로(요미우리신문 서울지국장), 남기정(서울대 일본연구소 교수), 니시오카 다쓰시(주한 일본대사관 공보문화원장 겸 공사), 니시우치 아키토(주한 일본대사관 1등서기관), 도요우라 준이치(요미우리신문 서울지국장), 문영기(강원대 명예교수), 문준기(외교부 정책공공외교과 사무관), 박기범(공군사관학교 생도), 박명희(국회입법조사처 입법조사관), 박영혜(KTV 한국정책방송원 방송보도부장), 박용규(한국외대 초빙교수), 박창건(국민대 교수), 박충석(이화여대 명예교수), 배기찬(국가안보전략연구원 고문), 사카이다 미오(도쿄신문 서울지국장), 서승원(고려대 글로벌일본연구원장), 서영아(동아일보 논설위원), 손치근(전 카자흐스탄 알마티 총영사), 손현진(히로시마 평화연구소 교수), 송창섭(시사저널 기자), 시부에 지하루(마이니치신문 서울특파원), 신미라(신라대 국제지역연구소 연구원), 신욱희(서울대 교수), 신정승(동서대 석좌교수), 심규선(서울대 일본연구소 객원연구원), 심나리(서울대 행정대학원생), 야마사키 히로키(일본국제교류기금 서울문화센터 소장), 오영환(중앙일보 논설위원), 오카사카 겐타로(교도통신 서울지국장), 온치 요스케(니혼게이자이신문 서울특파원), 이강국(성균관대 겸임교수), 이기태(통일연구원 부연구위원), 이명찬(동북아역사재단 연구위원), 이미숙(문화일보 논설위원), 이완범(한국학중앙연구원 현대한국연구소장), 이정환(서울대 교수), 이종국(동북아역사재단 연구위원), 이주인 아쓰시(일본경제연구센터 수석연구원), 이지평(LG경제연구원 수석연구위원), 이케하타 슈헤이(NHK 서울지국장), 임은정(공주대 교수), 장우진(국가안보전략연구원 연구원), 전진호(광운대 교수), 정구종(동서대 일본연구센터 고문), 조경환(경기도 안보정책자문관), 조관자(서울대 일본연구소 교수), 조은일(한국국방연구원 선임연구원), 조진구(경남대 극동문제연구소 조교수), 조희용(전 캐나다 대사), 최은봉(이화여대 교수), 최해옥(과학기술정책연구원 부연구위원), 추규호(한일미래포럼 대표), 한의석(성신여대 교수), 현석원(포스코경영연구원 수석연구원), 호리야마 아키코(마이니치신문 서울지국장)

국립외교원의 역대 원장은 다음과 같다.

| 기관명 | 대수 | 이 름 | 재임기간 | 원장을 맡기 전후의 주요 직책 |
|---|---|---|---|---|
| 외무공무원교육원 | 초대 | **연하구** | 1963.10~1964.9 | 외무부 아주국장, 기획실장, 주케냐 대사 |
| 외무공무원교육원 · 외교연구원 | 2 | **신응균** | 1964.10~1966.9 | 육군 중장, 국방과학연구소 초대 소장 |
| 외교연구원 | 3 | **윤석헌** | 1966.9~1967.9 | 외무부차관, 주프랑스 대사, 주유엔 대사 |
| | 4 | **최완복** | 1967.12~1970.6 | 한국외국어대 학장, 통일원장관 |
| | 5 | **한유동** | 1970.6~1972.2 | 주태국 공사, 주그리스 대사 |
| | 6 | **연하구** | 1972.2~1974.3 | 외무부 아주국장, 기획실장, 주케냐 대사 |
| | 7 | **정일영** | 1974.3~1976.2 | 외무부 차관 |
| 외교연구원 · 외교안보연구원 | 8 | **장위돈** | 1976.8~1978.2 | 서울대 교수, 대통령특보, 주에콰도르 대사 |
| 외교안보연구원 | 9 | **강영훈** | 1978.2~1980.12 | 주영대사, 국무총리, 한적총재 |
| | 10 | **노재원** | 1981.5~1982.5 | 외무부 차관, 주 캐나다 대사, 주중국 대사 |
| | 11 | **이상옥** | 1982.8~1983.6 | 외무부 장관 |
| | 12 | **박 근** | 1983.6~1984.12 | 주유엔대사, 한미우호협회 회장 |
| | 13 | **오재희** | 1984.12~1986.9 | 외교통상부차관, 주영국 대사, 주일본 대사 |
| | 14 | **박쌍용** | 1986.9~1987.9 | 외무부 차관, 한국국제협력단 총재 |
| | 15 | **신동원** | 1987.9~1988.3 | 주멕시코 대사, 외무부 차관 |

| | | | | |
|---|---|---|---|---|
| 외교안보연구원 | 16 | **임동원** | 1988.3~1992.1 | 통일부장관, 국가정보원장, 세종재단 이사장 |
| | 17 | **공로명** | 1992.1~1993.4 | 주러시아, 주일본 대사, 외무부 장관 |
| | 18 | **박수길** | 1993.4~1995.1 | 주제네바 대사, 유엔안전보장이사회 의장 |
| | 19 | **이정빈** | 1995.1~1996.1 | 주러시아 대사, 외교통상부 장관 |
| | 20 | **김석규** | 1996.1~1998.3 | 주러시아 대사, 주일본 대사 |
| | 21 | **박상식** | 1998.3~2000.1 | 주유네스코 대사, 주싱가포르 대사 |
| | 22 | **이승곤** | 2000.1~2001.6 | 주시카고 총영사, 주오스트리아 대사 |
| | 23 | **정태익** | 2001.7~2001.10 | 대통령 외교안보수석, 한국외교협회장 |
| | 24 | **김항경** | 2001.10~2002.2 | 외교통상부 차관, 경남대 석좌교수 |
| | 25 | **신성오** | 2002.2~2003.4 | 주필리핀 대사, 영산대 국제학부 교수 |
| | 26 | **최영진** | 2003.4~2004.1 | 외교통상부 차관, 주미국 대사 |
| | 27 | **한태규** | 2004.1~2006.1 | 주태국 대사, 제주평화연구원장 |
| | 28 | **조중표** | 2006.1~2006.11 | 외교통상부 1차관, 국무총리실 실장 |
| | 29 | **이주흠** | 2006.12~2008.4 | 대통령 리더십비서관, 주미얀마 대사 |
| | 30 | **이순천** | 2008.4~2010.8 | 주탄자니아 대사, 외교부 본부대사 |
| | 31 | **이준규** | 2010.8~2012.2 | 주인도, 주일본 대사, 한국외교협회 회장 |
| 국립외교원 | 32 | **김병국** | 2012.3~2013.5 | 대통령 외교안보수석, 동아시아연구원장 |
| | 33 | **윤덕민** | 2013.5~2017.5 | 국가안보자문단 위원, 한국외대 석좌교수 |
| | 34 | **조병제** | 2017.7~2018.9 | 외교통상부 대변인, 주말레이시아 대사 |
| | 35 | **조세영** | 2018.9~2019.5 | 외교통상부 동북아국장, 외교부 1차관 |
| | 36 | **김준형** | 2019.8~2021.8 | 한동대 교수, 외교부 혁신이행자문위원장 |
| | 37 | **홍현익** | 2021.8~ | 세종연구소 외교전략실장, 수석연구위원 |

국립외교원 외교안보연구소 일본연구센터는 (06750) 서울특별시 서초구 남부순환로 2572(서초 2동 1376-2) 국립외교원 내에 있다.

전화 (02) 3497-7600, 팩스 (02) 571-1019, 홈페이지 www.knda.go.kr

KOREA-JAPAN

## 2. 세종연구소 일본연구센터

**미얀마 랑군 테러**
'아웅산 테러 사건'이라고도 한다. 북한이 1983년 10월 9일 당시 버마(현 미얀마)를 방문 중이던 전두환 대통령과 그 수행원들을 대상으로 자행한 테러 사건이다. 아웅산묘소 지붕에 설치한 강력한 폭탄이 터지며 대통령의 공식·비공식 수행원 17명이 사망하고 14명이 중경상을 입었다. 수사 결과 김정일의 지령을 받은 북한 특수부대원 3명의 소행임이 밝혀졌고, 버마 정부는 북한과 외교 관계를 단절했다(2007년 4월 회복). (시사상식사전)

재단법인 세종연구소의 탄생은 1983년 10월 9일 북한의 미얀마 랑군 테러와 관련이 있다. 정재계 지도급 인사들은 이 사건으로 순국한 외교 사절들의 유가족을 돕기 위해 모금 운동을 벌이면서 싱크탱크의 필요성을 느꼈다. 우리 민족의 고통과 시련은 궁극적으로 남북 분단과 긴장에서 기인하며, 조국의 평화적 통일을 앞당기기 위해서는 남북문제를 전문적으로 연구하는 기관이 필요하다고 생각한 것이다. 창립자들은 이후 본격적으로 재단 설립을 추진해 1983년 11월 25일 창립총회를 열고 1984년 7월 재단 업무를 시작했다. 첫 이사진은 출연자 중심이었으나 1987년 각계 대표로 교체했다(그러나 지금도 이사 중 1명은 유족이 맡고 있고, 유족들에 대한 장학사업도 계속하고 있다).

재단법인이라는 법인격은 바뀌지 않았으나 연구소의 이름은 여러 번 바뀌었다. 일해재단(1983년 12월) → 일해연구소(1987년 8월) → 세종연구소(1988년 5월) → 세종재단(1996년 9월) → 세종연구소(2015년 6월)로 바뀌었다. '일해(日海)'는 전두환 전 대통령의 호다.

세종연구소는 연구조직으로 외교전략연구실, 안보전략연구실, 통일전략연구실 등 3개의 연구실, 북한연구센터, 미국연구센터, 중국연구센터, 일본연구센터 등 4개의 연구센터, 동아시아협력센터와 신남방협력센터 등 2개의 협력센터를 두고 있다.

일본연구센터는 2002년에 만들었고 그때부터 진창수 박사가 센터장을 맡고 있다. 한일관계 연구의 허브 역할을 지향하며 대일정책에 대한 제언, 올바른 한일관계를 위한 방향 제시, 한국 정책의 일본과 아시아, 세계에 대한 발신이 설립 목적이다. 발족 당시에서는 진창수, 이면우 박사 외에 이숙종 박사(성균관대 교수, 전 동아시아연구원장)가 있었고, 학술진흥재단(지금의 한국연구재단)의 3년 프로젝트를 수주해 객원 연구위원도 10명이 있었다. 오사와 분고(大澤文護) 일본 지바과학대 교수, 서정화 전 제주평화연구원장(전 싱가포르대사)이 객원연구위원으로 있다.

세종연구소 일본연구센터는 현재 다음과 같은 활동을 하고 있다.

**한일정책대화 (2005.11~현재)**

한국 외교부와 일본 외무성의 후원으로 2005년 11월부터 '한일정책대화'를 진행하고 있다. 매년 상 · 하반기 한 차례씩 한국과 일본을 오가며 연다. 양국 정부 관계자를 포함해 학계 전문가 등 20명 정도가 참석하는데 2020년 2월 제27차 대화를 열었다. 이 프로젝트의 목적은 일본의 정치 변화에 따른 한일 안보협력의 방향을 모색하고 중장기 대일, 대한 정책을 검토하는 것이다. 이를 통해 한미일 관계, 미중 관계를 비롯한 국제질서의 변화에 따른 한일 안보협력의 방향을 고민한다.

**화요회 (2000.1~현재)**

'화요회'는 서울에 주재하는 일본 언론 특파원과 한국의 전문가들이 매달 두 번째 화요일에 만나는 시사토론회를 말한다. 2000년 1월부터 현재까지 약 20년간 이어오고 있다. 취지는 일본 특파원들이 한일관계에 대한 정확한 지식을 공유함으로써 한국과 일본에 대해 객관적으로 보도할 수 있도록 돕는 것이다.

**한국의 일본학 연구 조사 (2002, 2007, 2012, 2018, 2019)**

이 프로젝트는 일본국제교류기금(Japan Foundation · JF) 서울문화센터의 연구 용역인 '한국의 일본학 연구조사'를 말한다. 한국에서 일본학을 얼마나 연구하고 있는지를 조사하는 것으로, 어학 · 문학 · 정치 · 경제 · 역사 분야로 나눠서 조사한다. 2002년에 시작해 2005년, 2007년, 2012년, 2018년, 2019년 등 주기적으로 조사를 하고 있다(앞서 소개한 최은미 박사의 논문과 연구 연도가 다른 것은 세종연구소는 시작 연도를, 최은미 박사는 보고서를 낸 연도를 기준으로 했기 때문이다).

**한일관계 심포지엄 (2016~현재)**

한국국제교류재단(Korea Foundation · KF)과 공동으로 2016년부터 일본의 각 도시에서 한일관계 심포지엄을 열고 있다. 일본군 위안부 문제와 징용자 판결 등으로 냉각된 양국 관계를 개선하고, 북한의 핵개발과 ICBM 발사 등에 따른 위협과 도발에 공동 대응하자는 취지로 2016년에 처음으로 '후쿠오카 한일관계 심포지엄'을 열었고, 이어 오사카, 삿포로, 나고야, 히로시마, 시즈오카, 도쿄 등에서도 같은 이름의 심포지엄을 열었다.

**동북아 평화협력구상 (2014)**

박근혜 정부의 동북아시아에 대한 외교 구상이 '동북아평화협력 구상'이다.

2014년에 외교부의 연구용역을 받아 세종연구소 일본연구센터가 연구를 주도했다. 동북아평화협력구상팀을 연구회로 발전시킨 뒤 논의결과를 묶어 《동북아 평화협력구상》이라는 단행본으로 출간했다. '동북아평화협력 구상'은 다자안보 경험이 일천한 동북아지역의 현실을 감안해 환경, 기후변화 등 연성(軟性) 안보 이슈를 중심으로 먼저 협력과 신뢰를 기른 뒤, 이를 토대로 점진적으로 경성(硬性) 안보 이슈로 확산하는 방안을 제시했다. 이 연구는 박근혜 정부가 '동북아 평화협력구상' 심포지엄을 여는 데 많은 도움을 줬다.

### 학술진흥재단 프로젝트(2001, 2002)

학술진흥재단 기초학문육성지원사업의 일환으로 2001과 2002년 서울대, 가톨릭대, 세종연구 일본연구센터의 전문가 40여 명이 '동아시아연구단'을 구성할 때 세종연구소 일본연구센터는 '일본연구팀'으로 참가했다. 이 프로젝트를 통해 2년 동안 단행본 《세종연구소 일본연구총서 시리즈》 6권을 발간했다.

### 그 밖의 프로젝트(최근 5년간)

| | |
|---|---|
| 2015년 | 한국 외교부와 일본 외무성 후원 '한일수교 50주년 기념 대토론회' |
| 2017년 | - 일본국제교류기금 서울문화센터 연구 용역 '일본연구 펠로십 후속사업 - 한일연구자교류회 일본연구의 현재와 미래: 쟁점과 연구 방향'<br>- 외교부 연구 용역 '2017 동북아평화협력구상 국내외 민관네트워크 구축사업 결과보고서 1 · 2'<br>- 외교부 연구 용역 '일본의 주변국과의 영토 문제인식 · 대응 비교 및 한국에 대한 함의 검토' |
| 2018년 | - 외교부 연구 용역 '동해표기 문제에 대한 일본 내 최근 논의 동향 및 한국의 방안 1 · 2'<br>- 외교부 연구 용역 '북미 정상회담 이후 주요국 동향과 한국의 전략'<br>- 외교부 지원 '일본 정책기획' 워크숍<br>- 외교부 지원 '중국 북경 정책기획' 워크숍 |
| 2019년 | - 한국해양수산개발원(KMI) 연구 용역 '한일 대륙붕 공동개발협정에 관한 일본 오피니언 리더인식조사'<br>- 국립외교원 연구 용역 '일본의 대한국 수출규제에 대한 일본 엘리트 인식조사' |

### 저서와 편저(2015년 이후)

☑ 세종연구소 일본연구센터, 《한국의 일본학, 일본의 한국학 연구》(세종연구소, 2015)

☑ 이면우 외, 《동해표기 문제에 대한 일본 내 최근 논의 동향 및 한국의 대응방안 1 · 2권》(외교부 · 세종연구소 일본연구센터, 2017)
☑ 이면우, 《일본의 주변국과의 영토문제 인식 · 대응 비교 및 한국에 대한 함의 검토》(외교부 · 세종연구소 일본연구센터, 2017)
☑ 세종연구소 일본연구센터, 《2017 동북아평화협력포럼》(세종연구소, 2017)
☑ 진창수, 《북미정상회담 이후 주요국 동향과 한국의 전략》(외교부 · 세종연구소 일본연구센터, 2018)
☑ 진창수 편, 《제4차 산업혁명 시대와 외교》(세종연구소, 2019)
☑ 이면우 저, 《일본 자민당의 위기대응 연구: 일본 보수주의 분석(II)》(2020)

이상과 같이 진창수 일본연구센터장, 이면우 세종연구소 부소장, 세종연구소 일본연구센터는 2010년 이후 30여 권의 저서와 편저를 내고 있다.

일본연구센터만이 아니라 세종연구소 차원에서 '일본'을 발신하는 플랫폼도 여럿 있다. 글로 쓰는 '세종 정책브리핑' '정세와 정책' '세종논평'이 있고, 말로 하는 '정세토론회' '세종정책포럼' '정책간담회' '국제학술행사' '국내학술행사' 등이 있다. 이들 채널을 통해 '일본 관련 테마'를 발신한 사례를 정리하면 다음과 같다(2015년 이후).

**동해와 일본해**

국제수로기구(IHO)는 1929년에 항해용 지도 지침서인 '해양과 바다의 경계'(S-23)를 펴내며 동해를 '일본해(Sea of Japan)'로만 표기했다. 1937년 2판, 1953년 3판도 마찬가지였다. 4판 개정을 시작한 1997년부터 한국은 '동해(East Sea) 병기'를 주장했다. 국제수로기구는 2020년 11월 16일 총회에서 회원국 만장일치로 S-23을 개정하지는 않되 이름 대신에 고유식별번호를 부여하는 S-130이라는 새로운 디지털 표준을 도입하기로 했다. 한국 입장에서는 동해 병기를 관철하진 못했으나 '일본해'를 없애는 성과를 거뒀다고 볼 수 있다.

## 세종 정책브리핑

☑ 아베 담화 평가와 향후 한일관계(진창수, 이면우, 조양현, 2015년 8월)
☑ 위안부 문제 타결 이후 한일관계 전망과 타개 전략(진창수, 이면우, 이상현, 정재정, 조양현, 최강, 2016년 1월)
☑ 2016년 일본 참의원선거 결과 분석: 요인과 그 영향(이면우, 2016년 7월)
☑ 위안부 문제와 한일관계(정재정, 2016년 10월)
☑ 일러 정상회담의 성과와 그 함의(이면우, 2017년 1월)
☑ 일본 중의원 총선거 결과와 그 영향(이면우, 2017년 11월)
☑ 위안부합의 처리방향의 추진방안 연구(이면우, 2018년 2월)
☑ 일본 참의원 선거 결과: 아베의 성적표(진창수, 2019년 7월)
☑ 한일관계 재구축을 위한 해법(진창수, 2019년 8월)
☑ 한일관계의 해법: 한일관계 개선은 가능한가?(진창수, 2020년 4월)

**전후 70년 아베 담화**

아베 전 총리는 2015년 8월 14일 '전후 70년 담화'를 발표했다. 그러나 사죄는 과거의 사죄로 대신했고, 침략은 "사변, 침략, 전쟁, 어떤 무력의 위협과 행사도 국제분쟁을 해결하는 수단으로서는 두 번 다시 사용해서는 안 된다"고 일반론적으로 언급하는데 그쳤다. 한국에서는 "일러 전쟁은 식민지 지배하에 있던 많은 아시아와 아프리카인들에게 용기를 줬다"거나 "우리의 아이와 손자, 그 뒤 세대의 아이들에게 사죄를 계속할 숙명을 지워선 안 된다"는 주장에 대해서도 위화감을 느꼈다.

### 정세와 정책

☑ 2018년 일본의 정치 및 외교 평가와 2019년 일본 정세 전망(이면우, 2019년 1월)
☑ 일본군'위안부' 및 강제동원 문제 해법: 한일관계 재구축을 위하여(남기정, 2019년 6월)
☑ 한일 민간 교류협력, 가치지향·가치연대를 중심으로(조용래, 2019년 6월)
☑ 미래불안을 정치안정으로 이겨내려는 일본: 참의원 통상선거 결과의 의미 및 그 영향(이면우, 2019년 7월)
☑ 동북아 질서의 변화와 중일관계 전망(진창수, 2019년 11월)
☑ 2019년 한일관계 평가와 2020년 전망(진창수, 2019년 12월)
☑ 코로나19 사태와 한중, 한일관계의 전략적 모색(진창수, 2020년 3월)
☑ 한일정부는 플랜B를 고려해야 한다(진창수, 2020년 4월)
☑ 코로나19사태와 일본 정국 동향(진창수, 2020년 5월, 영상브리핑도 함께)
☑ 한일 무역분쟁 1년 평가와 향후 전망 및 과제(이면우, 2020년 7월, 영상브리핑도 함께)
☑ 한일 강제징용문제를 방치해서는 안 된다(진창수, 2020년 9월)
☑ 스가 내각의 출범과 한일관계 전망(이면우, 2020년 10월)
☑ 일본정세와 한일관계(이면우, 2020년 12월)
☑ 위안부 판결과 한일관계(진창수, 2021년 2월)

### 세종논평

☑ 지금은 이미지 전쟁 중: 아베 일본과의 관계 정립에 대한 소고(이면우, 2015년 4월)
☑ '극일'의 재음미: 광복 70년에 즈음하여(이면우, 2015년 8월)
☑ 아베 담화 평가와 향후 과제(이면우, 2015년 8월)
☑ '만남' 외교: 한일정상회담의 의의와 향후 과제(이면우, 2015년 11월)
☑ 미 대선과 미일관계 전망(이면우, 2016년 11월)
☑ 반일만이 극일은 아니다: 소녀상을 더 세우자, 공관 앞에서는 옮겨서(이면우, 2017년 1월)
☑ 신정부의 대일정책 방향: 한일외교 전반에 대한 전략적 고려 속에서의 한일관계 모색(이면우, 2017년 5월)
☑ 일본정치 현황: 동경도의회 선거결과와 함의(이면우, 2017년 7월)
☑ 피해자 중심의 해결에서 일본의 진정한 사과까지(이면우, 2018년 1월)
☑ 아베 수상의 3선 달성과 일본정치 전망(이면우, 2018년 9월)
☑ 제2차 미북 정상회담 결렬에 대한 일본의 반응 및 평가(이면우, 2019년 3월)

☑ 일본 참의원선거 결과: 개헌은 어렵지만 아베 총리의 영향력은 유지(진창수, 2019년 7월)

☑ 대일정책의 근본 전제를 되짚어 보면서 공공외교를 해야 한다(진창수, 2019년 12월)

☑ 아베 총리 사임과 후임 총리 전망(이면우, 2020년 9월)

☑ 스가 총리의 신자유주의 개혁노선과 한일관계 향방(이면우, 2020년 12월)

## 정세토론회

☑ 미일 정상회담 이후 동북아 질서재편(발표 이상현, 이면우, 김성철, 2015년 5월)

☑ 아베 수상의 방미와 미일 관계(발표 김성철, 2015년 6월)

☑ 아베 담화 평가와 향후 한일관계(2015년 8월/비공개)

☑ 아베 담화의 평가(발표 조양현, 2015년 8월)

☑ 한중일 정상회담의 의제와 전략(토론 김성철, 이면우, 이상현, 이태환, 신종호, 2015년 10월)

☑ 일본의 신안보법제와 한반도 안보(손현진 일본히로시마평화연구소 준교수, 2015년 12월)

☑ 위안부 문제 타결 이후 한일관계 전망과 대책(2016년 1월, 비공개)

☑ 위안부 문제와 한일관계(발표 정재정, 토론 조희용, 2016년 5월)

☑ 제24회 일본 참의원 통상선거 예상(발표 이면우, 2016년 6월)

☑ 2016년 일본 참의원 선거결과 분석: 요인 및 그 영향(발표 이면우, 2016년 7월/비공개)

☑ 아베 내각의 헌법 개정 움직임(발표 김성철, 2016년 10월)

☑ 일본 외교의 현황(발표 이면우, 2017년 1월)

☑ 위안부합의 처리 방향의 추진방안 연구(발표 이면우, 2018년 1월)

☑ 일본 참의원선거 결과: 아베의 성적표(발표 진창수, 2019년 7월)

☑ 한일관계 재구축을 위한 해법(발표 진창수, 2019년 8월)

☑ 한일관계의 해법: 대화는 한일관계 개선으로 이어질 수 있는가(진창수, 2020년 4월)

**신안보법제**

집단적 자위권은 동맹국이 공격을 받았을 때 이를 자국에 대한 공격으로 간주하고 반격할 수 있는 권리이다. 모든 국가가 갖는 권리지만, 일본은 헌법9조 때문에 행사할 수는 없다는 입장이었다. 그러나 일본 정부는 2014년 7월 1일 각의에서 헌법해석을 변경해 집단적 자위권 행사를 할 수 있다고 결정하고 법을 정비했다. 이들 법을 '신안보법제'라고 한다. 자위대법개정안 등 10개 법률의 개정 내용을 하나의 법안으로 만든 '평화안전법제 정비안'과 새로 만든 '국제평화지원법안'을 말한다. 두 법안은 2015년 7월 16일 중의원을, 9월 19일 참의원을 통과해 성립했다.

## 세종정책포럼

☑ 일본의 적극외교에 대한 대응방안(발표 이상덕, 유현석, 신재현, 손열, 2015년 2월)

☑ 워싱턴 핵안보정상회의 이후 한미일 안보협력 추진 방향(김영호, 조양현, 송화섭, 최우선, 2016년 4월)

☑ 위안부 합의의 이행과 한일관계(이원덕, 2016년 6월)

☑ 새 정부의 한일갈등 해결 방안(김창록, 심규선, 김현철, 정재정, 손열, 2017년 5월)

☑ 한일관계 악화와 해법 모색: 일본, 미국, 한국의 시각(호사카 유지, 다니엘 핑크스톤, 양기호, 2019년 9월)

☑ 미국 차기 정부의 외교·안보정책과 동아시아(주제발표 이신화 고려대 교수, 박창희 국방대 교수, 이상현 세종연구소 수석연구위원, 전봉근 국립외교원 교수. 토론 박인휘 이화여대 교수, 정재홍 세종연구소 연구위원, 이혜정 중앙대 교수, 김정섭 세종연구소 수석연구위원, 2020년 11월)

### 정책간담회

☑ 일본 나가사키대 핵무기폐절연구센터(RECNA)와 전문가 간담회(2018년 11월)

### 영상브리프

☑ 우리 정부의 위안부합의 처리 방침에 대한 분석(이면우, 우정엽, 2018년 1월 23일)

☑ 코로나19 사태와 일본 정국 동향(진창수, 2020년 6월 18일)

☑ 한일 무역분쟁 1년 평가와 향후 전망 및 과제(이면우, 2020년 9월 3일)

☑ 스가 정권 출범에 따른 일본 정국과 한일관계 전망(진창수, 2020년 9월 20일)

☑ 스가 내각의 출범과 한일관계 전망(이면우, 2020년 11월 3일)

☑ 일본 아베정권의 보수 우경화-아베정권과 시민단체와의 연계를 중심으로(진창수, 2020년 12월 11일)

☑ 일본 정세와 한일관계(이면우, 2021년 1월 28일)

### 국제학술행사

| 일시/장소 | 행사명 | 주제/주최 | 참가자 |
|---|---|---|---|
| 2015.6.8~9<br>제주 | 한일 수교 50주년 기념 대토론회 | 한국언론진흥재단과 공동 주최 | 박준우 세종연구소 이사장, 진창수 소장 등 한일 양국의 정책 관계자, 언론인, 전문가 등 60여 명이 참석해 발표하고 토론. 참석자들은 회의가 끝난 뒤 '한일 미래 50년을 향한 제언'을 채택. 이들은 '제언'에서 "미래 50년의 한일관계 발전을 위해 과거를 직시해 현재의 쟁점을 해결하고, 상호 이해와 신뢰에 기초한 관계로 발전시켜 나가야 한다"면서 ▷**새로운 한일 공동선언 및 한일정상회담 조기 개최** ▷**다양한 차원의 인적 교류** ▷**역사 갈등 해결을 위한 제도적 기구(가칭 한일미래재단) 창설** ▷**한일 언론인이 참여하는 저널 운영** ▷**글로벌 쟁점 이슈 협력** 등을 제안했다. |

**새로운 한일공동선언?**
한일 관계가 악화하자 해결책을 논의하는 과정에서 '제2의 김대중-오부치 선언'을 하자는 제안이 나오고 있다. 발등의 불인 강제징용과 위안부 문제, 수출규제와 군사정보보호협정 문제 등을 해결한다고 해서 한일관계를 회복하기는 어려우니, 포괄적이고 미래지향적인 큰 틀에서 한일관계의 청사진을 만들어보자는 것이다. 이런 방안을 '패키지 딜'이라고도 한다.

| 일시/장소 | 행사명 | 주제/주최 | 참가자 |
|---|---|---|---|
| 2016.2.19<br>후쿠오카 | 후쿠오카 한일 관계 심포지엄 | **한일 정상회담 이후의 한일관계 전망과 과제**, 한국국제교류재단과 공동주최 | **제1세션** 사회 나가모리 요시타카(RKB 마이니치방송 회장)<br>발표 오코노기 마사오(게이오대) **한일 관계의 전망-전략적 이익을 공유하는 이웃 관계**<br>권태환(세종연구소) **북한의 핵실험 및 장거리 미사일 발사 관련 한일 안보 협력**<br>토론 기쿠치 유지(규슈대), 정재정(서울시립대)<br>**제2세션(라운드 테이블)** 사회 진창수(세종연구소)<br>깃카와 겐(히로시마평화연구소), 하코다 데쓰야(아사히신문), 이면우(세종연구소), 신호(규슈대) + 제1세션 참가자, 유현석(한국국제교류재단 이사장), 박진웅(후쿠오카 총영사) |
| 2016.3.18<br>도쿄 | 제2차 한일전략회의 | 한국국제교류재단과 공동 주최 | 일본 측은 쓰네카와 게이치(恒川惠市 · 정책연구대학원대), 히라이와 슌지(平岩俊司 · 간세이가쿠인대), 호소야 유이치(細谷雄一 · 게이오대), 스즈키 가즈토(홋카이도대), 야마구치 신지(방위연구소), 가나이 마사아키(외무성 북동아시아과장), 도쿠야 유키코(외무성 북동아시아과 서기관), 후나코시 다케히로(船越健裕 · 내각관방 국가안전보장국 참사관), 이토 고타로(국가안전보장국 참사보좌관) 등이, 한국 측에서는 최강(아산정책연구원), 이희옥(성균관대), 김영호(국방대), 김진해(주일 대사관 참사관), 최현수(한국국제교류재단 도쿄소장), 진창수(세종연구소장) 등 |
| 2016.4.8<br>오사카 | 관서지역 한일 관계 심포지엄 | **북한정세와 한일관계 전망**, 한국국제교류재단과 공동주최, 오사카 한국 영사관 후원 | **제1세션 한일정상회담과 북한 핵문제 이후 한일관계 전망 및 과제** 사회 모리모토 사토시(다쿠쇼쿠대 총장, 전 방위대신)<br>발표 기무라 간(고베대) **상호불신은 불식될 수 있는가: 위안부 합의와 구조 변화**<br>정성장(세종연구소) **김정은 취임 이후의 북한 변화와 한일 협력방향**<br>토론 이데이시 다다시(NHK 해설주간), 사와다 가쓰미(마이니치 논설위원), 권태환(세종연구소), 히라이와 슌지(간세이가쿠인대), 이대우(세종연구소)<br>**제2세션(라운드 테이블) 새로운 동아시아 질서와 한일관계** 사회 진창수(세종연구소)<br>정재정(서울시립대), 하코다 데쓰야(아사히신문), 오사와 분고(세종연구소), 김덕길(오사카 경제동우회), 1세션 참가자 전원, 유현석 |

| 일시/장소 | 행사명 | 주제/주최 | 참가자 |
|---|---|---|---|
| | | | 한국국제교류재단 이사장과 하태윤 오사카 총영사 |
| 2016.9.13 히로시마 | **동북아평화협력 구상 민관네트워크 회의** | 히로시마평화연구소와 공동 주최 | 깃카와 겐(히로시마평화연구소장), 스즈키 히로시(나가사키대), 손현진(히로시마대)를 비롯한 일본 측 전문가와 진창수(세종연구소장), 이상현(세종연구소 연구기획본부장) 등 15명의 한국 측 전문가들이 원자력 안전과 재난관리, 환경분야의 이슈를 분석하고 민관 네트워크 구축계획과 확산방안을 논의 |
| 2016.9.30 도쿄 | 한일프레스 포럼 | **한일관계 현안과 언론보도**, 한국언론진흥재단과 공동주최 | 강상구 TV조선 기자, 오영환 중앙일보 도쿄 총국장, 이하원 조선일보 기자, 배극인 동아일보 AD본부장 등이 참석해 9월 27일부터 10월 1일까지 4박 5일간 일본 방위성, 후지 TV, 요미우리신문 등을 방문하고 현지 언론인들과 면담. 한일프레스포럼은 그 기간 중인 9월 30일 개최 |
| 2016.11.25 나고야 | 나고야 한일관계 심포지엄 | **새로운 한일관계와 미래 비전** | 정재정(서울시립대), 조윤영(중앙대), 박상현(한국국방연구원), 진창수(세종연구소장), 정재홍(세종연구소) 등이 참석해 사다카타 마모루(나고야대), 히라이와 슌지(간세이가쿠인대), 하코다 데쓰야(아사히신문), 사카이다 미오(주니치신문), 사와다 가쓰미(마이니치신문), 오사와 분고(치바과학대), 사사가세 유지(도쿄신문) 기자 등과 토론 |
| 2017.8.24 삿포로 | 삿포로 한일관계 심포지엄 | **새로운 한일관계와 미래 비전,** 한국국제교류재단과 공동 주최. 홋카이도신문, 홋카이도대, 삿포로 한국 총영사관 후원 | 엔도 겐(홋카이도대), 호소야 유이치(게이오대) 등 한국문제 전문가와 최운도(동북아역사재단), 김광근(한국국제교류재단), 진창수(세종연구소장) 등 |
| 2017.9.21 시즈오카 | 시즈오카 한일관계 심포지엄 | **새로운 한일관계와 미래 비전**, 한국국제교류재단과 공동주최, 시즈오카 현립대 현대한국조선연구센터 주관, 시즈오카신문, 시즈오카방송, 시즈오카현 국제교류협회, 요코하마 한국총영사관 후원 | 이즈미 하지메(시즈오카현립대), 오사와 분고(지바과학대) 등 한국문제 전문가와 박은하(공공외교 대사), 진창수(세종연구소장), 이종석(세종연구소 수석연구위원) 등 |
| 2017.10.12 서울 | 공동워크숍 | **동아시아 환경지속성 협력을 위한 초** | 추장민(한국환경정책평가연구원) 등 한국, 일본, 중국, 몽골 관련 전문가 20인과 이상현 |

| 일시/장소 | 행사명 | 주제/주최 | 참가자 |
|---|---|---|---|
| | | **국가적 네트워킹에 대한 개선방안 고찰**, 한국환경정책평가연구원, 일본 아시아경제연구소와 공동주최 | (세종연구소), 최은미(세종연구소) 등 |
| 2017.11.24 도쿄 | 한일전략회의 | **북한 위기에 대한 각국의 대응** | 호소야 유이치(게이오대), 엔도 겐(홋카이도대) 등 일본 대학과 싱크탱크 관계자, 일본 외무성 관계자들과 진창수(세종연구소장), 최강(아산정책연구원 부원장) 등 |
| 2018.1.6 세종연구소 | 한일연구자 지적 교류회 | **일본연구의 현재와 미래: 쟁점과 연구방향**, 일본국제교류기금(재팬 파운데이션)과 공동주최 | 맥클라인 케네스 모리(도쿄대), 야마사키 히로키(일본국제교류기금 서울문화센터 소장), 진창수(세종연구소장), 최은미(세종연구소) 등 |
| 2018.5.25 가나가와 한국회관 | 요코하마 한일관계 심포지엄 | **새로운 한일관계와 동북아 평화**, 한국국제교류재단과 공동주최, 요코하마 한국 총영사관 후원 | 쓰네카와 게이치(도쿄대), 오사와 분고 (지바과학대) 등 한국문제 전문가, 진창수(세종연구소장), 이명렬(요코하마 총영사) 등 |
| 2018.11.26 오사카 | 오사카 한일관계 심포지엄 | **새로운 한일관계와 동북아 평화**, 한국국제교류재단 과 공동주최, 오사카 한국 총영사관 후원 | 기무라 간(고베대) 나카토 사치오(리쓰메이칸대), 오사와 분고(지바과학대) 등 한국문제 전문가, 백종천(세종연구소 이사장), 이시형(한국국제교류재단 이사장), 김기정(연세대), 오태규(오사카 총영사) 등 |
| 2019.6.1~2 세종연구소 | 세종-나가사키대학 핵폐절연구센터(RECNA) 공동워크숍 | From Peace on Korean Peninsula to Northeast Asia Nuclear Weapon Free Zone | 나가사키대 핵무기폐절연구센터(RECNA) 요시다 후미히코 센터장, 스즈키 다쓰지로 교수, Michael Eric Hamel-Green 호주 멜버른 빅토리아대 명예교수, Angela Uther Kane 오스트리아 비엔나 군축·핵확산센터 수석연구위원, Peter Hayes 미국 노틸러스연구소장, 백학순 세종연구소 소장, 이면우 부소장, 조경환 객원연구위원, 김준형 한동대 교수, 박종철 통일연구원 석좌연구위원, 황일도 국립외교원 교수 등 |
| 2019.6.13 히로시마 | 히로시마 한일관계 심포지엄 | **동북아안보·평화와 한일협력**, 한국국제교류재단(KF)과 공동주최, 히로시마 한국 총영사관 후원 | 오시바 료 히로시마평화연구소장, 요시다 후미히코 나가사키대학 핵폐절연구센터(RECNA) 센터장, 백종천 세종연구소 이사장, 강영필 한국국제교류재단 기획협력이사, 김선표 히로시마 총영사 등 |
| 2019.6.24 도쿄 | 한일협력포럼 | **한반도 정세와 한일관계** | 서형원(청암대 총장), 양기호(성공회대), 이원덕(국민대) 등 일본 전문가와 이면우(세종연구소 부소장) |

| 일시/장소 | 행사명 | 주제/주최 | 참가자 |
|---|---|---|---|
| 2019.7.16 게이오대 | 한반도국제평화포럼(Korea Global Forum for Peace, KGFP) 일본회의 | **한반도 비핵평화와 일본의 역할** | 아키야마 노부마사(히토쓰바시대), 구라타 히데야(방위대), 니시노 준야(게이오대), 구갑우(경남대), 김기정(연세대), 백학순(세종연구소장) 남관표(주일대사), 서호(통일부 차관), |
| 2019.7.18 일본국제문제연구소 대회의실 | 도쿄 한일관계 심포지엄 | **동북아 평화와 한일 협력**, 일본국제문제연구소(The Japan Institute of International Affairs, JIIA), 한국국제교류재단(The Korea Foundation, KF)과 공동주최 | JIIA의 사사에 겐이치로 이사장, 나카야마 야스노리 소장 대행, 오구라 가즈오 전 주한 일본대사, 세종연구소의 백학순 소장, 이면우 부소장, 진창수 일본연구센터장, 우정엽 미국연구센터장, 한국국제교류재단의 문성기 협력1실장, 한재호 동경사무소장 등 |
| 2020.9.17. (화상회의) | 나가사키 한일 관계 컨퍼런스 | **코로나19시대의 동북아 평화협력과 한일관계**, 한국국제교류재단, 세종연구소 공동주최, 나가사키대 핵무기폐절연구센터(RECNA), 히로시마평화연구소 후원 | 이근(한국국제교류재단 이사장), 백학순(세종연구소 소장), 이면우(세종연구소 부소장), 김충식(가천대 대외부총장), 남기정(서울대 일본연구소 교수), 심규선(서울대 일본연구소 객원연구원), 손현진(히로시마대 준교수), 이성현(세종연구소 중국연구센터장), 양기호(성공회대 교수), 진창수(세종연구소 일본연구센터장), 요시다 후미히코(RECNA 센터장), 스즈키 다쓰지로(RECNA 교수), 깃카와 겐(히로시마대 평화연구소 특임교수), 오사와 분고(지바과학대 교수), 하코다 데쓰야(아사히신문 논설위원), 이데이시 다다시(NHK 해설위원), 오쿠조노 히데키(시즈오카현립대 교수) |
| 2020.10.29 세종연구소 및 화상회의 | 도쿄 한일관계 컨퍼런스 | **동북아평화협력과 한일관계**, 세종연구소, 일본국제문제연구소(JIIA), 한국국제교류재단 공동주최 | **세션1 코로나19시대의 동북아 평화협력**<br>**세션2 코로나19시대의 한일관계: 과제와 협력 방향**<br>이근(한국국제교류재단 이사장), 백학순(세종연구소 소장), 이면우(세종연구소 부소장), 남기정(서울대 교수), 서형원(청암대 총장), 김정섭(세종연구소 수석연구위원), 진창수(세종연구소 일본연구센터장), 김충식(가천대 부총장), 심규선(서울대 일본연구소 객원연구원), 양기호(성공회대 교수), 사사에 겐이치로(일본국제문제연구소 이사장), 이치가와 도미코(일본국제문제연구소 소장대행), 이즈미 하지메(전 도쿄국제대 교수), 구보타 루리코(산케이신문 편집위원), 오쿠조노 히데키(시즈오카현립대 교수), 오누키 도모코(마이니치신문 외신부 부부장), 오코노기 마사오(게이오대 명예교수), 히 |

| 일시/장소 | 행사명 | 주제/주최 | 참가자 |
|---|---|---|---|
| | | | 라이와 히사시(교도통신 객원논설위원), 아베 마코토(아시아경제연구소 신영역연구센터장), 하코다 데쓰야(아사히신문 논설위원) |
| 2015~2020년 | **제17~27차(11차례) 한일정책대화** | 세종연구소 일본연구센터 주최, 한국 외교부 및 일본 외무성 후원 | 매년 상·하반기 한 번씩 각각 한국과 일본에서 열리며, 양국 정부 관계자와 학계 전문가 약 20명 정도가 참가. 일본의 정치 변화에 따른 한일 안보협력의 방향 모색과 중장기적 대일, 대한 정책 검토, 이에 따른 한미일 관계, 미중 관계를 비롯한 국제질서의 변화와 한일안보협력에 대한 새로운 한일 정책의 네트워크 구축 |

## 국내학술행사

| 행사명 | 일시·장소 | 주제·공동주최 등 | 참가자 |
|---|---|---|---|
| 세종대·동서대 일본연구센터 공동 학술회의 | 2015.11.20. 부산 동서대 민석도서관 | **미래지향적인 한일관계와 부산시의 역할** | **제1회의**<br>이면우(세종연구소) **동북아 3국 협력의 관점에서 한일관계**<br>손기섭(부산외대) **부산광역시 차원에서의 한일협력**<br>토론 박창건(국민대), 신정화(동서대), 이대우(세종연구소)<br>**제2회의(라운드 테이블)**<br>홍현익(세종연구소) 등 참가자 전원, 세종연구소의 박준우 이사장과 진창수 소장, 동서대의 장제국 총장과 조세영 일본연구센터 소장 |
| 세종연구소·현대일본학회 공동학술회의 | 2016.8.24 제주 | **동아시아 정치 경제와 일본** | 사회 김성철(국립외교원)<br>발표 김영근(고려대) **일본과 TPP**<br>최은미(세종연구소) **동북아 지역협력과 일본의 대외정책**<br>토론 김웅희(인하대), 임승빈(명지대), 정재홍(세종연구소), 이기태(통일연구원) |
| 세종연구소·현대일본학회 하계 공동학술대회 | 2017.8.22 홍천 | **기획패널 II: 한국과 일본의 동북아질서관 비교** | 3개 세션에서 한국과 일본의 동북아 지역의 안보, 다자 질서관을 비교·분석하고 향후 한일협력 발전 방안에 관해 토론. 박철희 현대일본학회 회장, 진창수 세종연구소장 참석 |

세종연구소의 역대 이사장은 다음과 같다.

| 기관명 | 이름 | 취임일 | 이사장 전후의 주요 직책 |
|---|---|---|---|
| 일해재단 | **최순달** | 1983.12.1 | (소장 겸임) 체신부 장관, 한전이사장 |
| | **이정오** | 1985.3.20 | 과학기술처장관, KAIST원장 |
| 일해재단/일해연구소 | **김기환** | 1986.2.19 | 한국개발연구원장, 상공부차관 |
| 일해연구소/세종연구소 | **정주영** | 1987.9.28 | 현대그룹 회장 |
| 세종연구소 | **이용희** | 1989.7.5 | (소장 겸임) 통일원장관, 아주대총장 |
| 세종연구소/세종재단 | **정원식** | 1993.6.21 | 문교부장관, 국무총리 |
| 세종재단 | **강영훈** | 1997.7.4 | 주영국 대사, 국무총리, 한적 총재 |
| | **오기평** | 2000.11.27 | 서강대 부총장, 아태평화재단이사장 |
| | **임동원** | 2004.11.27 | 통일부장관, 국가정보원장 |
| | **공로명** | 2008.11.27 | 주러시아 대사, 주일본 대사, 외무부장관 |
| | **권철현** | 2011.11.8 | 국회교육위원장, 주일본 대사 |
| 세종재단/세종연구소 | **박준우** | 2015.2.10 | 주제네바 대사, 대통령 정무수석, |
| 세종연구소 | **백종천** | 2018.2.12 | 청와대 외교안보실장, NSC상임위원장 |
| | **문정인** | 2021.2.12 | 대통령 통일외교안보특보, 연세대 교수 |

연구소장은 김기환(이하 취임일 1986.2.19), 이용희(1989.7.5), 정일영(1991.4.16), 한배호(1994.4.1), 김달중(1999.3.15), 백종천(2000.11.27), 박기덕(2007.1.26), 송대성(2009.1.1), 진창수 박사(2015.6.1.), 백학순 박사(2018.6.1)를 거쳐 현재는 이상현 박사(2021.6.1)가 맡고 있다.

**세종연구소 일본연구센터는 (13449) 경기도 성남시 수정구 대왕판교로 851번길 20 세종연구소 내에 있다. 전화 (031) 750-7500, 팩스 (031) 754-0100, 이메일** help@sejong.org,
**홈페이지** www.sejong.org

# 3. 통일연구원

KOREA-JAPAN

통일연구원(Korea Institute for National Unification)은 민족통일연구원법에 따라 1991년 4월 9일 문을 연 민족통일연구원의 후신이다.

1980년대 이후 구소련의 해체와 동구권의 붕괴 등으로 통일환경이 바뀌자 정부는 사회주의권과의 교류확대와 남북한 통일외교를 적극적으로 추진하게 되었다. 또 국민에게 바람직한 민족통일관을 정착시키기 위한 프로그램과 체계적, 전문적 종합연구기관의 필요성도 증대했다. 이에 따라 '민족통일연구원법'을 제정해 만든 연구기관이 민족통일연구원이었다. 1991년 1월 '정부출연(연)등의 설립 운영 및 육성에 관한 법률'을 제정 공포하며 이름을 '통일연구원'으로 바꾸었다.

통일연구원은 민족공동체의 실현을 위한 국민적 역량을 축적하고 통일환경 변화에 적극적 주도적으로 대응할 수 있도록 통일문제에 관한 제반 사항을 전문적 체계적으로 연구 분석하여 국가의 통일정책 수립에 이바지하는 것을 목적으로 하고 있다.

성격은 특수공익법인으로 국가의 통일정책 및 대북정책수립 지원을 위한 통일집현전, 통일문제 전문연구인력으로 구성한 정책개발 기관, 북한 및 통일관련 학술정보센터 역할을 한다.

조직은 원장, 부원장 밑에 기획조정실, 통일정책연구실, 북한연구실, 평화연구실, 인도협력연구실, 경영지원실, 통일정책연구협의회를 두고 있다.

**KINU연구 (일본 관련)**

☑ 일본의 국제적 역할 증대와 동북아 질서: 1990년대 동북아질서 예측II(길정우, 1992)

☑ 일본의 대(對) 한반도 정책(전동진, 1992)

☑ 일본의 핵정책(이유진, 1993)

☑ 일본의 대(對) 북한 정책(전동진, 1993)

☑ 미국과 일본의 대(對) 북한 관계개선과 남북한 관계(김규륜, 1994)

☑ 중국과 일본의 군사력 증가가 한반도 안보에 미칠 영향(신상진, 1994)

☑ 일본 총선 결과 분석(김영춘, 1996)

☑ 북한장래에 대한 일본의 시각(김영춘, 1998)

☑ 탈냉전기 일본의 국내 정치변동과 대외정책(배정호, 1999)
☑ 한반도의 비핵화 실현과 남북한 · 일본 3국 비핵지대창설(전성훈, 1999)
☑ 일본의 대외원조 정책 연구: 북 · 일관계 정상화와 남북한관계(김영춘, 1999)
☑ 일본 민주당의 출범과 대북정책 전망(배정호, 2009)
☑ 7 · 29 일본 참의원 선거 결과 분석(배정호, 2007)
☑ 일본의 외교정책 결정요인(김영춘, 2000)
☑ 일본의 국가전략과 한반도(배정호, 2001)
☑ 일본의 북한위협 인식과 군사력 강화(김영춘, 2001)
☑ 일본의 대한반도 정책변화와 추이(김영춘, 2002)
☑ 일본의 안보개혁과 유사법제 정비(배정호, 2003)
☑ 일본의 군사안보전략과 한반도(김영춘, 2003)
☑ 일본 참의원 선거결과 분석(김영춘, 2004)
☑ 중국의 부상에 대한 일본의 인식과 군사력 강화(김영춘, 2004)
☑ 동북아 문화공동체 형성을 위한 한국 · 중국 · 일본의 대중문화산업에 대한 비교연구(양영균, 2004)
☑ 일본총선 결과 분석(김영춘, 2005)
☑ 일본의 보수우경화 동향분석(김영춘, 2005)
☑ 일본의 보수우경화와 국가안보전략(김영춘, 2005)
☑ 탈냉전시대 전환기의 일본의 국내정치와 대외전략(배정호, 2005)
☑ 일본의 대(對) 한국 통일 공공외교 실태(이진원, 2012)
☑ 핵무장 넘보는 일본의 핵능력(신성택, 2012)
☑ 한국의 대(對) 일본 통일공공외교 실태(이기태, 2013)
☑ 일본의 안보 법안 통과와 한국의 대일 외교(이기태, 2015)
☑ 집단적 자위권과 일본의 안보법제 정비 동향(조세영, 2015)
☑ 일본 아베 정권의 대외전략과 대북전략(이기태, 2016)
☑ 사드 배치 결정 이후 한반도 정세 및 대응 방안(통일연구원 북핵대응 T/F팀, 2016)
☑ 트럼프 시대 미일관계 전망과 한반도에 대한 함의(이기태, 2017)
☑ 한일 갈등이 북일 대화에 미치는 영향(이기태, 2019)

**일본 민주당 정권**

민주당은 2009년 9월 총선에서 중의원 480석 가운데 308석을 차지하는 압도적 승리로 1955년 이후 줄곧 자민당이 차지했던 정권을 빼앗는다. 일본 정치사의 한 획을 긋는 사건이었다. 그러나 3년 3개월 후인 2012년 12월 총선에서는 57석으로 대패하고 자민당에게 다시 정권을 내줬다. 민주당의 실패는 수권 능력의 부족, 매니페스토에의 집착, 관료들의 저항, 동일본대지진 발생, 미국과의 갈등 등을 이유로 들고 있다. 민주당의 실패는 일본 유권자들이 자민당을 대신할 야당에 대한 기대를 접게 만들었다는 것이 더 큰 문제라는 분석도 있다.

통일연구원의 역대 원장은 다음과 같다.

| 대수 | 기 간 | 이 름 | 직후 경력 |
|---|---|---|---|
| 1,2 | 1991.1.3.~1996.12.18 | **이병용** | 국무총리 제2행정조정, 국토통일원 차관, 국무총리 특별보좌관 |
| 3,4 | 1996.12.18.~1998.3.9 | **정세현** | 세종연구소 수석연구위원, 민족통일연구원 부원장. 청와대 통일비서관, 통일부 장관 |
| 5 | 1998.4.16.~1999.5.25 | **양영식** | 통일원 통일정책실장, 남북회담 자문위원, 통일부 차관 |
| 6 | 1999.7.6.~2000.12.16 | **곽태환** | 경남대 극동문제연구소 소장, 민주평통 자문위원, 통일부 통일교육분과위원회 회장 |
| 7 | 2001.1.18.~2004.1.17 | **서병철** | 통일원 정책자문위원, 독일국제문제연구소 연구위원, 외교안보연구원 교수 |
| 8 | 2004.1.18.~2007.1.17 | **박영규** | 대통령자문 정책기획위원회 위원, 세종연구소 연구위원, 외교안보연구원 교수 |
| 9 | 2007.1.18~2008.6.5 | **이봉조** | 통일부 차관, 국가안전보장회의(NSC) 정책조정실장, 남북장관급회담 대표(대변인) |
| 10 | 2008.8.8.~2011.8.7 | **서재진** | 대통령실 정책 자문위원, 통일연구원 북한연구실장, 제17대 대통령직 인수위원회 자문위원 |
| 11 | 2011.8.8.~2012.10.22 | **김태우** | 해군 발전 자문위원장, 대통령 직속 국방선진화 추진위원, 한국 국방연구원 대외협력실장 |
| 12 | 2012.12.14.~2013.2.6 | **김동성** | 대통령 정책자문회의 위원, 통일부 정책자문위원장, 제17대 대통령직 인수위 자문위원 |
| 13 | 2013.8.12.~2014.3. 6 | **전성훈** | 통일부 정책자문위원, 민주평통 자문회의 상임위원, 제18대 대통령직인수위 전문위원 |
| 14 | 2014.3.28.~2017.3.27 | **최진욱** | 통일준비위원회 위원, 통일부 정책자문위원 민주평화통일 자문위원회 상임위원 |
| 15 | 2017.3.28.~2018.1.10 | **손기웅** | 한국DMZ학회 회장, 한국정치학회 부회장, 통일연구원 부원장 |
| 16 | 2018.4.12.~2019.3.8 | **김연철** | 남북정상회담 준비위 자문위원, 인제대 통일학부 교수, 통일부 장관 |
| 17 | 2019.6.13.~2020.1.17 | **임강택** | 통일부 정책자문위원장, 민족화해협력범국민협의회 정책위원장, 동북아시대위원회 전문위원 |
| 18 | 2020.4.30.~ | **고유환** | 동국대학교 북한학과 교수, 대통령직속 정책기획위원회 평화번영분과위원장, 민주평화통일자문회의 기획조정분과위원장, 북한연구학회 회장, 현 청와대 국가안보실 정책자문위원장 |

**통일연구원은** (06578) **서울특별시 서초구 반포대로** 217**에 있다.**

**전화** (02) 2023-8000, **이메일** webmaster@kinu.or.kr, **홈페이지** https://www.kinu.or.kr

# 4. 한국국방연구원

KOREA-JAPAN

한국국방연구원(Korea Institute for Defence Analyses)은 1979년 1월 10일에 발족한 국방관리연구소의 후신이다. 국방관리연구소는 국방부 군수위원회와 국방과학연구소 조사분석실을 모체로 발족했고, 국방자원관리 연구에 중점을 뒀다. 국방관리연구소는 국방과학연구소(ADD)를 부설 기관으로 두고 있었다.

1987년 3월 한국국방연구원법을 제정하면서 국방관리연구소를 확대 개편해 정부출연연구기관인 한국국방연구원을 설립했다. 연구원은 국방 전반에 걸쳐 연구의 폭을 넓히고 연구기능과 조직도 보강했다. 현재는 국방 전반에 관한 문제를 전문적으로 연구 분석해서 합리적인 국방정책수립 및 의사결정에 기여하는 것을 기본 임무로 하고 있다. 구체적으로는 다음과 같은 연구를 수행하고 있다.

- 안보환경 및 국방 기본 정책에 관한 연구
- 국방인력, 인사, 복지, 동원 등 국방인력 관리 정책연구
- 국방 정보화 체제 구축 연구 및 정보화 체계의 감리, 평가
- 기타 국방 관련 정보 서비스 및 전문적 자문
- 군사전략, 군사력 건설 및 평가에 관한 연구
- 무기체계 선정, 획득 및 방위산업 정책 연구
- 한국적 국방 모델링 및 시뮬레이션 체계 연구

국방연구원의 조직은 원장 위에 이사회가 있고, 원장 밑으로 부원장과 정책개발실, 기획조정부, 행정지원부, 지식정보실, 대외협력실이 있다. 그 밑에 5개의 연구센터와 1개의 관리단이 있다. 5개 센터는 안보전략연구센터(국방전략연구실, 국제전략연구실, 북한군사연구실), 군사발전연구센터(전략기획연구실, 전장정보화연구실, 국방모의연구실), 국방인력연구센터(인력정책연구실, 병영정책연구실), 국방자원연구센터(획득방산연구실, 재정분석연구실, 군수시설연구실), 전력투자분석센터(전력소요분석단, 획득사업분석단, 비용분석연구실)이고, 1개 관리단은 국방정보체계관리단(전장관리부, 자원관리부, 기술지원부)이다. 일본 관련 연구는 주로 안보전략연구센터에서 하고 있다.

국방연구원에서 생산한 일본 관련 연구 업적은 다음과 같다(주로 2015년 이후).

**국방이슈브리프**

☑ 2021년 안보정세 전망: 일본편(조은일, 2021.2.4.)

**연구초록**

☑ 2017~2018 동아시아 정세 평가 및 전망(연구책임자 송화섭, 참여자 박대광, 김진아, 김기주, 이영학, 김두승, 유영철, 백민정, 2017)

☑ 한미일 안보협력 추진 방향 연구(연구책임자 김두승, 참여자 박상현, 백민정, 2017)

☑ 아베 정권의 인도태평양 전략 구상과 한국의 대응 방향 연구(연구책임자 김두승, 참여자 송화섭, 조은일, 백민정, 2018)

☑ 2019-2020 동북아 전략 동향 평가 및 전망 보고서(연구책임자 김두승, 참여자 이중구, 권보람, 이상국, 송화섭, 유영철, 백민정, 양민주, 2019)

☑ 일본의 방위대강 개정과 안보·방위정책의 변화 보고서(연구책임자 송화섭, 참여자 김두승, 백민정, 2019)

**국방논단**

☑ 일본의 방위산업(채희영, 1983.10.31, 4호)

☑ 일본의 방위정책과 방위계획(차병섭, 1984.06.11, 35호)

☑ 방위비 분담-NATO 및 일본을 중심으로(이달희, 1986.1.6, 116호)

☑ 일본의 신방위계획(조현석, 1986.3.10, 125호)

☑ 일본과 1,000해리 해상교통로(김진학, 1986.8.25, 147호)

☑ 일본의 차기지원전투기 획득(이인일, 1986.10.6, 153호)

☑ 일본 방위력의 평가(김암산, 1987.1.19, 168호)

☑ 일본 방위비의 재평가: NATO식 방위비 추정과 엔화 절상 효과(강한구, 1987.11.23, 208호)

☑ 일본의 대미 방위분담 과정과 현황(송화섭, 1990.7.23, 336호)

☑ 일본의 군사대국화 움직임과 한국의 대응 방향(연현식, 성채기, 송화섭, 1992.2.17, 413호)

☑ 일본 PKO협력법 성립과 그 영향(김창수, 연현식, 1992.7.13, 434호)

☑ 일본 신중기방위계획과 신예장비 도입의 의미(송영선, 1993.4.19, 474-2호)

☑ 일본의 정국 변화 분석 및 안보정책 전망(박민규, 1993.8.9, 490호)

**PKO협력법안**

일본 자위대를 유엔평화유지활동(PKO)에 참가시켜 해외에 파견할 수 있도록 하는 내용의 법안이다. PKO협력법안은 ① 신설하는 평화협력대에 자위대원이 참가할 수 있도록 하고 ② 유엔 평화유지군(PKF) 및 정전감시단의 파견은 원칙적으로 자위대원에 한하며 ③ 자위대원의 생명이나 신체를 방위하기 위해 필요한 경우 무기사용을 가능토록 하는 내용을 담고 있다. (매일경제)

☑ 일본 핵잠재력과 핵무장 가능성(송영선, 1993.9.20, 496-2호)

☑ 골란고원 연내 PKO파견 유보를 계기로 본 일본 PKO정책 전망(송영선, 1995.6.19, 587호)

☑ 군사사를 통하여 본 일본 군사력 특징(홍승권, 1995.8.28, 597호)

☑ 탈냉전시대 일본의 방위력 정비 동향(박민규, 1995.11.6, 607호)

☑ 미일 안보 공통선언 이후 일본의 방위 논의(강한구, 1996.5.27, 636호)

☑ 일본의 주변사태법 제정과 우리의 과제(강한구, 1999.6.21, 769호)

☑ 한반도 유사시 일본의 대응 방향과 아국의 대책(남창희, 2000.4.10, 804호)

☑ 일본의 MD계획 참여 문제가 북일관계에 미치는 영향(김명진, 2002.2.4, 875호)

☑ 일본은 '극동의 영국'이 될 수 있을까(송영선, 2002.10.7, 911호)

☑ 일본의 탄도미사일 방어체계 구축 노력과 시사점(김병용, 2004.7.19, 1004호)

☑ 중국과 일본 갈등의 전략적 배경과 함의(이영길, 2005.5.30, 1049호)

☑ 일본의 유엔안보리 상임이사국 진출 노력과 한반도 안보(박창권, 2005.9.5, 1063호)

☑ 참의원 선거 이후 일본의 대미·대북정책 전망(김두승, 2007.9.24, 1170호)

☑ 2.13 합의 이후 일본의 대북정책 변화와 전망(송화섭, 2007.11.26, 1179호)

☑ 이명박 정부의 對일본 및 러시아 정책 방향(연현식, 2008.4.14, 1199호)

☑ 일본 이와쿠니 기지의 전략적 가치와 한반도(김성걸, 김두승, 2008.10.13, 1225호)

☑ 일본의 독도영유권 주장과 대일정책 방향의 기조(김두승, 2008.12.8, 1233호)

☑ 대만 및 일본의 보상제도 비교·분석(곽용수, 2009.1.19, 1239호)

☑ 일본 방위계획 대강 개정과 함의(송화섭, 2011.1.17, 1343호)

☑ 최근 국방예산 동향으로 본 일본 국방예산제도의 특징(안병성, 2011.2.21, 1348호)

☑ 일본은 소위 '군사대국화'의 길로 나아가고자 하는가? - 최근 일본 '재무장' 논란과 우리의 대응 방향(안보전략 일본센터, 2012.9.10, 1427호)

☑ 아베 정권의 재등장과 일본의 우경화 가능성 전망(안보전략 일본센터, 2013.2.4, 1448호)

☑ 최근 일본의 방위력 증강동향과 안보적 시사점(허성필, 2014.1.13, 1497호)

☑ 일본의 독도영유권 주장의 허구성분석과 향후 대비방향(김수지, 고성윤, 2013.10.7, 1483호)

☑ 중국과 일본의 항공모함 확보 현황 및 전망(허성필, 장진오, 2015.4.27, 1564호)

☑ 일본 안보법제 개정 동향과 주요 논점(송화섭, 장혜진, 2015.8.3, 1578호)

☑ 영국과 일본의 사례를 통한 우리 해군의 병력소요 충원 방안에 대한 제언(김푸름, 김종탁, 2016.11.21, 1646호)

**주변사태법**

1993, 94년의 북핵 위기 국면에서 미국은 동북아 유사시 일본이 얼마나 미군을 지원할 수 있는지를 따져 봤다. 법적, 제도적으로 미비하다는 결론을 얻었다. 미국과 일본은 이런 상황을 타개하기 위해 1997년 9월 新가이드라인(新미일방위협력지침)에 합의했다. 신가이드라인은 '일본 주변 지역의 사태로 일본의 평화와 안전에 중요한 영향이 있을 경우의 협력'을 추가했다. '주변'은 한반도를 의미한다. 신가이드라인의 '협력'을 구체화한 것이 1999년에 만든 '주변사태법'이다. 이 법은 주변사태가 발생했을 경우, 자위대가 후방에서 미군에게 물품, 역무, 수송 등을 제공한다는 것을 골자로 하고 있다.

**방위대강(防衛大綱)**
일본의 방위대강은 10년 정도를 내다보고 방위력의 형태나 자위대의 태세·정원·장비 등을 규정하는 지침이다. 1976년 처음 만든 뒤 1995, 2004, 2010, 2013, 2018년에 개정판을 냈다. 2013년과 2018년 개정판은 아베 정권이 만든 것이다. 한 내각에서 방위대강을 두 차례 만든 것은 처음이다.

☑ 일본 방위계획 대강의 2018년 개정 배경과 주요 내용(조은일, 2019.1.14, 1742호)
☑ 일본의 이지스 어쇼어 배치 철회, 배경과 전망(조은일, 2020.8, 1816호)

## 국방정책연구

☑ 평화안보법제와 한반도: 미일동맹의 '갱신'과 한반도 '유사'의 위상(구라다 히데야, 111호, 2016.4.15)
☑ 중일관계와 한일관계의 개선: 메커니즘과 전망(리팅팅, 111호, 2016.4.15)
☑ 한미동맹과 미일동맹에 있어서의 사전협의의 의미와 실제(조진구, 113호, 2016.10. 15)
☑ 한국과 일본의 주둔미군 지원인력의 노무관리제도 비교 연구(신다윗, 안석기, 126호, 2020.1.15.)
☑ 동북아 방공식별구역 설정·운영의 타당성 연구(김동수, 130호, 2021.1.15)

## 동북아안보정세분석(NASA)

☑ 아베 방미의 성과와 안보적 함의(장혜진, 2015.5.15)
☑ 일본의 국제 무기시장 진출 본격화(김성걸, 2015.7.9)
☑ 新미일방위협력지침과 한국의 안보(김두승, 2015.8.10)
☑ 한일정상회담과 한국의 대일정책 방향(김두승, 2015.11.6)
☑ 북한 4차 핵실험 이후 일본의 대응(송화섭, 2016.1.21)
☑ 유엔안보리의 대북제재 결의와 아베정권의 대북정책(김두승, 2016.3.9)
☑ 주한미군 사드 배치 결정: 일본의 지지와 안보적 함의(김두승, 2016.7.21)
☑ 적기지 공격능력 논의의 변화(송화섭, 2017.4.26)
☑ 일본판 GPS '미치비키' 항법위성 시스템의 추진동향과 동북아 안보에의 함의(유지용, 2017.7.6)
☑ G20 한미일 정상회담의 주요 내용과 안보적 함의(김두승, 장혜진, 2017.7.11)
☑ 아베정권의 정치적 불안정과 향후 정책 추진 전망(장혜진, 2017.8.9)
☑ 남북 북미 정상회담 개최 합의에 대한 일본의 평가와 정책 전망(김두승, 2018.4.13)
☑ 남북정상회담 결과에 대한 일본의 평가와 정책 전망(김두승, 2018.5.15)
☑ 제7차 한일중 정상회담의 주요 내용과 일본의 입장(조은일, 2018.5.25)
☑ 북미 정상회담 결과에 대한 일본의 평가와 정책 전망(김두승, 2018.6.26)
☑ 제3차 남북정상회담에 대한 일본의 평가와 정책 전망(김두승, 2018.10.12)
☑ 미국이 구상하는 미일동맹의 미래: 제4차 아미티지·나이 보고서의 분석 1(조은일, 2018.10.29)

**新미일방위협력지침**
2015년 4월 27일 미일 양국은 기존의 가이드라인(방위협력지침)을 고쳤다. 1997년 개정 이후 18년 만이다. 새로 만든 가이드라인의 특징은 첫째, 미일 양국이 공동으로 대처해야 할 핵심 안보과제를 '중국'으로 설정하고 있다, 둘째, 평시부터 유사시까지 빈틈없는 대응이 가능해졌다, 셋째, 미일 동맹의 작전 반경이 일본 주변 지역에서 전지구적 차원으로 넓어졌다, 넷째, 한반도 유사시 일본 자위대가 한반도 영역에 들어올 수 있는 가능성을 열어뒀다는 것이다. (김두승 한국국방연구원 안보전략연구센터장의 〈동북아안보정세분석〉 요약, 2015.8.10.)

☑ 2019년 일본의 안보정세 전망(김두승, 2018.12.14)

☑ Japan's Security Outlook 2019(Doo-seung Kim, 2018.12.24)

☑ 제2차 북미정상회담 결과에 대한 일본의 평가(송화섭, 2019.3.8)

☑ 트럼프-아베 시대의 미일동맹: 미일 외교 국방장관 회의와 대통령의 방일(조은일, 2019.6.5)

☑ 일본의 2019년도 전반기 전략동향 평가 및 함의(송화섭, 2019.7.15)

☑ 2020 일본의 안보정세 전망(김두승 · 송화섭, 2020.1.16)

☑ 2020년 일본 방위예산의 주요 내용과 안보적 함의(조은일, 2020.4.27)

☑ 일본의 2020년 전반기 전략동향 평가 및 함의(조은일 · 송화섭, 2020.7.15.)

**한미일 공동워크숍**

한국, 미국, 일본 3개국이 역내 안보 및 위기관리와 관련된 공동의 관심사를 논의하는 자리로 한국의 국방연구원(KIDA), 미국의 국방연구원(IDA), 일본의 방위연구소(NIDS)가 공동주관하고 있다. 2004년에 제1차 공동워크숍을 열었고 해마다 한 차례씩 열고 있다.

**한일 연구교류회의**

한일간 세계 및 지역정세에 대한 공감대를 형성하고, 상호 이해와 협력, 동아시아의 바람직한 안보환경 형성에 필요한 양국의 협력 방안을 모색하기 위해, 일본 방위연구소(NIDS)와 2000년 10월부터 매년 한 차례씩 세미나를 열고 있다.

**한국국방연구원은 (02455) 서울특별시 동대문구 회기로 37에 있다.**

**대표전화 (02) 967-4911, 팩스 (02) 965-3295. 홈페이지 https://www.kida.re.kr**

# 5. 국가안보전략연구원

국가안보전략연구원(Institute for Nationa1 Security Strategy)은 1977년 9월에 창설한 '국제문제조사연구소'를 모태로 하고 있다. 이후 1994년에 '북한문제조사연구소'를, 1997년에 '국가안보정책연구소'를 따로 만들어 운영하다 이들을 통합해 2007년 1월 '국가안보전략연구소'로 개편했다. 2014년 연구소의 이름을 '국가안보전략연구원'으로 바꿔 오늘에 이르고 있다.

연구원은 그동안 외교 · 안보, 경제정책 대북전략 · 통일정책 등 여러 분야를 연구하고 그에 기반한 정책 대안을 제시해 왔다. 또 21세기 안보환경 변화에 부응해 테러 · 국제범죄, 산업 · 사이버보안 등 신안보분야로 연구영역을 넓혀왔다.

연구원은 특히 국가안보와 국익 극대화를 위한 실질적인 정책대안을 마련하고, 이를 국가정책에 반영하는데 연구역량을 결집하고 있다(이상은 국가안보전략연구원 홈페이지 소개글을 정리한 것이다).

조직은 연구원장과 연구부원장, 기획부원장(연구지원실과 학술지원실 관장)을 두고 있고 그 밑에 한반도전략연구실(북한연구센터, 평화공존연구센터), 외교전략연구실(지역분석센터, 국제질서분석센터), 신안보전략연구실(안보연구센터, 국가정보연구센터)을 두고 있다.

2017년 9월 취임한 조동호 원장에 이어 2020년 11월 김기정 연세대 교수가 자리를 이어받았다.

연구원에서 생산한 일본 관련 저작물은 다음과 같다.

### 이슈 앤 포커스

☑ 도쿄올림픽 개최연기와 파급 영향(김숙현, 2020년 3월)

☑ 일본 '긴급사태' 선언과 시사점(김숙현, 2020년 4월)

☑ 일본의 코로나19 대응실태와 향후 전망(김숙현, 2020년 7월)

### 이슈브리프

☑ 트럼프 당선 이후 일본내 동향과 미일관계 전망(김숙현, 2016년 11월)

☑ 화해 · 치유재단 해산방침과 한일관계(김숙현, 2018년 10월)

☑ 아베 총리의 방중 배경과 중일관계 전망(박병광, 2018년 11월)

☑ 최근 英日정상회담과 일본의 전략적 함의(강량, 2019년 1월)

☑ 한일 '초계기 갈등'의 배경과 시사점(김숙현, 2019년 1월)

☑ 일본의 對한국 수출규제의 배경과 시사점(김숙현, 2019년 7월)

☑ 7.21 일본 참의원선거 결과 향후 한일관계 전망(김숙현, 2019년 7월)

☑ 한일군사정보보호협정 종결과 중국(양갑용, 2019년 9월)

☑ 도쿄올림픽 개회연기와 파급 영향(김숙현 2020년 3월)

☑ 일본 '긴급사태선언'과 시사점(김숙현, 2020년 4월)

## 전략보고

☑ 최근 일중관계 개선 동향과 시사점(김숙현, 2020년 2월)

☑ 한일 관계 변화에 따른 동북아 정세 파급 영향(김숙현, 2020년 2월)

☑ 일본의 코로나19 대응실태와 향후 전망(김숙현, 2020년 7월)

☑ 아베 정부 이후 일본의 안보정책 변화와 시사점(김숙현, 2020년 11월)

## 연구보고서

☑ 일본 아베 정부의 對北 정책: 쟁점과 전망(김숙현, 2018년 12월)

## 국가안보와 전략

☑ 21세기 일본의 대외정보기구 창설 관련 논의동향과 그 함의(이상현 한양대 교수, 2016년 가을호)

☑ 호주와 일본의 대아세안 지원 협력 비교: 다자 효용성을 중심으로(배기현 서강대 동아연구소, 2016년 가을호)

☑ 일본 사이버안보 전략의 변화: 사이버안보의 전통 안보화와 전통 안보의 사이버 안보화(이승주 중앙대 교수, 2017년 봄호),

☑ 문재인 정부의 대일정책: 한국 외교의 '대전략'과 한일관계(남기정 서울대학교 일본연구소 교수, 2017년 가을호)

☑ 아베 정부의 글로벌 외교: 국제공헌 확대 외교의 모순성(이기태 통일연구원 연구위원, 2018년 봄호)

☑ 21세기 일본의 대중국 견제정책의 원인(김태중 고려대 교수, 2019년 봄호)

## 정세전망

☑ '보통국가'로 한걸음 더 가까이 간 일본(2017년도 정세평가와 2018년도 전망)

**보통국가론**

일본도 군사력을 갖고 당당하게 외교·군사활동을 펼치자는 것으로 1990년대 초 보수파 정객인 오자와 이치로(小澤一郎)가 주장했고, 2010년대에 아베 전 총리가 이를 실현하기 위해 노력했다. 미 군정이 만든 일본국헌법 제9조는 교전권과 군대보유를 금하고 있다. 따라서 보통국가론은 곧 헌법 개정을 의미한다. 아베 전 총리는 개헌이 힘들자 2014년 7월 헌법 9조 해석변경을 통해 집단자위권을 확보했고, 2015년 10월 이를 지원하는 신안보법제(10개 개정, 1개 제정)를 통과시켰다. (시사상식사전)

☑ 아베와 함께 2021년까지; 전후체제의 종결과 보통국가를 향한 출발(김숙현, 2018년도 정세평가와 2019년도 전망)

☑ '적극적 평화주의'와 '헌법개정' 추진을 통한 강한 일본 만들기 매진(김숙현, 2020 정세전망 보고서)

## Global Focus Weekly (2020년 10월 이후)

☑ 22호(2020.10.19~25) 스가 내각 지지율 급락 / 후쿠시마 오염수 해양방출 연기

☑ 23호(2020.11.2~8) 경시청, 중국과 북한에 대한 정보수집 및 위법행위 단속 강화 방침 / 스가 총리, 도쿄올림픽은 북일교섭에 '좋은 기회'

☑ 24호(미국 대선 특별판) 평가 - 신중하고 보수적인 대응기조 유지 / 전망 - 이익 경쟁에서 가치와 규범 경쟁으로 심화를 우려

☑ 25호(2020.11.9~15) 스가 총리, 바이든 당선인과 첫 전화 회담 / RCEP 참가 15개국 서명, 일본제품 관세 91.5% 철폐

☑ 26호(2020.11.16~22) 스가 총리-바흐 위원장, 도쿄올림픽 개최 의지 재확인 / 스가-모리슨 총리, 자위대-호주군 상호방문 원활화 협정에 협의

☑ 27호(2020.11.23~29) 모테기 외무상, 왕이 국무위원과 회담 / 스가 총리, 왕이 국무위원과 면담

☑ 28호(2020.11.30~12.6) 모테기 외무상, 도쿄-베이징 포럼에서 중국 선박 활동 비판 / 일본 정부, 관광지원책 'Go To Travel' 6월까지 연장 방침

☑ 29호(2020.12.7~13) 일본 정부, 이지스 어쇼어 대체안으로 자위함 운용 방침 결정 / 외무성 간부, 바이든 행정부 FOIP 답습하지 않을 가능성 제기

☑ 30호(2020.12.14~20) 스가 총리, Go To 정책 정지 표명 / 아베 전 총리, '벚꽃 모임' 스캔들 관련 연내 국회 출석 설명 방침 조율

☑ 31호(2020.12.21~27) 스가 내각 지지율, 39%로 급락 / 아베 전 총리, '벚꽃 모임' 스캔들 관련 국회에서 설명

**적극적 평화주의**

아베 전 일본 총리가 2013년 9월 유엔총회 연설에서 밝힌 것으로, 자위대가 국제평화유지활동(PKO) 등에 적극 참여하겠다는 것이다. 표면적으로는 문제 삼기 어려우나 이를 위해서는 집단적 자위권 도입, 자위대 해외 파견, 군비 증강 등이 필요하다. 그래서 집단적 자위권 행사를 위한 명분 쌓기 아니냐는 의혹을 샀다. 아베 전 총리는 2013년 7월 동남아 순방 때부터 이 말을 사용하기 시작해, 이후 외국 정상을 만나거나 국제무대에서 연설할 때도 이 말을 사용했다. (시사상식사전)

**Go To 정책**

일본 정부가 2020년 4월 코로나사태로 침체한 경제를 살리기 위해 1조 6000억 엔의 추가예산을 확보해 만든 경제정책이다. 일본 내 여행 경비를 보조하는 Go To 트래블, 외식 수요를 늘리기 위한 Go To Eat, 티켓 요금 등을 보조하는 Go To 이벤트, 상점가를 살리려는 Go To 상점가가 있었다. (위키백과) 그러나 사람의 이동을 막아야 할 때 이런 정책을 쓰는 것에 대한 비판도 많아 'Go To 트래블' 정책을 'Go To 트러블' 정책이라고 비꼬기도 했다.

## 학술회의

| 일시 | 유형 | 내용 |
|---|---|---|
| 2017.5.15~20 | 국책연구기관 정례 국제 교류 | 일본국제문제연구소(JIIA), 일본 NSC, 대만 원경기금회(PF), 대만 행정원대륙위원회, 대만 외교부와 학술교류 |
| 2019.1.18 | 일본국제문제연구소(JIIA)와 학술회의 | 주제 **최근 한반도 안보와 한일관계의 모색**<br>환영사 조동호(국가안보전략연구원장), 나가야마 야스노리(JIIA 소장대행)<br>**1세션 북한의 국내정세와 대외정책적 시사점**<br>사회 이기동(국가안보전략연구원 부원장)<br>발표 김인태(책임연구위원), 미무라 미쓰히로(주임연구원)<br>**2세션 북한 비핵화의 과제 및 전망**<br>사회 오코노기 마사오(게이오대 명예교수)<br>발표 최용환(안보전략연구실장), 후루카와 가쓰히사(전 유엔 안보리 북한제재위원회 위원)<br>**3세션 한일관계 관리방안**<br>사회 하영선(서울대 명예교수)<br>발표 김숙현(대외전략연구실장), 니시노 준야(게이오대)<br>토론 참석자 전원 |
| 2019.6.5 | 예방 | 조지마 고리키(城島光力) 전 일본 재무상, 북한 경제상황과 대외전략을 주제로 간담 |
| 2019.7.9 | INSS세미나 | 윤덕민(전 국립외교원장) **위기의 한일관계, 어떻게 풀 것인가** |
| 2019.9.9 | INSS세미나 | 조진구(경남대), 전재성(서울대) **GSOMIA(한일군사정보보호협정) 종료에 따른 한미동맹과 미일동맹 파급 영향** |
| 2020.9.21 | INSS세미나 | **스가 정부 출범 이후 동북아 정세 변화 및 전망**, 조진구(경남대), 현승수(통일연구원), 윤석정(국립외교원) |

**GSOMIA(지소미아)**

국가 간에 군사 기밀을 주고받는 방법과 기밀을 보호하는 절차를 규정한 협정으로 군사정보보호협정(General Security of Military Information Agree-ment), 또는 영어 앞 글자를 따서 '지소미아(GSOMIA)'라고 한다. 한국은 일본과는 2016년 11월 23일 33번째로 체결했고, 효력은 1년마다 갱신하기로 했다. 한국 정부는 2019년 7월 1일 일본의 수출규제에 항의해 그해 11월 23일 0시를 기해 협정을 종료하겠다고 발표했으나 종료 직전 유보해 현재 유효한 상태다.

**국가안보전략연구원은 (06295) 서울특별시 강남구 언주로 120 인스토피아빌딩에 있다.**

**전화 (02) 6191-1000, 팩스 (02) 6191-1111, 홈페이지 www.inss.kr**

# 6. 아산정책연구원

KOREA-JAPAN

아산(峨山)은 현대그룹 창업자인 고(故) 정주영(鄭周永) 명예회장의 호이다. 아산정책연구원(THE ASAN INSTITUTE FOR POLICY STUDIES)은 정 명예회장의 아들인 정몽준 아산정책연구원 명예이사장이 2008년 2월 11일에 설립했다. 다음은 아산정책연구원의 홈페이지에 있는 글이다.

아산정책연구원은 외교안보분야에서 대표적인 민간 싱크탱크로서 균형잡힌 국제 및 국내문제와 각국 상황에 대한 분석을 통해 국가 안보와 외교정책에 도움이 되는 자료를 생산합니다. 또한 외교안보문제에 관한 초당적 입장을 견지하여, 건전한 정책 커뮤니티를 형성하고 대한민국이라는 공동체의 전략적 가치를 제고합니다.

연구원의 주요 연구분야는 안보, 외교 정책, 지역연구, 여론과 국내 정치, 사회과학 방법론, 글로벌 거버넌스 등입니다. 최근 급변하는 아시아-태평양 지역 외교안보 이슈에 대해 아시아의 시각과 목소리를 세계에 소개하고자 외교안보정책전문 영문 저널 'The Asan Forum'을 발간하고 있습니다.

아산정책연구원의 간판 포럼은 아산플래넘(Asan Plenum)이다. 세계 주요 싱크탱크의 전문가들을 한자리에 모아 국제사회가 당면한 과제를 이틀간 논의하는 국제 컨퍼런스이다. 해마다 6백여 명의 정계 · 학계 전문가들이 참석해 의견을 개진하며, 2019년의 경우는 국내외 44개 매체가 162여 건을 보도할 정도로 자리를 잡았다(연구원 집계). 이밖에 아산워싱턴포럼(The Asan Washington Forum), 아산중국포럼(Asan China Forum), 아산핵포럼(Asan Nuclear Forum), 아산베이징포럼(Asan Beijing Forum), 아산북한회의(Asan North Korea Conference) 등을 운영하고 있다.

아산정책연구원이 생산한 일본 관련 연구성과는 다음과 같다(2015년 이후).

### 이슈브리프

☑ 중일간 조어도(센카쿠) 갈등의 배경과 파급 영향(박병광, 2012년 9월)

☑ 상호 방기 상태의 한일관계: 조기개선 기대보다 정상회담을 활용할 때(봉영식, 2013년

8월)

☑ 2013년판 일본 후쿠시마 원전오염수 누출과 국제사회 및 우리의 대응(신창훈, 2013년 11월)

☑ 후쿠시마 방사능과 원자력의 미래(박지영, 2013년 11월)

☑ 2013년, 한국인의 주변국 인식 변화: 미·중·일·북 호감도 및 국가관계 평가(김지윤·강충구·이의철, 2013년 12월)

☑ 일본의 집단적 자위권 각의 결정에 대해(신창훈, 2014년 7월)

☑ 남중국해 갈등과 일본의 집단자위권을 통해 본 아태지역의 전략상황: 불확실성에서 불안정성으로(이재현, 2014년 7월)

☑ IS 일본인 인질 사태로 탄력받는 자위대 역할 확대론(봉영식, 2015년 1월)

☑ 아베 담화 후 한국 외교: 새로운 4자외교안보협력체 창설을 주도할 때(봉영식, 2015년 8월)

☑ 새로운 한국정부의 주요 외교안보 도전과 과제(최강, 2017년 5월)

☑ 일본 정부의 왜곡된 역사인식에 대한 적극적이나 냉정한 대응 필요성(이기범, 2017년 6월)

☑ 일본산 수산물 수입금지 조치 등에 대한 WTO 절차 한국 승소의 함의(이기범, 2019년 5월)

☑ 위기의 한일관계, 한국인의 인식과 함의(J. James Kim·강충구, 2019년 9월)

☑ 아베 총리의「시정방침연설」통해 본 일본의 對한국외교 방침과 2020년 한일관계 전망(최은미, 2020년 2월)

☑ 코로나19(COVID-19)사태에 대한 일본의 위기관리대응과 향후전망(최은미, 2020년 4월)

☑ 신(新)안보시대의 한국외교-동북아지역협력질서 구축을 위한 제언(최은미, 2020년 8월)

☑ 최근 한일관계 동향과 향후 전망(영상브리프, 최은미, 2020년 11월)

☑ 후쿠시마 원전 오염수 방출과 대응(박지영·임정희, 2021년 1월)

☑ 후쿠시마 원전 오염수 방출과 대응(영상브리프, 박지영, 2021년 2월)

## 리포트

☑ 일본을 향한 두 시선: 한국인의 한일관계 인식과 그 함의(김지윤·강충구·이의철· Karl Friedhoff, 2014년 2월)

☑ 한일관계에 대한 오해와 진실(김지윤·강충구·이지형, 2015년 7월)

☑ 한일관계와 국제법-한일청구권협정의 해석 차이를 해결하기 위한 방법 모색(이기범, 2019년 11월)

**일본을 향한 두 시선**

일본은 향한 두 시선을 연구자들은 여론조사를 바탕으로 이렇게 요약했다. "한일간 과거사 갈등으로 최근 양국관계가 파국으로 치닫고 있음에도, 다수의 한국인은 한일군사·안보협력에 지지를 보냈다. 한국인은 일본의 군사대국화와 안보역할 확대에는 우려를 표하면서도, 동북아 질서유지를 위한 한일간 군사·안보협력을 지지했다. 한국인은 일본과 아베 총리에 대해 비호감을 보이면서도, 일본과의 군사·안보협력을 지지했다. 한국인은 중국을 견제하기 위한 한일안보협력이 필요하다고 볼수록 한일관계 개선과 한일군사정보보호협정이 필요하다고 봤다."

☑ 스가(菅義偉) 내각 출범을 통해 본 일본의 정치변동과 향후전망(최은미, 2021년 2월)

## 여론조사

☑ 한일관계 여론조사(2013년 8월)

☑ South Koreans and Their Neighbors 2019(2019년 4월)

☑ South Koreans and Their Neighbors 2018(2018년 5월)

☑ South Koreans and Their Neighbors 2016(2016년 5월)

☑ South Koreans and Their Neighbors 2015(2015년 5월)

## 출간물

☑ Japan in Crisis, Edited by Bong Young-shik and T.J. Pempel(palgrave macmillan, 2014)

☑ 주체적 작위 · 파시즘 · 시민사회(마루야마 마사오 지음, 고바야시 마사야 엮음, 김석근 옮김, 2013년 7월)

## 분석

☑ 새로운 신(神), 새로운 정체성(正體性), 새로운 일본(김길동, 2017년 12월)

## 국제학술회의, 학술회의, 라운드테이블 등

☑ 여성이민자 정책: 프랑스, 러시아, 스칸디나비아국가, 일본의 특징 비교(라운드테이블, 2010년 11월 15일, 아산정책연구원)

☑ 핵문제에 대한 한미일 전략대화(미국 CSIS, 일본 JIIA와 공동주최, 2010년 12월 6, 7일)

☑ 핵문제에 대한 한미일 전략대화(미국 CSIS, 일본 JIIA와 공동주최, 2011년 6월 16, 17일)

☑ 스티븐 크래스너 스탠포드대 교수 초청 특강 "대외원조: 서구모델인가? 일본모델인가?" (Asan Distinguished Speaker Series, 2011년 10월 18일, 아산정책연구원)

☑ 위기의 일본: 국가위기 극복을 위한 일본의 과제는 무엇인가?(연례 아산일본회의, 2011년 11월 13~14일, 아산정책연구원)

☑ 일본군'위안부' 문제, 어떻게 풀 것인가(국제학술회의, 2012년 10월 10일, 아산정책연구원)

☑ 고든 플레이크 맨스필드재단 소장 초청 특강 "정권 교체 이후의 한-미-일 3국 관계 전망: Post-election Prospects for Korea-US-Japan Relations in 2013"(아산도시락회의, 2013년 1월 8일, 아산정책연구원)

**대외원조 모델**

스티븐 크래스너 스탠포드대 교수는 초청 특강에서 지금까지의 선진국 대외원조가 헛수고였다고 혹평하고, 대외원조를 확대하기 시작한 우리나라에 다양한 논쟁주제와 교훈을 던졌다. 크래스너 교수는 한국 정부는 실패한 서구 선진국 대외원조의 모델을 답습하지 말고, 좀 더 효과적인 대안을 찾을 때까지는 철저히 국익위주의 대외원조정책을 추진해 온 일본의 모델을 따르라고 조언했다.

☑ 제럴드 커티스 컬럼비아대 교수 초청 특강 "일본 아베 정권의 국내정치와 외교 정책"(아산도시락회의, 2013년 4월 12일, 아산정책연구원)

☑ 글로벌 저성장 시대의 경제 성장: 한일 신정부 전략(국제학술회의, 2013년 4월 18일, 일본 도쿄 게이단렌 21C정책연구소와 KKR호텔)

☑ 일본 방위대학교 방문 특강 "동북아지역과 한반도 안보상황"(최강 부원장, 2013년 11월 17~19일)

☑ 아담 세스타이 헝가리 외교부 전략기획국장 초청 특강 "한미 · 한일 · 남북 관계 현황"(비공개라운드테이블, 2014년 1월 14일, 아산정책연구원)

☑ 피터 코니스키 케임브리지대 동아시아학부장 초청 특강 "Korean Books in Japan: from the 1590s to the 1860s"(아산서원특강, 2014년 4월 17일, 아산정책연구원)

☑ 제6차 한미 전략대화, 제4차 한미일 전략대화(CSIS와 함께, 2014년 7월 21~24일, 하와이 마우이)

☑ 마루야마 탄생 100주년 기념 국제학술대회(2014년 7월 24, 25일, 아산정책연구원)

☑ 일본 과거사 둘러싸고 한일 학생 불꽃 토론(아산서원-게이오대 세미나, 2014년 9월 12일)

☑ 이종원 와세다대 교수 초청 특강 "일본의 외교안보전략과 한반도 정책"(라운드테이블, 2015년 9월 15일, 아산정책연구원)

☑ 마크 피츠패트릭 영국 국제문제전략연구소(IISS) 미국사무소장 초청 특강 "일본 · 대만 · 한국 차세대 핵보유국 될 가능성 높아"(라운드테이블, 2016년 2월 11일, 아산정책연구원)

☑ 2017 한반도국제포럼(KGF) 도쿄 워크숍 "한반도평화를 위한 한일 협력"(통일부후원, 2017년 9월 1일)

☑ 아산-API(Asia Pacific Initiative) 전략대화 2018, "동북아의 평화, 안보, 번영을 위한 한일협력, 2018년 1월 16일)

☑ 일본 차세대 정책전문가 대표단 아산정책연구원 방문(라운드테이블, 2019년 12월 9일)

**한반도국제포럼(Korea Global Forum · KGF)**
한국 정부가 2010년부터 대북 · 통일정책과 한반도 평화 · 번영에 대한 국제적 공감대를 확산하고 바람직한 정책 대안을 모색하기 위해 각국의 전 · 현직 고위 관료와 전문가들을 초청해 진행하는 1.5트랙 국제다자협의체다. 해마다 주관기관을 달리해서 개최한다. 2018년은 경남대가 '정전 65년, 한반도의 평화와 번영'을 주제로, 2017년은 아산정책연구원이 '전환기 한반도 평화와 국제협력'을 주제로, 2016년은 북한연구학회와 연세대학교 통일연구원이 '한반도 평화와 통일의 통합적 접근'을 주제로 개최했다.

일본 관련 두 건의 국제학술회의를 소개한다.

**마루야마 마사오(丸山眞男)와 자유주의: 냉전 시대를 산 지식인의 사상과 행동**

| 일시 장소 | 참석자 |
|---|---|
| 2013.7.4~5.<br>아산정책연구원<br>2층 대회의실 | **〈한국 측〉**<br>환영사 함재봉(아산정책연구원장) 축사 이홍구(전 국무총리)<br>발표 김석근(아산정책연구원), 노병호(한국외국어대), 박홍규(고려대)<br>토론 김영작(국민대), 김홍우(서울대), 박충석(이화여대), 최상용(고려대)<br>**〈일본 측〉**<br>개회사 이이다 다이조(호세이대)<br>발표 시미즈 야스히사(규슈대), 가루베 다다시(도쿄대), 고노 유리(수도대학도쿄)<br>토론 마쓰다 고이치로(릿쿄대), 와타나베 히로시(도쿄대), 이이다 다이조(호세이대) |

**한일수교 50주년 학술심포지엄**

| 일시 장소 | 참석자 |
|---|---|
| 2015.11.26.<br>아산정책연구원 1층 강당, 한국정치학회와 공동주최 | 주제 **아베 정권의 미래 구상과 한일 관계: 일본의 꿈, 아베의 꿈**<br>개회사 함재봉(아산정책연구원장), 최진우(한국정치학회장)<br>축사 유명환(전 외교통상부 장관)<br>**1세션 일본의 꿈, 아베의 꿈은 무엇인가**<br>박철희(서울대), 도요우라 준이치(요미우리신문 서울특파원), 후카가와 유키코(와세다대), 조양현(국립외교원)<br>**2세션: 일본의 꿈, 아베의 꿈 그리고 데자뷰**<br>함동주(이화여대), 엔도 겐(홋카이도대), 김준섭(국방대), 히라이 히사시(교도통신)<br>**3세션: 현실적 꿈인가, 한밤의 꿈인가?**<br>심규선(동아일보), 미즈노 도모히코(전 중의원의원), 이치카와 하야미(아사히신문), 이종윤(한일경제협회) |

아산정책연구원은 (03176) 서울특별시 종로구 경희궁1가길 11에 있다.

전화 (02) 730-5842, 팩스 (02) 730-5876, 홍보실 이메일 communications@asaninst.org,

홈페이지 http://www.asaninst.org

# 7. 동아시아연구원(EAI) 일본연구센터

KOREA-JAPAN

동아시아연구원(East Asia Institute)은 2002년 김병국 전 고려대 교수가 설립한 싱크탱크이다. 다음은 동아시아연구원 홈페이지에 있는 글이다.

EAI는 독립 싱크탱크로서 국내외 핵심 이슈에 대한 연구와 정책개발을 중심으로 국제회의와 포럼, 교육, 출판 등 다양한 활동을 통해 아이디어를 확산시키기 위해 노력하고 있습니다.

EAI의 연구활동은 외교안보 프로그램과 거버넌스 프로그램을 중심으로 5개 연구센터에서 수행하고 있습니다.

이와 함께 중요한 국가적 현안 및 사회이슈에 대해서는 태스크포스(task force)팀을 구성하여 한발 앞선 정책대안을 생산하고 의견을 개진하고 있습니다.

EAI 연구팀은 해당이슈와 관련된 국내외 학자와 정책전문가로 구성되며, 이론과 정책 그리고 민의가 균형있게 반영된 연구성과를 생산합니다.

또한 EAI는 한국을 대표하는 싱크탱크로서 미국을 비롯한 중국, 대만 등 해외 싱크탱크와 공동연구 및 인적 교류를 강화함으로써 동아시아 지식네트워크의 허브 기능을 담당하고 있습니다.

EAI는 연구활동의 성과를 단행본, 영문저널 Journal of East Asian Studies (SSCI 등재지), 워킹페이퍼, 이슈브리핑 등의 보고서를 통해 발표하고 미디어를 통한 지식의 확산을 위해 노력하고 있습니다.

또한 국제회의와 포럼 그리고 세미나를 개최함으로써 각 분야의 학자와 전문가들 간 토론의 장을 마련하여 보다 실효성 있는 전략과 정책 대안을 도출하기 위해 힘쓰고 있습니다.

연구센터는 현재 8개로 늘어났다. 국가안보연구센터, 중국연구센터, 일본연구센터, 북한연구센터, 여론분석센터, 민주주의협력센터, 미래혁신연구센터, 무역·기술·변환연구센터 등이다.

**동아시아연구원은 일본연구센터의 설립 목적을 다음과 같이 설명하고 있다.**

일본연구센터는 일본의 정치, 경제, 사회 체제의 변화상을 추적하고, 한일관계의 과거와 현재 분석, 미래를 조망하는 과제를 수행한다. 21세기 들면서 일본은 중국의 부상과 강대국화에 따른 세력배분구조의 변화 속에서 외교정책 조정의 과제를 안고 있고, 경제력의 상대적 쇠퇴와 저출산고령화, 급격한 과학기술 변화 속에서 새로운 사회경제 모델을 찾아야 하는 과제에 직면해 있으며, 동시에 세계화 추진에 따른 소득격차, 사회 양극화, 사회적 유대의 약화, 이에 따라 정치적으로 포퓰리즘과 우파 민족주의의 부상 속에서 정치변화를 겪고 있다. 한일관계는 이러한 안팎의 변화 속에서 격동의 시대를 맞고 있다. EAI 일본연구센터는 시대의 변화를 심층적으로 분석하면서 소속 연구진의 논평, 스페셜 리포트, 단행본 출간, 정부용역을 수행하고 있으며, 2013년 이래 매년 일본의 겐론NPO와 공동으로 한일 국민 상호인식 조사를 실시하여 결과분석물과 함께, 한일 양국 지식인을 중심으로 한 한일미래대화를 개최하여 새로운 한일 파트너십을 모색해 오고 있다.

**일본 관련 연구와는 별도로, 일본의 '겐론(言論)NPO'와 공동으로 운영하고 있는 '한일 국민 상호인식조사'와 '한일미래대화'는 동아시아연구원의 일본 관련 활동에서 중요한 부분을 차지한다. 두 활동을 시작한 계기와 관계는 이렇다.**

**言論NPO**

2001년에 설립한 일본의 비영리법인으로 싱크탱크를 표방하고 있다. 동양경제신보사에서 〈금융비즈니스〉와 〈논쟁 동양경제〉의 편집장을 지낸 구도 야스시(工藤泰志)가 대표로 있다. 정치, 경제에 관한 논평, 지식인 토론, 각 정당의 매니페스토 달성도와 매스 미디어 평가, 정치 경제 관련 포럼 개최, 각 정책에 대한 제언 등의 활동을 하고 있다. 특정 정당이나 종교단체에 편향되지 않도록 언론 활동에 대한 자체평가를 한 뒤, 그 결과를 공개하고 있다. (일본 위키피디아)

EAI와 일본의 言論NPO는 2013년 3월 양국의 각 분야 민간 전문가 및 지식인들이 한 자리에 모여 상호 인식의 차이를 좁히고, 상호 이해와 신뢰를 증진할 방안을 논의하는 '한일미래대화(Korea-Japan Future Dialogue)' 포럼을 개최하기로 합의하였다. EAI와 言論NPO(대표: 구도 야스시)는 2012년 미국 외교관계평의회(Council on Foreign Relations: CFR)가 주관하는 세계싱크탱크평의회(CoC: Council of 한국과 일본의 대표기관으로서 처음 만나 한일 양국 관계 개선과 발전방안을 논의한 끝에 나온 결과이다.

한일미래대화는 2013년 5월 제1차 도쿄회의를 시작으로 매년 서울과 도쿄를 오가며 양 기관이 공동개최하기로 하였다. 한일미래대화는 양국의 정계, 경제계, 학계와 문화계 각 분야별로 2-4인의 대표단을 구성하여 양국 국민들 사이의 인식 차이 및 국민감정을 악화시키는 요인들에 대해 서로 인식을 공유하며, 민간차원의 협력 방안을 논의하는 장이다. 이를 위해 양 기관은 매년 한일관계 전반에 대한 평가와 양국 국민들의 상호인식을 조사하여 분석결과를 토대로 논의한다.

본 조사는 일반국민 인식 조사와 함께 양국의 전문가 및 지식인 그룹 대상의 인식 조사를 병행하여 일반대중과 오피니언 리더그룹의 한일관계에 대한 평가와 인식의 변화를 주기적으로 조사한다. 조사 결과는 한일미래대화 본 행사 일주일 전 한일 공동 국제기자회견을 통해 사전에 발표되며 이 과정에서 드러난 주요 이슈는 한일미래대화 본 행사에서 논의된다.

동아시아연구원과 겐론NPO의 한일국민 상호인식 조사는 최근 여러 연구자나 기관이 자주 인용할 정도로 신뢰성을 인정받고 있다. 일본연구센터는 '일본논평', '보고서', '이슈브리핑' 등을 통해서도 일본에 대해 발신하고 있다.

### 학술회의 (최근 2년간)

| 일 시 | 내 용 |
|---|---|
| 2020.12.26 | 주제 **'미중 경쟁 속 한일 협력의 미래비전' 연구팀 발족에 즈음한 제1차 화상 회의**<br>연구진<br>(일본) 이시다 아쓰시(石田淳 · 도쿄대), 고조 요시코(古城佳子 · 게이오대), 나카니시 히로시(中西寬 · 교토대), 니시노 준야(西野純也 · 게이오대), 다카하라 아키오(高原明生 · 도쿄대), 아사노 도요미(浅野豊美 · 와세다대), 모리 사토루(森聡 · 호세이대)<br>(한국) 하영선(동아시아연구원 이사장), 손열(동아시아연구원장), 전재성(서울대), 이동률(동덕여대), 김병연(서울대), 김태균(서울대), 이정환(서울대), 박재적(서울대) |
| 2020.12.11 | 주제 **동해표기 확산과 한일 해양협력**(현대일본학회와 공동주최)<br>전체사회 오승희(동아시아연구원)<br>**세션 1 동해 표기 확산: 쟁점과 과제** 사회 이원덕(국민대)<br>발표<br>최은미(아산정책연구원) **동해표기 문제와 한일관계**<br>김영훈(한국교원대) **IHO 총회와 동해표기 문제**<br>심정보(서원대) **동해와 일본해 표기에 대한 인식과 과제 - 한일 대학생들의 설문조사를 중심으로**<br>토론 김종근(동북아역사재단), 류연택(충북대), 박영준(국방대), 엄태봉(국민대), 최희식(국민대), 현대송(한국해양수산개발원)<br><br>**세션 2 한일해양협력: 과제와 도전** 사회 진창수(세종연구소)<br>발표<br>김자영(국방부) **한일대륙붕협정: 이행조건과 한계**<br>조은일(한국국방연구원) **한일해양협력 과제와 위기관리**<br>허원영(고려대) **해양거버넌스와 한일협력의 모색**<br>토론 박경민(고려대), 손기섭(부산외대), 서승원(고려대), 조진구(경남대), 최운도(동북아역사재단) |
| 2019.12.14 | **한국국제정치학회 연례학술회의 '한일관계, 신화와 현실' 패널 공동주최**<br>**한일관계: 신화와 현실** 사회 김호섭(중앙대)<br>발표 |

| | |
|---|---|
| | 이시다 아쓰시(도쿄대) **일본의 입헌민주주의와 방위태도의 시그널**<br>호소야 유이치(게이오대) **아베 정권 하 일본 안보정책의 실제**<br>박영준(국방대) **한일 안보협력의 신화와 현실**<br>토론 김두승(한국국방연구원), 이혜정(중앙대)<br>**한일관계: 신화와 현실 II** 사회 이숙종(성균관대)<br>발표<br>석주희(연세대) **전후 일본 우익의 복원과 우익세력**<br>나카니시 히로시(교토대) **일본 헌법의 정치학-법과 도덕 사이에 서 있는 일본 헌법 9조**<br>이원덕(국민대) **한일 역사 마찰의 정치학**<br>오승희(동아시아연구원) **한국인의 일본관 - 신화와 현실**<br>토론 이면우(세종연구소), 이이범(강릉원주대), 선우정(조선일보) |
| 2019.10.31 | **[KF Korea Workshop 3]** 정재정(서울시립대) **철도와 근대 한국, 그리고 일본** |
| 2019.1.22 | **동아시아연구원 - 일본국제문제연구소 세미나 개최**<br>오코노기 마사오 게이오대 명예교수를 단장으로 한 일본 측 방문단은 EAI 전문가들과 함께 북한의 비핵화, 북중관계 그리고 한일관계 등 동아시아의 변화하는 질서 속에서 양국이 당면하고 있는 여러 정책 현안들에 대해 논의했다.<br>일본 측 참가자 오코노기 마사오(게이오대), 이즈미 하지메(도쿄국제대), 히라이 히사시(교도통신), 히라이와 슌지(난잔대), 니시노 준야(게이오대), 이이무라 도모키(일본국제문제연구소)<br>한국 측 참가자 하영선(동아시아연구원 이사장), 손열(동아시아연구원장), 이동률(동아시아연구원 중국연구센터 소장), 신각수(전 주일대사), 정재정(서울시립대), 남기정(서울대), 김석진(통일연구원) |

## 일본논평

☑ 일본 민주당 정권이 외교안보정책 변화와 한일관계 전망(박영준 · 이숙종, 2009년 9월)

☑ 일본 〈방위대강 2010〉과 한국 안보정책에의 시사점(박영준, 2010년 12월)

☑ 2015년 한일관계: 기시와 박정희의 유산을 넘을 수 있나(손열, 2015년 1월)

☑ 한일관계 타개 방안: 정상회담과 위안부 문제의 분리대응(조세영, 2015년 2월)

☑ 한일 문화교류는 지속되어야 한다: '혐한'(嫌韓)을 넘어서(강태웅, 2015년 3월)

☑ 3년 차에 들어서는 아베노믹스: 정책운용의 빛, 정책내용의 그림자(이정환, 2015년 4월)

☑ 미일 가이드라인 개정과 아태지역 안보질서 전망(박영준, 2015년 6월)

☑ 아베 담화와 8 · 15경축사를 넘어서(하영선 · 손열, 2015년 8월)

☑ 박근혜-아베의 첫 번째 정상회담, 주요 의제별 대응 방향(조세영, 2015년 10월)

☑ 3국 정상회의와 한일관계: 성과와 의의(조양현, 2015년 11월)

☑ 위안부 합의 100일, 한일관계는 어디로(손열, 2016년 4월)

☑ 일본 참의원 선거, 아베노믹스와 개헌(이정환, 2016년 7월)

☑ 아베 정권과 일본 헌법 개정(이정환, 2018년 4월)

☑ 3.1운동 100주년의 길목에서 한일관계를 성찰한다: 저항에서 건설로(손열, 2019년 3월)

☑ 좌절하는 한일관계: 다가오는 위기, 멀어지는 해법(손열, 2020년 7월)

☑ 여론조사로 보는 위기의 한일관계: 국민은 변화를 원한다(손열, 2020년 10월)

☑ [신년기획 특별논평 시리즈 - EAI 한국외교 2021 전망과 전략] ③ 바이든 정부의 출범과 한국의 대일전략: 해야 할 일과 하지 말아야 할 일(손열, 2021년 1월)

## 워킹페이퍼

☑ 〈2020년 8월〉 한일관계 세대분석

☑ 청년세대(MZ세대)가 보는 한일관계(오승희)

☑ 한일관계 - '나'중심적 대외관, '소비'하는 일본, 반일보다 '공정'(오승희)

☑ 안보 - 청년세대(MZ세대)가 바라보는 한일 안보관계(조은일)

☑ 역사 - 청년세대(MZ세대)와 일본군'위안부'문제(윤석정)

☑ 사회문화 - 한류와 '혐오': 청년세대(MZ세대)의 역설(석주희)

## 〈2021년 2월〉 일본 바로보기

☑ 일본은 군사대국으로 나아가고 있는가 - 일본의 입헌체제와 방위 위도의 시그널(이시다 아쓰시 도쿄대 교수)

☑ 헌법9조의 정치: 신화와 현실사이에서(나카니시 히로시 교토대 교수)

## 특별기획논평

☑ 아베 신조 재집권 후 일본과 한반도 (1): 아베의 정치적 성공을 보는 한일의 시각(이정환 · 후카가와 유키코, 2018년 9월)

☑ 아베 신조 재집권 후 일본과 한반도 (2): 아베의 정체성 정치와 한일관계(정재정, 2018년 10월)

☑ 아베 신조 재집권 후 일본과 한반도 (3): 한반도 평화구축에서 북일 수교가 지니는 의미와 전망(남기정, 2018년 10월)

☑ 기로(岐路)에 선 일본의 인도 · 태평양 전략: 공생을 위한 한일협력 모색해야(손열, 2019년 6월)

☑ 2020년 한일관계와 대일정책: 시야를 넓혀야 보이는 갈등 해법(손열, 2020년 6월)

**평화헌법 9조**

일본국 헌법 제9조(전쟁 포기, 전력 및 교전권 부인)는 "① 일본국민은 정의와 질서를 기조로 하는 국제 평화를 성실히 바라고 추구하며, 국제 분쟁을 해결하는 수단으로써 국권이 발동되는 전쟁과 무력에 의한 위협 또는 무력 행사를 영구히 포기한다. ② 전항의 목적을 달성하기 위하여 육·해·공군, 그 밖의 전력을 보유하지 않는다. 국가 교전권은 인정하지 않는다"고 되어 있다. 그래서 '평화헌법'이라고 부른다. 일본의 우익인사들이 바꾸려는 것이 바로 이 9조이다.

### 한일 국민 상호인식조사(보고서, 요약본, 데이터 배포)

☑ 제1회 한일 국민 상호인식조사(2013년 5월, EAI · 言論NPO)

☑ 제2회 한일 국민 상호인식조사(2014년 7월, EAI · 言論NPO)

☑ 제3회 한일 국민 상호인식조사(2015년 5월, EAI · 言論NPO)

☑ 제4회 한일 국민 상호인식조사(2016년 7월, EAI · 言論NPO)

☑ 제5회 한일 국민 상호인식조사(2017년 7월, EAI · 言論NPO)

☑ 제6회 한일 국민 상호인식조사(2018년 6월, EAI · 言論NPO)

☑ 제7회 한일 국민 상호인식조사(2019년 6월, EAI · 言論NPO)

☑ 제8회 한일 국민 상호인식조사(2020년 10월, EAI · 言論NPO)

### 한일미래대화(행사)

이 행사는 최종현학술원이 특별세션이라는 이름으로 함께 참여하고 있다.

☑ 제1회 한일미래대화(2013년 5월 11일, 도쿄 제국호텔)

☑ 제2회 한일미래대화(2014년 7월 18일, 서울 웨스틴조선호텔)

☑ 제3회 한일미래대화(2015년 6월 21일, 도쿄 국제연합대학)

☑ 제4회 한일미래대화(2016년 9월 1~2일, 서울 한국고등교육재단)

☑ 제5회 한일미래대화(2017년 7월 28~29일, 도쿄 국제연합대학)

☑ 제6회 한일미래대화(2018년 6월 22~23일, 서울 한국고등교육재단)

☑ 제7회 한일미래대화(2019년 6월 21~22일, 도쿄 국제연합대학)

☑ 제8회 한일미래대화(2020년 10월 17일, 서울 한국고등교육재단)

회의 진행방식을 소개하기 위해 2020년 제8회 한일미래대화의 프로그램을 소개한다(장소는 한국고등교육재단 대회의실이었고, 일부는 줌으로 진행했다).

### 제8회 한일미래대화(2020년)

■ **10월 16일 첫째 날**

| 순 서 | 내 용 |
|---|---|
| 개회식 | 한국 측 하영선(동아시아연구원 이사장)<br>일본 측 오구라 가즈오(전 주한대사)<br>축사 남관표(주일대사) |
| 비공개 세션 I | 주제 **2020년 한일 국민 상호인식조사 주요 결과에 따른 한일관계 분석**<br>사회 손열(동아시아연구원장), 구도 야스시(겐론NPO 대표)<br>여론조사 결과 설명 (일본 측) 구도 야스시 대표 |

| | |
|---|---|
| | 여론조사 결과 설명 (한국 측) 손열 원장<br>패널 양미강(전 아시아평화와역사교육연대 상임운영위원장), 위성락(전 주러시아 대사), 이숙종(성균관대), 이원덕(국민대), 최상용(전 주일대사), 하영선(동아시아연구원 이사장), 곤도 세이치(전 문화청장관), 권용석 (히토쓰바시대), 니시노 준야(게이오대), 소에야 요시히데(게이오대), 야마구치 쓰요시(자민당 중의원), 오구라 가즈오(전 주한대사), 오쿠조노 히데키(시즈오카현립대), 이토 아비토(도쿄대), 후루카와 요시히사(자민당 중의원) |
| 비공개 세션II | 주제 **변화하는 국제정세 속 한일 양국의 과제**<br>사회 하영선(동아시아연구원 이사장), 구도 야스시(겐론NPO 대표)<br>발제 니시노 준야(게이오대), 전재성(서울대)<br>패널 김호섭(전 동북아역사재단 이사장), 박영준(국방대), 박원곤(한동대), 양기호(성공회대), 위성락(전 주러시아 대사), 이숙종(성균관대), 고다 요지(전 해상자위대 자위함대사령관), 야마구치 쓰요시(자민당 중의원), 오구라 가즈오(전 주한대사), 오코노기 마사오(게이오대), 오쿠조노 히데키(시즈오카현립대), 소에야 요시히데(게이오대), 권용석(히토쓰바시대), 후루카와 요시히사(자민당 중의원) |
| 비공개 세션III | 주제 **코로나 상황 속 한일협력 가능성 및 향후 전망**<br>사회 김호섭(전 동북아역사재단 이사장), 구도 야스시(겐론NPO 대표)<br>발제 오시타니 히토시(도호쿠대, 신종 코로나 바이러스 감염 대책 전문가 회의 위원), 지영미(WHO COVID-19 긴급위원회 위원)<br>패널 이기호(샤프전자부품㈜ 대표), 이숙종(성균관대), 이훈상(연세대), 전재성(서울대), 하영선(동아시아연구원 이사장), 오구라 가즈오(전 주한대사), 구도 야스시(겐론NPO 대표), 사카모토 하루카(도쿄대), 오쿠조노 히데키(시즈오카현립대), 권용석(히토쓰바시대), 소에야 요시히데(게이오대) |

■ **10월 17일 둘째 날**

| 순 서 | 내 용 |
|---|---|
| 개회 | 개회사 손열(동아시아연구원 원장), 오구라 가즈오(전 주한대사)<br>환영사 박인국(최종현학술원장)<br>축사 이홍구(전 국무총리), 엔도 가즈야(외무성 아시아대양주국 참사관) |
| 공개세션 I | 주제 **2020년 한일 국민 상호인식조사 주요 결과에 따른 한일관계 분석**<br>사회 손열(동아시아연구원 원장), 구도 야스시(겐론NPO 대표)<br>여론조사 결과 설명(일본 측) 구도 야스시 대표<br>여론조사 결과 설명(한국 측) 손열 원장<br>패널 김현기(중앙일보 편집국장), 남기정(서울대), 정재정(서울시립대), 조형진(초록뱀미디어 대표), 권용석(히토쓰바시대), 오쿠조노 히데키(시즈오카현립대), 이토 아비토(도쿄대) |
| 공개세션II | 주제 **변화하는 국제정세 속 한일 양국의 과제 및 향후 전망**<br>사회 박인국(최종현학술원장), 구도 야스시(겐론NPO 대표)<br>발제 오코노기 마사오(게이오대), 박철희(서울대) |

| | |
|---|---|
| | 패널 노웅래(더불어민주당 의원), 박영준(국방대), 박원곤(한동대), 서의동(경향신문), 조태용(국민의힘 의원), 고다 요지(전 해상자위대 자위함대사령관), 소에야 요시히데(게이오대), 오쿠조노 히데키(시즈오카현립대) |
| 공개세션III | 주제 **한일 청년 대화**<br>사회 손열(동아시아연구원장), 니시무라 유호(겐론NPO 국제협력부 과장)<br>발제 오쿠조노 히데키(시즈오카현립대), 권용석(히토쓰바시대), 이정환(서울대)<br>청년패널 (한국측) 강지헌(우리민족서로돕기운동본부), 김보람(마쓰시타정경숙), 김유나(숙명여대), 김혜준(한국외국어대), 문예찬(KDI 국제정책대학원), 최시은(미래당 정책국장) |

한일미래대화에 한 번 이상 참석했던 한국 측 인사는 다음과 같다(직책은 참석 당시).

김기정(연세대 정치외교학과 교수), 김성한(고려대 국제대학원 교수), 김세연(새누리당 국회의원), 김수혜(조선일보 도쿄특파원), 김영환(새정치민주연합 국회의원), 김준((주)경방 사장), 김창수(한국국방연구원 책임연구위원), 김태영(전 국방부장관), 김현기(중앙일보 편집국장), 김호섭(전 동북아역사재단 이사장), 남기정(서울대 일본연구소 교수), 노웅래(더불어민주당 국회의원), 문성묵(한국국가전략연구원 통일전략센터장), 박영준(국방대 안보대학원 교수), 박원곤(한동대 교수), 박인국(최종현학술원장), 박철희(서울대 국제학연구소장), 서영교(새정치민주연합 국회의원), 서의동(경향신문 논설위원), 선우정(조선일보 국제부장), 손열(동아시아연구원장), 송영무(전 국방부장관), 송지연(서울대 국제대학원 교수), 신각수(전 주일대사), 신범철(아산정책연구원 안보통일센터 선임연구위원), 신성호(서울대 국제대학원 교수), 심규선(동아일보 고문), 양기호(성공회대 교수), 양미강(전 아시아평화와역사교육연대 상임운영위원장), 염재호(고려대 총장), 오영환(중앙일보 논설위원), 오태규(한겨레신문 논설실장), 위성락(전 러시아대사), 유명환(전 외교통상부장관), 윤덕민(전 국립외교원장), 윤병남(서강대 사학과 교수), 윤세리(법무법인 율촌 대표변호사), 이기호(샤프전자부품(주) 대표), 이대근(경향신문 논설주간), 이병희(SBS 미래부 차장), 이숙종(동아시아연구원장), 이승주(중앙대 정치국제학과 교수), 이원덕(국민대 일본학연구소장), 이재승(고려대 국제대학원 교수), 이재열(서울대 사회학과 교수), 이정환(서울대 정치외교학부 교수), 이철희(더불어민주당 국회의원), 이하원(조선일보 도쿄지국장), 이홍구(전 국무총리), 이훈상(연세대 보건대학원 교수), 전봉근(국립외교원 교수), 전재성(서울대 정치외교학부 교수), 정병국(바른미래당 국회의원), 정재정(서울시립대 명예교수), 조세영(동서대 일본연구센터 소장), 조태용(국민의힘 국회의원), 조형진(초록뱀미디어 대표), 지영미(WHO COVID-19 긴급위원회 위원), 진미경(경희대 교수), 진창수(세종연구소 일본연구센터장), 최명길(국민의당 국회의원), 최상용(전 주일대사), 최철원(MIGHT & MAIN㈜ 사장), 최태욱(한림국제대학원대학교 국제학과 교수), 최태원(SK회장), 하영선(동아시아연구원 이사장), 허세홍(GS글로벌 대표이사 사장), 홍익표(새정치민주연합 국회의원), 황영식(한국일보 논설실장), 황인자(새누리당 국회의원)

## 보고서

☑ 일본의 안보선택과 한국의 진로(박철희, 2005년 3월)

☑ 일본의 21세기 동맹전략: 권력이동, 변환, 재균형(손열, 2009년 12월)

☑ 전후 일본 민주화운동의 리더십 – 이치카와 후사에: 이념, 정치적 기회구조, 동원전략으로서의 네트워킹을 중심으로(이지영, 2012년 11월)

☑ 미중 데탕트와 일본: 1972년 중일 국교정상화 교섭의 국제정치(손열, 2014년 2월)

☑ 중국의 부상과 일본의 21세기 외교전략: 보통국가의 다차원화(이승주, 2014년 2월)

☑ The 'History Problem', Domestic Audience Costs, and Public Support in Japan (Yongwook Ryu, 2015년 5월)

☑ 신시대를 위한 한일의 공동진화(하영선 · 손열 · 이숙종 · 이원덕 · 전재성 · 정재정, 2015년 8월)

☑ Japan and Geo-Economic Regionalism in Asia: The Rise of TPP and AIIB (Terada Takashi, 2016년 2월)

☑ Divisive Messages from President Obama's Visit to Hiroshima (Dong-Joon Jo, 2016년 6월)

☑ ROK-Japan Security Cooperation in a Turbulent Strategic Environment (Chung Kyung-young & Izumi Kazushige, 2017년 7월)

## 문재인 정부 중간평가

☑ 문재인 정부 중간평가 ① 국민 인식조사 발표(2019년 11월)

☑ 문재인 정부 중간평가 ② 정책토론회 – EAI 12대 정책제안(2019년 11월)

☑ 문재인 정부 중간평가 ③ 이슈브리핑 – 여론으로 보는 문재인 정부 외교안보 정책 중간평가: 다면적 위협 인식에 대응하는 복합 전략 펼쳐야(손열 · 오승희 · 이영현, 2019년 11월)

**EAI 12대 정책**

동아시아연구원(EAI)이 문재인 정부를 중간 평가하며 제시한 12대 정책 제안은 다음과 같다. 1. 한국의 사활적 국가이익 정의, 2. 한미동맹의 중장기 비전 마련, 3. 한중관계, 소통과 위기관리 채널 마련, 4. 강제동원 피해자 문제에 대한 대일외교 전략, 5. 통상-안보 문제 출구를 위한 대일외교, 6. 일본의 전략적 가치에 대한 위상 정립, 7. 긴 호흡으로 대북정책 운용, 8. 일관된 비핵화 정책 필요, 9. 희망적 사고에 기초한 대북 제안 중지, 현실에 기초한 정책 목표 제안, 10. 경제 제재 복합 대응, 11. 신 남방정책의 입체화, 12. 리더십 공백을 메우는 중견국 외교와 양자-다자 연계.

### 미래일본 2030 - 아베 이후 일본은 어디로 (2019년 12월)

☑ 총론: 아베 이후 일본은 어디로(손열)

☑ 대내외 구조변동 요인과 일본의 대응(이정환)

☑ 일본 정치의 과제와 2030 차세대 정치의 향배(이주경)

☑ 일본 복지 정책의 지속가능과 미래 방향성(김성조)

☑ 성숙한 채권국가 일본의 등장(이창민)

☑ 일본, 이민국가로 전환할 것인가(박명희)

☑ 미래 일본 외교안보 과제: 미일동맹, 대중정책, 한반도정책(이기태)

### 단행본

☑ 일본과 동아시아(한상일 · 이숙종, 2011년 4월)

☑ 일본 부활의 리더십: 전후 일본의 위기와 재건축(손열 편, 2013년 9월)

### 스마트 Q&A

☑ 박영준: 일본정치 우경화와 한국의 대응전략(2013년 5월)

☑ 박영준: 일본의 집단적 자위권 추진과 한국의 대응방향(2013년 11월)

☑ 펨펠 · 손열: 역사 수정주의와 일본의 선택(2014년 7월)

☑ 신각수 전 주일본 대사 · 후지사키 이치로 전 주미국 대사(2016년 9월)

☑ 김태영 전 국방부장관 · 나카타니 겐 전 일본 방위대신(2016년 09월)

☑ 니시노 준야: 북핵문제, 남북관계와 일본(2016년 11월)

☑ 란 페이치아: 존중받는 대리인과 외지인 전문가: 대만과 일본의 이주 돌봄 노동자의 고용과 훈련(2017년 7월)

### 기타

☑ [자료] 동일본 대재난사태 현장보고: 현황과 교훈(동일본 대재난사태 현장보고 인프라비전, 2011년 5월)

☑ [여론브리핑] EAI · 언론NPO 공동, 동아시아 지역갈등과 민간외교의 역할(정원철, 2014년 4월)

☑ [오피니언 리뷰: 한일수교 50주년] 한일상호인식에 대한 오해와 관계개선 솔루션 찾기(정한울, 2015년 6월)

☑ [여론브리핑] 박근혜 대통령 광복절 축사 · 아베 총리 담화에 대한 한 · 중 · 일 지식인 인식조사(김보미, 2015년 8월)

☑ [EAI 스페셜리포트] 신시대를 위한 한일의 공동진화(하영선 · 손열 · 이숙종 · 이원덕 · 전재성 · 정재정, 2015년 8월)

☑ [워킹페이퍼] Territorial Disputes and Social Activism in Northeast Asia: The quest for ontological security in Japan, Korea and Taiwan (Alexander Bukh, 2016년 9월)

☑ [이슈브리핑] 문재인 정부의 대일외교 제언: 주장하는 아베 외교, 어떻게 다룰 것인가? (손열, 2017년 5월)

☑ [이슈브리핑] 김대중-오부치 공동선언의 탄생 과정과 그 의의(조세영, 2018년 9월)

☑ [이슈브리핑] 위기의 한일관계, 정치가 바뀌어야 한다: '제7회 한일 국민 상호인식조사' 결과 및 '제7회 한일미래대화' 논의 분석(손열 · 김세영 · 이영현, 2019년 6월)

☑ [시국토론회] 한일관계, 미래를 논하다(2019년 8월)

☑ [KF-EAI 코리아 프렌드십 워크숍] 철도와 근대 한국, 그리고 일본(정재정, 2019년 10월)

☑ [신년기획 특별논평 시리즈-EAI 2020 전망과 전략] ④ 2020년 한일관계와 대일정책: 시야를 넓혀야 보이는 갈등 해법(손열, 2020년 1월)

☑ [Asia Democracy Issue Briefing] Corona-Tracking and Privacy: The Opposite Approaches of South Korea and Japan (Maiko Ichihara, 2020-07)

☑ [EAI아카데미] 제3강, 손열 "일본문제와 한일관계의 미래"강연영상(2020년 8월)

**바이든과 한일**

손열 EAI 원장(연세대 국제학대학원 교수)은 2021년 1월 '신년기획 특별논평 시리즈'의 일환으로 '바이든 정부의 출범과 한국의 대일전략: 해야 할 일과 하지 말아야 할 일'이라는 논평을 내놓았다. 손 원장은 이 논평에서 역사문제와 그 밖의 사안을 분리 대처하는 투트랙 접근, 한일 갈등의 국내 정치 이용 중단, 글로벌 차원에서의 경제 협력 논의, 포스트 코로나 시대의 지구화와 글로벌 거버넌스 구축에 기여하는 상호 협력 등을 제안했다.

EAI는 2012년 이사장에 취임한 하영선 이사장(서울대 명예교수)과 2018년 원장이 된 손열 원장(연세대 국제학대학원 교수) 체제로 운영 중이고, 이숙종 전 원장(성균관대 행정학과 교수)이 시니어펠로우로 있다(초대 이사장은 이홍구 전 국무총리, 초대 원장은 설립자인 김병국 고려대 교수, 2대 원장은 이숙종 성균관대 교수였다).

동아시아연구원의 조직은 다음과 같다.

| 직 책 | 이 름 | 소 속 |
|---|---|---|
| 이사장(이사) | **하영선** | 서울대 명예교수 |
| 원장(이사) | **손 열** | 연세대 국제학대학원 교수 |
| 이사 | **공유식** | 아주대 교수 |
| | **김현전** | 히든베이호텔 대표 |
| | **박경수** | 피에스케이㈜ 대표 |
| | **박상용** | 맥쿼리증권주식회사 대표 |
| | **박진원** | 법무법인 세종 고문 |

| 직위 | | 성명 | 소속 |
|---|---|---|---|
| 이사 | | **박찬근** | ㈜비엠케이리미티드 대표 |
| | | **여동찬** | ㈜에스포티 사장 |
| | | **유창수** | ㈜유진투자증권 부회장 |
| | | **윤용집** | ㈜BH Tech |
| | | **이숙종** | 성균관대 교수 |
| | | **임현진** | 서울대 교수 |
| | | **조상호** | 나남출판 회장 |
| | | **최철원** | MIGHT & MAIN㈜ |
| 감사 | | **박정섭** | 대주회계법인 전무 |
| 재정위원장 | | **윤용집** | ㈜BH Tech |
| 소장 | 중국연구센터 | **이동률** | 동덕여대 중어중국학과 교수 |
| | 무역·기술·변환센터 | **이승주** | 중앙대 정치국제학과 교수 |
| | 국가안보연구센터 | **전재성** | 서울대 정치외교학부 교수 |
| | 미래혁신연구센터 | **한 준** | 연세대 사회학과 교수 |
| 사무국장 | | **오승희** | 수석연구원 |
| 행정실장 | | **강혜미** | |
| 연구실장 | | **백진경** | |
| 선임연구원 | | **백혜영, 표광민** | |
| 연구원 | | **전주현, 서정혜, 홍예원, 윤하은** | |

**동아시아연구원은 (04548) 서울특별시 중구 을지로 158, 909호(을지로4가, 삼풍빌딩)에 있다. 전화 (02) 2277-1683, 팩스 (02) 2277-1684. 이메일 eai@eai.or.kr, 홈페이지 www.eai.or.kr**

다음은 필자가 2017년 7월 제5회 한일미래대화에 참석하고 쓴 글이다(일부 생략).

### 더블인가, 트윈인가

(2017년 7월) 28, 29일 일본 도쿄 국제연합대학에서 제5회 한일미래대화가 열렸다. 한국의 동아시아연구원(원장 이숙종)과 일본의 겐론NPO(言論NPO · 대표 구도 야스시)가 2013년부터 한일을 오가며 매해 여는 프로그램으로, 올해의 주제는 '표류하는 한일관계와 북핵문제'였다.

그러잖아도 이번 주제는 시의적절했는데, 28일 심야에 북한이 자강도 무평리에서 대륙간탄도미사일(ICBM)로 추정되는 장거리미사일을 발사했고, 이것이 일본 홋카이도 오쿠시리(北海道奧尻) 섬 앞바다의 배타적경제수역(EEZ)에 떨어지는 바람에 29일의 토론은 후끈 달아올랐다.

물론 이번 토론회의 주제는 북핵문제만이 아니었다. 한일 위안부합의를 비롯한 양국민의 역사 인식, 한일관계 회복을 위한 대안, 한반도의 미래전망 등 다양한 주제가 패널리스트들의 입에 올랐다.

논의 과정이나 회의가 끝난 뒤, 한일관계가 매우 나쁜 지금이야말로 반등의 기회이자 재설정(리셋팅)의 적기라는 의견도 나왔다. 그러나 평소, 한일간에는 바닥 밑에 지하실이 있다고 주장해온 나로서는 선뜻 동의하기가 어렵다.

그러나 나의 평가와는 상관없이 이번 회의에는 학계, 관계, 정계, 경제계, 언론계 등에서 전문성과 대표성이 있는 인물들이 많이 참석했기에 양국의 입장을 파악하는 데는 전혀 지장이 없었다. 나는 28일의 비공개회의에는 참석하지 않았고, 29일의 비공개회의(바람직한 한일관계를 위한 과제)와 공개회의(왜 한일관계가 이토록 악화되었나, 북핵문제 해결과 한일 양국의 대응방안)에는 참석했다(29일 공개 회의는 모두 일본의 온라인으로 중계했다).

이번 회의에서는 대체로 다음과 같은 사안이 중점적으로 논의됐다고 정리할 수 있을 것 같다. 일부는 의견 접근을 이뤘고, 일부는 여전히 평행선이었다. 몇 가지 새로운 의문도 제기됐다(내 의견에 이의가 있을 수도 있겠으나, 패널리스트들의 개인 의견을 소개하는 것이 아니라 양국의 주류 의견을 소개함으로써 현안에 대한 이해를 도우려는 목적이 있음을 이해해주면 좋겠다. 그래서 개인의 이름은 언급하지 않는다).

북한 핵과 미사일 능력, 북한의 의도, 대응방안을 둘러싼 이견은 지난 4일 북한의 화성 14호 발사 때보다는 급격히 줄어들었다. 당시 한국에서는 ICBM급으로 보기는 어렵다는 의견도 제법 있었다(이는 ICBM급이 아니었으면 하는 '희망적 사고'가 작동했다고 본다).

북한 핵과 미사일 개발 능력은 거의 최종 단계에 와 있고, 북한이 핵 개발을 중단할 가능성은 매우 희박하며, 한국과 일본에 현실적인 위협이 됐는데도 이를 저지할 마땅한 수단이 없다는 데 대체로 의견이 일치했다. 불행 중 다행이라고나 할까, 미국이 진짜로 북핵 문제를 해결하겠다는 의지를 보이고 있는 것은 긍정적으로 평가했다. 미국만이 북핵 문제를 해결할 수 있으며, 북한이 원하는 궁극적인 협상 대상도 미국이라는 확인도 있었다.

미국 본토까지 북한 핵과 미사일의 사정권에 들어갔다는 추정 때문에 '디커플링(decoupling·탈동조화)'의 우려도 나왔다. 미국이 자국의 이익을 희생하면서까지 한국과 일본을 보호하겠느냐는 의문이다. 1980년대 초 러시아가 SS20 중거리 핵미사일을 유럽을 향해 배치하자 미국 본토와 유럽의 안보는 연계돼 있다는 믿음이 흔들리기 시작하면서 이때도 디커플링 논쟁이 일었다. 결국 퍼싱Ⅱ와 크루즈 미사일을 독일에 배치함으로 위기를 넘겼다. 미국의 전술핵을 한

**디커플링**

원래는 경제 용어로 국가와 국가, 또는 한 국가와 세계의 경기가 같은 흐름을 보일 때를 커플링(coupling·동조화)이라 하고, 그 반대를 디커플링(decoupling·탈동조화)이라고 한다. 그런데 요즘에는 동맹국 간의 갈등이나 균열, 결속 이완 등을 의미할 때도 많이 쓰고 있다. 예를 들어 "북한 문제를 놓고 한미간에 디커플링 현상이 나타나고 있다"는 식이다.

국이나 일본의 육상에 배치하는 것은 분위기상 불가능하므로 전술핵을 탑재한 미국의 잠수함을 한국과 일본 주변에 상시 배치하는 방안을 고려할 필요가 있다는 의견은 유럽의 위기에서 얻은 교훈이다.

결국은 미국의 '강력한 억지력(Maximum Deterrence)'이 필요하다는 말인데, 평화시절에는 말로만 주고받았던 '억지력'이 실제로 작동을 해야 하며, 그를 위해서는 한미간에 ABC가 필요하다는 점에서 안보환경이 크게 바뀌었음을 실감한다. A는 한미동맹의 필요성에 대한 확고한 Agreement(합의)이고, B는 유사시 Behavior(행동)에 옮기겠다는 약속이며, C는 그 약속을 신뢰하게 만드는 Certificate(보증)이다.

우리보다는 미국과의 공조가 원활한 일본 측은 그래서, 이런 의문을 제기한다. 문재인 정권은 북한에 대한 제재보다는 대화를 더 원하는 것이 아닌가. 출범 당시 문재인 정권에 대해 '친북반일'이라는 말을 쓰던 것에 비하면 균형감각을 찾아가고 있으나 의심의 눈초리를 완전히 거둔 것은 아니다.

한국 측은 문재인 정부도 북한에 대한 제재와 압력의 필요성을 분명하게 인정하고 있으며, 다만 대화도 여러 옵션 중의 하나라고 설명했다. 동시에 북한은 일본에게는 단지 '가상의 적'일지 모르지만, 분단국가 한국에게는 통일의 대상이기도 하다는 점을 강조했다(사실 일본의 기자들도 한반도 통일을 생각해 본적은 있지만, 그 과정에서 고민할 수밖에 없는 한국의 입장에 대해서는 생각해본 적이 없다고 말한다).

북핵과 미사일 문제와 관련해 나는 두 가지 위화감을 느낀다.

하나는 박근혜 정부 시절의 일로 북한이 핵과 미사일 실험을 할 때마다 한번도 심각성과 위험성을 인정하지 않고, 일관되게 그 능력을 깎아내리거나 의문을 제기함으로써 국민들의 안보의식을 무디게 만들었다는 점이다. 그러다가 어느 날 갑자기 사드를 배치하겠다고 하니, 반발이 거세진 점도 있다. 이는 국가의 직무유기다.

또 하나는 요즘의 일로 북핵과 대통령의 관계를 정책 대결의 관점에서 보려는 것이다. 일례로 북한의 이번 미사일 발사로 문재인 대통령의 베를린 구상에 제동이 걸렸다고 보는 시각은 안이하다. 대통령의 베를린 구상보다 더 중요한 것은 국가의 안위와 국민의 생명이다. 박근혜 대통령이 임기 초에 발표한 한반도 신뢰 프로세스, 동북아 평화구상, 유라시아 이니셔티브가 지금 어떻게 되었는지를 보면 그 점은 분명해진다.

북핵 문제는 관련 정보를 신속 정확하게 국민에게 공개하고, 이해와 지지를 얻어, 현실적인 정책수단을 선택하고 배치하는 수밖에 없다. 여기에 대통령의 기분이나 체면이 들어갈 자리는 없다.

양국의 핵무장에 대한 한국인의 태도에 대한 질문도 있었다. 두 기관의 여론조사에 따르면 일본의 핵무장에 대해 한국인의 75.8%, 일본인의 74.7%가 반대했다. 한국의 핵무장에 대해서

**베를린 구상**

문재인 대통령이 2017년 7월 6일 독일 쾨르버재단의 초청으로 베를린을 방문해 옛 시청인 알테스 슈타트하우스(Altes Stadthaus)에서 밝힌 한반도 평화 구상을 말한다. 문 대통령은 연설에서 북한 붕괴나 흡수 통일을 바라지 않고, 북한 체제를 보장하는 한반도 비핵화를 추구하겠으며, 항구적인 평화 체제를 구축하고, 한반도에 새로운 경제 지도를 그리겠으며, 비정치적 교류협력 사업은 정치·군사적 상황과 분리해 일관성을 갖고 추진해 나가겠다고 밝혔다. 김대중 대통령도 2000년 3월 9일 베를린 자유대학에서 한반도 평화 정착을 위한 '베를린 선언'을 발표했다.

는 한국인은 67.2%가 찬성했고, 일본인은 78.8%가 반대했다. 일본 측의 의문은 이런 것이다. 한국은 왜 자기나라 핵무장은 찬성하면서 일본의 핵무장은 반대하는가.

한국 측은 이렇게 대답했다. 한국은 6 · 25전쟁을 비롯해 오랫동안 북한의 상시적인 도발에 노출돼 왔는데 반해, 일본은 세계에서 유일한 피폭 국가로서 핵에 대한 심리적 저항이 크기 때문이 아니겠느냐고. 나는 이유가 하나 더 있다고 본다. 일본 제국주의의 식민 지배를 경험한 한국으로서는 일본의 핵무장을 군사적 팽창주의의 부정적 상징으로 받아들이고 심리적으로 경계할 수밖에 없다.

북한 핵 문제가 급박해지면서 한일 군사정보보호협정(GSOMIA)에 대한 한국 내의 부정적 인식이 누그러진 것도 변화라면 변화다. 1년마다 연장여부를 결정하도록 되어 있는 이 협정은 작년 11월 체결했으니 곧 1년이 돌아온다. 올해는 연장을 하고 내년에 어떻게 할지를 논의할 것으로 보인다. 나는 협정이 체결되기 전인 지난해 8월 '한일 정보보호협정, 피할 이유 없다'는 칼럼을 통해 분명하게 GSOMIA의 체결을 지지했다. 지금도 이 협정을 폐기해야 한다고 주장하는 이가 있다. 일본만 득을 보고, 일본에 독도 정보까지 넘어가며, 미일의 군사주도권에 종속된다는 둥 이런 저런 이유를 대지만 모두가 사실이 아니다. 일본과 관련된 것이라면 근거 없이 비판해도 문제가 안 된다는 생각을 버리고, 국익과 정서가 부딪히면 국익을 택할 때도 됐다.

얼마 전까지만 해도 한일 지식인이 만나면 싸웠던 '한국의 중국 경사론(傾斜論)'이 쏙 들어간 것도 변화다. 사드 배치를 둘러싸고 한중 갈등이 1년 이상 계속되고 있기 때문일 것이다. 중국의 대북 역할론에 대한 논의가 상대적으로 적었던 것도 중국에 대한 실망 때문으로 풀이된다.

위안부 합의에 대한 논의는 적었지만, 폭발력이 사라진 것은 전혀 아니다. 북핵문제를 둘러싼 한일간의 거리는 좁혀지고 있는데 반해, 위안부 문제는 점점 벌어지고 있기 때문이다. 문재인 정부가 파기나 재협상이라는 말을 쓰지 않고 있는 것은 긍정적이지만, 합의까지의 과정과 화해치유재단의 운영실태를 검증하겠다는 것은 부정적으로 작용하고 있다.

여론 조사에 따르면 2015년 12월 28일 양국 정부의 위안부 합의에 대해 한국인은 55.5%가 부정적으로 평가하고(긍정 평가 21.3%), 일본인은 41.8%가 긍정적으로 평가했다(부정 평가 25.4%). 또한 한국인의 75.0%, 일본인의 53.8%는 양국 합의에도 불구하고 '위안부 문제는 해결되지 않았다'고 응답했다.

더 큰 문제는 다른 데 있다. 합의에 대한 한국인의 불만에 대해 일본인의 49.3%가 '이해할 수 없다. 합의를 이행해야 한다', 22.6%가 '왜 불만이 있는지 모르겠다'고 응답했다. 즉 71.9%가 한국과 한국인에게 불만을 가지고 있는 것이다. 그래서인지 일본 측에서는 여러 사람이 위안부 문제를 위안부 문제만으로 보면 안 되고, 한국과 한국인에 대한 전반적인 불신으로까지 번지고 있음에 주목해달라고 했다. 여론조사에 따르면, 일본에 대한 한국인의 긍정적 인상은 늘어나고 있으나, 한국에 대한 일본인의 긍정적 인상은 줄어들고 역으로 부정적 인상이 늘고 있다.

**중국경사론**

중국과 일본의 위상이 뒤바뀌면서 나오기 시작한 말이 한국의 중국경사론이다. 주로 일본이 주장한다. 일본의 이 주장 속엔 일본과 자유민주주의와 시장경제, 법치와 인권을 공유하는 한국이 어떻게 공산국가인 중국 쪽으로 기우느냐는 실망과 경계심이 들어 있다. 그 정점은 박근혜 대통령이 2015년 9월 3일 베이징 천안문 광장에서 열린 '중국 인민의 항일전쟁 승리 및 세계 반(反)파시스트 전쟁 승리 70주년' 기념식과 사상 최대 규모의 열병식에 참석한 것이다. 일본은 '충격'이라고 했다. 박 대통령은 당시 위안부 문제 해결을 요구하며 취임 2년 반이 지나도록 아베 총리와 정상회담을 하지 않고 있었다. 중국경사론은 2016년 한국의 사드 배치와 이에 대한 중국 측의 반발로 한중 갈등이 장기화하면서 일단 수그러들었다.

한국 측에서는 "합의를 한다면 당사자인 위안부 할머니들과 일본 정부가 합의를 하고 위안부 할머니들에게 사과를 해야 하는데, 그렇지 않았기 때문에 합의를 인정할 수 없다"는 주장을 하기도 했다.

위안부 문제와 관련해 나는 문재인 정부에게 몇 가지 '불편한 진실'을 말하고 싶다.

첫째, 문재인 정부는 역사 문제와 외교 안보 등의 문제를 분리하는 투 트랙 방침을 천명했는데, 상대방인 일본은 다른 생각을 하고 있다는 것이다. 문 정부의 전략은 동시적 적극적 투 트랙이다. 그러나 일본은 위안부 문제를 어떻게 처리하는지를 보고 나서 태도를 결정하겠다는 것이다. 순차적 소극적 투 트랙이다.

둘째, 앞서 여론 조사에도 반영됐듯이 일본에서는 한국의 재협상 요구 등을 수용해서는 안 된다는 분위기가 매우 강하다. 2012년 8월 10일 이명박 대통령의 독도 방문으로 혐한 분위기가 생긴 이래 위안부 논쟁을 거치면서 혐한 반한 분위기가 확산됐다. 위안부 문제는 이제 아베 신조 총리도 다시 손대기가 어렵게 됐다는 점에서 일본에서도 점차 '성역'이 돼가고 있다.

셋째, 북핵 문제가 심각하다고 해서 위안부 문제를 그 종속변수로 다뤄서는 안 된다는 것이다. 그런 미봉책은 오래가지 못한다. 문재인 정부가 원하는 요구수준이 나오고, 그것이 국민의 눈높이보다 낮아서 국민을 설득해야 하는 것이 아니라면, 일본이 응하던 응하지 않던 계속해서 요구하는 수밖에 없다. 한국인은 차라리 합의를 안 하는 것이 낫지, 만족하지 않은 합의를 지지할 뜻이 없다.

이런 말을 하면 일본이 무서워서 할 말도 하지 말라는 말이냐고 반박한다. 아니다. 뭐든지 다 할 수 있다. 다만, 내가 얘기하고 싶은 것은 세 가지다. 일본의 사정을 알아야 나중에 일본이 보이는 반응에 대응할 수 있고, 양 국민을 100% 만족시키는 해결방안은 없으며, 한국이 한일관계와 국제사회에서 일체의 손해를 보지 않고 모든 것을 얻을 수는 없다는 것이다.

언론과 정치에 대한 책임 문제도 제기됐다.

언론이 한일 관계를 악화시킨다는 주장을 자주 듣게 된 것은 박근혜 정부 출범 이후다. 그 전에는 없었다. 박 대통령이 위안부 문제와 한일정상회담을 연계시키는 바람에 한일관계가 최악의 관계로 빠지면서 생긴 현상이다.

그렇다고 언론의 책임이 전혀 없다는 건 아니다.

첫째, 언론은 모든 성역을 깨뜨리며 성장해 왔으면서도 유일하게 한일관계만 '성역'으로 남겨두고 있다. '친일'이라는 말을 듣지 않기 위해 자기검열을 한다. 그러다 보니 사실관계보다 국민정서를 앞세우고 그런 기사에 만족하는 경우가 많다. 이제는 그런 관행과 자기만족에서 졸업해야 한다. 일본관련 기사도 사실과 의견을 분리해야 한다.

둘째, 집단 지성을 활용해야 한다. 전문성이 없는 편집국장이나 보도국장, 일부 간부 등이 혼자서 일본 관련 기사의 방향과 수위를 결정하는 것은 위험하고 불합리하다. 일본 전문가 풀을 만들어 확신이 서지 않거나 미묘한 기사를 다룰 때는 의견을 구하고, 그들의 글도 정기적으로 게재함으로써 균형을 잡아야 한다.

셋째, 펜과 마이크의 방향을 상대국이 아니라 자국으로 돌릴 때가 왔다. 지난 70년간 상대국을 비난, 비판하는 기사를 주로 써 왔으나 이런 보도 방법이 양국 관계 개선에 별 도움을 주지 못했다는 것은 작금의 상황이 증명하고 있다. 앞으로 언론은 상대국의 주장이나 양국 협력의 이점 등을 전하는 내용도 보도함으로써 증오와 불신의 예각을 누그러뜨려야 한다. 상대국을 특별대우하라는 것이 아니다. 그게 원래 맞는 보도태도다.

이번 토론회에서 양국 관계 개선에 정치가 매우 중요하다는 지적이 많이 나왔다. 정파적 이득을 위해 한일 관계를 악용해서는 안 된다는 충고도 있었다. 참석한 정치인들은 대체로 동의했다.

아시아에서 자유민주주의와 시장경제, 법치와 인권을 공유하는 나라는 한국과 일본밖에 없다. 이번 회의에서는 두 나라가 과연 서로를 필요로 하는지에 대한 근본적인 질문부터 던져볼 필요가 있다는 말이 나왔다. 그 질문에 대한 답은 둘이 손을 잡을 경우 양국 모두 상당한 이익을 얻을 것이라고 했다. 동시에 두 나라는 차이점도 많은 엄연히 다른 나라라는 점을 깨달아야 상대국에 대한 이해가 높아진다는 말도 나왔다.

양국의 정치적 리더가 수동적으로 국민의 의견을 수렴해 행동하는 데 그치지 말고 국익을 위해서라면 욕을 먹더라도 국민을 설득하는 적극적인 리더십을 발휘해야 한다는 의견도 적지 않았다.

물론 이번 토론회에서는 청소년과 대학생, 시민단체, 미디어 등 민간 교류, 경제계를 중심으로 한 국제사회에서의 협력, 공통 과제에 대한 노하우 교환, 상대국을 대상으로 한 공공외교 강화 등 정공법적인 요구사항도 많았다는 점을 부기해 둔다.

투 트랙. 역사 문제의 대표격인 위안부 문제와 외교 안보 문제의 대표격인 북핵 문제를 놓고 한국과 일본은 어떤 선택과 양보, 어떤 제휴와 요구를 할 것인가. 북핵과 미사일에 떠밀려 그동안 반목하던 한국과 일본은 일단은 같은 방으로 들어섰다. 그러나 일본은 더블 베드를 원하고 한국은 트윈 베드를 선호한다. 그 결과가 궁금하다.

다음은 필자가 2018년 6월 제6회 한일미래대화에 참석하고 쓴 글이다.

## 한일, 등을 대고 대화를 나누고 있다

최근 한일 관계를 어떻게 표현하는 것이 좋을까. 북핵 폐기를 둘러싸고 남북, 북미, 북중 정상회담이 동시다발적으로 열리면서 한국과 일본이라는 양자 관계에 눈이 덜 가는 게 사실이다. 양국의 최대 관심사였던 일본군위안부 문제도 물밑으로 들어간 듯하다(그러나 착시일 뿐이다).

한국에서는 북핵 폐기 과정에서 일본만 뒤처지고 있다고 보면서, 이는 압박만을 주장해온 일본의 자승자박이라고 보는 경향이 있다. 반면, 일본은 현재의 변화를 활용하려는 쪽으로 방향 선회를 하면서도, 한국이 너무 낙관적인 것 같다고 걱정이다. 그러니 마주 앉지 않고 등을 대고 대화를 하는 느낌이다.

대화의 내용은 어떤가. 지향하는 목표나 전망이 다르다. 그런 사실을 확인하고 대안을 고민하는 자리가 있었다. 한국의 동아시아연구원(EAI · 원장 손열)과 일본의 겐론NPO(대표 구도 야스시)가 (2018년 6월) 22, 23일 한국고등교육재단(사무총장 박인국) 컨퍼런스 홀에서 개최한 제6회 한일미래대화였다. 한일미래대화는 두 기관이 해마다 양국 국민을 대상으로 상대 국민에 대한 인식조사를 하고, 그 결과를 바탕으로 양국의 전문가들이 모여 토론하는 정기 모임이다. 올해는 한일 국민 상호인식조사 결과로 본 외교정책에 대한 국민여론, 북미정상회담에 대한 평가(이상 22일, 공개), 한일관계의 신뢰구축, 한반도의 미래와 한일협력, 자유질서와 민주주의 수호를 위한 한일협력(이상 23일, 비공개) 등 5개 세션이었다. 최근 현안을 거의 망라했다고 볼 수 있다.

나는 공개와 비공개 회의 모두 참여할 기회를 가졌다. 그렇다고 그곳에서 나온 발언들을 일일이 다 소개할 수는 없어 북핵 폐기와 관련된 발언들을 13개의 카테고리로 나누어 정리해봤다. 그랬더니 한국과 일본의 생각에는 역시 차이가 존재했다(물론 양국에서 주류와 다른 의견이 나오기도 했으나 대체로 주류의 입장을 전달한다. 주류의 의견이 모두 옳다는 의미는 아니다).

13개의 카테고리는 ①북한을 보는 눈 ②한국의 역할 ③미국의 역할 ④중국의 역할 ⑤일본의 역할 ⑥남북정상회담 ⑦북중정상회담 ⑧미북정상회담 ⑨한미동맹과 주한미군 ⑩기존 대북 제재 완화 여부 ⑪프로세스 추진 방법 ⑫포괄적인 미래 전망 ⑬한일협력의 가능성이었다.

이들 카테고리 중에서도 한국과 일본의 시각차가 더욱 두드러지는 것은 ①북한을 보는 눈 ④중국의 역할 ⑤일본의 역할 ⑨한미동맹과 주한미군 ⑩기존 대북 제재 완화 여부 ⑪프로세스 추진방법 ⑫포괄적인 미래 전망이었다. 비록 도식적이긴 하나 이들 순서에 따라 한국의 입장을 보면 북한은 통일과 평화 공존의 대상으로서 이번에는 진정성을 보여주고 있고, 중국은 더욱 적극적인 역할을 해야 하며, 일본의 역할은 필요하긴 하나 제한적이고, 한미동맹과 주한미군의 존재는 어떤 식으로든 영향을 받을 것이며, 기존의 대북 제재는 완화할 필요가 있고, 북한의 입장도 고려해 가며 로드맵을 만들어야 하며, 이번 프로세스는 성공할 가능성이 높다고 생각한다. 이에 비해 일본은 불량국가 북한의 진정성을 믿기 어렵고, 중국은 북핵 폐기보다는 자국의 영향력 확대에 더 관심이 크며, 일본도 더 적극적인 역할을 해야 하고, 한미동맹이 흔들리는 것은 일본 안보에 치명적이기 때문에 대단히 우려스러우며, 기존 대북 제재는 계속 유지할 필요가 있고, 빠르고 강하고 철저한 로드맵이 필요하며, 북핵 폐기가 성공할 것이라고 확신하지 못한다는 입장이다. 일본으로서는 한반도 비핵화와 평화 프로세스가 동시에 진전되고, 그것을 다름 아닌 미국이 주도하고 있는 것이 당황스럽다. 한국과 일본의 관계가 회복되는 것 같으면서도 뭔가 삐걱대는 느낌을 주는 것은 이처럼 의견이 일치되는 부분과 그렇지 않은 부분이 동시에 노출되고 있기 때문이다.

그러나 한일 관계를 양자 관계가 아니라, 북핵 프로세스 전체에서 조망하면 다른 그림이 보인다. 나는 북핵 폐기 프로세스를 진행하는 과정에서 한국과 일본은 적어도 4가지 패러독스에 빠졌다고 생각한다.

첫째, 말로써 북한 비핵화의 당위성을 얘기할 때는 의견이 일치했으나 실제로 비핵화 행동에 들어가자 이견을 노출하는 패러독스다. 앞서 언급했듯 여러 대목에서 의견이 맞지 않기 때문이다. 말과 행동을 일치시키는 것은 앞으로도 쉽지 않은 과제다.

둘째, 북핵을 폐기하라고 강력하게 압박을 받고 있는 북한이 오히려 한국이나 일본보다는 선택의 폭이 넓다는, 주객전도의 패러독스다. 요즘 북한의 태도를 보면 G2.5의 시대가 온 것 같다. 나는 강대국을 '다른 나라 눈치 보지 않고 외교노선을 바꿀 수 있는 나라'라고 정의하는데, 요즘 북한이 그런 것 같다. 그러니 G0.5는 북한이다. 게다가 북한은 한국, 중국, 미국 지도자를 만나고 싶으면 언제든 만날 수 있는 입장을 확보했다. 종합적으로 보면 미국이 갑, 북한이 을, 중국이 병, 한국은 정, 일본은 무에 해당된다고나 할까. 시간도 북한과 중국이 더 유리하다. 미국은 2년, 한국은 4년 안에 핵폐기의 로드맵이 시행되길 원한다. 2년은 트럼프의 남은 임기, 4년은 문재인 대통령의 남은 임기다. 그런데 중국 시진핑은 20년, 북한 김정은은 40년 걸려도 괜찮다고 생각할지도 모른다. 그러니 협상에서 누가 유리할지는 자명하다.

셋째, 자국의 안전을 위해 북핵 폐기를 추진하는 과정에서 오히려 자국의 안보가 위태로워지는 패러독스다. 대화의 분위기를 만들기 위해서는 북한의 요구를 들어줄 필요가 있다며 트럼프 미국 대통령은 한미연합훈련을 중지시키고, 공공연하게 주한미군을 철수시키고 싶다는 말도 한다. 이런 분위기에서는 한일군사정보보호협정(GSOMIA)도 영향을 받을 수 있다. 더 중요한 포인트는 지금까지는 금기사항이었던 문제들이 아주 가볍게 논의되고, 아주 빨리 결정된다는

**아시안 패러독스**

필자는 기사에서 한일간에 4가지 패러독스가 작동하고 있다고 지적했으나 아시아 전체에도 패러독스가 있다. 이를 아시안 패러독스(Asian Paradox)라고 한다. 아시아 각국의 경제 협력 관계는 점점 더 밀접해지는데, 정치와 안보 차원의 갈등은 점점 더 심해지는 현상을 말한다. 한국에는 아시안 패러독스에 더해 남북관계가 밀접해지면 한미관계와 한일관계가 흔들리고 남남갈등까지 심해지는 남북 패러독스가 있다.

사실이다. 주한미군의 역할이나 규모에 변화가 있을 경우 한국은 물론이고, 일본, 더 나아가 동아시아 전반의 안보 환경에도 급격한 변화가 불가피하다. 변화는 대응을 요구하고, 그 대응은 또 다른 변화를 몰고 올 것이다. 양국 모두 자국의 방위력 증강문제를 고민하게 될 가능성이 높다.

넷째, 의사결정 과정에서는 상대적으로 역할이 적은데도, 현상변경이 이뤄지거나 현상변경을 담보하는 데 드는 비용은 한국과 일본이 부담해야 한다는 패러독스다. 이것도 트럼프 대통령이 공언하고 있다. 한국은 그럴 의사를 갖고 있고, 일본도 북한과 수교를 하게 되면 한일국교정상화의 전례에 따라 경제원조를 하게 될 것이다. 그렇다고 해서 그것이 미국이 모든 비용을 한국과 일본에 떠넘길 이유는 되지 못한다.

이들 패러독스가 주는 메시지는 분명하다. 한국과 일본은 양자 관계에 매몰돼 서로 반목을 하기보다는 손을 잡고 공동대응을 하는 것이 자국의 이익에 부합한다는 것이다. 우선 이번이 북핵을 폐기할 수 있는 절호의 찬스라는 점은 모두 인정할 필요가 있다. 이는 실패할 것이기 때문에 협조하지 않겠다가 아니라, 성공을 시키기 위해 적극 협조해야 한다는 것을 의미한다. 자국의 이익을 보호하기 위해서는 북한을 압박하고, 미국을 설득하고, 중국을 견제해야만 한다. 그럴 때 양국은 서로에게 필요하다. 한국은 거의 없는 과속방지턱을 더 만들어야 하고, 일본은 너무 많은 과속방지턱을 솎아내야 한다. 그럼에도 불구하고 한일은 정말로 협력이 가능할까.

한일미래대화의 마지막 세션, '자유질서와 민주주의 수호를 위한 한일협력'은 바로 그런 의문에 답을 하기 위한 것이다. 즉, 한국과 일본은 국익에 부합하기 때문에 협력을 해야 하지만, 그 전에 가치를 공유하기 때문에 협력을 해야 한다는 주장이다. 한일이 공유하는 가치란, 자유민주주의와 시장경제, 법치와 인권이다. 미국과의 동맹도 있다. 아시아에서 이 모든 가치를 공유하고 있는 유이(唯二)한 나라가 한국과 일본이다. 이런 논리에 서면 한일간의 협력 필요성이 좀 더 뚜렷해지는 것이 사실이다. 그럼에도 불구하고 부정적인 국민 정서가 협력을 가로막고 있는 것도 사실이고, 그래서 한일간의 협력에 가능성에 대해 비관적인 전문가도 있다.

그밖에도 언급할 만한 테마가 몇 개 있었다.

6자회담의 부활 문제. 일본으로서는 현재 남북미중 중심으로 돌아가는 북한 비핵화 프로세스에 참여하기 위해 유명무실해진 6자회담의 부활을 기다린다. 다만, 6자회담 같은 바텀-업 방식이 효과가 없었기 때문에 최근의 톱-다운 방식이 먹히는 것이라는 의견도 많아 부활 여부는 불투명하다. 중국 입장에서도 6자회담은 북한에 대한 이중의 영향력을 유지하는 통로로써 나쁠 것은 없다.

북한의 일본인 납치 문제. 일본의 최대 현안이기 때문에 아베 신조 총리는 문재인 대통령과 트럼프 대통령에게 김정은 위원장을 만날 때 이 문제를 꼭 거론해달라고 부탁했고, 두 정상은 실제로 그렇게 했다. 그러나 전문가들은 일본인 납치 문제가 일본 국내 정치에서 매우 중요한 것은 사실이지만, 간접 대화를 통해서 해결할 수 있는 문제는 아니라고 본다. 즉 북일 정상회담을 통해 국교정상화와 경제 지원 문제와 함께 포괄적으로 해결해야 한다는 지적이다. 아베 총리도 결국 포괄적 해결 방식으로 선회할 수밖에 없을 것이라는 의견도 있었다.

김대중-오부치 21세기 새로운 파트너십 공동선언 20주년. 최근 들어 문재인 대통령과 아베 총리가 이 선언을 언급하며 양국 간의 교류확대를 호소한 일도 있었고, 양국의 각료나 대사들도 자주 이 선언을 입에 올리고 있다. 이를 주제로 한 토론회와 세미나 등도 많이 열렸다. 나는 이런 움직임에 대해 두 가지 의견을 갖고 있다. 하나는 양국 관계가 영 회복이 안 되다 보니 예전의 좋았던 시절을 상징하는 선언을 불러내 표피적으로 이용하고 있는 듯한 인상이다. 또 하나는 선언을 인용하거나 기념하는 것이 중요한 것이 아니라 선언을 실천하는 게 중요하다는 것이다. 이 선언에는 구체적인 실천계획이 많이 들어 있으니, 구태여 새로운 사업을 고민하지 말라는 뜻이다.

한일간의 협력과 신뢰를 유지하기 위해 가장 유효한 방안으로 많이 거론된 것이 전 지구적 문제에 양국이 공동으로 대응하라는 것이었다. 두 나라가 갖고 있는 역량을 살려 손을 잡으면 경제나 안보면에서도 시너지 효과를 낼 수 있을 것이라는 충고였다. 그러다 보면 등을 돌려 마주보게 될 것이라는 얘기였다. 마주 앉게 되면 그런 시너지 효과를 낼 수 있을 것이다. 그러나 그러기 위해서는 양국의 신뢰와 의지, 그리고 리더십이 필요한 데 그것은 어떻게 할 것인가. 신뢰를 쌓아야 행동에 들어갈 수 있느냐, 행동을 하면 신뢰가 쌓이느냐는 어려운 문제에 다시 봉착하게 된다.

그래도 이번 한일미래대화는 지난해보다는 건설적이었다고 생각한다. 지난해는 위안부 문제와 북핵 문제에 대한 양국의 입장차가 분명했고, 접근의 실마리도 찾기 힘들었다. 주제도 '표류하는 한일관계와 북핵문제'였다. 그런데 올해도 완벽한 해결책을 얻은 것은 아니지만, 역사 문제에 대한 논의는 줄어들었고, 북핵 폐기와 관련해 양국의 차이점을 확인하면서도 행동에 나서야 한다는 필요성에는 공감했다. 그 공감을 한일 양국이 스스로 얻은 게 아니라, 밖의 상황이 강요한 것이라는 게 조금 울적하긴 하지만.

**전(全) 지구적 문제**

한일 갈등을 해결하는 방안을 논의할 때, 한국과 일본이 손을 잡고 전(全) 지구적 문제를 해결하는 데 노력하면 좋겠다는 제안이 적지 않다. 그러나 코로나19 사태는 그런 주장이 공허하다는 것을 보여줬다. 코로나19 사태는 전형적인 전 지구적 문제다. 한국과 일본은 의료 수준이 높고, 방역에도 성공한 국가군에 들어간다. 그렇지만 코로나19를 매개로 한 양국 협력은 없었다. 과거사 갈등 때문이다. 한일간에 투 트랙을 적용하기가 매우 힘들다는 것을 보여준다.

# 8. 국방대 안전보장문제연구소

국방대학교(Korea National Defence University) 안보문제연구소는 국방대학교 부설기관이다. 국방대는 군 고급장교와 고위관료를 대상으로 국가안보에 관한 군사와 비군사 분야를 통합교육하는 군의 특수목적 최고전문교육기관이다. 국방대학교는 1955년 국방대학으로 문을 연 이래 국방연구원(1957년), 국방대학원(1961년)을 거쳐 2000년 국방대학교로 도약했다.

국방대 안보문제연구소(Research Institute for National Security Affairs · RINSA)는 1972년 국내 최초의 안보 관련 연구기관으로 문을 연 이래 국가 차원의 중장기 안보 및 국방정책 연구를 선도하겠다는 비전을 갖고 있다.

안보문제연구소는 소장 밑에 연구기획실과 안보전략연구센터, 군사전략연구센터, 국방관리연구센터, 군사과학연구센터, 북한문제연구센터, 동북아연구센터, 국방정책연구센터, 예비전력연구센터 등 8개의 연구센터를 두고 있다. 일본 관련 연구는 주로 동북아연구센터에서 수행하고 있다.

안보문제연구소에서 나온 일본 관련 연구는 다음과 같다.

### 안보리뷰 & 안보현안분석

☑ 북한의 4.5 미사일 발사와 일본의 대응(김준섭, 2009년 4월 15일)

☑ 2009년 일본 중의원 선거와 안보정책(권태환, 2009년 8월 15일)

☑ 일본의 지진해일사태와 국가안보의 과제(박영준, 2011년 4월)

☑ 일본 노다 정권의 등장과 한 · 일관계 전망(진창수, 2011년 9월 30일)

☑ 일본 "재무장" 논란과 그 배경: 미래에 대한 불안과 평화창조국가의 논리(송화섭, 2012년 7월 31일)

☑ 중국과 일본의 영유권 분쟁과 동아시아 해양안보질서의 과제(박영준, 2012년 9월 30일)

☑ 일본 자민당 정부의 재출범과 향후 한일관계 방향(박영준, 2012년 12월 30일)

☑ 일본 '아베노믹스'의 추이와 향후 일본경제 전망(권오성, 2013년 6월 30일)

☑ 2013년판 방위백서에 나타난 일본의 안보인식과 정책(조성렬, 2013년 7월 30일)

☑ 일본의 방위력 강화: '국가안보전략'과 '신방위계획대강' 채택(조양현, 2014년 1월 30일)

☑ 일본 헌법 개정의 내용과 의의(최희식, 2015년 3월 30일)

**아베노믹스**

20년이나 계속된 일본의 디플레이션과 엔고(円高) 탈출을 위해 모든 정책 수단을 총동원하겠다는 아베 전 총리의 경제정책을 말한다. 구체적으로는 대담한 통화정책, 기동적 재정정책, 거시적 구조개혁을 내걸었다. 이를 3개의 화살이라고 부른다. 아베노믹스는 현재진행형이다. 성과가 크다고 하는 긍정적인 평가가 있는가 하면, 실제로는 실패한 정책이라고 혹평하는 그룹도 있다.

☑ 한 · 일관계의 다양성: '안보법안'과 '3.11 동일본대지진'(송완범, 2015년 7월 30일)
☑ 일본 안보법안 통과와 한국의 전략적 선택(유나영, 2015년 8월 30일)
☑ 미국 트럼프 행정부 출범과 미일관계: 일본의 관점(박영준, 2017년 2월 28일)
☑ 아베 총리의 총재선거 당선과 향후 일본의 외교(이면우, 2018년 9월 30일)
☑ 한일 군사적 갈등, 미래지향적 발전의 계기로 삼자(권태환, 2019년 2월)
☑ 미일 정상회담과 한반도 안보(전진호, 2019년 7월)
☑ 한일관계의 쟁점과 해법, 지소미아 연장 이후(양기호, 2019년 12월)
☑ 코로나 사태 속, 아베 정부의 방위정책 논쟁: 육상 이지스 배치계획의 철회와 적기지 공격력의 재론(최운도, 2020년 8월)

### RINSA FORUM

☑ Japan's New Alliance Policy: Tough Choice for Japan and Implications for Korea (Woondo Choi, 2009년 9월 30일)
☑ Maritime Collision between Japan and China and Equations for Korea (Woon-do Choi, 2010년 9월)
☑ The 2011 China-Japan-South Korea Summit Meeting in Tokyo: Meanings and Prospects (Matthias Maass, 2011년 6월)
☑ The Tension over Dokdo/Takeshima between Korea and Japan and Seoul's Policy Options (Tae-Hyung Kim, 2012년 9월)
☑ An Outlook on Japanese Foreign Policy after the Upper House Election (Lee Myong -chan, 2013년 8월)
☑ Japanese Historical Perception and South Korea-Japan Relations (Yangmo Ku, 2014년 8월)
☑ Korea and Japan Seek New Security Cooperation (Lee, Ki Tae, 2016년 10월)
☑ Prospect of Korea-Japan Reltions in 2018 (Yang Hyeon JO, 2018년 2월)
☑ Whither the Korea-Japan Relations?: An Analysis on the Current Situation and Policy Suggestions for South Korea (LIM Eunjung, 2019년 8월)
☑ The Necessity of Overcoming the 'Pride Politics' Prevailing in ROK-Japan Relations (MyonWoo Lee, 2020년 2월 29일)

### 안보시리즈

☑ 일본의 헌법9조 개정논의에 관한 연구: 2016년 참의원선거 이후를 중심으로(김준섭,

2018년 안보시리즈 5권 제1호 중 일부)

☑ 주변국 군사전략 변화와 한국의 안보: 일본의 군사전략 변화와 한국의 대응전략(2020년 3월 보고서 중 일부)

☑ 한국과 일본의 민군관계 비교연구(김병조, 2020년 안보시리즈 6권 제1호 중 일부)

☑ 일본 안보정세분석과 전망(박영준, 2020년 안보시리즈 6권 제6호 중 일부)

### 안보학술논집

☑ 트럼프 행정부하의 미일관계와 동북아정세 전망(이면우, 2017년 제28집)

☑ 일본의 대한반도 안보인식의 변화와 연속성(손기섭 · 조양현, 2018년 29집)

### 연구보고서

☑ 2009년 한반도 전략평가서: 제4장 일본의 대한반도 전략(박영준, 2009년 12월)

☑ 일본의 대동북아 안보정책 전망-미중일관계의 구조적 변화에 대한 일본 국내의 논의를 중심으로(김준섭, 2010 안보연구 시리즈 제11집 2호)

☑ 2012년도 안보정세 전망: 일본의 동북아정책(2011년 12월)

☑ 2011년 한반도 전략평가서: 제4장 일본의 대한반도 전략(박영준, 2011년 12월)

☑ 세계안보정세 종합분석 2011: 일본정세(김준섭, 2011년 12월)

☑ 21세기 새로운 위협과 일본의 대응(박영준, 2012년 1월)

☑ 2012년 한반도 전략평가서: 4장 일본의 군사전략과 군사력 변화(이명찬, 2012년 12월)

☑ 2013년 안보정세 전망: 일본의 동북아정책(2012년 12월)

☑ Japan's National Strategy for Breaking-Away from the Postwar Regime: Trade-off and Transaction between Security and History (Woon-do Choi, Seok-soo Lee, Joon-sub Kim, International Joint Research Project 2016)

☑ 일본의 안보정세 분석(최희식 · 이기태, 안보정세분석 2017-2018)

## 국제학술회의

| 일 시 | 학술회의 이름 | 주제 및 내용 |
|---|---|---|
| 2017.6.22. | 제35차 국제안보학술회의 | 주제 한국 新행정부의 대외 안보협력-방향과 도전요소<br>**제1세션 한미 및 한중안보협력**<br>제1발표 한미안보협력: 미국의 입장<br>제2발표 한미안보협력: 한국의 입장<br>제3발표 한중안보협력: 중국의 입장<br>제4발표 한중안보협력: 한국의 입장<br><br>**2세션 한일 및 한러 안보협력**<br>제1발표 한일안보협력: 일본의 입장<br>제2발표 한일안보협력: 한국의 입장<br>제3발표 한러안보협력: 러시아의 입장<br>제4발표 한러안보협력: 한국의 입장 |
| 2017.11.20 | 제13차 동북아 안보정책 포럼 | 대주제 북한의 핵보유 시 대외 행태 변화와 대응방안<br>**1세션 한국, 미국, 일본의 시각**<br>**2세션 서유럽, 러시아, 중국의 시각**<br>**3세션 호주, 인도, 아세안의 시각** |
| 2018.7.9. | 제36차 국제안보학술회의 | 주제 한반도 평화정착과 주변정세 전망<br>**3세션 한반도 평화정착과 지역안보 동학**<br>-미국의 대한반도 정책 전망<br>-중국의 대한반도 정책 전망<br>-일본의 대한반도 정책 전망 |
| 2018.12.5. | 2018 동북아포럼 | 주제 한반도 군비통제 전망과 과제<br>**4세션 한반도 군비통제와 주변국의 입장**<br>-한반도 군비통제에 따른 일본의 동북아 정책 변화<br>-한반도 군비통제에 따른 중국의 동북아 정책 변화 |
| 2019.10.28. | 제37차 국제안보학술회의 | 주제 미중수교 40주년, 국제안보상황 평가와 한국의 전략<br>**2세션 미중관계 변화에 대한 주변국의 전략**<br>-미중관계 변화에 인도의 전략<br>-미중관계 변화에 호주의 전략<br>-미중관계 변화에 일본의 전략<br>-미중관계 변화에 이란의 전략 |

## 국내 안보학술회의

☑ 2004년 5월 11일, 미 · 일의 대북정책 동향과 한 · 미 · 일 정책공조(김경민)

☑ 2008년 3월 12일, 새 정부의 외교정책 추진방향: 글로벌 코리아 실용 외교(윤덕민), 새 정부의 지역협력 외교과제(배긍찬)

☑ 2017년 10월 20일, 한반도 안보구조 변화와 한미동맹: 진단과 대응, 제2세션 한미동맹

에 대한 주변국 시각

☑ 2018년 10월 19일, 한반도 안보환경 변화와 新 국방전략: 1세션 안보환경 변화와 위협 재평가

**방문학자 · 저명인사 초청세미나**

☑ 일본과 호주의 안보협력관계(이시하라 유스케 일본 방위연구소 연구원, 2011년 3월 23일)

☑ 트럼프의 동북아 '새판짜기'와 아태지역 핵안보 전망(임은정 미국 존스홉킨스대 SAIS 교수, 2017년 1월 12일)

☑ 지역안보 위협과 한미일 삼각협력(Roy Kamphausen NBR 부소장, 2017년 3월 15일)

☑ 아시아에서 중·일 대립에 대한 인도의 역할 및 딜레마(Sandip Kumar Mishra, Jawaharlal Nehru University, 2017년 6월 27일)

☑ 한일관계 평가와 발전 방향(임은정 일본 리쓰메이칸대 교수, 2019년 5월 17)

☑ 한일관계 쟁점과 해법(양기호 성공회대 교수, 2019년 11월 26일)

국방대 안보문제연구소는 국방대 내에 있다. 국방대 논산캠퍼스는 (33021) 충청남도 논산시 양촌면 황산벌로 1040에 있고 상황실 전화는 (041) 831-3325이다. 서울캠퍼스는 (04353) 서울특별시 용산구 두텁바위로 54-99에 있고, 행정지원실 전화는 (02) 2225-6802, 6803이다. 홈페이지는 https://www.kndu.ac.kr

# 9. 제주평화연구원

KOREA-JAPAN

제주평화연구원(JEJU Peace Institute)은 2006년 외교부와 제주특별자치도가 함께 만든 비영리 전문연구기관이다. '제주특별자치도 설치 및 국제자유도시 조성을 위한 특별법'에 따라 2005년 제주도를 '세계평화의 섬'으로 지정하면서 설립했다. 이 법은 '세계평화의 섬'에서는 여러 사업을 시행할 수 있다고 규정하고 있는데, 여러 사업 중 하나가 '국제협력에 관한 연구소의 설립'이었다(법 235조). 제주평화연구원은 2006년 1월에 출범한 '국제평화재단'의 산하 연구원 형태로 그해 3월에 개원했다.

제주평화연구원은 한반도 평화정착, 동아시아 안보협력와 다자협력 공동체에 대한 연구, 역내 평화확산과 공동번영의 추구를 목표로 하고 있다. 연구원은 또 '평화'를 키워드로 삼아 세계평화지수 개발, 동아시아지역 평화인식조사, 세계평화의 섬 17대 사업 후속 사업 발굴 프로젝트 자문회의 개최, '평화의 섬 시리즈' 발간 등에도 힘을 쏟고 있다.

제주평화연구원 산하에는 연구실과 포럼사무국이 있고, 연구실은 평화협력연구부, 분쟁해결연구부, 지역통합연구부, 연구행정팀으로, 포럼사무국은 포럼기획팀과 포럼행정팀으로 구성돼 있다.

제주평화연구원장은 한태규 전 태국대사(초대, 2대), 문태영 전 독일대사(3, 4대), 서정하 전 싱가포르대사(5대), 김봉현 전 호주대사(6대)에 이어 2020년 11월 한인택 제주평화연구원 연구실장이 원장에 올랐다.

**평화의섬 17대 사업**

평화의 섬 17대 사업은 ▷제주평화연구원 설립 ▷국제평화센터 제주 방문 세계 정상들의 밀랍인형 전시 ▷국제평화센터 콘텐츠 확보 ▷남북장관급 회담 개최 ▷제주평화포럼 정례화 ▷제주 4·3 진상보고서 국정교과서 반영 ▷남북민족평화축전 개최 ▷모슬포 전적지 공원 조성 ▷북한에 감귤 보내기 운동 ▷4·3평화공원 조성 ▷4·3 유적지 보존 관리 ▷4·3추모일 지정 ▷동북아 물교육 중심지 육성 ▷평화교육 지원 ▷평화 관련 국제회의 제주 개최 ▷국제기구 설립 또는 유치 ▷동북아 평화협력체 창설 등이다. (미디어제주)

제주평화연구원이 내놓은 일본 관련 연구는 다음과 같다.

### 정책포럼

☑ 일본 민주당의 외교안보정책 구상과 대(對) 한반도 정책전망(박영준 제주평화연구원 객원연구위원, 2009)

☑ 일본 민주당의 독도정책에 관한 분석(최장근 제주평화연구원 객원연구위원, 2009)

☑ 한중일 환경산업기술발전과 정부의 역할(윤이숙 광운대 동북아대 교수, 2009년 1월)

☑ 한중일 3국 협력의 현황 및 전망(조양현 외교안보연구원 교수, 2009)

☑ 중일 첨각열도 해양영토분쟁: 평화적 관리방식의 전환기?(최희식 국민대 교수, 2010)

☑ 일본의 한국병합 100년 한일관계의 과제와 전망: 동아시아평화를 위한 한일갈등의 해결방안과 협력의 전망(전진호 광운대 교수, 2010)

☑ 일본의 군사전략과 군사력 증강 추세(송화섭 국방연구원 연구위원, 2010)

☑ 일본의 반핵평화주의와 안보현실(김미경 일본 히로시마시립대-히로시마 평화연구소 부교수, 2010)

☑ 전후 일본 ODA 정책의 변화상: 한국에 주는 함의(박홍영 충북대 교수, 2010)

☑ 동일본 대지진 이후 일본의 정치변화와 한일관계(진창수 세종연구소 일본연구센터장, 2011)

☑ 에너지 안보의 동학과 일본의 원자사태(박상현 한국국방연구원 선임연구원, 2011)

☑ 대지진 이후의 일본 위상과 동북아질서(이면우 세종연구소 수석연구위원, 2011)

☑ 일본의 민주당 정치와 한일관계(고선규 선거연수원 교수, 2011)

☑ 일본의 핵 중상주의: 돈의 색깔(김미경 히로시마시립대 부교수, 2011)

☑ 한중일 3국 협력의 전망과 과제: 일본 아베 신내각 출범을 계기로(배긍찬 국립외교원 교수, 2013)

☑ 후쿠시마 원전사태 이후 일본 에너지 정책과 국내 정치의 변화(경제희, 경남대 극동문제연구소 연구교수, 2013)

☑ 한국 외교의 방향과 현안(신각수 전 주일대사, 김성한 고려대 교수 · 전 외교통상부 차관, 서창록 고려대 국제대학원 교수, 조정현 통일연구원 연구위원, 신부남 외교부 기후대사, 2013)

☑ 일본과 동북아 안보(조양현 국립외교원 교수, 신정화 동서대 부교수, 고봉준 충남대 교수, 2013)

☑ 한일관계의 구조변화와 일본의 '국가보수주의'(신정화 동서대 국제학부 부교수, 2013)

☑ 일본의 대외전략을 다시 묻다: 〈일본은 지금 무엇을 생각하는가?〉에 대한 비판적 고찰과 한중일 트라이앵글 속의 한국(서승원 고려대 교수, 2013)

☑ 아베 정권과 한일관계의 개선 가능성(진창수 세종연구소 일본연구센터장, 2014)

☑ 국교정상화 50주년, 한일관계의 분석과 제언(조세영 동서대 특임교수 · 전 외교통상부 동북아국장, 2015)

☑ 주요 양국 관계의 현황과 전망(이홍섭 국방대 교수, 조세영 동서대 특임교수 · 전 외교통상부 동북아국장, 김흥규 아주대 중국정책연구소장, 2015)

☑ 일본의 방위산업은 부활하는가?: 무기수출금지 기조의 수정과 일본 평화주의의 미래(조비연 서울대 국제대학원 박사과정, 2015)

**ODA (Official Development Assistance)**

공적개발원조 또는 정부개발원조로 번역한다. 선진국의 정부나 공공기관이 개발도상국의 경제발전과 사회발전, 복지증진 등을 위해 원조하는 시스템이다. 지원방법에는 무상원조인 증여(grant)와 유상원조인 양허성 차관(concessional loan)이 있다. OECD 산하에는 1961년 공적개발원조 공여국으로 구성한 개발원조위원회(DAC · Development Assistance Committee)가 있다. 2021년 현재 회원국은 29개국이고 한국은 2010년에 가입했다. 한국이 가입할 때, 1945년 이후 독립한 나라 중 원조를 받던 나라가 원조를 주는 나라가 된 유일한 국가로서 주목을 받았다. (시사상식사전 등)

☑ 동북아 국제체제 속의 대일외교 과제(진행남 제주평화연구원 평화협력연구부장, 2015)
☑ 글로벌 인권 문제로서의 일본군 위안부 문제: 한일합의 이후의 과제(신기영 오차노미즈 여대 준교수, 2016)
☑ 동북아 질서 재편과 한・일관계(신정화 동서대 국제학부 부교수, 2017)
☑ 일본의 대한반도 정책 변화의 가능성과 전망: 비핵화, 납치문제, 영토 그리고 역사인식의 고차 함수(김용민 건국대 교수, 2018)
☑ 한국에 대한 일본 사회의 분위기: 징용공 문제 관련 중앙 일간지 보도로 본 對韓 공론(고바야시 소메이 니혼대 부교수, 2018)
☑ 주요국 여론과 공공외교(한인택 제주평화연구원 연구위원, 김상규 한양대 중국문제연구소 연구교수, 고바야시 소메이 니혼대 조교수, 2018)
☑ 아베 정권의 국제주의 외교와 2019년 한일 갈등(이정환 서울대 정치외교학부 부교수, 2019)
☑ 국제질서의 변화와 한일갈등의 구조, 전망(손열 연세대 국제학대학원 교수, 2019)
☑ 대결로 치닫는 한일관계: 어떻게 풀 것인가?(이원덕 국민대학교 일본학과 교수, 2019)
☑ 한일관계의 과거, 현재, 미래: 2019 한일관계의 해법 모색(이정환 서울대 정치외교학부 부교수, 손열 연세대 국제학대학원 교수, 이원덕 국민대 일본학과 교수, 2019)
☑ 일본 중앙지 사설을 통해 본 한일관계 2019.1~11(고바야시 소메이 니혼대 신문학과 부교수, 2020년 1월)

**아베의 국제주의 외교**

"아베 정권은 2015년 아베 담화를 기점으로 국제주의에 입각한 역사 정책을 추구하여왔고, 이를 통해 '국제질서' 개념을 일본 외교정책의 중심에 놓으려 추구하였다. 아베 정권의 국제주의 외교는 아베의 역사 수정주의 인식을 우려하며 실용주의적 외교를 지향하는 일본 국내의 보수리버럴과 중도세력에게 안도감을 주며 이들의 아베 정권 외교에 대한 지지를 불러일으켰다.… 하지만 일본 보수중도가 지지하고 아베 정권이 표면에 내세우고 있는 국제주의 외교는 '국제질서'의 가치에 대해 적극적으로 의미를 부여하는 것이 아니며, 국가이익에 따른 전략적 계산에 입각한 외교정책들에 대해서 정당화 수단이 되는 이데올로기적 성격을 지니고 있다." (이정환, '아베 정권의 국제주의 외교와 2019년 한일 갈등' 초록)

## 연구보고서

☑ 동아시아 문화네트워크 모색: 한・중・일 방송콘텐츠 교류 증진을 중심으로(제주평화연구원, 2010)
☑ 동아시아 도서 영유권 문제의 다자적 해결 방안(이성우 연구위원, 2013)
☑ 한・중・일의 민족주의 특성과 갈등 완화 방안(진행남 연구위원, 2014)
☑ 동아시아 군비경쟁과 한반도 평화: 미・중・일 관계와 한반도(이성우 연구위원, 2014)
☑ 정상회담에 나타난 협력의 재현: 한중일 3국 협력 정상회담 문제에 나타난 '협력' 개념 해석(도종윤 연구위원, 2017)
☑ 동아시아 지역주의와 일본 대외정책 결정요인 분석(손정욱 연구위원, 2019)

### 2019 정책포럼

| 일시 장소 | 주제 및 발표 | 참석자 |
|---|---|---|
| 2019.8.19 | 주제 **한일관계의 과거, 현재, 미래-2019 한일관계의 해법 모색**<br>**제1세션 2019 한일 관계의 진단**<br>손열(연세대) **한일 갈등의 구조와 거시 대응의 방향**<br>이정환(서울대) **아베 정권의 국제주의 외교와 2019년 한일 갈등**<br>**제2세션 한일관계의 미래**<br>이원덕(국민대) **대결로 치닫는 한일 관계: 어떻게 풀 것인가?** | 강근형(통일교육위원 제주협의회), 김봉현(제주평화연구원장), 임동진(순천향대·제주평화연구원 객원연구위원), 이상현(전 한양대 연구교수), 강하성, 도종윤, 최현정, 한동균, 한유진(이상 제주평화연구원) |

제주평화연구원이 연구협력을 맺고 있는 일본의 연구소와 기관은 다음과 같다.

| | |
|---|---|
| 히로시마시립대학 히로시마 평화연구소 (Hiroshima Peace Institute) | 핵무기, 핵확산, 방사능으로 인한 피해 등 원폭과 관련한 다양한 연구, 동아시아 싱크탱크 프로젝트 추진(국가 폭력과 화해) |
| UNITAR 히로시마 지부 (UNITAR Hiroshima Office) | 세계유산, 아프가니스탄, Sea and Human Security에 관한 교육 및 현장실습, 협력분야는 CIFAL, 평화공원, Nuclear Dossier, 연례회의, 교육프그램 등 |
| Asian Forum Japan (AFJ) | 북한의 핵문제에 대한 각국의 미국, 중국, 일본의 위협 인식에 대한 차이점 논의 |
| Okazaki Institute | 일본 정부의 미일관계에 대한 관점 및 향후 전망 논의 |
| Japan Center For International Exchange (JCIE) | 북핵 상황 및 북한의 6자회담 복귀 가능성 논의 |
| 일본방위성 방위연구소(National Institute for Defense Studies) | 동북아시아 정책 변화 관련 논의 |
| 세계평화연구소(Institute for International Policy Studies · IIPS) | 다자협력대화의 일환으로 동북아 3자 정상회담이 정례화되는 환경에서 한일 국가 및 연구소 차원에서 협력 및 교류증진의 필요성 확인 |

**오카자키연구소**
일본의 외교관이었던 고 오카자키 히사히코(岡崎久彦 · 1930~2014)가 퇴임해 만든 연구소이다. 오카자키는 도쿄대 법학부, 케임브리지대 대학원(경제학 석사)을 졸업했으며 서울과 워싱턴의 일본 대사관에서 근무했다. 초대 외무성 정보조사국장, 방위청 파견 참사관, 주 사우디와 태국대사도 지냈다. 오카자키는 아베 총리의 외교안보 멘토여서 우익인사로 분류하지만 한국의 가치를 인정하고 일본을 위해 한국과 우호관계를 유지해야 한다고 역설한 탁월한 외교 전략가였다고 한다. (박영준 국방대 교수)

제주평화연구원을 말하며 '평화와 번영을 위한 제주포럼(JEJU FORUM FOR PEACE & PROSPERITY)을 빼놓을 수 없다. 제주평화연구원은 이 포럼을 기획, 운영해 오고 있다. 다음은 제주평화연구원의 2019년 연차보고서에 실린 글이다.

평화와 번영을 위한 제주포럼은 한반도와 동아시아 지역의 평화와 공동번영을 모색하기 위한 역내 다자협력 논의의 장으로 2001년 '제주평화포럼'으로 출범하여 이제는 한국의 대표적인 국제종합포럼으로 성장하였다.

평화와 번영을 위한 제주포럼은 한반도 및 동아시아의 평화정착과 공동번영을 위해서는 개별국가의 노력만으로는 불충분하며 창의적 발상에 기초한 국제협력이 필요하다는 인식 아래 역내 평화와 협력을 위한 대화와 협의의 장을 마련한다는 데에 개최 목적이 있다.

동아시아 평화와 번영에 대한 국제적 공감대를 바탕으로 동아시아의 평화와 상호협력 · 발전에 대한 실천적 방안을 찾는 동시에 이에 대한 미래지향적인 비전을 제시하여 왔다.

제주포럼은 동아시아 문제를 논의하는 포럼이기 때문에 일본의 거물급 인사들도 이곳의 단골손님이다.

역대 제주포럼과 주요 참석자는 다음과 같다.

| 회수 | 일 시 | 주 제 | 참석자 |
|---|---|---|---|
| 1 | 2001.6.15~17 | 동북아시아 공동평화와 번영 | 김대중 대통령, 윌리엄 페리 전 미국 국방장관 등 9개국 350명 |
| 2 | 2003.10.30.~11.1 | 동북아 평화공동체의 건설: 도전과 새로운 비전 | 노무현 대통령, 예브게니 프리마코프 전 러시아 총리 등 8개국 450명 |
| 3 | 2005.6.9~11 | 북아시아 공동체의 건설: 평화와 번영을 위하여 | 이해찬 총리, 무라야마 도미이치 전 일본 총리 등 10개국 500명 |
| 4 | 2007.6.21~23 | 동북아시아 평화와 번영: 유럽경험의 탐색 | 노무현 대통령, 가이후 도시키 전 일본 총리 등 13개국 500명 |
| 5 | 2009.8.11~13 | 상생과 공영의 동아시아 질서: 공동의 비전을 향하여 | 반기문 UN 사무총장, 한승수 국무총리, 존 하워드 전 호주 총리 등 13개국 650명 |
| 6 | 2011.5.27~29 | 새로운 아시아: 평화와 번영을 위하여 | 글로리아 마파카발 아로요 전 필리핀 대통령, 김황식 국무총리, 자오지청 중국 인민정치협상회의 외사위원회 주임 등 23개국 1,880명 |
| 7 | 2012.5.31~6.2 | 새로운 트렌드와 아시아의 미래 | 오무르벡 바바노프 키르기스탄 총리, 폴 키팅 전 호주 총리, 람베르토 자니에르 OSCE 사무총장 등 36개국 3,148명 |
| 8 | 2013.5.29~31 | 아시아의 새로운 물결 | 정홍원 국무총리, 마하티르 모하마드 전 말레이시아 총리, 하토야마 유키오 전 일본 총리 등 49개국 3,672명 |

| | | | |
|---|---|---|---|
| 9 | 2014.5.28~30 | **새로운 아시아 설계** | 줄리아 길라드 전 호주 총리, 살람 파야드 전 팔레스타인 총리, 리자오싱 전 중국 외무부 장관 등 58개국 3,734명 |
| 10 | 2015.5.20~22 | **신뢰와 화합의 새로운 아시아를 향하여** | 게르하르트 슈뢰더 전 독일 총리, 수실로 밤방 유도요노 전 인도네시아 대통령, 후쿠다 야스오 전 일본 총리, 존 하워드 전 호주 총리, 조 클라크 전 캐나다 총리, 리샤오린 중국인민대외우호협회 회장 등 62개국 3,788명 |
| 11 | 2016.5.25~27 | **아시아의 새로운 질서와 협력적 리더십** | 반기문 유엔 사무총장, 황교안 국무총리, 무라야마 도미이치 전 일본 총리, 마하티르 모하마드 전 말레이시아 총리, 짐 볼저 전 뉴질랜드 총리, 고촉통 전 싱가포르 총리, 엔리코 레타 전 이탈리아 총리, 홍용표 통일부장관, 조 케저 지멘스 회장, J.B. 스트라우벨 테슬라 모터스 공동창업자, 요한 갈퉁 오슬로 국제평화연구소(PRIO) 창설자 등 68개국 7,436명 |
| 12 | 2017.5.31~6.2 | **아시아의 미래 비전 공유** | 앨 고어 전 미국 부통령, 한승주 전 외무부장관, 메가와티 수카르노푸트리 전 인도네시아 대통령, 아니발 카바코 실바 전 포루투갈 대통령, 푼살마 오치르바트 전 몽골 대통령, 이홍구 전 국무총리, 장 뱅상 플라세 전 프랑스 국가개혁담당 장관 등 79개국 5,534명 |
| 13 | 2018.6.26.<br>~6.28 | **아시아의 평화 재정립** | 이낙연 총리, 반기문 전 유엔사무총장, 브라이언 멀로니 전 캐나다 총리, 후쿠다 야스오 전 일본 총리, 폴 크루그먼 뉴욕시립대 교수 등 71개국 5,556명 |
| 14 | 2019.5.29~31 | **아시아 회복탄력적 평화를 향하여: 협력과 통합** | 하인츠 피셔 전 오스트리아 대통령, 말콤 턴불 전 호주 총리, 하토야마 유키오 전 일본 총리, 이태호 외교부 제2차관, 김성환 전 외교통상부 장관, 쪼떤쉐 미얀마 국가고문실 장관, 나가미네 야스마사 주한 일본대사, 제임스 최 주한 호주대사, 미하엘 라이터러 주한 EU대사, 그레이엄 앨리슨 하버드대학교 석좌교수, 리자오싱 전 중국외교장관, 림족호이 ASEAN 사무총장, 마틴 자크 캠브리지대 선임연구원 등 83개국 5,895명 |
| 15 | 2020.11.5~7 | **다자협력을 위한 새로운 구상: 팬데믹과 인본안보** | 빌 클린턴 전 미국 대통령, 반기문 전 유엔 사무총장, 고촉동 전 싱가포르 총리, 할로넨 타르야 전 핀란드 대통령, 마하티르 모하마드 전 말레이시아 총리, 마테오 렌치 전 이탈리아 총리 등(주로 온라인으로 개최) |

제주평화연구원은 (63546) 제주특별자치도 서귀포시 중문관광로 227-24(중문동, 제주국제평화센터)에 있다.

전화 (064) 735-6500, 팩스 (064) 738-6522, 이메일 jpi@jpi.or.kr, 홈페이지 http://jpi.or.kr

# 10. 동아시아재단

동아시아재단(East Asia Foundation)은 2005년 정몽구 현대자동차그룹 회장이 기업의 사회적 공헌을 위해 창립한 공익재단이다. 인간과 지식의 네트워크를 통해 신뢰를 쌓음으로써 한반도와 동아시아의 평화와 번영을 증진하는 것이 설립 취지이다.

2004년 10월 창립준비위원회를 만들었고 같은 해 12월 이사회를 구성해 정관을 승인했다. 2005년 1월 정식으로 출범했으며 외교통상부에 비영리 단체로 등록했다. 다양한 국제포럼, 네트워크 활동, 영문 계간지 발간 등을 통해 외교 안보 분야의 주요 싱크탱크로 자리잡았다.

재단의 사업들은 다음과 같다.

| 분 류 | 사업명 | 내 용 |
|---|---|---|
| 네트워크 사업 | **국제회의** | 동아시아 지역의 문제를 심도 있게 논의하는 국제회의를 국내외 유수 연구기관과 공동 개최하거나 후원하고 있다. |
| | **제주포럼** | 역내 지도자들이 교류하는 연례 '평화와 번영을 위한 제주포럼'을 공동 주최하고 있다. 제주포럼은 2001년부터 2011년까지는 격년으로 열다가, 2012년부터는 매년 열고 있다. 자세한 내용은 제주포럼 홈페이지(http://www.jejuforum.or.kr/)에서 확인할 수 있다. |
| | **EAF 세미나** | 동아시아 지역, 혹은 국제 이슈 전문가를 초청해 강연을 듣고 참석자들과 의견을 교환한다. |
| 연구출판 | **정책논쟁** | 한국의 대내외 정책 현안을 중장기적 시각에서 분석하고 정책에 대한 지적 소통과 해결 능력을 제고하기 위한 플랫폼으로 제공하고 있다. 한국의 국가이익 및 전략과 연동하는 동아시아의 핵심문제들을 다룸으로써 한국의 정책이 갖는 국제적인 성격을 고민하면서 지적 네트워크 형성을 지향한다. 동아시아재단 홈페이지에서 내용을 열람할 수 있다. |
| | **영문계간지 〈글로벌아시아(Global Asia)〉 발행** | 아시아의 관점에서 국제 이슈를 다루고 아시아의 현안을 세계에 전파하는 영문 계간지이다. |

| | | |
|---|---|---|
| | **연구프로젝트** | 국내외 학자나 기관들의 동아시아 관련 연구 활동을 지원한다. |
| | **도서발간** | 동아시아학을 대중적으로 전파하기 위해 최신 연구를 담은 다양한 도서를 출판한다. |
| 교육지원 | **펠로우십** | 재단이 진행하는 각종 프로그램 관련 연구조사와 보고서 편찬 업무에 직접 참여케 함으로써 아시아 지역 전문가를 지향하는 젊은이들이 실무 및 학문적 소양을 쌓는 기회를 제공한다. |
| | **인턴십** | 재단이 진행하는 각종 세미나와 국제회의, 〈글로벌아시아〉 발간 관련 자료 조사와 행정 업무를 지원한다. |
| | GALF | 한중일 대학생들이 주도하는 학술교류 단체인 '글로벌아시아리더십포럼(Global Asia Leadership Forum)'을 공식 후원하고 있다. '아시아의 관점으로 세계를 이끌어 나가자'는 모토 아래 여러 국적의 대학생, 대학원생들이 함께 모여 동아시아의 정치, 경제 등 다양한 이슈를 공부하고 있으며 외교 안보 등의 국제 이슈를 다루는 학술행사를 정기적으로 열고 있다. 이런 활동을 통해 아시아의 젊은 리더를 양성하고, 한중일을 비롯한 아시아 대학생 간 협력과 친목을 도모하며, 아시아의 문화, 정치, 경제 등 다방면의 이슈들을 이해하도록 돕는다. |

이러한 사업 중 일본 관련 내용을 정리하면 다음과 같다.

### 네트워크 사업

■ 회의

(1) 정기

| 행사명 | 회차 | 일시 | 참가자(소속은 당시 기준) |
|---|---|---|---|
| **한국-일본 동아시아협의회 세미나** | 제1차 | 2006.4.2 | 한국 측 안충영(중앙대 석좌교수), 피터 벡(국제위기감시기구 동북아사무소장), 조현상(효성그룹 전략본부장), 최한영(현대차 사장), 정정숙(한국문화관광연구원), 정구종(동아닷컴 사장), 공로명(한림대 일본학연구소장), 홍승제(한국은행 수석경제학자), 인남식(외교안보연구원), 강태호(한겨레신문), 케네스 강(IMF 서울사무소장), 김방희(생활경제연구소장), 김은미(이화여대), 김한욱(제주특별자치도 행정부지사), 김홍규(외교안보연구원), 김형주(열린우리당 의원), 김현택(한국외대), 김진국(건양대), 김준(㈜경방 부회장), 김석환(중앙일보), 김태환(연세대), 김방신(현대차), 권영민(제주평화연구원 부원장), 권영설(한국경제), 이창재(대외경제정책연구원), 이화영(열린우리당 의원), 이상경(현대리서치연구소 대표), 이숙이(시사인), 이수훈(동북아시대위원장), 이석수(국방대), 이용준(외무부), 문정인(연세대), 박범계(박성수법무사사무소 변호사), 박병한(YTN 부이사장), 박철희(서울대), 박진(KDI), 박정호(SKT 상무), 박유하(세종대), |

| 행사명 | 회차 | 일시 | 참가자(소속은 당시 기준) |
|---|---|---|---|
| | | | 데이비드 플롯(홍콩대), 류상영(연세대), 신종원(제주평화연구원), 손병수(포브스코리아 대표), 손지애(CNN 한국지국장), 원희룡(한나라당 의원), 양길현(제주대), 유재건(열린우리당 의원), 유성우(한국일보), 윤덕민(외교안보연구원), 홍형택(동아시아재단), 엄석(현대자동차그룹), 민경환(현대차 차장)<br>일본 측 아카시 야스시(스리랑카 평화구축 및 복구, 부흥 담당 일본 정부 대표), 호리야마 아키코(마이니치신문), 후카가와 유키코(와세다대), 짐보 겐(게이오대), 고바야시 유타카(자민당 의원), 고쿠분 료세이(게이오대), 곤도 쇼이치(민주당 의원), 미야지마 아키오(주한 일본대사관 공사), 니시노 준야(게이오대), 오코노기 마사오(게이오대), 오시마 쇼타로(주한 일본대사), 소에야 요시히데(게이오대), 다무라 고타로(자민당 의원), 다나카 아키히코(도쿄대), 야마모토 다케히코(와세다대) |
| | 제2차 | 2006.12.10 | 한국 측 강태호(한겨레신문), 공로명(전 외무부장관), 권진호(전 대통령 국가안보보좌관), 김덕주(외교안보연구원), 김양희(대외정책경제연구원), 김태환(연세대), 남경필(한나라당 의원), 류상영(연세대), 문정인(연세대), 박정호(SK Group 상무), 박철희(서울대), 안충영(중앙대), 원희룡(한나라당 의원), 유재건(열린우리당 의원), 윤덕민(외교안보연구원), 이규성(전 재정경제부장관), 정구종(동아닷컴 사장), 조건호(전경련 상근부회장), 최한영(현대자동차 사장), 홍형택(동아시아재단), 민경환(현대자동차 차장)<br>일본 측 이이지마 히데타네(일한경제협회장), 오코노기 마사오(게이오대), 고쿠분 료세이(게이오대) 고지마 아키라(일본경제연구센터 회장), 고바야시 유타카(중의원), 세토 유조(일한경제협회 명예회장), 소에야 요시히데(게이오대), 다나카 아키히코(도쿄대), 다무라 고타로(참의원), 하시모토 고로(요미우리신문), 하타케야마 노보루(국제경제교류재단 회장), 하야시 요시마사(참의원), 후카가와 유키코(와세다대), 후루카와 모토히사(중의원), 미나구치 고이치(중소기업 금융公庫 총재), 미노리카와 노부히데(중의원), 미야지마 아키오(주한 일본대사관 공사), 야나이 슌지(전 주미대사), 와카미야 요시부미(아사히신문 논설주간) |
| 한일 라운드 테이블 | 1차 | 2008.5.29 | 한국 측 권철현(주일대사), 공로명(전 외무부장관), 안덕근(서울대), 안충영(중앙대), 정구현(삼성경제연구소장), 류상영(연세대), 김영작(국민대), 윤덕민(외교안보연구원), 유재건(열린우리당 의원), 문정인(연세대), 원희룡(한나라당 의원), 박철희(서울대), 정구종(동아닷컴 사장), 이광재(열린우리당 의원)<br>일본 측 나카소네 야스히로(전 일본 총리), 마치무라 노부타카(일본 관방장관), 시오자키 야스히사(전 일본 관방장관), 하타케야마 노보루(국제경제교류재단 회장), 후카가와 유키코(와세다대), 다무라 고타로(참의원), 야나이 슌지(전 주미대사), 소에야 |

| 행사명 | 회차 | 일시 | 참가자(소속은 당시 기준) |
|---|---|---|---|
| | | | 요시히데(게이오대), 오코노기 마사오(게이오대), 와카미야 요시부미(아사히신문 논설주간) |
| | 2차 | 2009.10.22 | 한국 측 안충영(중앙대 교수) 등 29인<br>일본 측 후지와라 히데히토(아사히신문) 등 25인<br>*전체 인원은 재단 홈페이지에 올린 보고서에서 확인할 수 있다.<br>http://www.keaf.org/network/International_Conferences_kr_view&seq=Mgg0CA%3D%3D |
| 한중일협력대화 | 제1회 | 2014.11.13 | 한국 측 추미애(새정치민주연합 의원), 길정우(새누리당 의원), 공로명(전 외무부장관), 안충영(동반성장위원장), 문정인(연세대), 정서영(고려대), 전의찬(세종대), 신의순(연세대), 안덕근(서울대) 등<br>일본 측 후카가와 유키코(캠브리지대 아시아 및 중동 연구소 연구원), 우라타 슈지로(와세다대), 이부카 시게히토(호리바 대표), 야마구치 미쓰쓰네(도쿄대)<br>*전체 인원은 재단 홈페이지에 올린 보고서에서 확인할 수 있다.<br>http://www.keaf.org/network/International_Conferences_kr_view&seq=NQg3CDMI |
| | 제2회 | 2015.9.2 | 한국 측 공로명(동아시아재단 이사장), 길정우(새누리당 의원), 김상협(한국과학기술대), 안세영(경제인문사회연구회 이사장), 안충영(동반성장위원장), 윤덕룡(한국대외경제정책연구원), 정서용(고려대), 홍형택(동아시아재단), 강찬구(동아시아재단)<br>일본 측 구사카 가즈마사(일본국제경제교류재단 회장), 하라오카 나오유키(일본국제경제교류재단 총괄운영이사), 사사키 노부히코(도키오 마린 니치도 생명보험 고문), 후카가와 유키코(와세다대), 마쓰시타 가즈오(교토대), 후지모토 겐이치로(니폰스틸앤드스미토모메탈), 기무라 후쿠나리(게이오대) |
| | 제3회 | 2016.10.21 | 한국 측 공로명(동아시아재단 이사장), 김상협(한국과학기술대), 김정식(연세대), 문승일(서울대), 안세영 (서강대), 안충영(동반성장위원장), 조홍식(서울대), 홍형택(동아시아재단), 강찬구(동아시아재단)<br>일본 측 구사카 가즈마사(일본국제경제교류재단 회장), 아키모토 게이고(일본지구환경산업기술연구기구), 후카가와 유키코(와세다대), 하라오카 나오유키(일본국제경제교류재단), 하루야마 유타카(일본 화학산업연합), 마쓰시타 가즈오(교토대), 다케모토 나오카즈(중의원), 우라타 슈지로(와세다대) |
| | 제4회 | 2017.10.20 | 한국 측 공로명(동아시아재단 이사장) 등 8명<br>일본 측 구사카 가즈마사(일본국제경제교류재단 회장) 등 7명<br>*전체 인원은 재단 홈페이지에 올린 보고서에서 확인할 수 있다.<br>http://www.keaf.org/network/International_Conferences_kr_view&seq=Ngg1CDExCA%3D%3D |

| 행사명 | 회차 | 일시 | 참가자(소속은 당시 기준) |
|---|---|---|---|
| | 제5회 | 2018.12.8 | 한국 측 공로명(동아시아재단 이사장), 채욱(경희대), 안충영(중앙대), 김도훈(경희대), 최병호(서울대), 김상협(카이스트), 김석환(한국외대), 임강택(통일연구원)<br>일본 측 구사카 가즈마사(일본국제경제교류재단 회장), 하라오카 나오유키(일본국제경제교류재단 사장), 우라타 슈지로(와세다대), 후카가와 유키코(와세다대), 리다 히로부미(주중 일본대사), 요시노 나오유키(아시아개발은행), 마쓰시타 가즈오(교토대), 히라이 아키라(규슈기업연합) |
| | 제6회 | 2019.12.6 | 한국 측 공로명(동아시아재단 이사장), 안충영(중앙대), 김경수(성균관대), 김상협(카이스트), 김진영(글로벌녹색성장기구), 이인실(서강대), 김정식(연세대)<br>일본 측 구사카 가즈마사(일본국제경제교류재단 회장), 우라타 슈지로(와세다대), 후카가와 유키코(와세다대), 가토 소타(도쿄재단), 마쓰시타 가즈오(교토대), 아베 쓰요시(요코가와전기), 하라오카 나오유키(일본국제경제교류재단 사장), 니시카와 가즈미(경제산업성), 요시노 나오유키(아시아개발은행), 오구로 가즈마사(호세이대) |
| 한일언론인간담회 | 제1회 | 2013.11.20 | 한국 측 오영환(중앙일보), 이하원(조선일보), 하태원(동아일보), 황영식(한국일보), 오태규(한겨레신문), 강찬호(중앙선데이)<br>일본 측 (이하 전원 서울지국장) 우치야마 기요유키(일본경제신문), 사와다 가쓰미(마이니치신문), 가이세 아키히코(아사히신문), 쓰카모토 소이치(NHK), 아오야마 미호(후지TV), 아오야마 슈지(홋카이도신문) |
| | 제2회 | 2014.3.28 | 한국 측 오영환(중앙일보), 황영식(한국일보), 오태규(한겨레신문), 강찬호(중앙선데이)<br>일본 측 (이하 전원 서울지국장) 우치야마 기요유키(니혼케이자이신문), 가이세 아키히코(아사히신문), 쓰카모토 소이치(NHK), 아오야마 미호(후지TV) |
| | 제3회 | 2014.6.27 | 한국 측 오영환(중앙일보), 오태규(한겨레), 조양현(국립외교원), 이미숙(문화일보)<br>일본 측 (이하 전원 서울지국장) 가이세 아키히코(아사히신문), 사와다 가쓰미(마이니치신문), 도요우라 준이치(요미우리신문) |
| | 제4회 | 2014.12.26 | 한국 측 오영환(중앙일보), 이미숙(문화일보), 조양현(국립외교원), 남기정(서울대)<br>일본 측 (이하 전원 서울지국장) 우치야마 기요유키(니혼케이자이신문), 가이세 아키히코(아사히신문), 사와다 가쓰미(마이니치신문), 도요우라 준이치(요미우리신문) |
| | 제5회 | 2015.2.27 | 한국 측 박철희(서울대), 오영환(중앙일보), 이미숙(문화일보), 김기정(국민일보), 조양현(국립외교원) |

| 행사명 | 회차 | 일시 | 참가자(소속은 당시 기준) |
|---|---|---|---|
| | | | 일본 측 (이하 전원 서울지국장) 우치야마 기요유키(니혼케이자이신문), 사와다 가쓰미(마이니치신문), 가이세 아키히코(아사히신문), 도요우라 준이치(요미우리신문), 이소베 세이지(후지TV) |
| | 第6회 | 2015.5.28 | 한국 측 박철희(서울대), 오태규(한겨레신문 논설실장), 이미숙(문화일보 국제부장), 박소영(중앙일보 국제부장), 류상영(연세대), 남기정(서울대), 조양현(국립외교원), 박준희(문화일보)<br>일본 측 (이하 전원 서울지국장) 미네기시 히로시(니혼케이자이신문), 요네무라 고이치(마이니치신문), 가이세 아키히코(아사히신문), 도요우라 준이치(요미우리신문), 쓰카모토 소이치(NHK) |
| | 第7회 | 2015.8.20 | 한국 측 박철희(서울대), 오태규(한겨레신문 논설실장), 이미숙(문화일보 국제부장), 박진원(SBS 부장), 박준희(문화일보)<br>일본 측 (이하 전원 서울지국장) 요네무라 고이치(마이니치신문), 가이세 아키히코(아사히신문), 도요우라 준이치(요미우리신문) |
| | 第8회 | 2016.10.15 | 한국 측 박철희(서울대), 오태규(한겨레신문 논설실장), 이미숙(문화일보 국제부장), 남기정(서울대), 조양현(국립외교원)<br>일본 측 요네무라 고이치(마이니치신문 서울지국장), 이케하타 슈헤이(NHK 서울지국장), 히가시오카 도루(아사히신문 서울특파원), 나카지마 겐타로(요미우리신문 서울지국장), 마쓰모토 소이치(홋카이도신문 서울지국장), 우에노 미키히코(도쿄신문 서울지국장) |
| | 第9회 | 2016.12.16 | 한국 측 이미숙(문화일보 국제부장), 오태규(한겨레신문 논설실장), 남기정(서울대), 박철희(서울대)<br>일본 측 (이하 전원 서울지국장) 요네무라 고이치(마이니치신문), 이케하타 슈헤이(NHK), 나카지마 겐타로(요미우리신문) |
| | 第10회 | 2018.9.7~8 | 한국 측 김수혜(조선일보 도쿄특파원), 박진원(SBS 논설위원), 박철희(서울대), 배극인(동아일보 산업부장), 심규선(전 동아일보 대기자), 오영환(중앙일보 논설위원)<br>일본 측 사카이다 미오(도쿄신문 서울지국장), 스즈키 소타로(니혼케이자이신문 서울지국장), 다케다 하지무(아사히신문 서울특파원), 도요우라 준이치(요미우리신문 서울지국장), 호리야마 아키코(마이니치신문 서울지국장) |
| | 第11회 | 2019.3.5 | 한국 측 박철희(서울대), 심규선(전 동아일일보 대기자), 이미숙(문화일보 국제부장), 김수혜(조선일보), 황성기(서울신문 논설위원), 서영아(동아일보 논설위원), 남정호(중앙일보 논설위원)<br>일본 측 사카이다 미오(도쿄신문 서울지국장), 도요우라 준이치(요미우리신문 서울지국장), 호리야마 아키코(마이니치신문 서울지국장), 다케다 하지무(아사히신문 서울특파원) |

| 행사명 | 회차 | 일시 | 참가자(소속은 당시 기준) |
|---|---|---|---|
| 한중일 차세대 한반도전문가 네트워크 제주 워크숍 | 1회 | 2018.3.17 | 한국 측 문정인(대통령 통일외교안보 특보), 김기정(연세대), 배종윤(연세대), 부승찬(연세대), 이상근(국가안보전략연구원), 차정미(연세대), 황일도(국립외교원)<br>일본 측 오코노기 마사오(게이오대), 신정화(동서대), 와타나베 다케시(일본방위연구소), 이성일(중국사회과학원), 이소자키 아쓰히토(게이오대), 최경원(규슈대), 히라이와 슌지(난잔대) |
| | 2회 | 2019.3.30 | 한국 측 문정인(통일외교안보 특보), 유명환(전 외교통상부 장관), 김성환(전 외교통상부 장관), 김기정(연세대), 권소영(조지메이슨대), 김아름(히토쓰바시대), 리춘푸(난개대), 부승찬(국방부 장관 정책보좌관), 우완영(성균중국연구소), 이상근(국가안보전략연구원), 주성하(동아일보), 최경희(샌드연구소 대표), 홍민(통일연구원), 황일도(국립외교원)<br>일본 측 오코노기 마사오(게이오대), 니시노 준야(게이오대), 와타나베 다케시(일본국방연구원), 요코미조 미호(라디오프레스), 우메다 히로시(다쿠쇼쿠대), 도가시 아유미(평화안전보장연구소), 홋타 유키히로(하산회 주임연구원) |

(2) 부정기

| 행사명 | 일 시 | 참가자 |
|---|---|---|
| 동아시아재단 후원 한일공동연구프로젝트 공동연구회의 | 2010년 8월 31일 | 한국 측 문정인(연세대), 이희옥(성균관대) 등 5명<br>일본 측 오코노기 마사오(게이오대), 나카야마 도시히로(아오야마대) 등 5명 |

이 회의에 대한 간략한 정리 혹은 결과 보고서는 '동아시아재단 홈>네트워크>국제회의'에서 확인할 수 있다(http://www.keaf.org/network/International_Conferences_kr).

■ 제주포럼

제주포럼의 프로그램과 참가자는 제주포럼 홈페이지에서 확인할 수 있다(http://www.jejuforum.or.kr/index.php?aa=1).

■ EAF 세미나

| 행사명 | 일 시 | 참가자 |
|---|---|---|
| 아베 정부의 일본: 동아시아와 미국에 대한 의미 | 2013.4.10 | 제럴드 커티스(컬럼비아대 정치학 교수) |
| 북일 관계, 어디까지 왔나? | 2015.1.21 | 오코노기 마사오(게이오대 명예교수) |

| | | |
|---|---|---|
| 미국과 한일경쟁: 워싱턴 내부의 시각 | 2015.11.9 | 다니엘 밥(사사카와평화재단 사무총장) |

이 세미나에 대한 간략한 정리 혹은 결과 보고서는 '동아시아재단 홈>네트워크>EAF세미나'에서 확인할 수 있다(http://www.keaf.org/network/EAF_Seminar_kr).

**사사카와재단(일본재단)**

사사카와재단은 일본재단과 사사카와평화재단을 혼용해서 부르는 이름이다. 일본재단(The Nippon Foundation)은 사사카와 료이치(笹川良一)가 1962년에 결성한 일본경정협회(日本競艇協會)가 뿌리이다. 사사카와는 1932년 1인 1기 1함 격멸을 제안해 제2차 세계대전 말기 가미카제 특공대 개념의 창안자로 알려져 있으며 극우 정당 창당과 활동에 참여했다. 패전 후 A급 전범으로 체포됐으나 불기소 처분으로 출옥했다. 이후 경정(보트 레이스) 사업을 맡아 큰돈을 번다. 일본경정협회가 2011년 이름을 바꾼 것이 일본재단이다. 일본재단 이사장은 1995년 타계한 료이치의 뒤를 이어 3남 사사카와 요헤이(笹川陽平)가 맡고 있다. 일본재단과는 별도로 1986에 설립한 사사카와평화재단(Sasakawa Peace Foundation)도 있다. 극우 보수단체로 알려진 사사카와재단이 한국의 대학이나 보수단체를 지원한 것이 드러나 문제가 되기도 했다. (일본재단 및 사사카와평화재단의 홈페이지 등)

## 연구와 출판

■ 정책논쟁

| 이 름 | 저 자 | 발간일자 |
|---|---|---|
| 경색된 한일관계와 미국의 역할 | 유명환 전 외교통상부 장관 | 2014.4.24 |
| 거대한 변화를 앞두고 있는 한·중·일 분업구조와 창조경제를 통한 한국의 대응 | 안현호 한국무역협회 부회장 | 2014.5.27 |
| 한일 관계와 워싱턴 | J. Berkshire Miller(전략국제문제연구소(CSIS) 태평양포럼) | 2015.2.24 |
| 한일 관계의 구조변화와 미래: 일본의 시각 | 나카니시 히로시(中西寛) 교토대 교수 | 2015.9.15 |
| 역사와 전략 이익 사이에서: 한미일 관계를 보는 미국의 시각 | J. Berkshire Miller(전략국제문제연구소(CSIS) 태평양포럼) | 2015.10.13 |
| 한중일 어디로 가고 있는가? | 박철희 서울대 교수 | 2015.12.8 |
| 한일 위안부합의를 어떻게 해야 할 것인가: 진정한 치유와 미래를 위하여 | 양기호 성공회대 교수 | 2017.7.11 |
| 한국은 일본을 어떻게 보아야 할 것인가?: 역사, 현안, 전략 | 양기호 성공회대 교수 | 2018.1.16 |
| 최근 한일간 외교적 긴장의 사회적 기원 | 이승혁 토론토대 교수 | 2019.3.5 |
| 일본의 대한 수출규제, 어떻게 볼 것인가? | 호사카 유지 세종대 교수 | 2019.8.13 |

위 주제에 대한 자세한 내용은 '동아시아재단 홈>연구출판>동아시아재단 정책논쟁'에서 확인할 수 있다(http://www.keaf.org/book/EAF_Policy_Debates_kr&page=1).

■ 발간도서

동아시아재단이 발간했거나 후원한 일본 관련 도서는 다음과 같다.

| 저서명 | 저 자 | 출판사 | 발행일 |
|---|---|---|---|
| **新 한일관계론: 과거에서 미래로** | 한국오코노기연구회 엮음, 문정인 외 다수 | 오름출판사 (동아시아재단 연구논총 1) | 2005.12.14 |
| **일본의 미들파워 외교: 전후 일본의 선택과 구상** | 소에야 요시히데 지음, 박철희, 윤수경, 이나올 옮김 | 오름출판사 (동아시아재단 번역총서 1) | 2006.11.10 |
| Between Discord and Cooperation: Japan and the Two Koreas | 고병철 | 연세대학교 출판부 | 2007.7.19 |
| **동아시아 세력전이와 일본 대외전략의 변화** | 박철희 엮음, 박영준, 김규판, 이기태, 서승원, 조양현, 최희식 공저 | 동아시아재단 | 2014.4.10 |
| **제1회 한중일 협력 대화 보고서** | 동아시아재단 엮음 | 동아시아재단 | 2015.8.13 |

**미들파워**

《일본의 미들파워 외교: 전후 일본의 선택과 구상》은 '미들 파워론'의 시각에서 일본의 외교와 안보정책을 분석한 역작이자 소에야 요시히데(添谷芳秀) 게이오대 명예 교수의 대표작이다. 국제정치학자인 소에야 교수는 일본은 평화헌법을 유지하면서 국제사회와 지역질서에 기여함으로써 존경받는 중간국가(미들파워)의 새 위치를 찾아야 한다고 주장해 주목을 받았다. 자타가 강대국이라는 일본을 '미들파워'라는 프레임으로 본 것이다. 그는 또 미중 패권경쟁 속에서 일본과 한국은 필연적으로 파트너가 돼야 한다는 시각을 갖고 있다.

동아시아재단의 조직은 다음과 같다.

| 직 책 | 이 름 | 약 력 |
|---|---|---|
| 창립자 겸 명예이사장 | **정몽구** | 현대자동차그룹 회장 |
| 이사장 | **김성환** | 전 외교통상부 장관, 한양대 국제학부 특훈교수 |
| 이사 | **유재건** | 한국유네스코협회연맹 회장, 전 국회의원 |
| | **안충영** | 중앙대 석좌교수, 전 동반성장위원회 위원장 |
| | **김태환** | 한국 국립외교원 교수, 동아시아재단 운영이사 |
| | **류상영** | 연세대 국제학대학원 교수, 동아시아재단 운영이사 |
| | **김 준** | ㈜경방 회장 |
| | **공영운** | 현대자동차그룹 사장 |
| | **박철희** | 서울대 국제대학원 교수, |
| | **문정인** | 연세대 명예특임교수, 세종연구소 이사장 |
| 감사 | **신동천** | 연세대 경제학과 교수 |
| | **김창식** | 김창식 법률사무소 변호사 |
| 상임고문 | **공로명** | 전 외무부 장관, 전 동아시아재단 이사장 |
| 사무국 | **강찬구** | 선임간사 |

| 사무국 | **신윤희** | 선임간사 |
|---|---|---|
| | 비상근 | 정책논쟁 및 글로벌 아시아 펠로우 4명, 인턴 4명 |

**동아시아재단은** (03035) **서울특별시 종로구 필운대로** 116(**신교동** 59) 4**층에 있다.**

**전화** 02-325-2604~6, **팩스** 02-325-2898, **이메일** mail@keaf.org, **홈페이지** http://www.keaf.org

# 11. 한국국가전략연구원 일본연구센터

KOREA-JAPAN

한국국가전략연구원(Korea Research Institute for National Strategy · KRINS)은 2012년 4월 〈국가안보전략〉이라는 잡지를 창간하고 '새 정부가 추진할 국가안보정책방향에 관한 제언' 세미나, 미국 브루킹스연구소와의 공동국제회의, 육군국제학술회의 등을 개최해오다 2015년 4월 국방부의 허가를 얻어 사단법인으로 발족했다.
전략연구원은 정관에서 연구원의 목적을 "국가안보정책과 전략에 관한 지속적이고 체계적인 연구활동을 수행함으로써 국가 안보정책과 전략수립 및 시행에 기여함을 목적으로 한다. 동시에 국내국제적 학술교류를 통하여 국가안보정책을 계발하고 공동 관심사안에 대해 연구하며, 안보현안에 관한 각종 토론회를 개최하고, 정기간행물과 학술연구 자료의 발간을 통하여 관계 · 학계 · 언론계 · 경제계 및 일반의 국가안보의식을 고취하고 필요시 교육 · 자문함으로써 비정치 · 비영리 민간차원의 연구원으로서의 안보연구활동을 수행한다"고 밝혔다.

전략연구원은 2021년 2월 11일 "한국을 비롯한 미국 동맹국 인사들의 특별연구회, 조 바이든 정부에 핵보장 정책을 건의"라는 보도자료를 내놓았다. 2020년 1년간 미국 시카고국제문제연구소가 미국, 영국, 호주, 아시아의 안보 담당 고위직들을 모아 '동맹국의 핵무기 확산 문제'를 연구했고, 그 결과를 바이든 행정부에 건의했다는 내용이다. 전략연구원은 이 프로젝트에 실무적으로 참여했고, 개인으로는 이상희 전 국방부 장관과 윤병세 전 외교부 장관이 멤버였다.
한국의 입장에서 가장 눈길이 가는 제안은 미국 한국 일본 호주가 참여하는 아시아 핵기획그룹(NPG)을 만들어야 한다는 주장이다. 북한, 중국, 러시아의 핵 위협에 맞서 아시아에서의 미국의 핵 안정보장책을 제도화, 가시화해야 한다고 요구한 것이다. 이 보고서는 내용이나 시점도 의미가 있지만, 넓은 의미에서 일본과도 관련이 있으므로 전략연구원이 내놓은 해설 자료의 전문(全文)을 게재한다.

### "한국을 비롯한 미국 동맹국 인사들의 특별연구회, 조 바이든 정부에 핵 보장 정책을 건의"

2020년 1월 미국 시카고국제문제연구소(CCGA: Chicago Council on Global Affairs) 이보 달더(Ivo Daalder) 소장 주관으로 『미국의 동맹국들과 핵무기 확산 문제에 관한 특별연구회(Task Force on US Allies and Nuclear Weapon Proliferation)』가 구성되어, 12월까지 1년 동안 연구 및 토론이 진행되었다. 이 태스크포스의 공동의장은 척 헤이글(Chuck Hagel) 전 미국 국방장관, 말콤 리프킨드(Malcolm Rifkind) 전 영국 외교 및 국방장관, 케빈 러드(Kevin Rudd) 전 호주 총리 및 외교장관이 맡았으며, 총 12명의 아시아와 유럽 동맹국들의 전직 국방 및 외교장관 등 안보 관련 고위직들이 참여했다. 한국에서는 이상희 전 국방부장관 및 합참의장과, 윤병세 전 외교부장관이 참여했다. 이번 연구 결과는 『핵확산 방지와 미국의 동맹국들에 대한 안전보장(Preventing Nuclear Proliferation and Reassuring America's Allies)』이란 제목으로 작성되어 지난 1월 20일 출범한 미국 조 바이든 정부에 정책건의되었다. 이 연구에 실무적으로 참여한 한국국가전략연구원(KRINS)(원장 한민구)은 시카고국제문제연구소(CCGA)와 협조 하에 이 정책 건의서 전문을 한국 정부(국가안보실, 국방부, 외교부, 통일부)와 국회(국회 국방위원회, 외교통일위원회)에 제공하고 언론과 학계에도 공개했다. 이 정책 건의서의 특징과 핵심 내용은 아래와 같으며, 특히 북한 핵·미사일 위협을 평가한 부분과 한국을 비롯한 아시아 동맹국들에 대한 미국의 핵안전보장 강화책을 제언한 부분에 주목할 필요가 있다.

1. 연구 참여자의 특징

미국과 동맹국들의 핵 및 동맹정책 입안과 시행에 오래 동안 직접 관여했던 전직 총리, 국방·외교 장관, 군 수뇌 및 NSC 고위인사 들을 비롯하여, 뮌헨안보회의, 미국 시카고국제문제연구소, 영국 국제전략문제연구소 등 세계적인 외교안보포럼 및 연구기관의 전·현직 수장들이 참여하여 채택한 콘센서스 보고서이다.

2. 문제 제기의 특징

미국의 동맹국들은 러시아, 중국, 북한의 3종 세트(triple) 도전/위협과 '미국우선주의' 등의 문제로 미국의 전통적 확장억제와 핵보장에 대해 심각한 의구심을 갖게 되었다. 이 보고서에서는 60 여 년 전에 샤를 드골이 던졌던 본질적 질문, 즉 미국의 동맹국 포기(abandonment)나 안보 분리(decoupling)에 대한 우려가 되살아났으며, 더 이상 불량국가들의 확산문제가 아니라 동맹국들이 핵 옵션 등 대체 안보 수단을 추구하거나 누군가가 핵을 사용하게 되는 최악의 상황이 발생할 가능성(unthinkable이 thinkable로 바뀔 가능성)을 지적하고 있다. 이러한 문제

**드골의 질문**

샤를 드골 프랑스 대통령이 1966년 북대서양조약기구(NATO)를 탈퇴하겠다며 동맹국 미국에게 던진 질문을 말한다. 유사시 미국은 자국을 희생시키면서까지 프랑스와 독일을 보호해줄 것인가가 질문의 핵심이다. 프랑스는 미국 주도의 NATO에 의존하지 않고 자주국방을 하겠다는 뜻이다. 1960년 원자폭탄 실험에 성공한 후 드골의 생각은 더 굳어졌다. 결국 프랑스가 NATO를 탈퇴하면서(2009년 복귀), 파리에 있던 NATO 사령부는 벨기에 브뤼셀로 옮기고 미군과 그 가족 4만5000명도 프랑스를 떠나야 했다. 트럼프 대통령이 '미국 중심주의'를 선언했을 때 동맹국들 사이에서 비슷한 질문이 다시 나왔다.

인식을 토대로 조 바이든 신(新)행정부는 약속만이 아닌 행동으로 동맹국들의 의구심을 해소할 필요가 있음을 강조했다.

3. 보고서 구조의 특징

이 정책 보고서는 미국이 동맹국들에게 핵보장을 제공하기 위해 독자적으로 취할 조치들과 동맹국들을 중심으로 취할 조치들을 제시하고, 핵보유국인 유엔안보리 5대 상임이사국들의 역할 등을 강조하고 있다. NATO와 아시아에서 재래식 차원의 정책을 넘어 지금까지 소홀히 해왔던 핵 차원(nuclear dimension)의 다양한 정책적 조치들을 제언했다.

4. 보고서 내용의 특징

동맹국들의 의구심 해소와 신뢰 구축, 3대 도전/위협 대응을 위해 대서양 동맹과 아시아 양자 동맹의 모든 차원(공약, 행동조치, 이행구조 등)에서 동맹공약과 관계의 재확인/재확립(Reaffirm / Reestablish), 동맹구조의 재구축/변환/현대화/업그레이드(Rebuild / Transform / Modernize / Enhance)를 위한 건의를 다수 제기했다. 특히 탈냉전 기간 중 미국이 덜 부각시키고자 했던 확장억제의 핵차원 강화를 강조하고 있다. 예컨대 핵무기 문제 중요성의 능동적 제고, 초기부터 핵기획과정에 참여, 전진배치의 적절성을 확보하기 위한 비(非)전략 핵무기 태세 검토 요구 등을 제언했다. 기존의 양자협력을 넘어 다자적 협력과 지역협력틀(regional framework)의 중요성을 강조했다. 예컨대 한 · 미 · 일 협력에 우선순위 부여, Quad plus, 아시아 핵기획그룹(NPG) 창설 등을 제시했다. 북한의 핵 · 미사일 위협을 러시아, 중국과 동렬에서 3대 세계적 · 지역적 위협의 하나로 다루고, 한국 내 엄중한 여론과 미국에 대한 인식을 가감없이 반영했다. 또한 기존의 외교협상과 제재 국면을 넘어 확장억제와 핵보장 국면으로의 병행 전환이 필요하다고 강조했다. NATO의 현대화와 아시아 동맹국들의 다자적 노력 강화 노력의 시너지 및 상관관계를 부각시키면서, NATO의 핵능력 강화에 맞춰 아시아에서도 핵태세를 강화해야 한다고 강조했다. 유럽의 방위역량 강화를 위해 핵공유협정을 맺고 있는 NATO 유럽 국가들 역량의 현대화, 핵보유국인 영 · 불이 미국과는 별도로 여타 유럽국가들에게 확장억제력 제공, 핵옵션에 대한 터키와 폴란드의 태도 등도 논의했다. 특히 미 · 한 · 일 · 호의 아시아 핵기획그룹(NPG)은 새로운 제안으로서 NATO의 핵기획그룹을 벤치마킹한 것이다. 이 제언이 실현된다면 한국 내 정권 변화와 무관하게 대(對)북한 및 아시아 정책에서 우리의 발언권과 위상을 제고할 수 있을 것이다. 현재 한국, 일본, 호주는 미국과 양자적 협의 채널을 갖고 있지만, 4자 형식의 협의체가 설립된다면 양자 협의체의 약점을 보완하고 NATO 방식으로 우리의 위상을 제고할 수 있다. 그리고 이 다자 협의체는 북한 위협에 대해 한미 차원을 넘어 역내 공동위협(common threat)차원에서 공동 대처하는 최초의 제도적 핵장치로서 역할이 가능할

**쿼드 플러스 (Quad 플러스)**

'쿼드(Quad)'란 '4'를 의미하는데 여기서는 미국, 일본, 호주, 인도 등 4개국의 비공식 안보협의체를 뜻한다. '쿼드 플러스'는 '쿼드'에 다른 나라를 가입시켜 영향력을 확대하겠다는 것으로, 한국, 베트남, 뉴질랜드 등이 후보국이다. 스티븐 비건 미 국무부 부장관이 2020년 8월 '쿼드'를 나토(NATO · 북대서양조약기구)와 같은 다자 안보 동맹으로 공식기구화하겠다는 뜻을 밝혔다. 하지만 '쿼드'가 중국을 봉쇄하려는 '자유롭고 열린 인도 · 태평양 구상'의 일환이라는 의혹을 받고 있어 한국은 선뜻 동참하기가 어려운 입장이다.

**핵기획그룹(NPG)**

Nuclear Planning Group을 뜻한다. 미국과 유럽의 NATO(북대서양조약기구) 동맹국들이 가입한 기구로 회원국의 국방장관들로 구성한다. 1957년 옛 소련이 세계 최초로 대륙간탄도미사일(ICBM)을 완성하자 이에 대응하기 위해 1966년 발족했다. 핵무기 정보와 사용권을 미국과 나토 회원국들이 실질적으로 공유하기 위해 만든 것이다. 여기서 '핵공유'란 전술핵무기에 대한 소유권과 사용의 최종승인권은 미국이 보유하지만 운반수단(폭격기)은 전술핵 배치국이 제공한다는 것이다. 미국은 NATO 회원국 중 핵무기 비보유국인 독일, 이탈리아, 벨기에, 네덜란드, 터키에 약 150~200기의 전술핵무기(B-61)를 배치하고 있다. (시사상식사전) 따라서 미국, 한국, 일본, 호주가 참여하는 아시아판 핵기획그룹을 만든다면 한국, 일본, 호주 입장에서는 핵은 갖고 있지 않지만, 핵 억지력을 공유한다는 의미가 있다.

것이다. 또한 이 보고서는 북한, 러시아의 (전술)핵사용 전쟁(war fighting) 전략과 중국의 핵무기 수량의 배가 가능성에 관해 우려를 표명했다. 미국과 러시아 사이의 군비통제협상뿐만 아니라 5대 핵강국(P5) 사이의 군비통제협상도 제언했다.

5. 한국 관련 함의

■ 북한 핵 · 미사일 위협 정밀 평가: 지난 3년여에 걸친 미북 협상에도 불구하고 북한은 집요하게 핵무기와 미사일 전력을 확충하고 고도화시키고 있다. 북한은 50-70발의 핵탄두를 보유하고 매년 약 7발의 핵무기를 제조할 수 있는 핵물질을 생산 중이다. 한국 전역뿐 아니라 아시아-태평양 지역 국가까지 타격할 수 있는 1천발 이상의 단 · 중거리 탄도미사일을 배치한 것으로 판단된다. 북한은 SLBM 탑재 잠수함을 건조중이며, 작년 10월 북한 노동당 75주년 열병식에서 공개된 세계 최대의 ICBM은 미국 본토를 위협하고 있다.

■ 핵안전보장 강화책 제기: 이에 대한 한국내 여론과 기존 미국의 정책에 대한 우려를 표명하고, 미국의 리더십 재구축을 위한 3대 조치(주둔미군 유지등 안보 공약 재확인, 핵기획 과정 참여 등 핵문제의 중심성 제고, 전진 배치를 포함한 비(非)전략 핵무기 태세 재검토 등 확장억제 및 미사일 방어 역량 강화)의 필요성을 제기했다. 이를 위해 보고서는 아래와 같이 제언했다. 미국 대통령은 안보공약을 재천명하고, 주한미군을 위한 장기적이고 균형적인 비용분담에 합의해야 한다. 미국은 핵위협으로부터 동맹국들의 안전을 보장하기 위해, 한국을 비롯한 동맹국들의 핵기획 과정에 참여, 동맹 위기관리 연습실시, 정규적인 워게임에 동맹국 최고 지도자들의 참석 등이 추진돼야 한다. 한국을 비롯한 동맹국들의 재래식 방위능력 제고, 미사일 방어능력의 추가배치, 전진 배치를 포함한 비(非)전략핵무기 태세의 재검토 등이 논의돼야 한다. 아시아에서의 다자적 억제(강력한 한 · 미 · 일 안보협력, 아시아 NPG 창설, Quad plus) 방책이 강구돼야 한다.

**스티븐 얼랜저**(Steven Erlanger) **뉴욕타임스 유럽본부장은 이 보고서의 발표에 즈음한 2월 10일**(현지시간) **장문의 기사를 게재했다. 기사 중에서 보고서와 한국 관련 부분을 발췌 소개한다**(번역은 전략연구원이 제공한 것이다).

**Biden's Top Challenge Abroad Is Something No One Wants to Talk About**

(전략) 러시아, 중국, 북한 모두가 핵전력을 현대화하고, 이란이 핵농축에 돌입한 가운데, 동맹국들은 미국에게 안전보장을 원한다. 하지만 이들은 그런 미국의 보장을 별로 믿지 않고 있

다. …

유럽과 아시아 지역에서 미국의 동맹국들은 자신들이 핵위험에 노출되었다는 '취약함'을 절감한다. 전문가들의 견해에 따르면, 이들은 미국의 안전보장이 여전히 유효하고, 현실적이고, 믿을만한 것이기를 원한다. 만일 그렇지 않다면 일부 동맹국들은 공개적으로 또는 비밀리에 독자적인 핵무장에 나서는 방안을 고려할 것이다.

이들이 당면한 절박한 문제는 북한이 핵 및 미사일 전력이 확대일로에 있는 오늘날의 세계에서 새로운 위험이 닥치고 있다는 사실이다. 게다가 중국은 핵보유고를 두 배로 늘리고 최첨단 중거리 미사일 구축에 박차를 가하고, 러시아는 핵무기 현대화와 함께 극초음속 미사일을 제조하고, 이란은 불과 몇 달이면 핵폭탄 제조에 충분한 핵분열물질을 생산할 수 있다. …

달더에 의하면, 미국 본토를 타격할 수 있는 북한 핵·미사일 위협의 사정거리와 능력을 고려할 때, 동맹국은 이렇게 묻고 있다. "우리를 위해 미국은 자신을 희생할 것인가? (아니면) 서울을 희생시키고 시애틀을 구하려 할 것인가?" …

달더는 16명의 전직 관료들과 전문가들을 규합하여 이 문제에 대한 보고서를 작성했다. …

또한 보고서는 미국이 일본·한국과의 진지한 안보협력을 재개하고, 호주를 포함한 아시아 핵기획그룹을 창설하여, 이 지역에 대한 미국의 핵전략을 수립하는데 동맹국들을 참여시킬 것을 촉구했다.

만일 유럽이 안보 불안으로 취약함을 느낀다면, 그런 우려는 특히 아시아에서 더욱 큰 고통으로 다가올 것이다.

한국의 외교장관을 지낸 윤병세는 이렇게 말했다. "한국과 일본은 모두 북한의 점증하는 핵무기와 미사일 위협에 직면하고 있다. 양국은 현재의 확장억제 수준이 자신들을 보호하는데 충분치 않다고 여긴다. 핵 보장은 아시아의 미국 동맹국들에게 가장 중요한 관심사가 되었다."

아시아국가들은 미국이 북한과 단거리 미사일이 제외된 장거리 미사일에 대해서만 합의할 것으로 우려한다. 이렇게 되면 미국과 한국의 국가이익의 분리(decouple)가 시작될 수 있다.

여론조사에서 대부분의 한국인들은 자체 핵무기 확보를 지지하며, 중도파 및 우파 정당들은 미국이 남한에 핵무기를 주둔시킬 것을 요구한다. (후략)

**전략연구원이 개최한 일본 관련 논평, 강의, 학술회의**

| 연도 | 형태 | 내용 |
|---|---|---|
| 2016.1.25 | 주제발표 | 브루스 클링너(브루킹스연구소) **미국이 보는 통일과정 및 통일 이후의 한미일 관계 발전방향** |
| 2016.5.17 | 제 7회 아시안 리더십 컨퍼런스(조선일보 주최) 한국국가전략연구원-미국브루킹스연구소 세션 | 주제 **북한의 핵과 미사일문제를 둘러싼 동아시아 안보질서**<br>개회사 이상희(한국국가전략연구원장)<br>사회 장달중(서울대)<br>발표<br>안병준(한국학술원 종신회원) **미중 경쟁관계와 북한의 핵·미사일 위협 하, 한국의 안보전략 모색**<br>리처드 부시(브루킹스연구소) **북한의 핵무기와 미사일: 미국과 일본의 입장과 대응**<br>에반스 리비어(브루킹스연구소) **북한의 핵과 미사일 도발에 대한 중국의 대응: 복잡한 문제**<br>김숙(전 유엔대사) **북한 핵과 미사일에 대한 한국의 대응** |
| 2017.7.3 | 제8회 아시안 리더십 컨퍼런스: 한국국가전략연구원-미국브루킹스연구소 세션 | **동아시아에서 나타나고 있는 국제질서의 변화와 한반도**<br>사회 장달중(서울대) 개회사 이상희(전 국방부장관)<br>발표<br>조나단 폴락(브루킹스연구소) **동북아시아의 질서와 안정에 대한 위험 평가**<br>리처드 부시(브루킹스연구소) **트럼프 행정부의 동아시아 정책의 방향과 그것이 동아시아 지역안정 및 지역질서에 미치는 영향**<br>이근욱(서강대) **동아시아에서의 민족주의와 안보경쟁 가능성: "하나의 중국" 원칙, 해양영토 분쟁, 그리고 일본의 과거사 문제를 중심으로**<br>김영호(국방대) **한반도 통일을 위한 한·미 협력: 가능성과 도전**<br>에반스 리비어(브루킹스연구소) **트럼프 행정부의 대북정책: 목표, 도전 및 전망**<br>마크 리퍼트(전 주한대사 대리) **아시아 태평양 지역에서의 평화와 안정에 대한 견해** |
| 2019.1.16.~17 | 제7회한국국가전략연구원, 브루킹스연구소,조선일보주최 국제심포지엄 | **한반도와 동아시아의 평화와 안정을 위한 북한의 비핵화를 추진하는 과정에서 남북관계 발전과 평화체제 추진을 선행할 것인가, 후속할 것인가? 이에 따른 한국과 미국 정부의 정책 방향에 관한 제언**<br>**세션1 북한의 비핵화 추진과 종전선언, 평화협정, 남북관계 개선은 선순환 구조인가** 사회 리처드 부시(브루킹스연구소)<br>에반스 리비어(브루킹스연구소) **플랜B의 시기 : 비핵화 환상, 한미동맹, 그리고 북한의 노림수**<br>박원곤(한동대) **북한 비핵화에 대한 한미의 시각 차이와 해법 모색**<br>문성묵(한국국가전략연구원) **북핵협상과 남북 재래식 군비통제 추진 평가 및 과제**<br>조나단 폴락(브루킹스연구소) **북한과의 경제협력: 제재 및 비핵화** |

| 연도 | 형태 | 내용 |
|---|---|---|
| | | 의 위험요인과 함의 평가<br>토론 조동준(서울대)<br><br>**세션2 북한의 비핵화가 한반도와 동아시아의 평화와 안정을 가져오게 하기 위해 한미동맹과 관련국들은 어떤 역할을 해야 하는가**<br>사회 장달중(서울대)<br>리처드 부시(브루킹스연구소) **동상이몽인가? 대북 협상과정에서 한미동맹에 대한 새로운 도전**<br>신범철(아산정책연구원) **정체된 비핵화 협상 동력 마련을 위한 주변국 공조 방안**<br>브루스 클링너(브루킹스연구소) **방어력 약화 이전에 위협 축소: 한반도에서의 재래식 전력 감축**<br>류제승(한국국가전략연구원) **한반도 비핵화와 평화체제, 그리고 한미동맹과 연합방위체제의 미래**<br>토론 조성렬(국가안보전략연구원)<br><br>**세션3 라운드테이블(비공개)** 사회 김숙(전 주유엔대사)<br>사회, 발제, 토론자 외의 참가자, 유명환(전 외교부장관), 신각수(전 외교부차관), 조태용(전 외교부차관), 조창범(전 오스트리아대사), 장재룡(전 프랑스대사), 이상희(전 국방부장관), 김태영(전 국방부장관), 한민구(전 국방부장관), 정승조(전 합참의장), 엄종식(전 통일부차관), 김천식(전 통일부차관), 전경만(전 통일교육원장), 이호철(인천대), 김경덕(한국국가전략연구원), 김열수(한국군사문제연구원), 박남수(한국국가전략연구원), 김창수(한국국방연구원), 송승종(대전대), 안용현(조선일보 논설위원) |
| 2019.5.21 | 국방토론회 | 박철희(서울대) **한일 군사교류협력의 현재와 미래** |
| 2020.11.11 | 2020 아시안리더십 컨퍼런스(조선일보 주최) 한국국가전략연구원-브루킹스 세션 | **차기 미국 행정부의 대외 정책 변화 전망: 한반도와 인도-태평양 지역에서 현존 위협의 근원적 해소를 통한 현재와 미래의 평화 보장**<br>사회 김숙(전 유엔대사)<br>기조연설 한민구(한국국가전략연구원장) **현존 위협의 유예적 해결로는 한반도와 인도-태평양에서 현재와 미래의 평화를 보장할 수 없다**<br>발표1 브루스 클링너(헤리티지파운데이션 선임연구원) **차기 미국 정부의 대외 정책 기조를 어떻게 예상하는가?**<br>발표2 조나단 폴락(브루킹스 연구소 선임연구원) **미국과 중국의 전략 경쟁을 어떻게 평가하고 어떻게 변화할 것으로 전망하는가? 미국은 한국을 비롯한 동맹국들에게 어떤 역할을 기대하는가?**<br>발표3 에반스 리비어(브루킹스 연구소 선임연구원) **미국의 북핵 문제에 대한 접근은 어떻게 변화될 것이고 한미 공조관련 어떤 의미를 갖는가?**<br>발표4 김병연(서울대 경제학과 교수) **대북(對北) 제재에 따라 악화** |

| 연 도 | 형 태 | 내 용 |
|---|---|---|
| | | **된 경제 상황이 북한의 태도와 체제 안정성에 미치는 영향과 한미 접근 전략은?**<br>발표5 마이클 오핸런(브루킹스 연구소 선임연구원) **미국은 고도화되는 북핵의 실존적 위협으로부터 한국과 일본을 보호하기 위해 어떤 추가 방책을 제공할 수 있는가?** |

한국국가전략연구원 초대 원장은 이상희 전 국방부 장관이, 2대 원장은 2019년 4월부터 한민구 전 국방부 장관이 맡고 있다.
한국국가전략연구원은 다음과 같은 연구센터를 두고 있다.

| 센 터 | 센터장 | 경력 또는 소속 |
|---|---|---|
| 국가전략센터 | **류제승** | 전 국방부정책실장 |
| 국방전력센터 | **박남수** | 전 육군사관학교장 |
| 통일전략센터 | **문성묵** | 전 군비통제차장 |
| 정보화 및 사이버센터 | **조성직** | 전 사이버사령관 |
| 전략개발센터 | **신영순** | 전 합참무기체계조정관 |
| 항공우주정책센터 | **신성환** | Aon/법무법인 세종 고문 |
| 미국연구센터 | **송승종** | 대전대 교수 |
| 일본연구센터 | **권태환** | 한국국방외교협회장 |
| 중국연구센터 | **문용석** | 전 주중국방무관 |
| 러시아연구센터 | **김정기** | 대전대 교수 |
| 동원전력센터 | **팽준호** | 전 육군동원전력실장 |
| 국방교육센터 | **서형석** | 전 국방교육정책관 |
| 외교안보센터 | **신범철** | 전 외교부정책기획관 |
| 국방AI 연구센터 | **박래호** | 전 국방부정보화기획관 |

**한국국가전략연구원은** (04382) **서울특별시 용산구 한강대로** 62**길** 41 3**층에 있다.**
**전화** (02) 798-9555~6, **팩스** (02) 798-9557, **홈페이지** http://www.krins.or.kr

# 12. 신아시아연구소

KOREA-JAPAN

신아시아연구소(New Asia Research Institute · NARI)는 1993년에 만든 신아세아연구회를 뿌리로 하고 있다. 연구회는 1997년 신아세아연구소를 부설했고, 2006년에는 법인명을 신아시아연구소로 변경했다.
이 연구소의 일본 관련 연구 업적은 다음과 같다.

### 연구 업적

| 구 분 | 주 제 |
|---|---|
| 세미나 | 구한말 및 최근 한반도 주변 정세 비교<br>한반도 통일과 관련한 주변 4국의 대(對)한반도 정책<br>동아시아의 군비 증강: 평가와 한국의 대응<br>남북정상회담과 동아시아 신질서<br>금융위기와 아시아 경제 질서<br>중일 관계의 장래<br>21세기 아시아 질서와 일본<br>21세기 러시아의 동아시아 정책<br>아시아 공산주의의 장래<br>아시아의 장래는 있는가<br>한미일중 4각 협력체제 연구 |
| 집담회 | 한일관계의 현상과 바람직한 발전 방향<br>한국과 일본의 경제시스템 |
| 한일 포럼 | 한일 청장년 세대가 보는 21세기 아시아 질서<br>21세기 동아시아와 한일관계<br>동북아시아 정세와 한일관계<br>새 시대의 한일관계<br>9 · 11 테러 이후 동아시아와 한일관계 |
| 안보정책연구 | 일본 방위정책과 미일 안보 관계의 장래<br>미일 신안보협력지침의 평가<br>한반도 주변 유사시 한일 양국 협력 방안<br>한일 해군 협력에 관한 정치-군사 시뮬레이션<br>한일 지상군 협력에 관한 정치-군사 시뮬레이션<br>한일 공군 협력에 관한 정치-군사 시뮬레이션<br>동아시아 세력균형 변화 진단 |

| | |
|---|---|
| | 한반도 유사시 한미일 안보협력 방안<br>한일 안보협력 방안<br>동북아 평화구축 방안<br>동북아지역 다자간 안보관계의 미래상<br>한국의 안보환경 2020(3): 한미일중 4각 협조체제 연구 |
| 일반연구 | 동북아 안보환경과 한미일 협력체제<br>일본 종합 연구 프로젝트<br>과학기술정책 및 시사점: 한일 중소기업 정책의 비교를 중심으로<br>아시아 민족주의 연구 |

신아시아연구소의 조직은 다음과 같다.

| 직 책 | | 이 름 |
|---|---|---|
| 고문 | | **공로명, 이홍구, 최병렬** |
| 이사회 | 이사장 | **이상우** |
| | 소장 | **현인택** |
| | 상임이사 | **박광희** |
| | 이사(부소장) | **김태효** |
| | 이사 | **김석, 김수웅, 신원식, 유홍종, 이규영, 이병수, 이원영, 이태원, 정구영, 정재관, 조덕영** |
| | 감사 | **구본학, 부성옥** |
| 사무국 | 사무차장 | **박정아** |

**신아시아연구소는 (07238) 서울특별시 영등포구 국회대로 76길18, 601호(여의도동 오성빌딩)에 있다.**

**전화 (02) 784-7161, 팩스 (02) 785-7160, 이메일 newasia@choi.com, 홈페이지 http://www.nari.re.kr**

KOREA-JAPAN

# 13. 최종현학술원

최종현학술원(Chey Institute for Advanced Studies · CIAS)은 최종현 SK그룹 선대회장 20주기를 맞이해 최태원 SK그룹 회장과 ㈜SK가 출연한 1,000억 원의 기금으로 2018년에 문을 열었다. 최종현학술원은 고 최종현 회장이 1974년에 만든 한국고등교육재단의 21세기형 진화모델이라고 할 수 있다. 원장은 박인국 전 유엔대사가 맡고 있다.

학술원의 설명은 이렇다.

故 최종현 회장은 1974년 '세계 일등국가가 되기 위해선 세계적 수준의 학자들을 많이 배출해야 한다'는 뜻을 가지고 한국고등교육재단을 설립했습니다. 한국고등교육재단은 지난 44년 동안 해외 명문대학교 박사학위자 750여 명을 배출했고 지금도 200여명의 해외유학생들을 지원하고 있습니다. 특히 2000년부터 추진한 국제학술사업을 통해 지금까지 900여명의 외국학자가 국내대학 및 연구소에서 1년간의 방한연구를 수행하도록 지원하였으며, 아시아 8개국 18개 대학 및 기관에 아시아연구센터(Asia Research Center)를 설립하여 아시아 각국 간의 학술 교류와 소통의 활성화를 주도해오고 있습니다.

신규 설립한 최종현학술원은 한국고등교육재단이 거둔 성공적인 인재양성 성과와 국제학술 협력 네트워크를 바탕으로 대한민국과 동북아시아가 안고 있는 글로벌 위기와 도전요인을 분석하고 대안을 제시하고자 합니다. 나아가 과학혁신과 위험에 대한 분석과 연구를 통해 인류사회에 전례 없는 기회와 도전에 보다 체계적인 대응을 할 수 있도록 기여하는 것을 목표로 합니다.

우리 학술원은 한국과 중국, 일본 등 아시아를 넘어 미국과 유럽의 세계적인 대학, 연구소 및 Think Tank와 협력하며 새로운 지식사회를 열어 나갈 인재들의 적극적인 지원을 기대합니다.

최종현학술원을 이 책에 게재하는 이유는 2019년 12월에 처음으로 시작한 '도쿄포럼'을 소개하기 위해서이다. 도쿄포럼에 대해 최종현학술원은 이렇게 설명하고 있다.

최종현학술원과 동경대학이 공동으로 주최하는 도쿄포럼은 정치적으로 한일관계의 부침이 계속되는 상황에서, 함께 상생하는 미래를 만들어나가기 위해 기획된 국제학술대회이다. 도쿄포럼에서는 대한민국, 일본, 미국, 중국 등 다양한 국가의 석학이 모여 동북아를 포함한 전 세계가 공동으로 마주한 '국제질서, 과학기술 혁신, 무역, 경제, 환경, 도시' 등 다양한 위기와 기회요인에 대해 논의하며, 나아가 미래지향적 협력 방안을 모색하는 민간 외교 플랫폼으로 성장해 나갈 예정이다.

최종현학술원은 일본 동경대학과 함께 2019년 12월 6일부터 8일까지 2019 동경포럼을 개최하였다. "Shaping the Future" 제하에 열린 제1회 동경포럼은 북한의 핵 · 미사일 위협과 미 · 중 전략경쟁 강화로 동북아 안보지형이 흔들리고 한일간 외교적 긴장으로 지정학적 불확실성이 확대되는 가운데 과거와 현재의 제약을 극복하고 미래를 지적 담론의 주제로 삼고자 기획되었다.

동경대학의 랜드마크로서 수십년만에 일반 대중에게 공개된 야스다 강당에서 진행된 1일차에는 구마 겐고(현대 일본을 대표하는 건축가), 노요리 료지(2001 노벨화학상 수상자) 등 일본의 대표지성과 손정의(소프트뱅크 회장), 마윈(알리바바그룹 창립자) 등 아시아를 대표하는 기업인, 그리고 헬렌 클라크(전 뉴질랜드 총리)와 엔리코 레타(전 이탈리아 총리)등 주요국 전직관료들이 참석해 "더 나은 미래"에 대한 비전을 전했다.

**야스다(安田) 강당**

도쿄대의 혼고(本鄕) 캠퍼스에 있는 강당으로 매년 졸업식을 이곳에서 열 정도로 도쿄대를 상징하는 건물이다. 수용 인원은 1144석. 야스다 재벌의 창업자 야스다 젠지로(安田善次郎)가 이름을 밝히지 않는 조건으로 기부하기로 하고 1921년부터 25년까지 건설했다. 그러나 1921년 암살당한 그를 기리기 위해 야스다 강당으로 명명했다. 1968년 전학공투회의(全学共闘会議 · 全共闘)가 학원자유화와 등록금인상반대를 주장하며 점거농성을 한 곳으로도 유명하다. 학생들은 1969년 1월 학교 측의 요청으로 경찰이 강제 해산했다. 문부과학성은 1969년 도쿄대의 신입생 선발을 중지시켰다.

한편, 한일간 외교적 긴장이 재계에도 확산되는 상황 속에서 진행된 '한일 비즈니스 리더 간 대화" 특별 세션에는 최태원 SK그룹 회장과 나카니시 히로아키 일본 게이단렌 회장 등 양국의 대표 기업인들이 등단하여 한일 기업 간 협력 및 교류 확대 방안에 대한 의견을 나누었다. 박인국 최종현학술원장의 사회로 진행된 "도전과 기회-격변하는 21세기 동북아지정학" 세션에서는 존 햄리(CSIS 소장), 에드윈 퓰너(헤리티지재단 창립자), 장윈링(중국 사회과학원 학부위원), 후지사키 이치로(전 주미일본대사), 윤영관 전 외교부 장관 등 한, 미, 중, 일의 지식인들이 이례적으로 모여 북핵과 미중경쟁 등 동북아가 당면한 도전과제에 대해 심도있는 논의가 오가기도 했다.

이 행사를 보도한 두 개의 기사를 소개한다.

### 최태원, 동북아 이슈 공동 대응 '도쿄포럼' 개최… 손정의 마윈 만나

최태원 SK 회장이 급격한 기술 발전, 지정학적 불안정 등 글로벌 이슈에 대응하기 위해 아시아 국가들이 지혜를 모으고 국제사회에서 리더십을 발휘해야 한다고 역설했다.

6일 SK그룹에 따르면, 최 회장은 이날 일본 도쿄대에서 한·일 지식인과 기업인, 시민, 대학생 등 1000여명이 참석한 가운데 개막한 '도쿄 포럼 2019'에서 이같이 밝혔다.

도쿄 포럼은 최 회장과 SK가 고(故) 최종현 선대회장의 인재육성 뜻을 기려 설립한 최종현학술원이 도쿄대와 올해 처음 공동 개최한 국제 포럼이다. '미래의 설계(Shaping the Future)'를 주제로 한 이 포럼은 8일까지 이어진다. 사흘간 한 · 일 학자, 경제단체 대표, 대기업 CEO, 정책입안자들과 미국, 중국 등에서 온 글로벌 리더 등 150여명이 발표자와 패널로 참석한다. 최 회장은 SK 회장 겸 최종현학술원 이사장 자격으로 참석했다.

최 회장은 개막 연설에서 "오늘날 우리는 인공지능 등 첨단기술이 무기화되고, 세계 곳곳의 지정학적 긴장이 높아지는 현실을 목도하고 있다"며 "복잡하고 초국가적인 이들 이슈 해결을 위해 아시아가 책임감과 비전을 갖고 국제무대에서 리더십을 발휘할 때"라고 강조했다.

이어 최 회장은 "강력한 아시아 리더십을 이끌어내려면 우리는 진정한 공동체가 되어 서로의 차이를 극복해야 한다"며 이를 위해 ▲무역과 투자 협력 강화 ▲불필요한 역내 마찰을 피하기 위한 정책입안자들과 민간의 긴밀한 협력 등을 제안했다.

최 회장은 또 "글로벌 현안에 대응하고 더 나은 세상을 만들려면 선한 의도만으로는 충분치 않다"고 지적하고 "우리의 노력이 창출하는 사회적 가치를 측정하는 방법론이 필요하다"며 SK의 사회적 가치 측정 방법과 이에 기반한 DBL(더블바텀라인) 경영 등을 소개했다.

최 회장은 SK그룹이 2018년 280억 달러의 세전이익을 내면서 146억 달러 규모의 사회적 가치를 창출했다고 밝혔다. 또한, 바스프, 글로벌 4대 컨설팅 법인, 세계은행(World Bank), 경제협력개발기구(OECD) 등과 비영리법인 VBA(Value Balancing Alliance)을 만들어 사회적 가치 측정의 국제표준을 만들고 있다고 설명했다.

포럼을 공동 주최한 도쿄대의 고노카미 마코토 총장은 개막 연설에서 "디지털혁명은 포용적 사회에 대한 희망을 갖게 하지만 정보격차 등 부정적 영향도 초래할 수 있다"면서 "도쿄대와 최종현학술원은 미래 세대에 대한 책임감을 갖고 정보격차 등 다양한 글로벌 현안의 해법을 모색하기 위한 협업에 나섰다"고 말했다.

이와 관련, SK 측은 도쿄포럼은 지난 2017년 SK 후원으로 열린 중국 베이징포럼에 참석한 도쿄대 관계자와 최종현학술원(당시 한국고등교육재단) 측이 공동 포럼 개최에 대해 의견을 나눈 것을 시작으로, 2년여의 준비를 거쳐 성사된 것이라고 설명했다.

개막식 이후에는 한 · 일 양국 학자와 경제인, 헬렌 클락 뉴질랜드 전 총리, 존 햄리 미국 국제전략문제연구소(CSIS) 소장 등 글로벌 리더들이 동북아 국제정세와 비즈니스 이슈 등을 공유하고 대안을 모색하는 특별 대담과 연설, 세션이 잇따라 열렸다.

특히, '한 · 일 경제교류의 미래와 협력방안'을 주제로 열린 비즈니스 특별세션은 양국 주요 경제인이 참석해 높은 관심을 끌었다. 오구라 가즈오 전 주한 일본대사 사회로 진행된 이 세션

**바스프(BASF)**

독일에 본사를 둔 세계 굴지의 화학기업집단이다. 1865년 프리드리히 엥겔호른 등 4명이 루트비히스하펜에 설립한 염색회사 '바디셰 아닐린 운트 소다 파브릭(Badische Anilin & Soda Fabrik · BASF)'이 모체다. 이후 플라스틱, 스티로폼, 질소비료 생산 등으로 명성을 쌓았고, 정밀화학과 석유화학을 비롯한 다양한 분야에서 우수한 제품과 솔루션을 제공하는 글로벌 화학 기업으로 성장했다.

**VBA(Value Balancing Alliance)**

우리나라 SK와 독일 화학그룹 바스프(회장사)를 중심으로 노바티스, 보쉬, SAP, 도이체방크, 라파지홀심, 필립모리스 등 다국적기업들이 사회가치측정 방법 등을 공동으로 연구하는 비영리 법인이다. 이 기구는 요즘 대세인 ESG경영을 지원한다. ESG 경영은 환경(Environment)을 보호하고, 사회적 가치(Social)를 중시하며, 투명한 지배구조(Governance)를 만들어 지속가능한 경영을 추구하는 것이다. SK그룹은 ESG경영을 강조하고 있으며, 이 성과를 측정하기 위해 사회적가치연구원(CSES)이라는 기관도 설립했다.

에는 최태원 회장과 김윤 삼양홀딩스 회장(한일경제협회장), 허용수 GS에너지 사장, 나카니시 히로아키 일본 경제단체연합회 회장, 미무라 아키오 일본상공회의소 회장, 사토 야스히로 미즈호금융 회장이 패널로 참석했다. 이들은 한·일 경제산업 협력 현황 한·일 경제협력 유망 분야 전망 한·일 협력을 위한 기업 및 단체의 역할 등에 대해 70여분간 열띤 토론을 벌였다.

이에 앞서 마윈 알리바바그룹 창업자와 손정의 소프트뱅크 회장이 미래 세상의 비전과기업의 역할 등을 주제로 특별대담을 하는 순서도 마련됐다.

포럼 둘째 날인 7일에는 지속가능개발을 달성하기 위한 초지역적 연대 반세계화시대 공동의 안정 모색 도시의 미래 디지털 혁명 등을 주제로 한 세션 6개가 열린다. 마지막 날인 8일에는 '어떻게 미래를 만들 것인가'를 주제로 한 린이푸 前 세계은행 부총재의 특별연설 등이 마련될 예정이다.

SK 관계자는 "한·일을 포함한 아시아 민간 영역의 각계 리더들이 도쿄 포럼을 통해 공동 현안에 대한 고민과 해법을 공유하는 장을 구축했다는 데 큰 의미가 있다"며 "SK가 후원하는 베이징 포럼 등과 함께 도쿄 포럼이 아시아의 대표적 집단지성 네트워크로 발전하기를 기대한다"고 밝혔다. (뉴시스 2019년 12월 6일 입력)

### 손정의－마윈 '도쿄포럼' 회동 "늑대의 야성으로 미래 AI시대 준비해야" "우리 둘 동물적 감각으로 미리 알아… 기업의 성패는 인재육성에 달려"

"인공지능(AI) 시대의 도래는 피할 수 없다. '늑대의 야성'을 지니고 AI 시대를 준비하는 사람만이 밝은 미래를 맞이할 수 있다."

세계 정보기술(IT) 업계의 거물인 손정의 일본 소프트뱅크그룹 회장(62)과 마윈 중국 알리바바 창업주(55)가 6일 일본 도쿄에서 열린 '제1회 도쿄포럼'에서 AI 시대에 대한 낙관적 관점과 철저한 대비를 주문했다. 둘은 세계적 기업가가 된 지금도 자신들이 '늑대의 야성'을 갖고 있다며 "개와 늑대가 서로를 냄새로 알듯 우리 둘도 같은 동물"이라고 강조했다. 이어 "우리는 동물적 감각으로 AI 시대가 올 것을 알았다"며 "이때 각 기업의 최고경영자(CEO)는 최고 교육 임원이 되어야 하며 기업의 성패도 인재 육성에 달려 있다"고 창의적 교육의 중요성을 주문했다.

손 회장은 알리바바의 창업 이듬해인 2000년 중국에서 마 창업주를 만났고 단 10여 분간의 짧은 만남 후 2000만 달러란 거액을 투자했다. 이후 알리바바는 중국 최대 상거래업체로 거듭났고 둘은 내내 돈독한 교분을 이어왔다. 이날 마 창업주는 손 회장을 "20여 년간 친구, 동반자, 영혼의 단짝(soulmate)으로 지냈다. 비전과 열의가 있는 사람"이라며 "첫 만남에서 손 회장이 5000만 달러 투자를 언급해 깜짝 놀랐다"고 회고했다. 마 창업주의 어깨를 툭툭 치며 스스럼없는 모습을 보인 손 회장도 "다른 이는 '투자'를 얘기했지만 그는 '꿈'을 언급했기 때문"이라고 치켜세웠다.

마 창업주는 "AI로 인해 직업의 50%가 없어질 수 있다. 교육이 더 창의적으로 바뀌어야 한다"며 "(직장을 없애는) AI가 나쁜 게 아니라 AI 시대에 대비하지 않는 것이 나쁘다"고 했다. 손 회장도 "일본의 교실은 조용하고 학생들은 필기하느라 바쁘다. 수학 공식과 역사를 외우기만 한다"며 "사람과 기계는 달라야 한다. 새로운 것을 창조해야 한다"고 맞장구쳤다. 그는 AI 시대의 가장 빛나는 기술과 기업을 모아놓은 것이 자신의 비전 펀드라며 "300년을 이어갈 기업을 만들겠다"고도 강조했다.

**최태원 "전세계 지정학적 위기… 이런 긴장 상황 없었다"**
**韓日기업 미래재단 설립 제안**

이날부터 8일까지 열리는 도쿄포럼은 최태원 SK그룹 회장의 부친인 최종현 회장이 설립한 '최종현학술원'이 도쿄대와 올해 처음으로 공동 개최한 국제 포럼이다.

이날 최태원 SK그룹 회장은 '지정학적 위기'를 다시 한 번 강조했다. 9월 미국 워싱턴에서 열린 'SK의 밤' 행사 이후 3개월 만이다.

최 회장은 "인공지능(AI) 등 첨단기술이 무기화하고 세계 곳곳의 지정학적 긴장이 높아지는 현실을 목도하고 있다. 일을 하면서 이렇게 긴장된 상황을 경험해본 적이 없다"고 토로했다. 남미, 중동, 동북아시아에 긴장이 고조되고 미중 무역전쟁, 보호무역 등이 세계 무역과 성장을 해치고 있다는 이유에서다.

이와 함께 최 회장은 "한국과 일본 기업이 양국 현안에 대한 해법을 찾을 '미래 재단'을 만들자"며 동북아 국가의 화합 방안을 모색할 수 있는 대안을 제시하기도 했다. 그는 "한국과 일본이 협력하면 '윈윈' 관계를 만들 수 있다. 양국 기업이 5세대(5G) 통신 환경을 제공하는 테스트베드를 만들면 양국 스타트업이 자율주행차 실험 등을 저렴하게 할 수 있다"고 말했다.
(동아일보 2019년 12월 7일 자)

제2회 도쿄포럼은 코로나19 때문에 온라인과 오프라인을 병행해 개최했다. 이에 대한 보도를 소개한다.

**최태원 "ESG 경영과 공감 능력이 위기 극복 해법될 것"**
**최종현학술원 · 도쿄대, '도쿄 포럼 2020' 온라인 개최**

최태원 SK회장이 환경 위기와 신종 코로나바이러스 감염증(코로나19) 팬데믹(세계적 대유행) 극복 등을 위해 기업 차원의 환경·사회·지배구조(ESG) 경영을 가속화하고, 특히 인간에 대한 공감 능력을 키워 나가야 한다고 역설했다.

(2020년 12월 - 필자) 4일 SK그룹에 따르면 최 회장은 전날 최종현학술원과 일본 도쿄대가 '지구환경 위기와 글로벌 거버넌스'를 주제로 공동 개최한 '도쿄 포럼 2020' 개막 연설을 통해 이같이 밝혔다.

작년에 이어 2회째를 맞은 도쿄 포럼은 코로나 상황을 고려해 온라인으로 이날까지 이틀간 열린다. 최 회장은 SK가 고(故) 최종현 선대회장의 인재육성 뜻을 기려 설립한 최종현학술원 이사장 자격으로 참석했다.

최 회장은 "우리는 인간의 탐욕과 이기심 등이 환경재앙을 초래한 이른바 '인류세(Anthropocene)'에 살고 있다"며 "환경을 해치는 잘못된 행동을 궁극적으로 바꿔나가기 위해 새로운 시스템과 방법론을 시급히 강구해야 한다"고 강조했다.

인류세는 노벨화학상 수상자인 파울 크뤼천 박사가 2000년 제안한 지질학 개념으로, 인간 활동이 지구 환경에 지대한 영향을 미치는 시기라는 뜻이다.

최 회장은 이어 "기업들이 친환경 사업, 사회적 가치(SV) 창출, 투명한 지배구조 등을 추구하는 ESG 경영을 가속화하는 것이 환경 위기와 코로나 팬데믹 등을 극복하는 해법이 될 것"이라고 말했다.

또 기업의 ESG 경영 추진 노력과 성과에 따른 가치 측정 체계가 고도화될수록 기업의 행동도 바뀌어 나갈 것이라고 강조했다. SK는 바스프, 도이치뱅크, 노바티스 등 글로벌 기업과 비영리법인 VBA를 만들어 사회적 가치 측정의 국제 표준을 만들고 있다.

최 회장은 "기업의 ESG 경영성과에 대해서는 그에 상응하는 보상체계를 마련해야 한다"며 사회적 기업이 만든 제품의 사회적 가치를 측정해 금전적으로 보상하는 SK의 사회성과인센티브(SPC) 제도를 소개했다.

최 회장은 "이런 전략과 시스템은 우리 마음속에서 우러나오는 자발적 참여가 있어야만 의미가 있다"며 "무엇보다 코로나와 환경재앙, 무관심, 증오 등으로 상처를 받은 사람들을 이해하고 감정을 공유하는 공감 능력이야말로 지금 우리에게 가장 필요한 것"이라고 강조했다.

고노카미 마코토(五神眞) 도쿄대 총장은 개막 연설에서 "우리는 코로나, 기후변화와 같은 전대미문의 위기를 겪고 있다"면서 "사이버 공간에 축적된 빅 데이터를 활용해 에너지 저감과 환경 보호 방안을 찾아내고 인간의 행동 변화까지 이끌어낼 수 있다고 믿는다"고 말했다.

제프리 삭스 미국 컬럼비아대 교수는 기조연설에서 "글로벌 사회는 탄소중립과 생물다양성 회복 등을 위해 수십년에 걸친 장기적 안목으로 관련 정책들을 입안해 추진해야 한다"고 말했다.

전날 특별대담 세션에는 도미닉 오프리 세계경제포럼(WEF) 수석이사, 요한 록스트롬 포츠

**ESG경영**

ESG는 비재무적 요소인 환경(Environment), 사회(Social), 지배구조(Governance)의 머릿글자를 딴 말이다. ESG경영은 친환경적이고, 사회적 책임을 다하며, 지배구조를 개선함으로써 지속가능한 발전을 이루려는 새로운 경영철학이다. 기업의 재무적 성과만을 강조하던 예전과는 달리 ESG 경영은 이제 세계적 흐름이 됐다. 금융위원회는 우리나라도 2025년부터는 자산총액 2조 원 이상의 유가증권시장 상장사가, 2030년부터는 모든 코스피 상장사가 ESG지표를 의무적으로 공시해야 한다고 발표했다.

**인류세(Anthropocene)**

1995년 노벨화학상 수상자인 폴 크뤼천 박사가 2000년 제시한 개념이다. 인간이 지구 환경에 부정적인 영향을 크게 미치고 있다는 경고이다. 지구의 역사는 대(代)-기(期)-세(世)로 나눈다. 우리는 현재 46억 년의 지구역사 중 약 6600만 년 전에 시작한 신생대 중, 약 200만 년 전부터 시작한 제4기 중에서도, 약 1만 년 전에 시작한 홀로세에 살고 있다. 그동안 지구 상의 생물은 운석 충돌, 화산 폭발, 빙하기 등 자연재해로 5번의 대멸종을 겪었다. 크뤼천 박사는 "우리는 지금 홀로세가 아니라 인류세에 살고 있다"며 인류세를 '인간이 지질학적인 힘이 된 시대'로 정의했다. 그러면서 "지구 시스템에 미치는 인간의 영향력이 자연의 거대한 힘과 겨룰 정도가 되었다"며 6번째 대멸종은 인간 때문에 초래할 수 있다고 경고했다. (자료 종합)

담 기후연구소장, 크리스티나 피게레스 전 유엔기후변화협약 사무총장 등이 참여해 글로벌 자연환경 보호와 지속가능성장 방안에 관해 토론했다.

포럼 이틀째인 이날은 지구 환경자산 보호·관리방안, 글로벌 음식 공급·소비 변화와 순환경제 촉진 시스템 구축, 환경보호를 위한 디지털 트랜스포메이션(DT) 활용 등에 대한 패널 토론이 진행된다.

최종현학술원과 도쿄대에 스튜디오를 마련하고 각국 참가자를 온라인으로 연결해 진행된 이번 포럼에는 글로벌 석학과 국제기구 관계자, 기업인 등 40여명이 참여했고, 온라인을 통해 세계 각국에서 4천500여명이 시청했다. (연합뉴스 2020년 12월 4일 입력)

**디지털 트랜스포메이션 (Digital Transformation)**
디지털 기술을 사회 전반에 적용해 전통적인 사회 구조를 혁신시키는 것을 의미한다. 기업에서 사물인터넷(IoT), 클라우드 컴퓨팅, 인공지능(AI), 빅데이터 솔루션 등 정보통신기술(ICT)을 활용해 기존 전통적인 운영 방식과 서비스 등을 혁신하는 것이 대표적이다. IBM 기업가치연구소는 보고서(2011)를 통해 디지털 트랜스포메이션을 "기업이 디지털과 물리적인 요소들을 통합해 비즈니스 모델을 변화시키고, 산업에 새로운 방향을 정립하는 전략"이라고 정의했다. (IT용어사전)

최종현학술원이 주관하고 있는 포럼 중에는 동북아포럼도 있다. 중국 요녕성의 대표 대학인 요녕대와 2005년부터 개최하고 있다. 중국·한국·미국·일본의 학자와 전문가들이 모여 동북아 각국의 정치, 경제 이슈들을 진단하고 동북아 지역의 평화와 경제발전, 지역협력과 공동 번영을 모색하고 있다. 2019년 7월에는 "새로운 정세하의 동북아 정치와 경제"를 주제로 제11회 동북아포럼을 개최했다. 이때의 토론주제는 세션1: 동북아지역 경제협력이 직면한 기회와 도전, 세션2: 동북아 지역의 정치적 화해와 협력의 경로, 세션3: 동북아의 역사적 문화, 민족과 국가의 교류와 융통, 세션4: 동북아 경제정치 협력과 동북지역의 노후공업기지 진흥, 세션5: 동북아 지역의 국제 비즈니스와 기업 혁신 발전 등이었다.

**최종현학술원은 (06141) 서울특별시 강남구 테헤란로 211, 한국고등교육재단 건물 17층에 있다. 전화 (02) 6310-7800, 대표 메일 webmaster@chey.org, 홈페이지 https://www.chey.org**

# 14. 샌드연구소



샌드연구소(SAND · South and North Development & Democracy)는 남북한 출신 연구자들이 한반도의 통일과 평화를 위해 연구와 교육, 정책개발 등을 하고 있는 단체다. 샌드연구소의 전신은 2004년 남북한 청년대학생들이 만든 '통일교두보'이다. 이 단체는 8년 간 학문적 기반을 다지며 2012년 '통일비전연구회'로 성장했다. 이 연구소를 2017년 10월 23일 확대 개편한 것이 사단법인 샌드연구소이다.

'샌드'라는 이름에 남북한을 넣은 것은 '남북한의 발전을 통해 민주주의를 이룬다'는 의지를 밝힌 것이다. 또 '샌드'는 영어로 '모래'로서 모래가 길을 닦는 주재료이자 건축에 꼭 필요한 자원인 것처럼 통일국가 건설의 기초를 닦겠다는 뜻도 들어있다고 연구소 측은 설명했다. 연구소는 그런 방안을 찾기 위해 다음과 같은 학술 활동을 벌이고 있다.

**샌드 동북아포럼(SAND East North Asia International Forum)**

- 2018년부터 분기별로 한 · 중 · 일 3국에서 포럼 개최
- 한반도 평화통일에 대한 한 · 중 · 일의 시각 분석 및 우호적 환경 조성
- 미 국무부, NED(민주주의수호재단), EU(유럽연합) 등과 연구계획

**샌드 한반도정세분석 세미나**

- 매월 넷째주 토요일마다 한반도정세 분석 진행
- 전문가 초청 이슈 및 현안에 대한 분석 및 토론

**샌드 북한경제인 자문단**

- 북한의 자본시장 현황 및 남북한 경제연결망 모색
- 남북한사회통합을 위한 교육 및 세미나

**개발모델 연구 및 성과 평가**

- 북한의 경제사회 개발전략 연구 및 평가모델 개발
- 대북 협력사업 및 활동에 대한 성과 평가

**통일인재 육성 및 국제교류협력**

- ■ 통일비전연구회 독서모임 및 남북경제협력 창업스쿨
- ■ 일본 홋카이도 교육대학과의 국제학술교류
- ■ 중국 천진외국어대학과의 국제학술교류
- ■ 남북사회통합을 위한 교육 및 세미나

일본에 관한 논의는 주로 '샌드 동북아포럼'에서 하고 있다. 샌드동북아포럼은 창립 첫해인 2018년부터 해마다 한 차례씩 열고 있다.
샌드연구소의 일본 관련 활동은 다음과 같다.

| 일시 | 유형 | 내용 |
|---|---|---|
| 2019.1.19 | 2019년 제1회 샌드 동북아포럼 | **2019년 한반도 정세 분석 및 전망**<br>발제 이즈미 하지메(도쿄국제대 교수) |
| 2019.7.5 | 일본언론인 간담회 | 주제 **한반도와 일본의 관계**<br>사카이다 미오(도쿄신문 서울지국장), 도요우라 준이치(요미우리신문 서울지국장), 시부에 지하루(마이니치신문 서울특파원), 최경희(샌드연구소 대표), 신정화(동서대), 조진구(경남대 극동문제연구소), 최희식(국민대), 박제성(샌드연구소 연구원), 김명성(조선일보 기자) |
| 2019.10.18 | 2019년 제2회 샌드 동북아포럼 | 주제 **한일·북일 관계 개선과 한반도 평화체제 구축**<br>온치 요스케(닛케이신문 서울특파원) 사와다 가쓰미(마이니치신문 외신부장), 다마키 다다시(Lee&Ko 법률사무소 고문), 최경희(샌드연구소 대표), 이기태(통일연구원), 신정화(동서대), 최희식(국민대), 조진구(경남대), 류현정(조선비즈 정보과학부장) |
| 2020.1.17 | 2020년 제1회 샌드 동북아포럼 | 주제 **2020년 북한의 대외정책과 대남정책 : 동북아 패러다임의 변화와 한반도의 길**<br>이즈미 하지메(도쿄국제대) **2020년 북한의 대외정책과 남북관계**<br>기미야 다다시(도쿄대) **동북아 국제관계의 변용과 고조되는 한·일갈등**<br>최경희(샌드연구소 대표) **김정은 정권의 국가주의 방향성과 특징** |
| 2020.9.10 | 2020년 제2회 샌드 동북아포럼 | 주제 **한일관계 현황과 전망**<br>사회 이기태(통일연구원) 개회사 최경희(샌드연구소 대표)<br>발표 이종원(와세다대), 사와다 가쓰미(마이니치신문 외신부장)<br>토론 도요우라 준이치(요미우리신문 서울지국장), 임마누엘 페스트라이쉬(아시아인스티튜트 이사장), 최희식(국민대 일본학연구소장), 심규선(전 동아일보 대기자) |

샌드연구소 이사진은 다음과 같다.

| 직 책 | 이 름 | 경 력 |
|---|---|---|
| 대표 | **최경희** | 도쿄대 정치학 박사 |
| 부대표 | **조광걸** | 전 코이카 이라크 사무소장 |
| 이사 | **조의행** | 서울신학대 교수 |
| | **김명성** | 조선일보 기자 |
| | **김규일** | 세종경영자문 대표 |
| | **이승현** | 전 KORINA International Trade 해외사업부장 |
| 감사 | **김남기** | ㈜ 케이디텍 대표 |

샌드연구소는 (03174) 서울특별시 종로구 사직로8길34 경희궁의아침 3단지 건물 내에 있다.
전화 (070) 8702-9077, 팩스 (070) 8615-9077, 이메일 sand.kp.2020@gmail.com,
홈페이지 www.sand.or.kr

# 15. 공감한반도

KOREA-JAPAN

**6 · 12 싱가포르 합의**
김정은 북한 국무위원장과 트럼프 미국 대통령이 2018년 6월 12일 싱가포르 정상회담에서 발표한 성명을 말한다. 두 정상은 새로운 북미관계 수립, 한반도 평화체제 구축, 완전한 비핵화실현에 합의하고 신뢰구축 조치로써 미군 유해발굴을 약속했다. 바이든 정권 출범 후 이 합의가 효력이 있느냐는 논란이 일었다. 5월의 한미정상회담에서는 "2018년 판문점 선언과 싱가포르 공동성명 등 기존의 남북 간, 북미 간 약속에 기초한 외교와 대화가 한반도의 완전한 비핵화와 항구적 평화정착을 이루는 데 필수적이라는 공동의 믿음을 재확인하였다"고 밝혀 효력을 인정했다.

**남북군사합의서**
송영무 국방부 장관과 노광철 북한 인민무력부장이 2018년 9월 19일 백화원 영빈관에서 '판문점선언'(2018년 4월 27 남북정상회담 합의)을 이행하기 위해 서명한 군사분야 합의서를 말한다. 합의서는 상대방에 대한 일체의 적대행위 중지, 비무장지대의 평화지대화, 서해 북방한계선(NLL) 일대의 평화수역화, 교류협력 및 접촉왕래 활성화에 필요한 군사적 보장대책 강구(통행 통신 통관 등 3통 보장, 동서해선 철도 도로 연결 등), 상호 군사적 신뢰구축을 위한 조치 강구(군사당국자간 직통전화, 남북군사공동위원회 구성 및 운영) 등을 담고 있다. 한국의 군사주권을 크게 훼손했다는 비판도 있다.

'공감한반도연구회'는 2017년 10월 비핵과 평화의 통일 한반도를 만들기 위한 방안을 모색하고 국내외의 공감대를 이루기 위해 설립한 민간차원의 비영리연구모임이다. 모임은 매달 연구회를 개최하고 결과 보고서를 〈공감한반도(共感韓半島)〉라는 뉴스레터로 만들어 공개하고 있다. 토론 내용은 한미관계와 북한 문제 등이 많지만 이런 현안들이 일본과도 관계가 깊기 때문에 활동내용을 소개한다. 그동안 작성한 보고서의 내용은 다음과 같다. 대표는 윤덕민 전 국립외교원장(한국외대 석좌교수)이 맡고 있다.

| 개최 일시 | 주 제 | 발표자 |
|---|---|---|
| 2018.6.7 | 싱가포르 미북 정상회담 전망 및 평가 | 토론회 |
| 2018.6.16 | 6.12 미북 싱가포르 합의를 어떻게 볼 것인가? | 긴급좌담회 |
| 2018.7.6.~7 | 2018년 공감한반도 대토론회 중 제3섹션 제3세션 '북한의 경제모델과 김정은의 경제 재건 전략: 평가와 전망'만을 보고서로 작성해 공개 | 김병연(서울대 경제학부 교수) |
| 2018.8.9 | 종전선언과 평화체제 | 회원들 토론회 |
| 2018.9.22 | 비핵화보다 민족공조를 우선한 평양 남북 정상회담 | 긴급좌담회 |
| 2018.10.1 | 한국군의 셀프무력화와 북한군의 강점을 극대화시킨 남북군사합의서 | 조보근(전 합참정보본부장) 지상과 공중에서의 셀프무력화: 비행금지구역설정과 GP철수<br>이기식(전 해국작전사령관) 북한에게 기울어진 해상부문 군사합의 |
| 2018.11.8 | 미중간선거와 한반도 정세 평가 | 우정엽(세종연구소 연구위원) |
| 2018.12.14 | 정전체제의 항구적 평화체제 전환 | 신각수(세토포럼 대표) |
| 2019.1.10 | 기로에 선 한미 관계 | 박철희(서울대 교수) 트럼프 · 한일관계 · 차이나 리스크<br>신원식(전 합참작전본부장) 주한미군은 철수하는가 |

| 개최 일시 | 주 제 | 발표자 |
|---|---|---|
| 2019.2.7 | 2차 미북정상회담을 전망한다 | 김성한(고려대 교수) |
| 2019.7.5 | 북핵 협상을 전망한다 | 조태용(전 외교부차관) |
| 2019.8.7 | 위기의 한일관계, 어떻게 해결할 것인가? | 박철희(서울대 교수) 한일간 전략적 이완을 경계해야 |
| 2019.9.4 | 워싱턴의 한반도 인식을 평가한다 | 우정엽(세종연구소 미국연구센터장) 한미관계에 대한 미국의 인식 |
| 2019.10.2 | 미국의 INF 협정 폐기와 한국에의 함의 | 최우선(국립외교원 교수) |
| 2019.11.7 | 한반도 주변의 화약고(flashpoint)와 우리의 대응 방향: KADIZ, 중간선 그리고 남중국해 | 이기범(아산정책연구원 연구위원) |
| 2019.12.9 | 2019 공감한반도연구회 - 공감나눔아카데미 집중토론회 | 김천식(이화여대 초빙교수) 2020년 남북관계 전망 |
| 2020.2.13 | 확장억제, 어떻게 강화할 수 있는가 | 황일도(국립외교원 교수) 미국의 대한(對韓) 확장억제: 과거, 현재, 대안 |
| 2020.6.11 | 북한의 대적(對敵)관계 선언은 무엇을 의미하는가? | 김천식(이화여대 초빙교수) |
| 2020.7.28 | 미북관계의 October Surprise 가능한가? | 김홍균(전 외교부 한반도평화교섭본부장) |
| 2020.9.3 | 아베 총리의 사임 발표 이후 일본의 정치상황과 한일관계의 미래 | 박철희(서울대 국제대학원 교수) |
| 2020.9.22 | 남중국해 문제와 미중 갈등 | 박창희(국방대 교수) |
| 2020.10.5 | 미국 대선과 민주주의의 위기: 한국에 주는 함의 | 신기욱(스탠퍼드대 교수, 스탠퍼드대 아시아태평양연구센터 소장) |
| 2020.12.5 | 미국 신행정부의 대외 정책 방향 | 김태효(성균관대 정치외교학과 교수) |
| 2020.12.7 | 〈동맹미래 학술회의〉<br>미국 신정부 출범과 동맹도전 | 개회사<br>윤덕민(공감한반도연구회 대표)<br>인사말<br>신원식(국민의힘 국회의원)<br>주제발표<br>유지혜(중앙일보 기자) 저널리스트가 본 동맹의 현주소: 동맹표류와 세 가지 도전<br>**제1세션**<br>사회 김홍균(전 한반도평화교섭본부장)<br>동맹도전, 핵무장한 북한을 어떻게 상대할 것인가?<br>패널<br>김태효(성균관대)<br>주재우(경희대) |

**INF협정**

중거리 핵전력(Intermediate-Range Nuclear Forces)을 폐기하기 위해 1987년 미국과 소련이 맺은 협정이다. 이 조약에 따라 미국과 소련은 사거리 500km에서 5500km의 지상발사형 중거리 탄도미사일과 순항미사일을 폐기했다. 그러나 2018년 10월 트럼프 미국 대통령은 러시아와 중국이 INF조약을 준수하고 있지 않다고 비난했고, 2019년 2월 폼페이오 국무부 장관은 INF이행 중단을 선언했다. 이에 맞서 푸틴 러시아 대통령도 즉각 이행 중단을 선언하면서 이 협정은 2019년 8월 1일을 폐기됐다.

**북한 8차 당 대회**

2021년 1월 5일부터 1월 12일까지 8일간 열린 북한 노동당 대회이다. 당 대회를 8일간 연 것은 1970년 5차 당 대회(12일)에 이어 두 번째로 길다. 8차 당 대회는 북한 최고 지도자인 김정은을 '노동당 총비서'로 추대했으며 핵잠수함 개발을 처음으로 공식화했다. 당 대회는 북한의 최고 권력기관인 조선노동당의 전당대회로, ▷당 사업 결정 ▷당의 강령 및 규약 제정 ▷당의 노선과 정책·전략·전술에 있어서의 기본 문제 토의 결정 ▷당 총비서 추대 등을 한다. 북한은 김정은 체제가 들어선 뒤인 2016년 5월, 36년 만에 제7차 당 대회를 열었다. (시사상식사전)

| 개최 일시 | 주 제 | 발표자 |
|---|---|---|
| | | 신범철(한국국가전략연구원 외교안보센터장)<br>우정엽(세종연구소 연구위원)<br>**제2세션**<br>사회 김성한(고려대 국제대학원장)<br>**냉전2.0과 한미동맹의 미래를 생각한다**<br>패널<br>천영우(한반도미래포럼 이사장)<br>신각수(세토포럼 이사장)<br>신원식(국민의힘 국회의원)<br>조태용(국민의힘 국회의원)<br>정재호(서울대) |
| 2021.1.1. | **2021년 한반도 전략정세 전망 보고서**<br>• **북한상황을 어떻게 보아야 할 것인가**<br>• **국제사회의 대북제재는 형해화되지 않을까**<br>• **문재인 정부의 대북 정책과 남북관계를 전망한다.**<br>• **비핵화 담론은 사라지는가? 바이든 정부의 대북정책은**<br>• **미중갈등의 심화, 한국의 대응은 어떻게 해야 하는가**<br>• **한미연합훈련 재개, INF 배치 그리고 THAAD 추가배치**<br>• **중국으로 가고 있는 그림자 국가**<br>• **한일관계를 회복시킬 수 있을까** | 2020년 12월 21일 토론 내용을 정리한 것. |
| 2021.1.28 | **북한 핵미사일 위협과 대응방안: 최근 8차 당 대회, 열병식 등을 중심으로** | 유용원(조선일보 군사전문기자) |
| 2021.2.3 | **[공감한반도 핵 제언보고] "동맹강화와 북핵 대응에 관한 제언: 북한 핵위협에 어떻게 대응할 것인가?"**의 요약본이 2월 3일 미국 CSIS에 'Guest Contribution: Make the U.S.-ROK Alliance Stronger To Respond to North Korea's Growing Nuclear Threat'라는 제목으로 게재됐다. | Duk-min Yun<br>Sung-han Kim<br>Cheol Hee Park |

공감한반도연구회에 한 번 이상 참석한 사람은 다음과 같다(직책은 참석 당시 또는 그 이후의 것이 섞여 있다).

강혜영(통일과나눔 매니저), 김근식(경남대 정치외교학과 교수), 김민석(중앙일보 논설위원), 김병연(서울대 경제학부 교수), 김성한(고려대 국제대학원장), 김재천(서강대 국제대학원 교수), 김창균(조선일보 논설주간), 김창기(조선뉴스프레스 고문), 김천식(이화여대 초빙교수), 김태효(성균관대 정치외교학과 교수), 김홍균(전 외교부 한반도평화교섭본부장), 남정호(중앙일보 논설위원), 박제균(동아일보 논설실장), 박철희(서울대 국제대학원 교수), 손관수(KBS 비서실장), 신각수(세토포럼 대표), 신기욱(미 스탠퍼드대 교수), 신범철(아산정책연구원 선임연구위원), 신원식(국민의힘 국회의원), 양재성(한국외대 학부생), 우정엽(세종연구소 연구위원), 유성옥(전 국가안보전략연구원장), 유용원(조선일보 군사전문기자), 유지혜(중앙일보 외교안보팀 기자), 윤덕민(한국외대 석좌교수(연구회 대표)), 윤영관(서울대 명예교수), 이근(서울대 국제대학원 교수), 이기범(아산정책연구원 연구위원), 이기식(전 해군작전사령관), 이석(KDI 북한경제연구부장), 이유정(중앙일보 기자), 이하원(조선일보 논설위원), 전병길(통일과나눔 사무국장), 정재호(서울대 교수), 조보근(전 합참정보본부장), 조비연(서울대 박사과정), 조태용(국민의힘 국회의원), 주재우(경희대 교수), 천영우(한반도미래포럼 이사장), 최우선(국립외교원 교수), 황일도(국립외교원 교수)

# 16. 동북아역사재단 한일역사문제연구소, 일본군'위안부'연구센터

KOREA-JAPAN

**고구려연구재단**

중국이 자국 주변의 역사를 모두 중국의 역사로 만들려는 동북공정을 추진하자 이에 체계적, 학술적으로 대응하기 위해 2004년 3월 1일 정부출연기관 성격의 재단법인으로 발족했다. 한국 최초의 한국사 전문연구기관으로 고구려사를 중심으로 고조선사, 부여사, 발해사, 한중관계사 및 동아시아사 등을 포괄적으로 연구할 계획이었다. 짧은 기간이었으나 자료의 수집·번역·연구, 국내외 학술대회 개최, 전문가 양성, 관련 학회와 학자 지원 등의 사업을 추진했다. 2006년 9월 출범한 동북아역사재단에 흡수됐다. (두산백과)

**바른역사정립기획단**

공식 이름은 '동북아 평화를 위한 바른역사정립기획단'으로 노무현 대통령 시절인 2005년 4월 8일 대통령 소속으로 발족했다. 독도문제와 일본교과서 왜곡문제에 적극 대응하는 한편, 장차 이들 문제를 전담하는 동북아역사재단(가칭)의 설립 준비단의 성격도 있었다. 2006년 9월 출범한 동북아역사재단에 흡수됐다.

동북아역사재단(Northeast Asian History Foundation)은 중국과 일본의 역사 왜곡에 대응하기 위해 만든 기구이다. 중국의 역사 왜곡은 고구려와 발해 역사 등을 자국의 역사로 편입하려는 소위 '동북공정'을 말하고, 일본의 역사 왜곡은 제국주의의 침략을 정당화하는 역사교과서 채택과 독도 영유권 주장, 위안부 문제 등을 의미한다. 2005년 3월 7일 노무현 대통령이 일본의 역사 왜곡과 독도 문제를 체계적으로 전담할 수 있는 기관을 설치하라고 지시함에 따라 그해 12월 국회가 '동북아역사재단 설립운영에 관한 법률안'(유기홍 의원 등 23명)을 발의했고 2006년 5월 법안이 통과하면서 같은 해 9월 발족했다. 중국의 동북공정에 대응하기 위한 '고구려연구재단'과 일본의 역사 왜곡에 대응하기 위한 '바른역사정립기획단'도 이후 동북아역사재단이 흡수 통합했다.

동북아역사재단은 역사와 영토문제와 관련해서는 국내 연구의 허브이며, 가장 많은 전문 인력을 보유하고 있다.

동북아역사재단의 업무는 대(對) 중국, 대(對) 일본 연구로 나뉜다. 재단 홈페이지에 올라 있는 업무 중에서 일본 관련 업무는 다음과 같다.

| 업 무 | 내 용 |
|---|---|
| 바른 역사 정립 | **일본의 한국사 인식에 대한 연구**(전근대 및 근현대 한일관계사 연구, 현대 일본의 역사 인식 연구, 일본 역사 왜곡의 근원에 대한 연구) |
| | **독도에 대한 학제적 연구**(독도 관련 역사·사료 연구, 외국 소재 역사자료 수집과 분석, 일본 공문서 조사연구, 독도 관련 국제법적 고찰, 독도 아카이브 구축 및 운영) |
| 국제 네트워크 | **학술교류와 전문가 네트워크**(동북아역사 관련 학술교류, 한중일 역사가회의 지원, 동아시아사 연구 포럼 지원, 동아시아 각국과의 학술·문화교류, 미주·유럽의 한국학 연구기관과의 학술교류) |
| | **전문가 네트워킹**(해외학자 초빙, 외국 대학과의 국제적 학술교류 및 공동연구, 유럽한국학회(AKSE)와 미국아시아학회(AAS) 등 국제 학술회의 참여) |

| | |
|---|---|
| 시민사회 교류와 협력 | **국제NGO 교류협력**(역사NGO세계대회, 일본 · 미주 · 유럽 등 해외 NGO 활동 지원, 역사화해를 위한 어젠다 개발, 독도 관련 국내외 연구자 · 시민사회 네트워크 구축) |
| | **역사 · 문화의 해외교류**(AAS 도서전, 제주포럼 도서전 참여 등, 고구려 일본군'위안부', 독도 등 국제전시회) |
| 국제관계 및 외교사 연구 강화 | **외교사 및 대외교류 관계 연구**(한국외교사 연구, 동아시아 교류 관계 연구) |
| 교육 및 연수 | **동북아 · 독도 교육 연수**(동아시아사 교원연수, 독도 교원연수) |
| | **시민을 위한 역사교육**(청소년 대상 역사교육, 시민 · 외국인 대상 역사교육) |
| | **역사교육 프로그램 개발**(동아시아사 교수 및 학습자료 발간) |
| | **교과서의 한국 관련 기술의 개선**(중국, 일본 교과서 분석 및 개선 방안 마련, 조선총독부 교과서 분석을 통한 역사인식 교육 방안 모색) |
| 역사 콘텐츠 (2021년 2월 현재) | **도서발간**<br>- 자료총서: 역주 일본서기 등 445권<br>- 연구총서: 동북아 중세의 한족과 북방민족 - 최근 중국 학계의 연구동향과 그 성격 등 67권<br>- 기획연구: 요하유역의 초기 청동기 문화 등 64권<br>- 번역총서: 안톤 체호프의 사할린 섬 등 22권<br>- 발굴보고서: 연해주 크라스키노 발해성 2013년도 발굴조사 등 16권<br>- 교양서: 현대 러시아의 해부 등 32권<br>- 기타: 동아시아의 역사 등 97권 |
| | **국내외 도서전 참여**(AAS도서전 참여(2010~2015), 제9회 평화와 번영을 위한 제주포럼 참여(2014)) |

동북아역사재단은 독도체험관과 동북아역사자료센터도 운영하고 있다. 독도체험관은 재단이 입주하고 있는 서울 서대문구 통일로 81 NH농협생명빌딩 서관 지하 1층에 있다. 독도 관련 역사자료를 수집 · 보존 · 연구하고 전시하는 수도권 내 최초의 독도박물관이자 첨단 디지털기술로 가상체험을 할 수 있는 신개념 교육기관이다.

동북아역사자료센터는 동북아시아 역사 전문 도서관으로 국내를 비롯해 일본 · 중국 · 미국 · 유럽 등 전 세계에서 발간한 동아시아의 역사 · 외교, 독도와 동해, 영토 · 역사교과서 등과 관련된 도서와 자료 10만 여권을 소장하고 있다. 독도체험관과 같은 장소에 있다.

동북아역사재단 일본 관련 연구소에 근무하는 학자들은 모두 전문적인 '재팬 워처'들이다. 이 책의 말미에 이들 모두의 약력을 싣지 못하는 점을 양해 바란다.

동북역사재단은 이사장과 사무총장 밑에 연구정책실, 교육홍보실, 운영기획실을 두고 있다. 연구정책실 산하에는 독도연구소, 한일역사문제연구소, 일본군'위안부'연구센터, 한국고중세사연구소, 북방사연구소, 국제관계와역사대화연구소 등 6개의 연구소가 있다. 이 중에서 일본관련 연구를 하는 곳은 앞의 세 연구소이다.

독도연구소(2008년 개소)는 독도, 동해표기, 영토 · 영해 등을 연구하며 자료를 수집하고 정책을 개발한다. 또 독도와 동해 명칭 표기를 확산시키고 오류를 시정하는 업무를 맡고 있다.
독도연구소 연구인력은 다음과 같다(2021년 2월 현재).

| 직 책 | 이 름 | 담당 업무 |
|---|---|---|
| 소장 | **정영미** | 독도연구소 업무 총괄 |
| 연구위원 | **김관원** | 한일과거사, 독도 |
| | **김종근** | 해양명칭 논쟁의 본질과 해법 모색 |
| | **도시환** | 독도주권과 국제법적 권원 연구 |
| | **박한민** | 한국근대사, 한일관계사 |
| | **유하영** | 영토해양, 국제법 |
| | **이원택** | 조선 후기 울릉도 도해 관련 감영사료 간행(강원도편) 및 교열(경상도 · 전라도편) |
| | **조규현** | 한글로 된 사료, 책자, 간행물의 영문 번역, NARA 자료 문헌 정리 |
| | **홍성근** | 독도 폭격사건에 대한 실증 연구 |

한일역사문제연구소(2006년 재단 발족과 함께 개소)는 근대 한일 역사현안과 일본 역사교과서에 대한 대응책을 마련하고, 강제동원과 관련한 자료를 수집한다.
한일역사문제연구소 연구인력을 다음과 같다.

| 직 책 | 이 름 | 학위와 담당 업무 |
|---|---|---|
| 소장 | **서종진** | 한일역사문제연구소 업무 총괄, 일본군'위안부'연구센터 업무 총괄 |
| 연구위원 | **김영수** | 한국근대사, 한러관계사 |
| | **김영숙** | 일본근현대사, 외교사, 정책사 |
| | **김현철** | 한국정치외교사, 한일관계 |
| | **서현주** | 근대한일관계사 |

| 연구위원 | 신효승 | 한국 근대 국제관계사, 전쟁사 |
|---|---|---|
| | 이경미 | 근대 한일관계와 식민지배 관련 자료조사 · 연구 |
| | 조 건 | 한국근현대사 |
| | 최덕규 | 근대 동북아 국제관계사 |

일본군'위안부'연구센터(2018년)는 일본군'위안부' 문제 관련 연구와 자료 수집, 역사 정의와 피해자중심 해결을 위한 정책대응, 일본군'위안부' 연구성과의 국내외 공유 및 확산 등의 업무를 맡고 있다.
일본군'위안부'연구센터 연구인력은 다음과 같다.

| 직 책 | 이 름 | 학위와 담당 업무 |
|---|---|---|
| 연구위원 | 박정애 | 일본군'위안부' 자료수집 및 피해 연구 |
| | 조윤수 | 한일역사현안연구 |

동북아역사재단은 연구성과물을 도서, 동북아역사논총(2020년 12월에 70호), JNAH (Journal of Northeast Asian History · 2021년 1월에 17권 1호), 영토해양연구(2020년 12월에 20권), JTMS(Journal of Territorial and Maritime Studies · 2021년 1월에 8권 1호)를 통해 발신하고 있다.

다음은 동북아역사재단이 2019, 2020년에 발간한 일본 관련 도서들이다.

## 2019, 2020년에 발간한 도서

■ 연구총서

☑ 3 · 1운동과 대한민국 임시정부의 재조명 I - 군주제에서 민주공화제로(김현철, 2019년 4월)

☑ 한국의 대외관계와 외교사 - 고대 편(동북아역사재단 한국외교사편찬위원회 편)

☑ 제국의 이중성 - 근대 독도를 둘러싼 한국 · 일본 · 러시아(김영수)

☑ 한국고대사 계승 인식 1 전근대 편(임상선 편)

☑ 식민청산과 야스쿠니(남상구 편)

☑ 일본의 국가정체성과 동북아 국제관계(동북아역사재단 한일역사문제연구소 편)

☑ 일본은 왜 독도에 집착할까 - 일본 국회의사록을 중심으로(곽진오 편)

☑ 메이지유신의 침략성과 재인식의 문제(이원우 편)

☑ 독도영주권과 국제법적 권원(도시환 편)

**제국의 이중성**
김영수 동북아역사재단 연구위원은 제국주의를 지향하는 러시아와 일본이 자국민을 이용해 영토를 확장하려 한 것을 제국의 이중성이라고 지적했다. "일본 정부는 수산업자 나카이 요자부로를 활용하고 일본 어민의 '애국심'을 작동시켜, 울릉도에서 일본인의 경제적인 침투를 비호하면서 독도의 불법적인 영토 편입을 정당화하였다. 러시아 정부도 상인 브리네르를 동원하여 울릉도 삼림 개발 이권을 획득하게 만든 다음, 독도를 포함한 울릉도를 해양 거점으로 활용하려고 계획하였다. 결국 제국이라는 권력은 식민 정책을 통한 풍요로운 국가를 약속하면서, 자국민의 상업적 활동을 권장하는 동시에 자국민을 군사적 침략의 도구로 적극 활용하였다."(출판사 서평)

**1965년 체제**

1965년 한국과 일본이 체결한 한일기본조약과 청구권협정을 근간으로 하는 한일관계를 말한다. '65년 체제'라는 말 속에는 '공고하다'는 의미도 들어있지만, 최근에는 '손을 대야 할 대상'이라는 뜻으로도 쓰고 있다. 이 주장도 65년 체제를 정면으로 부정하는 것은 아니고 발전적으로 해체해서 재구축해야 한다는 것이다. 그러나 일본은 '절대 불가' 입장이고 국내 학자들의 의견도 신중하다.

☑ 한일협정과 한일관계 - 1965년 체제는 극복가능한가(동북아역사재단 한일역사문제연구소 편)

☑ 일본군'위안부' 문제와 과제II 피해자중심해결(도시환 편)

☑ 일본군'위안부' 문제와 과제III 관점과 실패(박정애 편)

☑ 안용복 '진술'에 대한 새로운 검증(정영미)

☑ 역사화해의 이정표 1 - 이론적 기초를 찾아서(이병택 편)

☑ 3.1운동과 대한민국 임시정부의 재조명II - 공화주의의 세계사적 의미와 동아시아 독립운동의 전개(김현철 편)

☑ 한·일 관계의 궤적과 역사인식(조윤수 편)

☑ 한일 상호 인식과 역사 문제의 기원(1945~1979)(이원우 편)

☑ 청일전쟁과 근대 동아시아의 세력전이(동북아역사재단 한일역사문제연구소 편)

☑ 독도 영토주권의 실증적 연구 상, 중, 하(신용하 지음, 2020년 11월)

■ **번역총서**

☑ 상하이지역 일본군 위안소(쑤즈량·천리페이·야오페이 지음, 손염홍 옮김, 2019년 11월)

■ **교양총서**

**《일본서기》**

니혼쇼키(日本書紀). 일본 나라(奈良) 시대에 관찬(官撰)한 일본의 역사서이다. 30권. 덴무(天武) 천황의 명으로 도네리친왕(舍人親王)이 중심이 돼 680년경에 쓰기 시작해 720년에 완성한 것으로 추정하고 있다. 일본 6국사(六國史) 중 첫째로 꼽히는 정사(正史)로서 순한문의 편년체(編年體)로 엮었다. 《백제기(百濟記)》《백제본기(百濟本記)》《백제신찬(百濟新撰)》 등 한국의 사료와 《위서(魏書)》《진서(晉書)》 등 중국의 사서도 활용하고 있다. 그러나 진구황후(神功皇后)가 신라를 정복했다는 등 한국 관련 부분은 왜곡이 많다는 평이다. (두산백과)

☑ 일본군'위안부' - 역사의 아픔을 함께 나누고 기억하다(조윤수)

☑ 일본의 아시아태평양전쟁과 조선인 강제동원 - 우리가 지켜야 할 인류 보편의 가치!(정혜경)

☑ 메이지유신 초기의 조선침략론(현명철)

☑ 평화를 향한 근대주의 해체 - 3·1운동 100주년에 식민지 '경제성장'을 다시 묻다(정태헌)

☑ 고대 한일관계와 『일본서기』 - 『일본서기』의 허상과 실상(이재석)

☑ 중국 내 한중 항일연대의 역사와 현장(김정현)

☑ 허세와 타협 - 임진왜란을 둘러싼 삼국의 협상(김경태)

☑ 일본 지식인에게 듣는 한일관계와 역사문제(동북아역사재단 한일역사문제연구소 편, 2020년 9월)

■ **발굴보고서와 도록**

☑ 일본 소재 고구려 유물 V - 일제강점기 고구려 유적 조사·연구 재검토(동북아역사재단 편)

■ 일제침탈사

☑ 일본의 거짓 주장, 독도의 진실(동북아역사재단 편)

☑ 일제침탈 30장면(동북아역사재단)

☑ 일본군'위안부'문제 자료집(1) – '위안부'동원과 위안소 설치(동북아역사재단 편)

☑ 일본군'위안부'문제 자료집(2) – 위안소 운영 실태와 범죄 처벌(동북아역사재단 편)

☑ 함께 쓰는 역사 일본군'위안부'(박정애)

☑ 한일 조약 자료집(1876~1910) – 근대외교로 포장된 침략(동북아역사재단 편)

☑ 일제의 독도 울릉도 침략 자료집(4) – 신문기사(1898~1910)(동북아역사재단 편)

☑ 자료로 보는 우리 땅 독도 30장면(동북아역사재단 독도연구소 편)

☑ Seeing Dokdo Through 30 Images and Historical Documents(동북아역사재단 독도연구소 편, 2020년 11월)

■ 역사연구

☑ 20개 주제로 본 한일 역사 쟁점(남상구 편)

☑ 한일 역사 쟁점 – 일제 식민 지배와 극복(동북아역사재단 한일역사문제연구소 편)

☑ 일본 지역 조선인 희생자 추도비(조선인강제연행진상조사단 편)

☑ 고대 한일관계와 『일본서기』(이재석)

☑ 중국 내 한중 항일연대의 역사와 현장(김정현)

■ 자료총서

☑ 근세한일관계사료집 3 1607년, 1624년 조선통신사 기록(윤유숙 편)

☑ 울릉도 독도 일본사료집Ⅲ – 朝鮮国交際始末内探書・礒竹嶋覺書・公文錄・太政類典(김관원 편)

■ 영문도서

☑ Dokdo Its History and Facts(김학준)

## 2019년 이전에 출간한 일본 관련 도서

### ■ 기획연구

☑ 일본 우익의 어제와 오늘(허동현 외)
☑ 독도문제의 학제적 연구(배진수 외)
☑ 황국사관의 통시대적 연구(박수철 외)
☑ 일제시기 만주사 · 조선사 인식(조인성 외)
☑ 독도와 한일관계 – 법 · 역사적 접근(동북아역사재단 편)
☑ 독도 · 울릉도 연구 – 역사 · 고고 · 지리학적 고찰(동북아역사재단 편)
☑ 일제 강점 지배사의 재조명(권태억 외)
☑ 근현대 한일관계사의 제문제(김인호 외)
☑ 독도! 울릉도에서는 보인다(홍성근 외)
☑ 국학과 일본주의 – 일본 보수주의의 원류(고희탁 외)
☑ 역사와 지리로 본 울릉도 · 독도(윤유숙 외)
☑ 근대 이행기의 한일경계와 인식에 대한 연구 – 독섬(石島)과 Liancourt Rocks를 중심으로(정영미 외)
☑ 관동대지진과 조선인 학살(강덕상 외)
☑ 동아시아 영토문제와 독도: 센카쿠제도 및 쿠릴열도 분쟁이 독도 주권 수호에 미치는 영향(이명찬 외)
☑ 일본 아베 정권의 역사인식과 한일관계(도시환 외)

### ■ 연구총서

☑ 한 · 중 · 일 삼국의 근대사 인식과 역사교육(김한종 외)
☑ 한 · 중 · 일의 해양인식과 해금(장동익 외)
☑ 일본의 식민지 지배와 식민지적 근대(정태헌 외)
☑ 근현대 일본의 한국 인식(김광열 외)
☑ 동아시아 세계의 일본사상 – '일본 중심적 세계관' 생성의 시대별 고찰(김현구 외)
☑ 근대 한일간의 상호 인식(권태억 외)
☑ 청일전쟁기 한 · 중 · 일 삼국의 상호 전략(왕현종 외)
☑ 유럽의 독도 인식(민유기 외)
☑ 전근대 일본의 영토 인식(홍성화 외)
☑ 한일공문서를 통해 본 독도(이원덕 외)
☑ 야스쿠니에 묻는다 – 야스쿠니신사 무단합사 철폐 소송(동북아역사재단 편)

☑ 조일수호조규 – 근대의 의미를 묻다(동북아역사재단 한일관계연구소 편)

☑ 독도영토주권과 해양영토(동북아역사재단 독도연구소 편)

☑ 일본의 독도영유권 주장의 허상(동북아역사재단 독도연구소 편)

☑ 조선후기 왜관과 왜학역관(윤유숙 편)

☑ 이방인이 바라본 우리땅 독도(이상균 편)

☑ 해외 언론의 동해 인식(이상균 편)

☑ 일본군'위안부'문제와 일본의 역사수정정책(동북아역사재단 일본군'위안부'연구센터 편)

☑ '일본회의'와 아베 정권의 우경화(이명찬 편)

■ 번역총서

☑ 역사 검열과 역사 교육 – 일본 · 독일 · 미국에서의 공민권과 전쟁의 기억(로라 헤인 · 마크 셀든 지음, 정용도 옮김)

☑ 일본의 '군 위안부' 연구(일본의 전쟁 책임 자료센터 지음, 강혜정 옮김)

☑ 야스쿠니신사의 정치(일본의 전쟁 책임 자료센터 지음, 박환무 옮김)

☑ 과거사 청산과 역사교육 – 아픈 과거를 어떻게 가르칠 것인가(엘리자베스 콜 지음, 김원중 옮김)

☑ 헌법9조의 사상수맥(야마무로 신이치 지음, 박동성 옮김)

☑ 일본 '국체' 내셔널리즘의 원형 – 모토오리 노리나가의 국학(모토오리 노리나가 지음, 고희탁 옮김)

☑ 일본서기와 '천황제'의 창출 – 후지와라노 후히토의 구상(오야마 세이이치 지음, 연민수 · 서각수 옮김)

■ 자료총서

☑ 한일회담 외교문서 해제집 I – 예비회담~5차 회담(국민대학교 일본학연구소)

☑ 한일회담 외교문서 해제집 II – 평화선 · 북송 · 6차 회담(예비교섭 · 청구권)(국민대학교 일본학연구소)

☑ 한일회담 외교문서 해제집 III – 6차 회담(국민대학교 일본학연구소)

☑ 한일회담 외교문서 해제집 IV – 고위정치회담 및 7차 회담 V(법적지위 · 어업관계 · 문화재)(국민대학교 일본학연구소)

☑ 한일회담 외교문서 해제집 V – 7차 회담(기본관계 · 청구권 · 협정체결)(국민대학교 일본학연구소)

☑ 울릉도 · 독도 일본 사료집 I (하혜정 외 역)

**조일수호조규(朝日修好條規)**

강화도조약, 병자수호조약이라고도 한다. 1876년(고종 13년) 조선과 일본이 근대 국제법적 토대 위에서 일본과 맺은 우리나라 최초의 조약이지만 일본의 강압으로 맺은 불평등 조약이다. 12개조로 된 이 조약에서 '조선은 자주국으로 일본과 동등한 권리를 가진다(제1조)'고 했지만, 이는 조선에 대한 청나라의 종주권을 부정하려는 것이었다. 조약은 부산, 인천, 원산항 개항, 개항장 안의 조계(租界) 설정, 영사재판권 인정 등의 조항을 담고 있다. 이로써 조선은 신문명의 전래와 열강의 침략을 동시에 맞게 된다.(한국근현대사사전)

**국체(國體)**

국체는 원래 헌법학상 용어로 주권의 담당자가 누구냐에 따라 국가형태를 나눌 때 쓰는 말이다. 예를 들어 군주국, 공화국 같은 것을 말할 때 쓴다. 그러나 이를 일본어 '고쿠타이'로 읽으면 뜻이 달라진다. 근대 일본의 형성기에 있어 국가 통합의 핵심적 수단으로 등장한 천황 중심 사상을 뜻한다. 막말 서양의 위협으로 국가의 위기를 느낀 일군의 학자들(대표적으로 미토학자 아이자와 세이시사이 · 會澤正志齋, 국학자 모토오리 노리나가 · 本居宣長)은 신화적 역사관을 동원해 천황을 신격화하고 국민의 자발적인 복종을 유도함으로써 국가를 보위할 수 있다고 전파했다. (문학비평용어사전 등)

☑ 울릉도 · 독도 일본 사료집 II(김강일 · 윤유숙 역)

☑ 근세 한일관계 사료집 야나가와 시게오키 구지 기록(김상준 · 윤유숙 역)

☑ 근세 한일관계 사료집 II 사쿠마 진파치 보고서 · 죽도문담 佐久間甚八 報告書 · 竹島文談(윤유숙 편)

☑ 일본군'위안부'자료 목록집 I - 일본 자료편(상)(동북아역사재단 일본군'위안부'연구센터 편)

☑ 일본군'위안부'자료 목록집 II - 일본 자료편(하)(동북아역사재단 일본군'위안부'연구센터 편)

☑ 일본군'위안부'자료 목록집 III - 연합군 자료편(동북아역사재단 일본군'위안부'연구센터 편)

☑ 일본군'위안부'자료 목록집 IV - 중국지역 · 타이완지역 · 타이지역 자료편(동북아역사재단 일본군'위안부'연구센터 편)

☑ 近代韓國外交文書 제1권 제너럴 셔먼호사건 · 병인양요(근대한국외교문서편찬위원회 편)

☑ 近代韓國外交文書 제2권 오페르트사건 · 신미양요(근대한국외교문서편찬위원회 편)

☑ 近代韓國外交文書 제3권 조일수호조규(근대한국외교문서편찬위원회 편)

☑ 역주 일본서기 1(연민수 외 역)

☑ 역주 일본서기 2(연민수 외 역)

☑ 역주 일본서기 3(연민수 외 역)

**야나가와 시게오키 구지(公事) 기록**

1631년에 시작한 일본 쓰시마 번주 소 요시나리(宗義成)와 그의 가신 야나가와 시게오키(柳川調興) 사이의 소송 기록이다. 보통 '야나가와 잇켄'(柳川一件)으로 부른다. 엄격한 주종관계 사회였던 일본 에도시대에 가신이 번주를 상대로 소를 제기했다는 점에서 관심을 끌었다. 재판은 소 요시나리는 무죄, 야나가와는 유배형으로 끝났다. 이 소송이 더 관심을 끈 것은 재판 과정에서 임진왜란 후 쓰시마번이 조선과 막부가 주고받은 국서를 변조한 사실이 밝혀졌기 때문이다. 조선과의 중개무역으로 먹고 사는 쓰시마번이 국교 재개를 위해 양국의 위신을 세우는 방향으로 국서를 변조한 것이다. 그 덕에 1607년 첫 통신사가 일본을 방문한다. 이 사건 이후 막부는 쓰시마번이 다루는 조선과의 모든 외교 문서를 검사한다.

**사쿠마 진파치(佐久間甚八) 보고서**

에도막부의 관리 사쿠마 진파치가 1772년 쓰시마의 내정과 조선과의 무역 상황을 조사해서 만든 보고서이다.

■ **발굴보고서와 도록**

☑ 일본 소재 고구려 유물 I - 일제강점기 고구려 유적 조사 재검토와 관동지역 소재 고구려 유물 1(동북아역사재단 편)

☑ 일본 소재 고구려 유물 II - 일제강점기 고구려 유적 조사 재검토와 관동지역 소재 고구려 유물 2(동북아역사재단 편)

☑ 일본 소재 고구려 유물 III - 일제강점기 고구려 유적 조사 · 연구 재검토(동북아역사재단 편)

☑ 일본 소재 고구려 유물 IV - 일제강점기 고구려 유적 조사 · 연구 재검토(동북아역사재단 편)

☑ 역사 속의 한일관계(동북아역사재단 편)

☑ 독도 연구(김학준)

☑ 임진왜란과 히리도 미카와치 사기장(황정덕 외)

☑ 일본의 전쟁기억과 평화기념관 I - 관동 · 동북 지역 편(동북아역사재단 편)

☑ 일본의 전쟁기억과 평화기념관 II - 관서 · 구주 · 오키나와 지역 편(동북아역사재단 편)

☑ 독도 이슈 60년과 한국의 영토주권 - 독도 이벤트데이터(1952-2010년)(배진수)

☑ 세계의 영토분쟁 DB와 식민침탈 사례(배진수 · 윤지훈)

☑ 한일협정 50년사의 재조명 I (도시환 외)

☑ 한일협정 50년사의 재조명 II(도시환 외)

☑ 한일협정 50년사의 재조명III(도시환 외)

☑ 한일협정 50년사의 재조명IV(도시환 외)

☑ 한일협정 50년사의 재조명 V(도시환 외)

☑ 한일강제병합 100년의 역사와 과제(이태진 외)

☑ 무라야마 전 총리와 함께 일본군'위안부'문제를 생각한다(동북아역사재단 편)

☑ 한일회담 · 한일협정 그 후의 한일관계(정재정)

☑ 일본군'위안부'문제의 해결을 위하여(와다 하루키 저, 정재정 번역)

☑ 한일간 역사현안의 국제법적 재조명(김부자 외)

☑ 3 · 1운동과 1919년의 세계사적 의미(김희곤 외)

■ 영문도서

☑ The Foreseen and the Unforeseen in Historical Relations between Korea and Japan (Edited by Bae Chin-soo et al)

☑ Dokdo: A Korean Island Rediscovered (Written by Li Jin-mieung)

☑ A History of Korean-Japanese Interaction from Prehistory to Modern Times (Edited by History Textbook Research Association(Korea). History Education Research Association(Japan))

**2000년 여성국제법정**

2000년 일본군 성노예 전범 여성 국제 법정. 위안부 피해자와 관련단체들이 2000년 12월 7일부터 12일까지 도쿄 구단회관에서 일본군 성노예제와 관련한 법적 책임을 묻기 위해 개최한 민간차원의 국제인권법정이다. 여성 판사단은 12월 8~10일 사흘간의 심리를 바탕으로 12월 12일, 일본군'위안부' 동원의 강제성과 이들에게 가해진 폭력을 인정하고, 히로히토 천황에게 유죄를 선고하는 예비판결을 발표했다. 그리고 1년 뒤인 2001년 12월 4일, 네덜란드 헤이그 뤼켄트 단스 극장에서 히로히토 천황에게 유죄를 선고하고 일본 정부에 진실규명과 사죄, 피해자에 대한 배상 등을 권고한 최종판결을 내렸다. (일본군'위안부'문제연구소 웹진 〈결〉)

## 동북아전문가 대담 및 강연

| 형태 | 일 시 | 대담 및 강연자 |
|---|---|---|
| 대담 | 2019.10.6 | **일제 관동군이 건설한 중국 둥닝 요새와 일본군'위안부'**<br>왕중런(王宗仁 · 중국 둥닝요새박물관 연구원) × 김정현(재단 일본군'위안부'연구센터 연구위원) |
| | 2019.11.14 | **'2000년 여성국제법정'과 일본군'위안부' 문제 해결**<br>사회 도시환(재단 일본군'위안부' 연구센터장)<br>대담 정진성(서울대) × 나카하라 미치코(와세다대) |
| 강연 | 2016.4.5 | 제1회 독도교육주간과 2016 독도지킴이학교 독도동아리 발대식<br>기조강연 신용하(서울대) **독도, 왜 한국 영토인가**<br>강연 박기태(사이버외교사절단 반크(VANK) 단장), 남석현(문화공공외교단 |

| | | 세이울(SAYUL) 단장) |
|---|---|---|
| | 2016.7.22 | 딘 스마트(유로클리오 프로젝트 자문) **유로클리오(EUROCLIO) 소개 및 능동적인 역사교육: 지식과 기술의 심화를 위한 개념 탐구**(유로클리오는 유럽역사교육자연합회(The European Association of History Educators)의 줄임말로, 유럽 각국의 역사 교사들의 연합체)<br>Yulia Kushnereva(모스크바 역사교사연합회 회원) **흑해지역 프로젝트**<br>Bojana Dujkovic-Blagojevic(유로클리오-HIP의 창립회원) **발칸반도 국가 프로젝트 - 교육은 무기인가, 화해의 도구인가** |
| | 2017.4.20 | 2017 독도지킴이학교 독도동아리 발대식(2016년 행사와 비슷해 내용 생략) |
| EBS 아카데미 | 2018.8 | 3강 남상구(재단 연구위원) 역사문제와 한일관계<br>4강 서현주(재단 연구위원) 증언과 문서로 본 위안부 피해 실태<br>5강 홍성근(재단 연구위원) 독도에 관한 법, 역사적 이해 |

동북아역사재단은 재단의 성격상 일본 관련 학술대회 등이 많을 수밖에 없다. 그래서 최근 2년간의 주요 학술대회만을 소개한다.

**관부(關釜)재판**

시모노세키(下關)와 부산(釜山)을 오가며 재판을 했다고 해서 붙은 이름이다. 위안부 피해자 3명과 여자근로정신대 7명이 1992년 일본 정부를 상대로 야마구치 지방재판소 시모노세키 지부에 손해배상청구소송을 제기했다. 1998년 시모노세키 지부는 일본 정부의 책임을 일부 인정하는 판결을 내렸다. 그러나 2001년 히로시마 고등재판소는 1심 결과를 취소하며 원고의 청구를 기각했고, 2003년 최고재판소도 항소를 기각해 원고 측의 패소를 확정했다.

## 학술대회

| 일 시 | 내 용 |
|---|---|
| 2019.8.14 | **일본군'위안부'문제 해결을 위한 역사적 과제 국제학술회의**<br>환영사 김도형(동북아역사재단 이사장)<br>축사 유은혜(사회부총리 겸 교육부장관)<br>강창일(더불어민주당 역사정의특별위원회 위원장)<br>최재성(더불어민주당 일본경제침략대책특별위원회 위원장)<br>조광(국사편찬위원회 위원장)<br>기조강연 이만열(숙명여대) **일본군'위안부'문제와 식민주의 역사의 청산**<br>**세션1 일본군'위안부' 피해 실태의 규명**<br>사회 도시환(동북아역사재단 일본군'위안부'연구센터장)<br>박정애(동북아역사재단) **한국 소장(所藏) '위안부'관계 자료와 조선인'위안부' 피해**<br>왕중런(王宗仁 · 중국 동녕요새박물관) **동녕 일본 관동군 요새와 '위안소'**<br>김정현(동북아역사재단) **중국 난징(南京)의 일본군 위안소 설치 유형과 '위안부'피해 실태**<br>저우귀샹(周桂香 · 중국 대련이공대) **중국 침략 일본 전범의 위안부 및 성폭력 범죄에 대한 반성 - 일본 '중국귀환자연락회'를 중심으로**<br>토론 리우저위(柳津宇 · 중국 지린성 당안관), 이선이(경희대)<br>**세션2 일본군'위안부' 문제의 해결을 위한 과제**<br>사회 최승환(경희대 법학전문대학원)<br>야마모토 세이타(山本晴太 · 변호사) **관부(關釜)재판과 헌법재판소 결정, 일본국 헌법과 대한민국 헌법**<br>요시자와 후미토시(吉澤文壽 · 니가타국제정보대) **한일청구권협정 완결론의 극복: 일본군'위안부' 피해를 정면으로 마주하기 위하여**<br>자오위제(趙玉洁 · 중국 지린성 당안관) 리우저위(柳津宇 · 중국 지린성 당안관) 일 |

| 일시 | 내용 |
|---|---|
| | **본군'위안부' 문제 연구에 관한 고찰-중국 당안자료를 중심으로**<br>정영환(메이지학원대) **해방 직후 재일조선인의 대일과거청산 경험과 일본군'위안부' 문제**<br>토론 박병도(건국대 법학전문대학원), 조윤수(동북아역사재단)<br>**세션3 종합토론** 사회 도시환(동북아역사재단)<br>지정토론<br>송연옥(아오야마가쿠인대) **역사학연구로 보는 일본군'위안부' 문제－상해 사례를 참고로**<br>이상희(대한변협 일제피해자인권특별위원회 위원) **일본군'위안부' 문제의 법적 쟁점과 과제**<br>종합토론<br>발표자와 토론자 전원 |
| 2019.11.29 | **한일 역사문제 해결을 통한 동아시아 평화 구축**<br>개회사 김현숙(동북아역사재단 연구정책실장)<br>환영사 김도형(동북아역사재단 이사장)<br>축영사 장영달(우석대 명예총장)<br>기조발제 서승(우석대 동아시아평화연구소장) **한일 갈등의 걸림돌을 동아시아 평화 구축을 위한 디딤돌로**<br>발표<br>박한용(우석대 동아시아평화연구소) **일제 식민지배에 대한 왜곡된 시각－'식민지 근대화론'의 인식 구조를 중심으로**<br>신효승(동북아역사재단) **자료로 보는 강제동원 피해 실상**<br>박태균(서울대) **미국의 전후 재편과 한일과거사**<br>우치다 마사토시(内田雅敏 · 변호사) **한중일은 '일의대수'를 사이에 둔 이웃－중국인 강제노동 화해 사건에서 '징용공문제' 해결의 길을 모색한다**<br>치우스제(邱士杰 · 샤먼대) **역사문제 극복과 동아시아 평화**<br>종합토론 사회 최덕규(동북아역사재단)<br>호리야마 아키코(堀山明子 · 마이니치신문 서울지국장), 이경미(동북아역사재단), 발표자 전원 |
| 2020.6.19 | **일본 산업유산정보센터 전시 내용 검토 및 대응방안 모색**<br>개회사 김현숙(동북아역사재단 연구정책실장)<br>인사말 서은지(외교부 공공문화외교국장)<br>사회 서종진(동북아역사재단)<br>김민철(민족문제연구소) **일본 산업유산 등재 이후 후속조치의 이행상황**<br>김청중(세계일보 도쿄특파원) **산업유산정보센터 전시내용과 문제점**<br>고바야시 히사토모(小林久公 · 강제동원진상규명네트워크) **산업유산국민회의 정부 제출 보고서 검토**<br>나카타 미쓰노부(中田光信 · 강제동원진상규명네트워크) **메이지 일본 산업혁명 유산 문제를 둘러싼 지금까지의 활동과 향후 과제**<br>토론 사회 남상구(동북아역사재단)<br>야노 히데키(矢野秀喜 · 강제동원 공동행동), 전진성(유네스코한국위원회), 김승은 |

**산업유산정보센터**

일본 정부는 2015년 7월 근대산업유산 23곳을 유네스코 세계문화유산으로 등재하며 이를 홍보하는 기관을 만들면 조선인들이 이들 산업유산에서 강제노동을 했다는 사실을 명기하겠다고 약속했다. 일본 정부는 2020년 6월 도쿄 총무성 제2청사에 만든 '산업유산정보센터(Industrial Heritage Infor-mation Center)'를 공개했다. 그런데 센터는 군함도 등을 소개하며 "조선인에 대한 차별은 없었다"고 주장했다. 유네스코 세계유산위원회는 이에 대해 2021년 7월 이례적으로 강력하게 유감을 표시했다. 그러나 일본 측은 "약속을 이행했다"고 주장했다.

| 일 시 | 내 용 |
|---|---|
| | (민족문제연구소), 한혜인(아시아평화와역사연구소), 조건(동북아역사재단), 발표자 전원 |
| 2020.8.13 | 개회사 서혜란(국립중앙도서관장)<br>축사 박양우(문화체육관광부 장관)<br>기조강연 김도형(동북아역사재단 이사장)<br>발표<br>정혜경(일제강제동원&평화연구회 대표연구위원) **고난을 겪어낸 큰 사람들, 미발굴 아시아태평양전쟁에 동원된 조선의 작은 사람들 - 노무작업장의 아이들**<br>질의응답 좌장 남상구(동북아역사재단)<br>토론 허광무(한국외대 일본연구소), 신희석(연세대 법학연구원), 김정은(국립중앙도서관), 이영도(국가기록원), 조건(동북아역사재단) |
| 2020.12.4 | **관동대지진과 학살사건의 기억과 과제**<br>개회사 조태영(동북아역사재단 사무총장)<br>인사말 유기홍(국회 교육위원회 위원장)<br>**제1부** 사회 남상구(동북아역사재단)<br>다나카 마사타카(센슈대) **일본의 관동대진재 조선인학살 연구 및 과제**<br>김종수(1923시민연대 대표) **1923년 간토학살사건과 시민운동**<br>서종진(동북아역사재단 연구위원) **일본 교과서의 관동대지진과 학살사건 기술내용 분석**<br>**제2부 종합토론** 사회 김광열(광운대)<br>발표자 전원, 하종문(한신대), 이경미(동북아역사재단), 성주현(숭실대) |
| 2020.12.8 | **일본군'위안부'문제 현재와 미래 - 어떻게 계승하고 교육해야 하는가**<br>환영사 조태영(동북아역사재단 이사장 직무대행)<br>기조강연 정진성(서울대) **일본군'위안부' 문제 성찰과 과제**<br>**제1세션 국제사회는 일본군'위안부'문제를 어떻게 인식하고 있는가**<br>알렉시스 더든(코네티컷대) **초국가적 관점에서 본 일본군'위안부' 피해자 목소리**<br>히라이 미쓰코(오사카부 공립중) **일본 중학생에게 가르치는 일본군'위안부' 문제**<br>토론 김지민(컬럼비아대), 이경훈(보라고), 서종진(동북아역사재단)<br>**제2세션 일본군'위안부'문제를 어떻게 기억해 왔는가**<br>김현정(배상과 교육을 위한 위안부행동(CARE) 대표) **해외 각 지역 일본군'위안부' 기림비 성격과 의미**<br>이광빈(연합뉴스 베를린 특파원) **독일 베를린의 일본군'위안부' 기림비 설치 과정과 의미**<br>안세홍(사진작가) **아시아의 지울 수 없는 흔적: 일본군'위안부' 사진을 통해 기억하다**<br>토론 소현숙(한국학중앙연구원), 신보영(문화일보), 조윤수(동북아역사재단)<br>**제3세션 일본군'위안부' 문제, 어떻게 기억하고 교육할 것인가**<br>양미강(제3시대 그리스도교연구소 이사) **피해자 운동을 넘어선 일본군'위안부'운동의 방향 모색**<br>한혜인(아시아평화와역사연구소) **일본군'위안부' 평화 인권 교육의 모델**<br>토론 길윤형(한겨레신문), 김소라(일본군'위안부'문제연구소), 김정인(춘천교대), 남 |

| 일 시 | 내 용 |
|---|---|
| | 기정(서울대), 이신철(아시아평화와역사연구소), 최이락(연합뉴스), 호리야마 아키코(마이니치신문) |

동북아역사재단의 역대 이사장은 다음과 같다.

| 대수 | 이 름 | 경력(당시) | 재임기간 |
|---|---|---|---|
| 초대 | **김용덕** | 서울대 동양사학과 교수 | 2006.9~2009.9 |
| 2대 | **정재정** | 서울시립대 교수 | 2009.9~2012.9 |
| 3대 | **김학준** | 전 서울대 교수 | 2012.9~2015.9 |
| 4대 | **김호섭** | 중앙대 정치국제학과 교수 | 2015.9~2017.8 |
| 5대 | **김도형** | 연세대 사학과 교수 | 2017.11~2020.11 |
| 6대 | **이영호** | 인하대 명예교수 | 2020.12~ |

사무총장은 대대로 외교부 출신이 맡는다. 초대 유광석 씨(2006년 9월 취임 · 전 싱가포르 대사)를 시작으로 조환복(2007년 3월 · 전 멕시코대사), 신연성(2009년 2월 · 전 요르단대사), 김영소(2010년 8월 · 전 이집트대사), 석동연(2012년 3월 · 전 홍콩 총영사), 이현주 씨(2015년 6월 · 전 오사카 총영사)를 거쳐 현재는 조태영 씨(2018년 10월 · 전 인도네시아대사)가 7대 사무총장으로 일하고 있다.

**동북아역사재단은** (03739) **서울특별시 서대문구 통일로** 81(**미근동** 267) **NH농협생명빌딩에 있다.**
**전화** (02) 2012-6000, **팩스** (02) 2012-6175, **홈페이지** www.nahf.or.kr

# 17. 일제강제동원피해자지원재단

KOREA-JAPAN

일제강제동원피해자지원재단(Foundation for Korean Victims of Forced Mobilization by Imperial Japan)은 정관에서 재단의 설립 목적을 "'대일항쟁기 강제동원 피해조사 및 국외강제동원희생자 등 지원에 관한 특별법'에 따라 일제강제동원 피해 · 희생자 및 그 유족 등에 대한 복지지원사업과 피해 · 희생자에 대한 추념사업을 수행하고 아울러 강제동원 피해와 관련한 문화 · 학술 · 조사 · 연구 등의 사업과 피해구제를 위한 활동을 추진함으로써 국민통합에 이바지하고 나아가 역사적 의미를 되새겨 평화와 인권의 신장에 기여함을 목적으로 한다"고 밝히고 있다.

일제강제동원피해자지원재단은 '강제동원'을 "일본이 전쟁을 수행하기 위해 국가권력에 의하여 실시한 인적 · 물적 자원에 대한 동원정책"으로 규정하고 "1938년 4월 '국가총동원법' 제정과 '국민징용령' '국민근로보국협력령' '선원징용령' '의료관계자징용령' '국민근로동원령' 등 관련 법령을 근거로 실시했으며, 물자를 공출하고, 군수물자 생산 및 수송에 인력을 동원하고, 자금을 통제하는 유기적이고 총체적인 총동원 체제로 운영했다"고 지적한다.

또 '대일항쟁기 강제동원 피해조사 및 국외강제동원 희생자 등 지원에 관한 특별법' 제2조는 '강제동원의 피해'를 "만주사변 이후 태평양전쟁에 이르는 시기에 일제에 의하여 강제동원되어 군인, 군무원, 노무자, 위안부 등의 생활을 강요당한 자가 입은 생명 · 신체 · 재산 등의 피해"라고 규정하고 있다.

즉 강제동원 피해자는 군인(징병과 지원병), 군속(군인이 아니면서 육 · 해군에 복무했던 노무자, 운전사, 포로감시원, 간호부 등), 노무자, 일본군 위안부 및 여자근로정신대 등 4개 그룹으로 나눌 수 있다. 재단의 사업은 이들 4개 그룹 전체를 대상으로 한다.

일제강제동원피해자지원재단은 정관에서 목적 사업을 다음과 같이 제시하고 있다.

1. 일제 국외강제동원 피해자 및 유족에 대한 복지지원 사업
2. 강제동원 피해 관련 문화, 학술사업 및 조사, 연구사업의 추진과 지원
3. 역사적 의미를 되새기고 평화와 인권의식을 고취하는 교육사업
4. 강제동원 희생자에 대한 추도위령사업 및 유해 발굴 · 봉환 사업

5. 추도공간(추도묘역, 추도탑, 위패관, 추도공원)의 조성 및 관리
6. 해외 희생자 추도순례 사업
7. 미불 공탁금(미불노임 · 우편저금) 등의 환수를 위한 대일교섭 및 소송관련 자료 제공
8. 사료관, 박물관, 역사기념관 등의 건립 및 운영관리
9. 정부에 등록된 피해 단체 및 법인과의 교류협력
10. 행정기관의 위임업무 및 위탁사업
11. 기타 목적에 부합하는 사업

일제강제동원피해자지원재단의 설립과정과 그동안의 주요 행사를 보면 다음과 같다.

| 연도 | 내용 |
|---|---|
| 2014년 | 6월 재단 설립 허가 및 제1대 이사장 김용봉 취임<br>일제강제동원피해자지원재단 설립 등기<br>제1기 제1차 이사회 개최<br>9월 지정기부금단체 지정(기획재정부)<br>12월 재단현판식 |
| 2015년 | 1월 기타공공기관 지정<br>12월 국외추도순례(마셜제도) |
| 2016년 | 3월 일제강제동원역사관 위탁계약 체결<br>법정기부금단체 지정(기획재정부)<br>4월 국외추도순례(대만)<br>6월 제2기 이사회 구성(제2대 이사장 김용봉)<br>7월 일제강제동원역사관 '국립박물관' 등록<br>8월 일제강제동원역사관 추모공원 내 추모조형물 제막<br>일제강제동원희생자 전국합동위령제<br>10월 일본 오키나와 강제동원 한국인 희생자 합동위령제<br>11월 일제강제동원 기록물 유네스코 등재를 위한 국제학술대회 |
| 2017년 | 5월 국외추도순례(홋카이도)<br>8~11월 일제강제동원역사관 '군함도' 사진전<br>9월 국외추도순례(미얀마) 및 추모조형물 제막 |
| 2018년 | 4월 국외추도순례(필리핀)<br>8월 제3대 이사장 김용덕 취임<br>9월 호주 추모조형물 제막<br>일제강제동원희생자 전국합동위령제<br>11월 국외추도순례(중국 운남성) |

| | |
|---|---|
| 2019년 | 2월 유해봉환 사업 추진<br>3월 민화협 공동으로 강제동원희생자 봉안추도식(제주도 선운정사)<br>5월 '일제강제동원 피해자에 대한 역할과 과제' 학술대회<br>6월 재단-나눔의집 업무협약식<br>8월 일제강제동원희생자 전국합동위령제<br>9월 국외추도순례(팔라우공화국)<br>10월 일제강제동원희생자 유해에 관한 국제심포지엄(오키나와)<br>일제강제동원희생자 '만남의 장' 시작<br>12월 유해봉환사업 관련 문화행사 |

일제강제동원피해자지원재단의 주요사업을 좀더 자세히 살펴보면 다음과 같다.

**국외 추도순례**

아시아태평양전쟁 당시 국외에서 희생당한 후 고국으로 돌아오지 못한 강제동원 희생자들을 위한 추도사업이다. 국외 강제동원 희생자 유족들이 참가해서 매년 두 차례 실시하고 있다. 유족과 재단 관계자가 현지로 가서 추도식을 열고 유족간담회도 개최한다. 2015년 12월 마셜제도, 2016년 4월 대만, 2017년 5월 일본 홋카이도와 9월 미얀마, 2018년 4월 필리핀과 11월 중국 운남성, 2019년 9월 팔라우공화국에서 열렸다.

**추도비 건립**

일제강점기 일제에 의해 강제동원되어 전쟁터 등에서 희생된 분들의 영혼과 유족을 위로하고 추모하는 공간을 조성하는 사업이다. 2009년 12월 인도네시아에, 2010년 9월 필리핀 마닐라에, 2016년 8월 부산의 국립일제강제동원역사관 추모공원에 추모탑을 건립했다. 2017년 9월 미얀마의 미얀마한인회 코리아센터에, 2017년 10월 홋카이도에, 2018년 9월 호주 뉴사우스웨일스 주 블랙타운 시 왕립호주 공군 기념공원(RAAF Memorial Rark)에도 추도비를 건립했다.

**일제강제동원희생자 합동위령제**

2016년부터 매년 8월 또는 9월에 부산의 국립일제강제동원역사관 추모공원에서 거행하고 있다. 강제동원희생자들의 넋을 기리고 유가족의 아픔을 치유하며 일반국민의 역사의식을 고취하는 기회로 삼고 있다.

## 유해봉환

인류의 보편적 가치인 인간의 존엄과 인권 회복을 위한 사업으로 여기고 있다. 2019년에는 일본 오사카 통국사 유해 봉환(2.27~3.2), 나가사키현 이키섬 천덕사 희생자 추모제(10.9~12), 오키나와 강제동원 희생자 유해에 관한 국제심포지엄(10.23~26), 교토부 우키시마호 사건 한인 희생자 추도제(11.3~6) 등을 거행했다. 12월 12일에는 '2019년 유해발굴·봉환사업 문화행사－잊혀진 영혼들: 일제 강제동원 희생자 유해발굴과 귀환'이라는 문화행사를 개최했다.

**우키시마호(浮島丸) 사건**
제2차대전 때 일제에 강제연행당한 한국인 7천여 명이 전쟁이 끝난 뒤인 1945년 8월 24일 일본 해군 군함 우키시마호를 타고 한국으로 귀국하던 중 배가 폭발하면서 침몰해 500여 명이 숨진 사건을 말한다. 우키시마호는 전날 아오모리현(青森縣) 오미나토항(大湊港)을 떠나 부산으로 가다가 교토부 마이즈루항(舞鶴港)에 입항 중 폭발했다. 폭발 원인은 기뢰접촉설, 일본 해군의 자폭설 등이 있다. 피해자와 유족은 1992년 일본 정부를 상대로 손해배상청구소송을 제기했다. 2001년 1심인 교토지법은 피해자 15명에게 300만 엔씩 위자료를 지급하라고 판결했으나 2003년 오사카고법은 이를 파기하고 원고패소판결했다.

## 유족복지지원사업

유족과 유족단체를 돕는 사업이다. 유족을 돕는 사업은 미귀환(국외 강제동원 현지 사망 및 행방불명) 희생자의 살아있는 배우자 등을 돕는 사업으로 2018년에 처음으로 56명에게 의료비와 생활비를 지원했다. 2019년에는 226명, 2020년에는 221명을 지원했다. 유족단체는 2019년 처음으로 (사)일제강점하 사할린 강제동원 억류피해자 한국잔류유족회를 지원했으나 2020년에는 없었다.

## 국립일제강제동원역사관 운영

국립일제강제동원역사관은 일제 강점기 강제동원의 실상을 규명함으로써 성숙한 역사의식을 고취하고, 인권과 세계평화에 대한 국민 교육의 장을 제공하려는 목적으로 건립했다. 일제강점기 때 부산항을 강제동원의 출발지로 많이 이용했고, 강제동원자의 22% 정도가 경상도 출신이라는 역사성과 접근성을 고려해 2008년 9월 부산에 건립한다는 방침을 확정했다. 그 후 506억 원을 들여 7만5465㎡의 부지에 지상 3층 지하 4층, 연면적 1만 2062㎡ 규모로 건립해 2015년 12월 10일 개관했다. 역사관은 '함께 기억하고, 널리 알리는 역사관'을 캐치프레이즈로 삼고 정부에서 수집한 강제동원 수기, 사진, 박물류 등을 전시하고 있다. 부산광역시 남구 홍곡로320번길 100(대연동 산 204-1)에 있다. 전화 (051) 629-8600. 부산시는 국립일제강제동원역사관과 인근에 있는 UN기념공원, UN조각공원, UN평화기념관, 평화공원, 대학로문화거리를 묶어 UN평화문화특구로 지정했다.

## 발간자료

| 연 도 | 제 목 | 책임연구원 | 내 용 |
|---|---|---|---|
| 2017년 | **홋카이도 삿포로 별원 소장 유골조사(비공개)** | 김민영(군산대) | 삿포로 별원의 조선인 강제동원 희생자 유골 문제의 발단과 국내 봉환에 이르기 |

| 연 도 | 제 목 | 책임연구원 | 내 용 |
|---|---|---|---|
| | | | 까지의 경과 등을 조사·분석한 보고서 |
| 2018년 | 오키나와 강제동원 조선인 희생자 피해실태(비공개) | 김민영(군산대) | 오키나와 지역 강제동원 및 오키나와전(戰) 조선인 희생자 실태 파악과 조선인 유골·유해 실태를 조사·분석한 보고서. 희생자 유골문제 현황 및 한·일 정부 대응을 분석하고, 희생자 유족 인터뷰를 통해 향후 추진해야 할 주요 사업 및 방향 제언 |
| 2019년 | 일제강제동원피해자지원재단 총서1. 수기집: 태평양전쟁 실기집(實記集) | 장윤만 지음, 장현자·김준식 옮김, 반병률 한국외대 교수 감수 | 일제 강제동원 피해자 故 장윤만 씨의 수기집. 총 90쪽 분량인 원본 사료의 내용을 옮기고 일부 해제·감수하여 발간한 책자. 장윤만 씨는 1944년 경북 상주 지역에서 강제동원되어 제8886부대 경성사단사령부를 거쳐 군속으로서 일본 오키나와로 동원됐다가 자마미섬에서 미군 포로가 됐다. |
| | 일제강제동원피해자지원재단 번역총서1. 구술기록집: ポンポン船に乗って帰る途中, 海の幽霊になるところだったよ(똑딱선 타고 오다가 바다 귀신 될 뻔했네) | 일제강점하강제동원피해진상규명위원회 편, 일본판번역협력위원회 옮김, 일제강제동원피해자지원재단 감수 | 2006년 발간한 한국어판의 일본어 번역본. 일제강점기 일본 규슈 지역으로 강제동원 됐던 노무자 10명의 구술을 담은 구술기록집으로 충청도 지역의 생존자를 조사한 기록을 토대로 발간했다. |
| | 일제강제동원피해자지원재단 번역총서2. 구술기록집: 朝鮮という私たちの国があったのだ(조선이라는 우리나라가 있었다) | 일제강점하강제동원피해진상규명위원회 편, 일본판번역협력위원회 옮김, 최영호 영산대 교수 감수 | 2008년 발간한 한국어판의 일본어 번역본. 일제강점기 일본, 중국, 동남아로 강제동원 되었던 조선인 군속 15인의 구술기록집 |
| | 일제강제동원피해자지원재단 번역총서3. 보고서: 朝鮮人BC級戦犯に対する真相調査 - 捕虜監視員の動員と戦犯処罰の実態を中心に(조선인 BC급 전범에 대한 진상조사 - 포로감시원의 동원과 전범 처벌 실태를 중심으로) | 대일항쟁기강제동원피해조사및국외강제동원희생자등지원위원회 편, 일본판번역협력위원회 옮김, 박진우 숙명여대 교수 감수 | 2011년 발간한 한국어판의 일본어 번역본. 제2차 세계대전 종전 후 국제전범재판에서 실형을 받은 조선인 포로감시원(군무원)들에 대한 진상조사보고서 |

| 연도 | 제목 | 책임연구원 | 내용 |
|---|---|---|---|
| | 일제강제동원피해자지원재단 번역총서4. 보고서: ハワイ捕虜収容所における韓人捕虜に関する調査(하와이 포로수용소의 한인포로에 관한 조사) | 일제강점하강제동원피해진상규명위원회 편, 일본판번역협력위원회 옮김, 박진우 숙명여대 교수 감수 | 2008년 발간한 한국어판의 번역본. 하와이 포로수용소 내의 '한인 포로' 문제를 다루고 있다. 하와이 포로수용소에는 제2차 세계대전 당시 마킨, 타라와, 오키나와 등지에서 일하다 포로가 된 한인 군속들이 많았다. |
| | 오사카 지역 군수공장의 조선인 강제동원 실태 | 유지아(원광대 한중관계연구원) | 전시 일본 오사카 항만으로 강제 동원된 조선인 노동자들의 현황을 파악하고, 항만 노동자에서 다시 군수공장으로 연행되는 과정 및 실태를 조사한 보고서. |
| | 해방 후 일본지역의 조선인 강제동원 희생자 유골 봉환 및 시설 등에 관한 현황 실태(귀환, 미귀환) | 김민영(군산대) | 전후 한일 양국 정부와 민간이 일본 지역의 조선인 강제동원 희생자의 유골을 한국으로 봉환한 과정을 조사하고, 유골 관련 시설의 현황 과 실태를 종합적으로 정리한 국내 유일의 보고서. |
| | 일본지역 탄광·광산 조선인 강제동원 실태-다카시마 탄광을 중심으로 | 류미나(국민대) | 다카시마 탄광에 강제 동원된 조선인들의 동원 과정을 파악하고, 일본인 노동자와 조선인 노동자의 노동조건 비교분석을 통하여 당시 조선인들의 열악한 노동환경 실태를 규명한 보고서. |
| | 마쓰시로(松代) 대본영 건설 조선인 강제동원 실태 | 조건(고려대 한국사연구소) | 마쓰시로 대본영 지하시설 건설에 대한 새로운 자료 및 조선인 노동자 동원 명부 발굴을 통하여, 조선인 강제동원의 피해 실태를 종합적으로 규명한 보고서. |
| | 일본지역 탄광광산 조선인 강제동원 실태-미쓰비시(三菱)광업㈜사도(佐渡)광산을 중심으로 | 정혜경(ARGO인문사회연구소) | 조선인을 강제동원했던 일본지역의 탄광과 광산의 현황을 구체화하고, 미쓰비시광업㈜ 사도광산 조선인 노동자의 피해 실태를 규명한 보고서. 새로운 명부 발굴 및 분석을 통해 기존연구의 한계를 보완했다. |

**마쓰시로 대본영(松代大本營)**

제2차 세계대전 말기에 일본 군부가 나가노현 나가노시 마쓰시로정(長野県 長野市 松代町)에 비밀리에 건설한 지하갱도와 부속시설이다. 1944년 1월 본토결전을 앞두고 천황거처와 국가중추기능을 옮기려고 급조했다. 지하 40m, 총연장 13km의 구조물을 만들려 했으나 약 10km쯤 완성했을 패전을 맞았다.(마이피디아) 이 시설을 짓는데 6000여 명의 조선인이 동원됐다.

## 국내·국제학술대회

| 주제 | 일시/장소 | 참석자, 발표자, 토론자 |
|---|---|---|
| 일제강제동원 역사관의 역할과 과제 | 2015.12.22. 부산유엔평화기념관 3층 컨벤션홀 | 개회사 김용봉(일제강제동원피해자지원재단 이사장)<br>축사 이종철(부산 남구청장), 이호승(부산 남구의회의장)<br>**제1세션**<br>특별강연 정재정(서울시립대) **20세기 인간 이산과 강제동원, 그리고 부산** |

**세계기록유산 (Memory of the World)**
유네스코가 세계적으로 가치가 있는 기록물을 보존하고 보호하기 위해 선정하는 문화유산이다. 1992년 사업 방침을 밝히고 1995년부터 실제로 선정했다. 선정한 유산들은 훼손을 방지하고 보존을 위한 기술적 지원을 받는다. 2017년 현재 128개국 427건이 세계기록유산으로 등재돼 있다. 2018년부터 제도개선을 논의하며 잠정적으로 신청을 받지 않고 있다. 한국은 훈민정음, 조선왕조실록, 직지심체요절, 동의보감, 5·18 민주화운동 기록물, 새마을운동 기록물 등 16건의 세계기록유산을 보유하고 있다. (시사상식사전)

| 주 제 | 일시/장소 | 참석자, 발표자, 토론자 |
|---|---|---|
| | | **제2세션** 사회 심규선(고려대 글로벌일본연구원)<br>고바야시 히사토모(小林久公 · 강제동원진상규명네트워크) **일본의 과거청산과 자료조사 현황**<br>토론 김문길(부산외대), 하유식(부산대)<br>**제3세션** 사회 최봉태(일제강제동원피해자지원재단 이사)<br>황보명(대한민국역사박물관) **역사관, 발전을 위한 지속가능성 모색**<br>토론 좡썽빙(중국 위안부피해자문제 연구자 겸 작가), 이주성(일제강제동원피해자 유족대표) |
| **강제동원 피해관련 기록물 세계 기록유산 등재, 의의와 전망** | 2016.11.28.<br>국립일제강제동원 역사관 | 개회사 김용봉(일제강제동원피해자지원재단 이사장)<br>축사 김정훈(국회의원), 이범석(행정자치부 과거사관련업무지원단장)<br>전체사회 이장희(한국외대)<br>발표<br>서경호(서울대) **세계기록유산이란 무엇인가**<br>강동진(경성대) **일본에서의 강제동원 기억과 세계유산**<br>김자욱(세계기록유산등재 전문위원) **국채보상운동 기록물 세계기록유산 한국위원회 심사통과 사례로 본 강제동원기록물 등재 전망과 방안**<br>토론 장지원(유네스코 한국위원회), 김종건(한국국학진흥원 목판연구소), 하승철(경남발전연구원)<br>종합정리<br>안자코 유카(리쓰메이칸대) **강제동원피해기록물 세계기록유산 등재 의의와 전망**<br>남상구(유네스코세계문화유산 분과위원) **강제동원 피해 기록물 세계기록유산 등재 의의와 추진전략**<br>김우림(국립일제강제동원역사관 관장) **일제 강제동원 피해 기록물의 세계기록유산 등재를 위한 점검사항** |
| **아시아태평양 전쟁기의 한국인 강제동원 피해기록물 세계기록유산 등재로 본 평화와 인권** | 2017.6.21.<br>한국프레스센터 20층 국제회의장 | 개회사 김용봉(일제강제동원피해자지원재단 이사장)<br>축사 구만섭(행정자치부 과거사지원단장)<br>이삼열(전 유네스코 한국위원회 사무총장)<br>전체사회 이장희(한국외대)<br>김경남(경북대) **아시아태평양전쟁기의 한국인 강제동원 피해기록물의 세계사적 의의**<br>안종철(前 5·18기록물 유네스코등재추진단장) **5·18 기록물 세계기록유산 등재를 통한 아시아태평양전쟁기의 한국인 강제동원 피해기록물 등재 전망과 가치**<br>한혜인(성균관대 동아시아역사연구소) **아시아태평양전쟁기의 한국인 강제동원 피해기록물 세계기록유산 등재로 본 평화와 인권문제**<br>도시환(동북아역사재단) **국제법을 통한 아시아태평양전쟁기의** |

| 주 제 | 일시/장소 | 참석자, 발표자, 토론자 |
|---|---|---|
| | | **한국인 강제동원 피해기록물 가치분석**<br>토론 김종건(한국국학진흥원 목판연구소), 김지욱(국채보상운동기념사업회전문위원), 남상구(동북아역사재단), 김광열(광운대)<br>종합정리<br>강동진(경성대) **일본 메이지 산업혁명 유산과 강제동원기록과의 관계성을 읽고**<br>호사카 유지(세종대) **아시아태평양전쟁기의 한국인 강제동원 피해 관련 세계기록유산등재로 본 평화와 인권** |
| 일제강점기 조선인 강제동원 희생자 유골문제 | 2018.5.18. 한국프레스센터 20층 국제회의장 | 개회사 김용봉(일제강제동원피해자지원재단 이사장)<br>축사 허만영(행정안전부 과거사관련업무지원단장)<br>전체사회 이장희(한국외대)<br>**세션1**<br>남상구(동북아역사재단 한일관계연구소장) **일제 강제동원 조선인 유골문제의 역사적 경위**<br>다케우치 야스토(강제동원진상규명 네트워크) **일본 내 조선인 강제동원 희생자 실태 및 유골문제**<br>김민영(군산대) **규슈지역 조선인 강제동원 희생자 현황과 유골실태**<br>한혜인(성균관대 동아시아역사연구소) **홋카이도지역 조선인 강제동원 실태와 유골봉환 문제**<br>**세션2 지정 · 종합토론**<br>한중구(행정안전부 과거사관련업무지원단) **정부의 강제동원 유골봉환 진행사항**<br>김광열(광운대), 최영호(영산대), 오일환(ARGO 인문사회연구소 대표), 김경남(경북대) |
| 일제강제동원 피해자에 대한 재단의 역할과 과제 | 2019.5.13. 서울글로벌센터 9층 국제회의장 | 개회사 김용덕(일제강제동원피해자지원재단 이사장)<br>축사 정구창(행정자치부 과거사관련업무지원단장)<br>김정인(춘천교대) **일제강제동원피해자지원재단 목적 사업의 개선 사항과 활성화 방안**<br>김광열(광운대) **국내 강제동원진상규명사업의 과제 - 강제성 규명의 재고**<br>최영호(영산대) **주요 선진국 피해자지원재단의 활동과 시사점**<br>최봉태(변호사) **일제강제동원피해자지원재단의 역할 강화를 희망하며 - 재단법 마련을 중심으로**<br>토론 강혜경(숙명여대), 김민영(군산대), 남상구(동북아역사재단), 김창록(경북대 법학전문대학원) |
| 전쟁희생자 추념 시설의 국제비교 | 2019.11.8. 서울 프란치스코 교육회관 4층 | 오일환(ARGO 인문사회연구소) **일제강제동원 한국인 희생자 추념시설 조성의 목적과 발전방향 - 일제 강제동원 희생자 추모 공간 및 시설 조성의 방향성에 대해**<br>이시하라 마사이에(石原昌家 · 오키나와국제대) **오키나와 전투** |

**오키나와 평화공원**

오키나와 남부의 이토만시에 있는 전몰 위령시설이다. 공원내에는 오키나와전의 사진과 유품을 전시하고 있는 평화기념자료관, 오키나와전에서 숨진 모든 사람의 이름을 새긴 '평화의 주춧돌', 전몰자의 진혼과 평화를 기원하는 평화기념상 등이 있고, 일본의 광역자치단체와 단체들이 세운 위령탑도 50개가 있다. 한국인위령탑도 있다.

| 주 제 | 일시/장소 | 참석자, 발표자, 토론자 |
|---|---|---|
| | | **의 전(全) 전쟁사망자 각명비 · 평화의 주춧돌의 의의 - 아시아태평양전쟁에서 일본군과 미군의 마지막 지상전이 된 오키나와 전투**<br>주성산(朱成山 · 중국 상주대) **남경대학살 기념 시설과 사학연구 및 국가공식제례**<br>Malgorzata Glowacka Grajper((Institute of Sociology, University of Warsaw) **제2차 세계대전 시기 강제동원된 폴란드인 희생자 실태와 추념시설의 세계사적 의의 - 폴란드의 제2차 세계대전 희생자들에 대한 기억과 기념**<br>토론 양조훈(제주 4 · 3평화재단), 서승(우석대 동아시아평화연구소), 박경석(연세대), 임지현(서강대) |
| **일제 강제동원의 국제적 비교 - 한국 · 일본 · 태국 · 미얀마 · 필리핀 · 인도네시아를 중심으로** | 2020.5.28.<br>ENA SUITE 호텔 3층 R.ENA 컨벤션 | 사회 이재철(일제강제동원피해자지원재단)<br>개회사 김용덕(일제강제동원피해자지원재단 이사장)<br>축사 정구창(행정안전부 과거사관련업무지원단장)<br>**세션1 발표** 좌장 김광열(광운대)<br>아리미쓰 겐(有光健 · 와세다대) **조선인 군인 군속 전후 보상 문제의 경과 및 현재**(불참으로 좌장이 소개)<br>강정숙(성균관대 동아시아역사연구소) **일제하 조선인 포로감시원의 동원 실태와 생활상**<br>김도형(독립기념관) **일본군의 태면철도 건설과 한국인 BC급 전범**<br>오카다 다이헤이(岡田泰平 · 도쿄대) **필리핀 비사야 지방에서의 일본군에 의한 성폭력**(불참으로 좌장이 소개)<br>유병선(한국전통문화대) **일제 말기 인도네시아 조선인 포로감시원 현황과 반일활동**<br>**세션2 지정토론** 좌장 김민영(군산대)<br>김경남(경북대 · 불참으로 좌장이 소개), 정태헌(고려대) 황선익(국민대), 변은진(전주대), 안용근(전 충청대) |

재단 이사장은 2014년 초대 김용봉 이사장이 2016년 연임했고, 2018년 취임한 김용덕 이사장이 2020년 8월 4대 이사장으로 연임했다.

재단의 4기 임원은 아래와 같다.

| 직 책 | 이 름 | 경 력 |
|---|---|---|
| 이사장 | **심규선** | 전 동아일보 편집국장 · 대기자 |
| 부이사장 | **이원범** | 동서대 명예교수 |
| 이사 | **노경달** | 일제강제동원피해자지원재단 사무처장 |
| | **윤병일** | 행정안전부 과거사관련업무지원단장 |

| | | |
|---|---|---|
| 이사 | **임석기** | 동국대 경찰행정학과 겸임교수 |
| | **한문수** | 태평양전쟁희생자유족회 전국연합회 부회장 |
| | **박성희** | 이화여대 커뮤니케이션미디어학부 교수 |
| | **최희식** | 국민대 일본학과 교수 |
| 감사 | **이경철** | 법률사무소 심우 대표 변호사 |

재단은 유족 중심으로 특별위원회와 자문위원회도 두고 있는데 그 명단은 다음과 같다.

| | |
|---|---|
| 특별위원회 (31명) | 김봉시((사)전국일제피해자연합회 대표), 김건기(서울수도권태평양전쟁유족중앙회 대표), 김금란(일제강제동원희생자유족회 서울시 회장), 김기동((사)태평양전쟁피해희생자전국연합회 부회장), 김상호((사)일제강점하유족회 부회장), 김영국((사)일제강제노역피해자정의구현전국연합회), 김영회((사)일제강점기피해자전국유족연합회), 김이홍((법)일제강제동원희생자유가족협동조합 경북지부장), 김정부((법)일제강제동원희생자유가족협동조합 전라남도 지부장), 김정임((사)아시아태평양전쟁희생자한국유족회 전남본부 회장), 김태선((사)일제강점하유족회 부회장 겸 이사), 류병현((사)한국원폭피해자협회), 문제조((사)일제강제노역피해자정의구현전국연합회 대전본부장), 박남순(태평양전쟁피해자보상추진협의회 업무감사), 박진부(태평양전쟁피해자보상추진협의회 부회장), 서정욱((법)일제강제동원희생자유가족협동조합 회원), 신윤순((사)일제강점하사할린강제동원억류피해자한국잔류유족회 회장), 심진태((사)한국원폭피해자협회 합천지부장), 양원석((사)태평양전쟁희생자유족회 고문), 윤경남(전 (사)태평양전쟁희생자유족회 인천지부장), 이광남((사)일제강점하사할린강제동원억류피해자한국잔류유족회 이사), 이영웅((사)태평양전쟁희생자유족회 중앙이사), 이윤재(일제피해자공제조합 부회장), 이정부((사)한국원폭피해자협회 부산지부 부지부장), 이주성((법)일제강제동원희생자유가족협동조합 이사장), 이희만((사)일제강제연행피해자유족회), 임수정(전 태평양전쟁희생자유족회 중앙이사), 전광자((사)충청남도내지역 태평양전쟁한인희생자 유족회), 신완철((사)일제강제연행피해자유족회 감사), 최낙훈(태평양전쟁피해자보상추진협의회 운영위원장), 한문수(태평양전쟁희생자전남서부지부 유족회장) |
| 자문위원회 (13명) | 남구현((재)태평양전쟁피해자유족연합회 대표), 김인성((사)일제피해자보상연합회 회장), 김재근((사)아시아태평양전쟁희생자한국유족회 수석대표), 김재천(일제강제동원생환자유족회 회장), 박영표((사)전 한국원폭피해자협회장), 손영운 |

(대한민국대일민족소송단 사무총장), 손일석((사)일제강점기피해자전국유족연합회 대표), 윤창규(법무법인 (유)주원 상임고문), 이귀래(전 (사)태평양유족회 서울회 지부장), 이성우(일제강제동원 홍보영화 '마그마' 증언 출연), 최한영((사)일제강제연행한국생존자협회 부회장), 홍석찬((사)태평양전쟁희생자유족회 대변인 겸 고문), 홍영숙((사)태평양전쟁한국인희생자유족회 대표)

**일제강제동원피해자지원재단은** (03152) **서울특별시 종로구 종로1길** 42 **이마빌딩 6층에 있다. 전화** (02) 721-1800 **팩스** (02) 721-1882, **이메일** webmaster@ilje.or.kr, **홈페이지** www.ilje.or.kr

다음은 일제강제동원피해자지원재단이 미얀마 양곤에 한국인 희생자 위령비를 세울 때 동행했던 필자가 쓴 기사이다(동아일보 2017년 9월 16일 자).

**[토요기획]**

**"형님 손마디로 무덤 만들고, 아들 피 흘린 흙 삼켜버린 어머니"**

6일 양곤 시내 코리아센터에서 개막된 버마지역 강제동원 희생자 위령탑. 높이 5m로 손을 모아 기도하는 모습을 형상화했다. 좌우의 검은 석벽에는 망향의 시를, 앞의 흰 석벽에는 무궁화를 새겼다.

'달 밝은 밤에 고향 길 바라보노라면/너울너울 뜬 구름만 고향 길 가네/그 구름 편에 편지 봉해 부치려 하니/빠른 바람에 구름을 잡을 길 없네/내 고향은 하늘 끝 북쪽이고요/내가 있는 남의 땅은 서남쪽이라오/햇볕 따뜻한 이곳엔 기러기도 오지 않으니/그 누가 내 소식을 고국으로 전해주리'(혜초 '망향가').

1300년 전 신라에서 태어나 당나라와 인도까지 가서 불법을 배우다가 결국은 중국에서 생을 마감한 혜초 스님이 고국을 그리워하며 쓴 시다.

유명 인사든, 평범한 인물이든 고향을 그리는 마음은 똑같다. 그러나 평범한 사람들은 역사에 기록되지 않는다. 그저 수천, 수만, 수백만 명이라는 숫자로만 인식될 뿐이다. 역사책을 펼쳐도, 정작 역사의 소용돌이 속에서 가장 심하게 고통을 당한 그들의 한숨과 고통 소리가 들리지 않는 이유다.

(2017년 9월) 6일(이하 현지시간) 옛날 버마로 불렸던 미얀마의 양곤에서 일제강제동원 희생자를 위한 위령탑 제막식과 위령제가 열렸다. 70년 넘게 그저 숫자로만 존재했던 조선인 희생자들이 이름과 육신을 되찾아 아버지, 형님, 오빠로 환생하는 순간이었다.

이 행사에는 일제강제동원피해자지원재단(이사장 김용봉)이 버마 전선에서 숨진 희생자 유족 29명으로 구성한 국외추도순례단(단장 김화진 · 행정안전부)이 참가했다(5~8일). 국외추도순례는 2004년에 발족한 '대일항쟁기 강제동원 피해조사 및 국외강제동원 희생자 등 지원위원회'가 2006년부터 필리핀, 사이판, 마셜제도 등에서 19회를, 2014년 말 위원회 업무를 이어받은 재단이 이번 미얀마를 포함해 5회를 실시했다(기자는 재단의 이사로 일하고 있다).

일제가 일으킨 태평양전쟁의 말기인 1942년경부터 전쟁이 끝난 1945년 8월까지 조선에서 3800㎞나 떨어진 버마 전선에서 조선인 군인, 군속, 위안부들이 희생을 당했다는 사실을 아파하는 사람이 몇이나 될까.

유족들은 아버지, 형님, 오빠가 돌아가신 곳에서 70년을 훌쩍 넘겨 술잔과 국화를 올리며 오열했다. 일제강제동원피해자지원재단 이병희 씨 제공

유족들은 달랐다. 그들에게 '비극'은 여전히 현재진행형이었다. 6일 오전 숙소인 세도나 양곤 호텔에서 열린 유족간담회는 종종 울음과 울분, 원망과 한숨이 지배했다.

"아버지는 장승포에서 배의 기관장으로 일하셨는데, 군수품을 싣고 버마로 간 것 같다. 내 '게다' 끈이 끊어졌는데 '새로 사다 줄게'라며 나가신 것이 내가 기억하는 아버지의 마지막 모습이다. 내가 네 살 때다. 너무너무 보고 싶다."

"오빠가 학도병으로 나갔다가 전사했다. 그러나 어머니는 믿지 않으셨다. 1970년대에 보상금이 나온다는 말을 들으시고 쓰러졌다가 일주일 만에 돌아가셨다."

"형님이 광복 한 달 전에 돌아가셨다고, 함께 있던 친구가 돌아와 알려줬다. 그분이 형님의 손마디를 하나 끊어 갖고 와서 그걸로 무덤을 만들었다."

"아버지가 지원병으로 입대했다는 말을 듣고 많이도 원망했다. 왜 독립군에 대한 역적질을 했느냐고. 나중에 할아버지에게서 아버지가 군대를 안 가면 작은 삼촌이 잡혀 간다는 말을 듣고 아버지가 '동생보다 세 살 많은 내가 가는 게 낫겠다'며 자원했다고 한다. 지금은 존경한다."

이 말은 지금도 가슴을 때린다.

"형님과 함께 군대에 갔던 친구 분이 형님이 죽은 자리의 흙을 갖고 와서 어머니에게 드렸다. 어머니는 그 자리에서 그 흙을 입에다 털어 넣고 삼켜버리셨다. 그리고 그날부터 담배를 끊으셨다."

어머니는 사랑하는 아들의 희미한 체취마저 온몸으로 품고 싶었던 것이리라.

위령탑 개막식은 6일 오후에 있었다. 위령탑은 양곤 시내 외곽 틩간중에 있는 코리아센터 내에 세워졌다. 코리아센터는 현지 교민(현재 4000여 명)과 기업들이 힘을 모아 2015년 10월에 완공한 건물. 한인회 사무실과 한인학교도 이곳에 둥지를 틀고 있다.

위령탑의 높이는 5m. 두 손 모아 기도하는 형상에 나비를 붙여 편안한 승천을 기원했다. 너비 10m의 좌우 벽면에는 초가집을 배경으로 앞에 소개한 혜초 스님의 '망향가'와 노천명 시인의 '망향'을 새겼다. 경남 함양군 마천면에서 나오는 오석(烏石) 등 모두 한국 석재를 사용했다.

위령탑 터를 제공한 미얀마 한인회의 이정우 회장(54)은 "교민들과 한글학교 학생들은 위령탑을 보며 아픈 역사에서 가르침을 얻고 미래를 위한 각오를 다지길 기대한다"고 말했다.

곧이어 코리아센터에서 위령제도 열렸다.

분위기가 일변했다. 아들과 딸, 동생들은 망자에게 술과 국화를 바치면서 오열했다. 제사상에는 망자들의 사진이 놓여 있었다. 사진 속의 그들은 눈이 시도록 젊었다.

김용봉 이사장은 "아열대의 척박한 환경에서 고된 노동과 굶주림, 전쟁의 희생양으로 노예의 삶을 살다가 끝내 운명을 달리한 선조들의 삶은 참으로 아프고 참담했다"며 "우리 국민과 유족들은 일본의 비인도적인 강제동원의 역사를 결코 잊지 않고, 선조님들의 억울한 죽음이 헛되지 않도록 다짐하고 있다"고 추모했다.

김정한 주미얀마 한국대사 대리는 '과거를 기억하지 않는 사람은 그것을 반복하기 마련'이라는 철학자 조지 산타야나의 말을 인용하며 "과거를 올바르게 인식해야만 화해와 협력의 미래가 열릴 수 있다"고 강조했다.

주미얀마 일본대사관의 요시히로 도모코 참사관은 "달랠 길 없는 망향의 한을 품고 돌아가신 한반도 출신 구 군인 · 군속의 심정을 헤아려 볼 때 진실로 애석한 마음을 금할 수 없다"고 추모했다(일본 이외의 지역에서 강제동원 추모 행사가 열릴 경우 일본 정부가 경비의 일부를 지원하고 현지 일본 외교관들이 참석한다고 한다).

유족 대표 안재봉 씨(75)의 추도사 중에서는 "여기까지 오셔서 누구를 위해 총을 쏘고, 무엇을 위해 이 먼 곳까지 끌려오셨습니까?"라는 말에 관심이 갔다. 일본의 NHK방송이 전후 최초로 1993년, 버마 전선을 현지 취재해서 방영하고 그 내용을 묶어 책을 냈는데('책임 없는 전쟁, 임팔') 그 책에 비슷한 구절이 있기 때문이다.

"우리들의 아버지이자 할아버지 세대인 수만 명의 병사가 왜 이런 곳까지 와서, 격렬하게 싸우다, 진흙탕 속에서 죽지 않으면 안 되었단 말입니까."

전쟁을 일으킨 당사자도 이렇게 원통한데, 식민지에서 태어났다는 이유만으로 전장으로 끌려와 목숨을 잃은 조선인 병사들의 심정은 어떠했을까.

한 유족은 이런 말을 했다.

"어머니는 기독교 신자다. 형님을 잃고 나서 늘, 아들을 돌려달라고 기도했다. 그런데 49세에 늦둥이 막내아들을 얻었다. 형님보다 열여섯 살이나 아래였다. 막냇동생이 태어나고 나서 어머니는 형님을 돌려달라는 기도를 멈췄다."

죽은 자는 산 자의 생활에 영향을 준다. 그것도 아주 깊숙이.

◇해외 추모조형물 = 일제강제동원피해자지원재단에 따르면 국가가 주관해서 해외에 세운 강제동원 추모조형물은 이번의 미얀마를 포함해 필리핀, 인도네시아, 파푸아뉴기니 등 4곳에 있다. 민간단체가 세운 일본(오키나와), 북마리아나제도(2곳), 러시아 사할린(3곳), 팔라우 등을 합치면 11곳. 마셜공화국에는 1996년에 건립했으나 관리 부실로 철거했고, 다시 세우려 하고 있다. 앞으로 세우고 싶은 곳은 중국, 미크로네시아, 키리바시공화국, 대만, 솔로몬제도, 태국, 말레이시아, 괌 등이다. 일본 정부는 35곳, 일본 민간단체는 29곳에 추모조형물을 건립했다(일본 통계는 1997년 일본 후생성 자료이므로 이후 더 늘어났을 가능성이 크다).

**▼한인 2700명 희생 추정… '임팔'공략 작전은▼**
**일본군 최악 참패… 후퇴길 시체 쌓여 '백골가도'**

조선의 젊은이들은 버마 전선에서 몇 명이나 희생됐을까. 버마에 주둔한 일본군은 왜 무모하게 '임팔 작전'을 시작했을까.

버마 주둔 일본군들이 73년 전인 1944년 3월 인도의 연합군 기지 '임팔'을 공격하기 위해 이동하는 모습을 촬영한 사진이다. 그러나 이 작전은 처절한 패배로 끝났다. 일본 마이니치신문 소장

김도형 한국독립운동사연구소 책임연구위원의 논문(일제말기 필리핀·버마지역 한인 병사의 강제동원과 귀환, 한국독립운동사연구 47집, 2005), 일본 NHK방송이 1993년 6월 13일에 방영한 'NHK스페셜·다큐멘트 태평양전쟁 제4편, 책임 없는 전장~버마·임팔'과 두 달 후 방송 내용을 보강해서 출간한 책(집필 하야시 아라타·신이화), 그리고 올해 8월 15일에 방영한 'NHK스페셜, 전율의 기록·임팔'을 참고하면 이 질문의 윤곽은 알 수 있다.

이번 미얀마 추도순례에 참가한 유족들의 아버지, 형님, 오빠 29명 중 20명은 '조선 제49사단사령부' 소속이었다. 조선인만으로 만든 사단이 아니라, 조선에서 만든 사단이란 뜻이다. 김 연구위원은 제49사단 전체 병력을 1만~1만5000명으로 가정했을 때 2000~3000명 이상이 조선인 병사였을 것으로 추정한다. 일제가 조선에서 강제징용한 군인·군속 명단 26만 명 중 미얀마에 배치한 사람은 4061명으로 나와 있다.

김 연구위원은 제49사단의 전사율은 54%, 귀환율은 46%였으므로, 버마 지역에 강제동원된 조선 병사를 5000명으로 보면 2700명이 희생을 당하고, 2300명이 귀환했을 것으로 추산한다(버마 지역의 조선인 사망·행불자를 강제동원위원회 백서는 133명으로, 일본 후생성은 453명으로 달리 집계하고 있어 이 방면의 연구는 더 필요하다).

일본은 버마에서 시작한 군사 작전을 '임팔 작전'으로 부른다. 일본군의 목표가 버마 국경에서 멀지 않은 인도의 연합군 기지 '임팔'이었기 때문이다. 그러나 일본군은 임팔에 단 한 명도 도착하지 못했고, 3만 명의 병사가 죽고 4만 명이 부상하는 처절한 패배를 당한다.

가장 큰 이유는 무모한 계획. 1944년 3월에 시작한 임팔 작전은 3주 동안 최장 470km를 도보로 돌파하고자 했다. 그것도 넓은 곳은 폭이 600m나 되는 거친 강을 건너고 2000m급의 험준한 산맥을 넘고 또 넘어서. 세계 최고의 호우지역인 버마의 우기(雨期)를 피하기 위한 단기

작전으로 실제로 3주간의 식량밖에 지급하지 않았다. 병참을 완전히 무시한 작전이었다.

작전은 '현실'이 아니라 '희망'에서 시작됐다. 당시 일본은 태평양의 여러 섬에서 미군에 계속 패하고 있었다. 임팔을 취함으로써 패배 국면을 뒤집고 싶었다. 그래서 최고 수뇌부의 냉철한 검토 없이 작전을 승인한다. 그러나 영국군을 비롯한 연합군은 일본군보다 훨씬 강했고 준비도 철저했다.

실제 작전을 실행했던 제15군사령부 사령관 무타구치 렌야(牟田口廉也) 중장의 독선도 한몫했다. 그는 작전에 반대하는 참모장을 한 달 반 만에 경질하고, 전투가 시작된 이후 작전 변경을 요구하는 사단장 3명을 소극적이라며 모두 바꿔 버린다.

3주를 예상했던 작전은 4개월이 지나서야 중지됐다. 영국군의 공격과 아사, 질병 등으로 일본군의 후퇴로에는 시체가 쌓이고 쌓였다. 그래서 '백골가도(白骨街道)'라고 불렸다. 작전 중지 후에 먹지 못하고, 병에 걸려서 죽은 병사도 60%나 됐다. 그래서 이 작전은 태평양전쟁 사상 가장 무모한 작전이었다는 비판을 받는다. 그렇지만 책임을 지거나 처벌받은 군 수뇌부는 한 명도 없었다. 무타구치 사령관조차 나중에 녹음과 기록 등을 통해 자신은 잘못한 것이 없다고 강변한다.

NHK 보도에는 일본 병사들이 집단 자살을 했다거나, 죽을 때 '천황 만세'가 아니라 대부분 어머니의 이름을 부르고 죽었다는 생생한 증언이 많다. 다음 증언은 진실을 의심케 할 정도로 충격적이다.

"우군끼리 죽이고, 고기를 떼서 물물교환 한다든가, 그만큼 비참했던 것이 일본군이었다. 그것이 임팔전이었다."

지독한 굶주림 때문에 생긴 일이었다. 인육을 먹었다는 증언은 얻지 못했으나 먹었다는 것이 공공연한 비밀이었다.

임팔 작전은 지옥이었다. 그런데 그 지옥 속에 함께 있던 조선인 병사 얘기는 영상에도, 책에도 한마디가 없다. 미얀마(양곤)=심규선 기자

**무타구치 렌야 (牟田口廉也)**

1888~1966. 일본 육사와 육군대학 졸업. 1936년 중국 베이징에서 제1연대장으로 있을 때 그의 연대가 노구교 사건을 일으켜 중일 전쟁으로 비화했다. 1943년 버마 방위를 담당하는 제15군 사령관(중장)으로 승진하고, 이듬해 참모진의 반대를 무시하고 무리하게 인도의 임팔을 공략해 8만 5천여 명의 병력 중 5만 명을 질병과 굶주림으로 잃는 대참패를 당했다. 전쟁이 끝난 후 극동국제군사재판은 그를 잔혹행위로 체포했으나 불기소처분하고, 싱가포르로 압송해 2년 형을 선고했다. 태평양전쟁 중 가장 무능한 군인 중 한 명으로 꼽히고 있다. (위키백과)

KOREA-JAPAN

# 18. 한국국제교류재단(KF)

한국국제교류재단은 대한민국과 외국 간의 각종 교류사업을 통해 국제사회에서 한국에 대한 올바른 인식과 이해를 도모하고 국제적 우호친선을 증진하기 위해(한국국제교류재단법 1조) 1991년 12월에 제정한 한국국제교류재단법에 따라 1992년에 출범한 기관이다.

재단은 다음과 같은 목적 사업을 하고 있다.

- 국제교류를 목적으로 하는 각종 행사의 주관 · 지원 및 참가
- 국제교류를 목적으로 하는 인사의 파견 및 초청
- 국외에서의 한국연구의 지원 및 연구결과 보급
- 국제사회에서의 한국에 대한 올바른 인식과 이해를 도모하기 위한 제반 활동
- 외국의 주요 국제교류기관과의 교류 · 협력을 통한 국제적 우호친선의 증진
- 기타 재단 설립목적을 달성하기 위하여 필요한 사업

이들 사업 중 일본과 관련이 있는 것은 네 가지로, '한일포럼', '한일관계 컨퍼런스', '한일시민 100인 미래대화' '한일대학생 교류사업'이다('한일포럼'은 이 책의 제3장 '포럼'에서 설명한다). '한일관계 컨퍼런스'는 일본 거점 지방 도시의 정책 커뮤니티를 대상으로 한일 관계 주요 이슈를 설명함으로써 미래지향적 한일협력을 위한 환경 조성을 위한 사업이다(이 사업은 세종연구소와 공동주최하고 있으므로 참석자는 세종연구소 일본연구센터의 소개와 겹치는 경우도 있다).

### 한일관계 컨퍼런스와 참가자

| 연도 | 일시 | 장 소 | 참석자 |
|---|---|---|---|
| 2016 | 2.19 | 후쿠오카 | 정재정(서울시립대), 박진웅(주후쿠오카 총영사), 나가모리 요시타카(마이니치방송 회장), 기쿠치 유지로(규슈대 교수), 신호(규슈대 아시아연구센터), 깃카와 겐(히로시마평화연구소장), 하코다 데쓰야(아사히신문 논설위원), 오코노기 마사오(게이오대), 진창수(세종연구소장), 권태환(세종연구소 객원연구원), 이면우(세종연구소 수석전문위원), |

| 연도 | 일시 | 장 소 | 참석자 |
|---|---|---|---|
| 2016 | 4.8 | 오사카 | 정재정(서울시립대), 모리토모 사토시(전 방위대신), 이데이시 다다시(NHK해설위원), 사와다 가쓰미(마이니치신문 논설위원), 오사와 분고(지바과학대), 기무라 간(고베대), 히라이와 슌지(난잔대), 진창수(세종연구소장), 정성장(세종연구소), 이대우(세종연구소), 권태환(세종연구소 객원연구원) |
| | 7.15 | 삿포로 | 정재정(서울시립대), 한혜진(주 삿포로 총영사), 조현준(효성그룹 사장), 오영환(중앙일보 도쿄총국장), 시미즈 도시유키(삿포로가쿠인대), 도미야마 무쓰히로(삿포로트럭스토어 회장), 도노히라 요시히코(강제노동희생자를 생각하는 홋카이도포럼 공동대표), 하코다 데쓰야(아사히신문 논설위원), 사와다 가쓰미(마이니치신문 논설위원), 오사와 분고(지바과학대), 엔도 겐(홋카이도대), 아오야마 슈지(홋카이도신문), 이즈미 하지메(도쿄국제대), 진창수(세종연구소장), 백학순(세종연구소), 권태환(세종연구소 객원연구원) |
| | 11.25 | 나고야 | 정재정(서울시립대), 조윤영(중앙대), 박상현(한국국방연구원), 사다가타 마모루(나고야대), 사카이다 미오(주니치신문), 강동국(나고야대), 사사가세 유지(도쿄신문), 하코다 데쓰야(아사히신문 논설위원), 사와다 가쓰미(마이니치신문 논설위원), 오사와 분고(지바과학대), 히라이와 슌지(난잔대), 진창수(세종연구소장), 정재홍(세종연구소) |
| 2017 | 3.24 | 히로시마 | 주철기(해외동포재단 이사장), 정재정(서울시립대), 조윤영 (중앙대), 신범철(국립외교원), 깃카와 겐(히로시마평화연구소장), 손현진(히로시마평화연구소), 하코다 데쓰야(아사히신문 논설위원), 사와다 가쓰미(마이니치신문 논설위원), 시타쿠보 세이지(주고쿠신문 논설위원), 후쿠하라 유지(시마네현립대), 구로다 가쓰히로(산케이신문 객원논설위원), 진창수(세종연구소장), 이성현(세종연구소) |
| | 8.24 | 삿포로 | 정재정(서울시립대), 최운도(동북아역사재단), 최강(아산정책연구원), 하코다 데쓰야(아사히신문 논설위원), 사와다 가쓰미 (마이니치신문 논설위원), 오사와 분고(지바과학대), 엔도 겐(홋카이도대), 아오야마 슈지(홋카이도신문), 호소야 유이치(게이오대), 진창수(세종연구소장), 양운철(세종연구소) |
| | 9.21 | 시즈오카 | 박은하(외교부 공공외교대사), 신정화(동서대), 이하원(조선일보 논설위원), 오사와 분고(지바과학대), 이즈미 하지메(도쿄국제대), 고하리 스스무(시즈오카현립대), 오쿠조노 히데키(시즈오카현립대), 이와무라 가즈야(교도통신), 진창수(세종연구소장), 이종석(세종연구소), 이면우(세종연구소), 우정엽(세종연구소) |
| 2018 | 5.25 | 요코하마 | 정재정(서울시립대), 조윤영(중앙대), 배기찬(국가안보전략연구원), 하코다 데쓰야(아사히신문 논설위원), 사와다 가쓰미(마이니치신문 논설위원), 오사와 분고(지바과학대), 호소야 유이치(게이오대), 오쿠조노 히데키(시즈오카현립대), 쓰네카와 게이치(도쿄대), 기무라 간(고베대), 진창수(세종연구소장), 이면우(세종연구소), 우정엽(세종연구소), |

| 연도 | 일시 | 장 소 | 참석자 |
|---|---|---|---|
| | 11.26 | 오사카 | 신정화(동서대), 오태규(주오사카 총영사), 김충식(가천대 부총장), 김기정(연세대), 김영호(국방대), 하코다 데쓰야(아사히신문 논설위원), 사와다 가쓰미(마이니치신문 논설위원), 오사와 분고(지바과학대), 기무라 간(고베대), 나카토 사치오(리쓰메이칸대), 백종천(세종연구소 이사장), 이면우(세종연구소) |
| 2019 | 6.13 | 히로시마 | 신정화(동서대), 김충식(가천대 부총장), 김선표(주히로시마 총영사), 손현진(히로시마시립대), 최완규(전 북한대학원대 총장), 김태현(중앙대), 깃카와 겐(히로시마평화연구소장), 오사바 료(히로시마평화연구소), 하코다 데쓰야(아사히신문 논설위원), 오사와 분고(지바과학대), 요시다 후미히코(나가사키대 핵무기폐절연구센터(RECNA)센터장), 스즈키 다쓰지로(나가사키대 핵폐절연구센터), 오타 마사카쓰(교도통신 논설위원), 백종천(세종연구소 이사장), 이면우(세종연구소) |
| | 7.18 | 도쿄 | 김기정(연세대), 위성락(서울대 아시아연구소), 양기호(성공회대), 심규선(서울대 일본연구소), 최희식(국민대), 오코노기 마사오(게이오대), 이즈미 하지메(도쿄국제대), 사사에 겐이치로(일본국제문제연구소 이사장), 나카야마 야스노리(일본국제문연구소), 오구라 가즈오(전 주한대사), 구라타 히데야(방위대), 구보다 루리코(산케이신문 편집위원), 니시노 준야(게이오대), 사카타 야스요(간다외대), 히라이와 슌지(난잔대), 오누키 도모코(마이니치신문 논설위원), 후루카와 가쓰히사(전 UN안보리 대북제재전문가위원회 위원), 히라이 히사시(교도통신 객원논설위원), 후카가와 유키코(와세다대), 이이무라 도모키(일본국제문제연구소), 백학순(세종연구소장), 진창수(세종연구소 일본연구센터장), 이면우(세종연구소), 우정엽(세종연구소) |
| 2020 | 9.17 | 나가사키 (화상회의) | 김충식(가천대 부총장), 남기정(서울대), 심규선 (서울대 일본연구소), 손현진(히로시마대), 양기호(성공회대), 요시다 후미히코(나가사키대 핵무기폐절연구센터(RECNA) 센터장), 스즈키 다쓰지로 (RECNA), 깃카와 겐(히로시마대 평화연구소), 오사와 분고(지바과학대), 하코다 데쓰야(아사히신문 논설위원), 이데이시 다다시(NHK 해설위원), 오쿠조노 히데키(시즈오카현립대), 이근(한국국제교류재단 이사장), 백학순(세종연구소장), 진창수(세종연구소 일본연구센터장), 이성현(세종연구소 중국연구센터장), 이면우(세종연구소 부소장) |

한일시민 100인 미래대화는 한일 양국의 학계 전문가와 다양한 분야의 NGO, 일반 시민들이 참여해 동북아 정세 변화에 따른 공통의 관심 사항을 놓고 창의적 해결 방안을 모색하는 자리다. 이를 통해 상호 이해의 폭을 넓히고 미래지향적 발전 기반을 조성하는 것이 목적이다.

주최 기관은 한국 측은 한국국제교류재단과 서울대 일본연구소이고, 일본 측은 와세다대 한국학연구소이다. 한일 각각 4개 대학이 협력대학으로서 이 대화를 지원하고 있다. 한국은 고려대 글로벌일본연구원, 국민대 일본학연구소, 동서대 일본연구센터, 한림대 일본학연구소가, 일본은 도쿄대 한국학연구센터, 리쓰메이칸대 코리아센터, 규슈대 한국연구센터, 게이오대 현대한국연구센터가 협력하고 있다. 한국과 일본에서 각 50명씩 모두 100명(일반 시민 80%)이 참가하며 한국과 일본을 오가며 매년 한 차례씩 열고 있다.

### 한일시민 100인 미래대화 개최 실적

| 연 도 | 시행일 | 장소 |
|---|---|---|
| 2017 | 11.9~11 | 한국 제주 서귀포시 휘닉스아일랜드 |
| 2018 | 11.21~23 | 일본 치바현 카즈사아크 호텔 |
| 2019 | 11.22~24 | 한국 일산 킨텍스와 소노캄 고양 호텔 |
| 2020 | 10.30~11.1 | 화상회의 |

### 2019년 한일시민 100인 미래대화의 프로그램

| 일 시 | 일 정 |
|---|---|
| 11월 22일 | 1일 차(소노캄 고양 호텔) |
| 13:00~17:10 | 문화 행사 |
| 17:10~18:30 | 참가자등록 및 숙소 체크인 |
| 18:30~20:30 | 환영만찬<br>만찬사 강영필(한국국제교류재단 기획이사)<br>김현철(서울대 일본연구소장)<br>도노무라 마사루(도쿄대 한국연구센터장)<br>한일공동 레크리에이션 |
| 20:30~21:30 | 운영위원회 각 세션별 사회자 및 발제자 |
| 11월 23일 | 2일 차(킨텍스 제2전시장) |
| 08:30~09:00 | 등록(전날 등록 못 한 참가자 등) |
| 09:00~09:20 | 개회식<br>사회 남기정(서울대 일본연구소 교수)<br>개회사 이근(한국국제교류재단 이사장)<br>이종원(와세다대 한국학연구소장, 김경묵 와세다대 교수 대독) |
| 09:20~10:05 | 기조연설<br>정재정(광주과학기술원 초빙석학교수, 서울시립대 명예교수) |

| 일 시 | 일 정 |
|---|---|
| 10:05~10:15 | 한일공동 프로젝트 사례발표<br>심규선(서울대 일본연구소 객원연구원, 전 동아일보 대기자) |
| 10:15~10:30 | 사진촬영 |
| 10:30~13:30<br>(동시 진행) | **[분과세션 1-A] 시민평화연대: 남북한 · 일본의 평화협력 시대**<br>사회 심규선(서울대 일본연구소 객원연구원, 전 동아일보 대기자)<br>발제자 메카타 모토코(주오대 교수) **'시민들의 평화에 대한 공헌'** |
| | **[분과세션 2-A] 청소년 · 교육: 화해, 젠더, 다문화가정 등**<br>사회 니시노 준야(게이오대 교수)<br>발제자 김성조(순천대 교수) **'글로벌 시민교육 관점에서 본 한일관계'** |
| | **[분과세션 3-A] 생활안전 · 환경: 도시재생, 재해 등**<br>사회 김영근(고려대 글로벌일본연구원 교수)<br>발제자 고바야시 신고(피스보트 이사) **'국가와 지역을 넘어서 모두가 서로 도울 수 있는 사회를 위하여'** |
| | **[분과세션 4-A] 사회문화협력: 풀뿌리 교류, 노동시장, 문화교류 등**<br>사회 나카가와 게이타(가나가와현청 납세과 제2반장)<br>발제자 안현준(생활문화매개자) **'신공공외교: 우리 시대가 요구하는 공공외교의 형태는 무엇인가'** |
| 15:00~18:00<br>(동시 진행) | **[분과세션 1-B] 시민평화연대: 남북한 · 일본의 평화협력 연대**<br>사회 김경묵(와세다대 교수)<br>발제자 현희련(재단법인 평화재단 대외협력팀장) **'평화, 나로부터'** |
| | **[분과세션 2-B] 청소년 · 교육: 화해, 젠더, 다문화가정 등**<br>사회 이호승 서울오산고 교사<br>발제자 사사키 리요(시라우메학원 재무과장) **'한국대학 스터디 투어에 참가하며'** |
| | **[분과세션 3-B] 생활안전 · 환경: 도시재생, 재해 등**<br>사회 나구모 유타(동일본국제대 특임강사)<br>발제자 김경남(강원연구원 사회환경실장) **'산불피해 그리고 전화위복'** |
| | **[분과세션 4-B] 사회문화협력: 풀뿌리 교류, 노동시장, 문화교류 등**<br>사회 서정완(한림대 일본학연구소장)<br>발제자 다카하시 마코토(시즈오카현청 지역외교과 주사) **'정치와 언론에 휩쓸리지 않는 성숙한 이웃으로-시즈오카현에서 세계기억유산 조선통신사의 의의를 생각하며'** |
| 18:30~20:30 | 만찬 한일공동밴드 '하나이치 포크밴드' 공연<br>사회 김경묵(와세다대 교수) |
| 20:30~21:30 | 운영위원회 각 세션별 사회자 및 발제자(소노캄 고양 호텔) |
| 11월 24일 | 3일 차(소노캄 고양 호텔) |

**시즈오카현과 조선통신사**

시즈오카현은 조선통신사와 인연이 깊다. 12번의 조신통신사 중 10번이 시즈오카를 지나갔다. 또 이곳 세이켄지(清見寺)는 '조선통신사 박물관'으로 불릴 정도로 통신사들이 쓴 글, 현판, 편액 등을 많이 소장하고 있다. 시즈오카의 절 여러 곳은 지금도 통신사가 쓴 편액을 내걸고 있다. 이런 분위기 때문에 역대 시즈오카 지사 등도 조선통신사 관련 행사에 매우 우호적이다. 조선통신사기념 다도회 등을 세이켄지에서 정기적으로 열고 있으며 이때 주일 한국대사를 초청하기도 한다.

| 일시 | 일정 |
|---|---|
| 09:00~11:30 | [총회] 종합토론, 폐회<br>사회 송완범(고려대 글로벌일본연구원 부원장)<br>발표 8개 분과별 시민 각 1인 |
| 11:30~13:00 | 환송 오찬 |

2020년은 화상으로 진행했으므로 2019년 참석자를 소개한다(일부는 위의 프로그램에 이미 나왔다).

| | |
|---|---|
| 한국 측 | 강희석(한국생산기술연구원 수석연구원), 고두환(사회적기업 ㈜공감만세 대표), 구자웅(사단법인 좋은벗들 팀장), 김경남(강원연구원 사회환경연구실장), 김동엽(제주대 직원), 김미순(강원흥사단 통일분과 간사), 김성조(순천대 사회교육과 교수), 김수남(강원도 일본어교육연구회 회장 · 삼일고교 교사), 김시덕(강원도 사립중등교장협의회장 · 삼일중고등학교 교장), 김영근(고려대 글로벌일본연구원 교수), 김우성(아리랑TV 시사보도센터 영상기자), 김태우(사단법인 평화 이사), 남기정(서울대 일본연구소 교수), 박미숙(서울시 대사증후군관리사업지원단 팀장), 박차환(고명경영고 교사), 배기원(환경관리주식회사 안산사업소 직원), 변중섭(완도군민신문사 편집장), 서정완(한림대 일본학연구소장), 손상우(사단법인 김제동과어깨동무 부산지역 협력위원), 송완범(고려대 글로벌일본연구원 부원장), 송현순(법률사무소 서원 변호사), 신성욱(동서대 일본지역연구과 대학원생), 심규선(서울대 일본연구소 객원연구원), 안현준(생활문화매개자), 유경민(서울고 교사), 유정길(불교환경연대 운영위원장), 유혜민(고양국제고 교사), 이상언(중앙일보 논설위원), 이상현(광주in 편집장), 이원범(동서대 일본연구센터 소장), 이원재(프레시안 대의원), 이은경(서울대 일본연구소 교수), 이인애(아트본 미술학원장), 이진(소설가), 이혁희(사단법인 통일맞이 운영위원장), 이호승(서울오산고 교사), 장진원(MBC강원영동 편성제작국장), 정연욱(변화의첫걸음 원장), 조경환(몬티스스포츠매지니먼트그룹 본부장), 조미수(풀울림 이사), 조성범(부산문인협회 사무국장), 주영재(경향신문 기자), 최아름(해운대고 교사), 최진희 (부산시 문화유물해설사), 최희식(국민대 일본학연구소장), 허선주(제주대 사학과 학부생), 현희련(재단법인 평화재단 대외협력팀장), 형철우(나눔복지회 꿈과희망 대표), 홍명근(김포발전연구원 팀장), 후지모토 신스케(영화 조감독) |
| 일본 측 | 아유자와 유즈루(야마나시 평화박물관 객원연구원), 이시구로 미노리(한국어강사 · 도쿄학예대 박사과정), 이나가와 유키(데즈카야마가쿠인대 준교수), 우키바 마사치카(나고야대 국제언어센터 교수), 우쓰미 준코(JCBL대표), 오구마리코(게이오대 정치학과 학부생), 가키모토 다에코(NPO대마도향숙 대표), 가토 나오키(프리랜서 작가), 김경묵(와세다대 교수), 구양옥(오사카변호사협회 변호사), 고바야시 신고(피스보트 이사), 사카이 아야카(나가사키대 다문화사회학과 국제공공정책 전공 학부생), 사사키 리요(시라우메학원 재무과장), 사다모토 마사시 (ALC언어교육종합회사 사원), 사토 모토키(규수대 경제학부 |

생 · 이화여대 교환유학생), 사토 유우(영화기자), 시미즈 마호(게이오대 정치학과 학부생), 스즈키 이쿠노(피스보트 국제스태프), 스기모토 이즈미 (하쿠모쿠렌 침술사), 다카하시 나쓰키(나가사키현립대 국제경영학과 학부생), 다카하시 마코토(시즈오카현청 지역외교과 주사), 다사카 마키(규슈대 문학부 인문학과 학부생), 다나카 미쓰하루(문부과학성 전문직원), 최경원(규슈대 한국연구센터 준교수), 쓰지노 유키(규슈대 대학원 언어문화연구원 준교수), 데즈카 하야토(게이오대 정치학과 학부생), 도노무라 마사루(도쿄대 대학원 종합문화연구과 교수), 도이 히데유키(리쓰메이칸대 문학부 교수), 나카가와 게이타(가나가와현청 납세과 제2반장), 나구모 유타(동일본국제대 특임강사), 니시노 준야(게이오대 정치학과 교수), 하마베 쇼야(나가사키대 경제학부 학부생), 하라다 게이스케(규슈대 인문과학부 언어문학전공 대학원생), 하야시우치 류지(후쿠오카인권연구소 · 고쿠라미나미교 강사), 박순용(고베 청소년센터 직원), 히사다 가즈타카(㈜Ageless, Inc 임원), 후카가와 히로시(규슈대 한국연구센터장 · 교수), 후쿠다 노부야(OBI(Okinawa Bridge-Builders Institute) 대표), 후지타 스스무(도쿄외국어대 명예교수), 호리바 마키(피스보트 홍보기획원), 마에다 겐지로(㈜NTT사원), 마쓰이 히사코(㈜엣센 커뮤니케이션즈 대표 · 영화감독), 마스타니 후미키(장례사), 마쓰바라 가즈마(규슈대 대학원 수학과 대학원생), 마루이 아키코(고엔지 승려), 미카와 마사코(전 교토여자중고 강사), 미야니시 아키(JVC 한국사업담당), 메카타 모토코(주오대 교수), 와타나베 이사오(이치로샤 출판사 매니저), 야마모토 류스케(가노야체육대 대학원생)

재단은 현지 강사를 고용해 일본 히토쓰바시대에서 한국학 강좌를 열고 있고, 숙명여대와 일본 쇼와여대, 이화여대와 일본 와세다대의 e스쿨도 지원하고 있다. 2019년에는 e스쿨에 참여했던 일본인 학생 중 우수자 4명을 한국으로 초청해 하계대학 강의를 제공했다. 또 2019년에 한국학을 전공하는 일본의 9개 대학원생 35명에게 장학금도 지급했다.

**한국국제교류재단의 본부는 (63565) 제주특별자치도 서귀포시 신중로 55에 있다.**

**전화 (064) 804-1000, 팩스 (064) 804-1275, 메일 WEBMASTER@KF.OR.KR,**

**서울사무소는 (04539) 서울특별시 중구 을지로5길 26 센터원 서관 19층, 전화 (02) 2151-6565.**

**홈페이지 http://www.kf.or.kr**

# 19. 재외동포재단



재외동포재단(Overseas Koreans Foundation)은 1995년 12월 세계화추진위원회 전체회의에서 '재외동포정책위원회'를 만들기로 하고, 이듬해 1996년 5월 제1차 재외동포정책위원회가 '재외동포재단'을 만들기로 합의한 뒤, 1997년 3월 '재외동포재단법'의 공포를 거쳐 1997년 10월 30일에 발족한 공공법인이다.
'재외동포재단법'은 설립 목적을 "재외동포들이 민족적 유대감을 유지하면서 거주국에서 그 사회의 모범적인 구성원으로 살아갈 수 있도록 하는 데 이바지함을 목적으로 한다"고 규정하고 있다.
또 재외동포를 "1. 대한민국 국민으로서 외국에 장기체류하거나 외국의 영주권을 취득한 사람, 2. 국적에 관계없이 한민족(韓民族)의 혈통을 지닌 사람으로서 외국에서 거주 · 생활하는 사람"으로 정의했다.

재단은 재외동포재단법에 따라 다음과 같은 사업을 하고 있다.

- 재외동포 교류사업
- 재외동포사회에 관한 조사 · 연구사업
- 재외동포를 대상으로 하는 교육 · 문화사업 및 홍보사업
- 정부가 재단에 위탁하는 사업
- 그밖에 제1조의 목적을 달성하기 위하여 필요한 사업으로서 국무총리의 승인을 받아 외교부장관이 정하는 사업
- 제1호부터 제3호까지의 사업에 부대되는 사업

부서별 담당 업무는 다음과 같다.

| 부 서 | 담당 업무 |
|---|---|
| 동포단체지원부 | 동포단체 활성화사업, 동포사회 숙원사업 지원, 동포사회 지도자 초청사업 |
| 연구소통부 | 홍보사업, 문화사업, 조사연구사업, 자료실 운영, 인권지원 사업 |
| 교육사업부 | 한글학교 육성, 한글학교 교사육성, 중국 및 CIS지역 민족교육 육성 |

| | |
|---|---|
| 차세대사업부 | 재외동포 차세대 리더 육성, 재외동포 장학사업, 재외동포 청소년 교류사업, 재외동포 차세대 직업교육 |
| 한상(韓商)사업부 | 한상네트워크 활성화, 세계한상대회, 재외동포 경제인포럼 |
| e-한민족사업부 | 재외동포통합네트워크 지원시스템 운영 |

재외동포재단이 그동안 일본 및 재일동포 등과 관련해 시행한 사업은 다음과 같다.

### 단행본 발행

☑ 재일한국인과 일본인의 인식 차이 - 일본의 외국인행정을 중심으로(재외동포재단, 2004)

☑ 재일한인 100년의 사진기록 - 분단의 경계를 허무는 두 자이니치의 망향가(현실문화연구, 2007)

☑ 前 재일민단 단장 박병헌의 회고록 - 숨 가쁘게 달려온 길을 멈춰 서서(재외동포재단, 2007)

☑ 母國을 향한 재일동포의 100년 足跡 · 재일동포모국공적조사위원회(재외동포재단, 2008)

☑ 재일한국인 의식조사 결과보고서(고려대학교 일본연구센터, 2009)

**자이니치(在日)**

'일본에 있다'는 의미의 '자이니치'가 일본에서는 일제강점기 때부터 일본에 살고 있는 한반도(조선반도) 출신자나 그 후손을 뜻한다. 생계를 위해 일본으로 건너갔거나 강제징용으로 끌려갔다가 귀국하지 않은 사람과 그 후손들이다. 그래서 '자이니치'라는 말 속에는 차별과 고통의 뉘앙스가 배어있다. 이들의 국적은 외국인등록법에 따라 '한국'(민단계) 또는 '조선'(총련계)으로 되어 있다. 1980년대 이후 취업, 사업, 학업을 위해 자발적으로 일본에 정착한 한국인은 '뉴커머(New comer)'라고 부른다.

### 조사연구

☑ 재일동포사회 단합과 자생력 확보를 위한 미래발전 방안, 2012 재외동포재단 조사연구용역 결과보고서(재외동포재단, 2014)

☑ 재일동포 민족교육 현황조사, 2013 재외동포재단 조사연구용역 결과보고서(재외동포재단, 2014)

☑ 혐한 현상으로 인한 재일동포사회의 충격(일본정경사회학회, 2015)

☑ 재일동포 민족교육 실태 심화 조사 및 정책방향 제시, 2015 재외동포재단 조사연구용역 보고서(재외동포재단, 2017)

☑ 우수 재외동포 인재의 국내 진출방안(해외 주요국의 우수 재외동포 모국진출 정책 2. 일본), 2017 재외동포재단 조사연구용역 보고서(재외동포재단, 2017)

### 학술행사

☑ 재일동포 1세 학자에게 듣는다: 강재언, 이진희, 안우식, 서용달(한림대 일본학연구소와 공동주최, 2004)

☑ 일본 역사교과서의 재일동포 기술 내용 분석: 관동대지진과 조선인학살사건을 중심으로,

발표 서종진(한양대 정치외교학과, 정부혁신연구소와 공동주최, 2011)

☑ 재일동포 민족교육 실태조사 착수 회의(재일본대한민국민단 중앙본부와 공동주최, 2016)

☑ 재일동포 민족교육 실태 심화 조사 및 정책방향 제시에 관한 결과보고(재일본대한민국민단 중앙본부와 공동주최, 2016)

다음은 2017년 재외동포재단 창립 20주년 기념 세계한인학술대회에서 발표한 논문이다.

☑ 재일본대한민국 지방본부 지부의 활성화와 차세대 교육 _ 이수경(도쿄가쿠게이대)

☑ 재일코리안 청년의 민족적 아이덴티티: 1993년~2013년의 데이터를 이용하여 _ 김명수(간세이가쿠인대)

☑ 재일코리안에 의한 문화계승 실천의 모습들: 일본에서 이어져 온 가양주 문화를 통해 _ 이지치 노리코(오사카시립대)

☑ 오사카 이쿠노구 지역에서의 재일(자이니치) 한국인의 사회참여: 복지마을 만들기의 관점에서 _ 오광현(성공회 이쿠노센터)

☑ 비민단/총련계 차세대 현황 및 모국인식: 재일코리안 청년의 가능성을 넓히기 위해 _ 김화자(재일코리안청년연합)

☑ 다문화 공생사회의 민족교육 실천과 앞으로의 과제: 외국에 뿌리를 둔 것에 자부심을 가질 수 있는 날까지 _ 황보강자(이케다시립 이시바시소학교)

**오사카 이쿠노구(生野区)**

오사카의 쓰루하시(鶴橋)역과 모모타니(桃谷)역 주변에 형성된 한인 밀집 거주지역이다. 이카이노(猪飼野)라고 불렸던 이곳에는 제주도 출신자 등 조선에서 온 사람들이 많이 살고 있다. 이들은 주로 오사카의 주력 산업인 고무신 공장의 노동자 등으로 일했다. 1943년 이카이노 지구는 새로 생긴 이쿠노(生野)구에 포함됐다. 해방 후 이곳을 중심으로 조선시장과 한인촌이 자리를 잡았다. 88서울올림픽과 2002년 월드컵 공동개최, 최근의 한류 붐 등으로 관광객과 '뉴커머'등이 늘면서 '이쿠노 코리아타운'은 점차 넓어지는 추세라고 한다.

## 임직원 발표

☑ 김봉섭, 재일동포사회의 어제와 오늘 그리고 내일(『재외동포가 희망이다: 재외동포정책의 새로운 패러다임』, 2009)

☑ 오현영, 일본의 혐한(嫌韓)현상: 혐한현상으로 본 일본의 민족주의와 사회구조(『2014 조사연구 임무부여 활동집』, 2014)

☑ 김봉섭, 한국정부의 재일동포정책(한일민족문제학회 2015년 추계 정기학술대회, 2015)

☑ 김정수, 광복 70주년, 재일동포 민족교육의 새로운 길을 묻다(재일동포 민족교육 실태 진단 및 발전방안 모색을 위한 정책간담회, 2015)

## 학술행사 후원 (별도 표시가 없으면 모두 서울에서 개최)

■ 해외교포문제연구소 교포정책포럼

☑ 해외교포와 본국의 바람직한 관계를 모색한다(1998) _ 황영만(재일민단중앙본부 사무총장)

☑ 재일동포사회에서 본 '재외동포의출입국과법적지위에관한법률'(1999) _ 황영만(재일민단중앙본부 사무총장)

☑ 재일동포사회의 미래상과 당면과제(1999) _ 박병윤(재일한민족연구소장)

☑ 일본사회의 재일동포에 대한 동화정책변화와 추이(2006) _ 박병윤(재일한민족연구소장)

☑ 재일동포의 일본 지방참정권, 왜 이뤄지지 않는가(2007) _ 하정남(재일민단중앙본부 사무총장)

☑ 재일동포사회의 어제와 오늘, 그리고 금후의 과제 - 재일민단을 중심으로(2008) _ 정몽주(재일민단중앙본부 사무총장)

☑ 한일관계와 재일동포사회(2012) _ 이수경(도쿄가쿠게이대 교수)

☑ 재일한국상공회의소 분규의 진상과 수습방안(2012) _ 박병윤(재일한민족연구소장)

☑ 일본 극우단체(재특회)의 활동과 재일동포 민족교육(2013) _ 이수경(도쿄가쿠게이대 교수)

☑ 반일 · 혐한 한계상황일까(2015) _ 권오정(류코쿠대 명예교수)

☑ 민단 창단 70주년 기념. 인물을 통해서 본 민단 70년사: 박열과 김천해(2016) _ 이수경(도쿄가쿠게이대 교수)

☑ 민단 창단 70주년 기념. 인물을 통해서 본 민단 70년사: 권일과 김재화(2016) _ 이구홍(해외교포문제연구소 이사장)

☑ 한국정부의 재일교포정책, 무엇이 문제인가(2017) _ 이구홍(해외교포문제연구소 이사장)

☑ 한반도의 평화와 해외동포의 역할(2018) _ 김광남(코리아NGO센터 대표)

☑ 일본에서 본 한일간의 갈등과 그 여파(2019) _ 권용대(재외동포재단 자문위원)

**한신(阪神)교육투쟁**

일본 점령군 총사령부(GHQ)가 조선인학교를 폐쇄하고 일본인 학교로 편입시키라는 명령에 조선인들이 격렬하게 반발하며 1948년 1월부터 4월까지 오사카와 고베를 중심으로 대대적으로 벌였던 교육투쟁을 말한다. 1946년 무렵, 조선인학교는 전국 500여 곳에서 6만여 학생에게 한국어와 한국사를 가르치고 있었다. 따라서 이 투쟁은 조국의 해방과 함께 식민지 노예에서 막 벗어난 재일조선인에게 자주독립 민족으로서의 자존심과 장래를 걸었던 투쟁이다. 이 사건으로 GHQ는 유일하게 계엄령을 선포하기도 했다.

■ 한일민족문제학회

☑ 한신(阪神)교육투쟁 60주년 기념학술대회(2008)

☑ 재외동포의 기억(Memory)과 전시(Exhibition) 공간에 대한 학제적 담론(2013)

☑ 재일동포 - 미디어(Media), 기억(Memory), 역사(History)(2014)

☑ 한일수교와 재외동포(2015)

☑ 사할린 한인기록물을 통해 본 일제하 재외한인사회(2016)

☑ '일본 관동대지진 한인 학살 사건' 관련 추도식 및 학술회의(2017)

☑ 관동대지진 한・중 양국인 학살 95주년 국제학술심포지엄: 해방 후 일본 관동대지진 한・중 양국인 학살에 대한 진사유명활동과 그 전망(독립기념관 한국독립운동사연구소와 공동주최, 천안, 2018)

■ 서울대 자유전공학부

☑ 김범수, 재외동포사회 연구: 재일동포의 현황과 미래(2014)

■ 청암대 재일코리안연구소

☑ 재일동포 민족교육 국제학술회의(2013)

재외동포재단의 (63565) 제주본사는 제주특별자치도 서귀포시 신중로 55(서귀포시청 2청사)에 있고 전화(064) 786-0200. 서울사무소는 (06750) 서울특별시 서초구 남부순환로 2558 (외교센터 4층)에 있고 전화 (02) 3415-0100. 홈페이지 www.okf.or.kr

# 20. 이희건한일교류재단

KOREA-JAPAN

이희건한일교류재단(Lee Heui Keon Korea-Japan Foundation)은 재일동포 이희건 씨가 2008년에 설립한 재단이다. 이희건 씨는 경북 경산군 압량면 출신으로 오사카만국박람회 재일 한국인후원회장, 재일한국인 본국투자협회 초대 회장, 재일본 대한민국민단중앙본부 상임 고문 등을 지냈고, 1982년 순수 민간은행인 신한은행을 설립했다. 1990년 일본에서 고대 한국과 일본의 문화교류 재연 행사인 '사천왕사(四天王寺) 왔소' 축제를 시작한 것으로 유명하다. 현재는 류시열 씨(전 제일은행장, 신한금융지주 회장대행)가 이사장을 맡고 있다

재단은 이희건 회장의 뜻에 따라 한일 양국간 교류에 이바지할 인재육성, 학술 · 문화 · 경제교류 지원, 한일양국교류에 기여한 사람에 대한 시상 등을 통해 한일 상호 이해와 협력증진을 위해 노력하고 있다.

구체적으로는 다음과 같은 사업을 하고 있다.

**사천왕사 왔소**

일본 오사카에서 매년 11월 첫째 일요일 쇼토쿠태자(聖德太子)가 건립한 사천왕사(四天王寺)를 중심으로 고대 한반도와 일본의 문화교류를 재현하는 축제이다. 1990년 시작해 잠시 중단한 적도 있으나 2004년 재개해 오늘에 이르고 있다. 축제는 고대에서 중세까지 한반도의 문화와 문명, 즉 불교와 한자, 도예, 건축, 생활양식 등을 전한 왕인 박사를 비롯해 탐라, 가야, 백제, 고구려, 신라, 조선 등에서 도래한 사람들의 수행행렬과 사절단을 맞이하는 일본의 주요인물 등을 표현한 가장행렬이 중심이다. (한국민족문화대백과)

### '사천왕사(四天王寺) 왔소' 축제 지원

1990년부터 시작한 '사천왕소 왔소' 축제는 고대로부터 전해진 양국 교류의 역사를 재현함으로써 한 · 일 양국 간 우호를 다지려는 오사카 대표 축제 중 하나이다. 재단은 2009년부터 축제 개최를 지원하고 있다.

### 한일문화교류 역사탐방 지원

2011년부터 문화교류 역사탐방 체험단을 운영하고 있다. 매년 50여 명의 참가자가 '사천왕사 왔소' 축제에 참가한 뒤 양국 교류의 흔적이 남아있는 유적지 등을 방문한다.

### 한 · 일 차세대 일본학, 한국학 연구자 지원

정규 직책이 없는 한국과 일본의 젊은 연구자들을 지원한다. 한일관계와 재일동포 연구를 독려하기 위한 것으로, 학회 발표와 논문 집필 등을 위한 해외조사를 돕고 있다. 한국국제교류재단 동경사무소, 일본국제교류기금 서울문화센터와 함께 하는 사업이다.

**일본인유학생 한국문화체험 프로그램**

일본인 유학생들과 한국 학생들이 함께 한국 전통문화. 무용, 가정요리교실, 역사 탐방 등을 통해 한국의 과거, 현재, 미래를 경험할 수 있는 기회를 제공한다.

**한일 대학생 미래포럼**

(사)한일미래포럼과 공동으로 2016년부터 매년 개최하고 있다. 미래의 주인공인 양국의 대학생들이 자유로운 토론을 통해 한일교류의 필요성을 인식하고, 우정을 이어가도록 지원한다. (제4장에서 상술)

**이희건한일교류재단배 한일 골프교류전**

양국에서 선발한 청소년들의 스내그골프 교류전을 2018년부터 주최하고 있다. 대회 후에는 교류회와 현장견학 등을 통해 국경과 언어의 장벽을 뛰어넘어 좋은 친구가 되도록 지원하고 있다.

**한일 교장선생님 교류 프로그램**

이 프로그램을 통해 많은 학교가 자매결연을 맺고 활발하게 교류하는 등 학교간 교류의 원동력으로 작용하고 있다.

**세계 외국인 한국어 말하기 대회, 외국인 한글백일장**

경희대와 연합뉴스가 주최하는 '세계 외국인 한국어말하기대회'를 2014년부터, 연세대 주최 '외국인 한글백일장(한국어 시, 수필 대회)'를 2019년부터 후원하고 있다.

**〈중간 친구들〉 제작 지원**

〈중간 친구들〉은 한국을 즐기고, 맛보며, 이야기를 주고받는 내용이 담긴 동인지로 재단이 제작을 지원하고 있다. 이 동인지는 재한일본인이나 재일한국인, 직장이나 가족 등을 통해 오랫동안 한국과 사귀어 온 사람들의 한국사랑 이야기를 담고 있다.

재단은 다음과 같은 사업도 지원했다.

- 2012~2013년 오사카의 민족학교 건국학교(백두학원)의 교사 재건축사업
- 2014년 오사카 쓰루미료쿠지공원 내 한국정원 보수공사

**오사카 건국학교**

일본 오사카시에 있는 유치원과 초·중등과정의 한국학교이자, 일본 정부 인가학교이다. 이경태 씨가 재일동포 자녀들의 현지적응과 모국 연계교육을 위해 1947년에 설립했다. 1950년대 중반부터 20여 년간 정치적 중립주의를 표방하며 조총련의 재정적 지원을 받기도 했다. 1977년 광복절에 처음으로 태극기를 게양하면서 중립주의와 결별하고 1976년부터는 우리 정부의 특별지원금을 받고 있다. 이 학교는 한국어 및 한국문화 등 민족교육, 일본 사회의 차별 극복 교육, 대학 진학을 위한 입시교 등에 골고루 노력하고 있다. (한국민족문화대백과)

**사쓰마야키 심수관**

사쓰마야키(薩摩燒)는 임진왜란 때 사쓰마(지금의 가고시마)로 끌려간 조선 도공들이 만든 도자기로 일본 국내는 물론, 세계적으로도 유명하다. 처음 끌려간 도공 중에는 심당길(沈當吉)과 박평의(朴平意) 가문이 유명하다. 심당길 가문은 12대 심수관(沈壽官)이 오스트리아 만국박람회에 대화병을 출품해 '사쓰마웨어'를 알리면서 해외 수출길을 연다. 이후 후손들은 '심수관'이라는 이름을 습명하고 있다. 14대 심수관은 일본의 국민작가 시바 료타로(司馬遼太郎)의 '고향을 어찌 잊으리'의 주인공이다. 현재는 15대 심수관이 왕성하게 활동하고 있고, 16대 심수관도 수련 중이다.

- 2014년 오사카 대한민국문화원 주관 'Korea Month' 후원
- 2015년 한 · 일국교정상화 50주년기념 '조선도공 400年의 명맥' 사쓰마야키 15대 심수관 강연회(서울대학박물관)
- 2017년 故 이희건 신한은행 명예회장 탄생 백주년기념 '1세들의 대한민국 · 재일한인의 삶과 정체성 그리고 조국' 전시회(서울대재일동포연구단, 대한민국역사박물관, 서울대학교 일본연구소 공동주최)
- 2019년 오사카 통국사 '난장' 후원, 구로다 세이치로, 김덕수 등 한일문화인 공연

**이희건한일교류재단은 (04513) 서울시 중구 세종대로9길 20, 대경빌딩 신한은행본점 17층에 있다. 전화 (02) 6360-3137, 팩스 (02) 6360-3098, 이메일 lhkef@lhkef.or.kr, 홈페이지 www.lhkef.or.kr**

# 21. 언론재단

KOREA-JAPAN

언론재단과 언론관련 단체들도 언론인 역량 강화 차원에서 일본인 연수를 희망하는 언론인을 선발해 꾸준히 지원하고 있다. 대부분은 1년 과정이다. 다음은 그 내역으로, 소속과 직책은 당시의 것이다.

**성곡언론문화재단**

> 괄호 안 직책은 2019년까지 맡았던 직책 중 하나. 연수 대학은 1966년부터 1974년까지는 모두 도쿄대였고, 1975년부터는 모두 게이오대이다.

1966년 박현태 한국일보(전 KBS 사장),
선우휘 조선일보(전 조선일보 주필)
1967년 신용순 동아일보(전 동아일보 편집국장),
이지웅 동양통신(전 동양통신 편집인),
정봉화 대한일보(재미)
1968년 이기창 대한매일(전 코리아헤럴드 내외경제신문 상무),
이덕주 경향신문(전 코리아헤럴드 뉴욕지사장)
1969년 김준하 동양통신(전 강원일보 사장),
최서영 경향신문(전 코리아헤럴드 내외경제신문 사장),
한동원 서울신문(전 언론중재위 사무총장)
1970년 김광희 동아일보(전 동아일보 이사),
이복형 합동통신(전 합동통신 정치부장),
이치백 전북일보(전 전북일보 이사 겸 주필)
1971년 이종전 경향신문(전 경향신문 논설위원),
최종수 코리아타임스(전 전남일보 사장)
1972년 이춘구 동아일보(전 동아일보 판매국장)
1973년 신태민 서울신문(전 서울신문 논설위원)
1974년 임철규 동양통신(전 시사저널 사장)
1975년 이도형 조선일보(전 한국논단 사장 겸 발행인)
1976년 송두빈 내외경제(전 코리아헤럴드 내외경제신문 논설위원)
1977년 서병현 동아일보(전 KBS 방송위원),
최계환 KBS(서울음향 회장)

1978년 서강화 조선일보(전 조선일보 편집위원)
1979년 강성욱 매일신문(전 대구일보 주필)
1980년 이문호 동양통신(전 뉴스통신진흥회 이사장)
1981년 임일준 KBS(전 KBS 방송전문위원)
1982년 마실언 조선일보(전 조선일보 이사 광고국장)
1983년 이상하 동아일보(전 국회의원)
1984년 이용성 동아일보(전 동아일보 제작국장),
이상원 대구MBC(전 대구MBC 상무)
1985년 김세환 경향신문(전 경향신문 사업국장)
1986년 김석규 매일경제(전 매경출판 대표)
1987년 허성순 조선일보(전 무역일보 이사대우 편집국장)
1988년 금성철 한국경제(도서출판 서락 대표)
1989년 이윤길 부산MBC(전 부산MBC 광고사업국 문화사업부 특수사업위원)
1990년 박순국 매일신문(전 매일신문 편집국 부국장)
1991년 민병용 한국일보(미국 LA한인역사박물관장)
1992년 김충식 동아일보(전 방송통신위원회 부위원장),
신효균 전주MBC(전 전주방송 사장)
1993년 이기표 광주일보(전 광주방송 서울방송본부장)
1994년 배대윤 MBC(전 충주MBC 사장)
1995년 이홍기 연합통신(전 연합뉴스 전무)
1996년 송기희 광주MBC(전 광주MBC 사업국장)
1998년 이병선 문화일보(카카오 대외협력총괄 부사장)
1999년 박중언 한겨레신문(한겨레신문 이코노미 인사이트부 부편집장)
2000년 조정선 MBC(MBC라디오국 부국장)
2003년 성기홍 연합뉴스(연합뉴스 편집국 외국어에디터)
2004년 서영아 동아일보(동아일보 논설위원)
2005년 차학봉 조선일보(조선일보 편집국 부국장)
2006년 조홍민 경향신문(주간경향 에디터 겸 편집장)
2007년 김정태 한국경제(한국경제 편집국 편집부 부장대우),
채수환 매일경제(매일경제 정치부장)
2008년 신동주 세계일보(세계일보 경제부 차장)
2009년 김정선 연합뉴스(연합뉴스 도쿄특파원)

2010년 김병일 한국경제(한국경제 매거진 캠퍼스 잡앤조이 · 1618 편집장)
2011년 김진우 경향신문(경향신문 도쿄특파원)
2015년 남태정 MBC(MBC라디오 제작2부장)
2016년 정영효 한국경제(한국경제 마켓인사이트부)
2017년 김호준 연합뉴스(연합뉴스 외교안보팀 차장)
2018년 김상진 중앙일보(중앙일보 국제부 외교안보팀),
손형준 서울신문(서울신문 편집국 사진부)
2019년 박동미 문화일보(문화일보 문화부),
이상현 연합뉴스 기자(연합뉴스 외교안보팀)
2020년 1명을 선발했으나 코로나로 연수를 가지 못함.

**삼성언론재단**

1997년 정구천 청주MBC 차장(도쿄대)
1998년 이영덕 조선일보 부장(게이오대),
심규선 동아일보 차장(게이오대)
1999년 장인영 서울경제 차장(도쿄대)
2007년 유영수 SBS 기자(게이오대)
2011년 최원석 조선일보 기자(호세이대)
2015년 오상광 MBC 부장(PD · 도쿄학예대)

**LG상남언론재단**

1997년 이종각 동아일보 국제부 차장(와세다대),
김해창 국제신문 편집부 기자(시민환경단체AMR)
2007년 최용성 매일경제 금융부 기자(와세다대)
2009년 정성진 조선일보 기획취재부 기자(게이오대)
2010년 서찬동 매일경제 사회부 기자(게이오대)
2012년 김규식 매일경제 유통경제부 기자(게이오대)
2018년 김보미 경향신문 뉴콘텐츠팀 기자(와세다대)

**관훈클럽**

1984년 김용구 한국일보 논설위원(도쿄대)
1992년 이도형 조선일보 논설위원(도쿄대)

1996년 유종권 연합통신 문화생활부 차장(게이오대)

2020년 이범준 경향신문 사법전문기자(도쿄대)

**한국언론진흥재단**

1993년 홍은희 중앙일보(게이오대)

2002년 윤현석 광주일보(일본 도쿄자치연구센터)

2017년 최진주 한국일보(게이오대)

2018년 김경년 오마이뉴스(게이오대)

2020년 정윤성 JTV 전북방송(게이오대)

2021년 임일영 서울신문(와세다대)

※ 대우그룹의 '서울언론문화재단'과 한진그룹의 '21세기한국연구재단'도 많은 언론인의 일본 연수를 적극 지원했으나 재단 해산에 따른 자료 멸실로 명단을 게재하지 못함을 유감스럽게 생각합니다.

# 22. 부산한일교류센터

KOREA-JAPAN

부산한일교류센터(Center of Korean-Japan Exchange, Busan)는 2001년에 설립했으며, 주로 일본에 유학을 가려는 학생들을 대상으로 사업을 하고 있다.

## 일본유학시험

일본유학시험(Examination for Japanese University · EJU)은 일본의 일본학생지원기구가 일본의 대학(학부) 등에 입학하려는 외국인 유학생을 대상으로 일본어능력과 기초학력을 평가하는 시험이다. 한국 내에서는 부산한일교류센터가 부산에서, 한일협회가 서울에서 업무를 대행하고 있다.

## 일본유학박람회

일본유학박람회는 일본의 대학(원), 단기대학, 전문학교, 일본어학교, 정부기관, 단체, 기업 등이 내한해 일본 유학을 희망하는 한국 학생들을 대상으로 정보 제공과 입학상담을 하는 행사로 매년 9월경 부산과 서울에서 개최하고 있다. 부산한일교류센터와 한일협회가 공동개최하며 해마다 100개 이상의 일본 학교와 기관이 참여하고 있다.

## 일본어연극제

주 부산일본국총영사관과 공동으로 매년 9월경 경성대 예노소극장에서 개최하며 일본 관련 학과 대학생(4년제)들이 참가할 수 있다. 서류심사 등을 거쳐 본선 4팀을 선발하고, 실제 경연을 통해 최우수상, 우수상, 장려상, 노력상을 준다. 각 팀에게 상장과 상금을 수여하고, 최우수상팀 중 3명, 우수상과 장력상팀 중 각 2명, 노력상팀 중 1명을 선발해 10일간 일본 연수 기회를 준다. 최우수연기상 1명에게는 부산~시모노세키 왕복승선권을 제공한다.

**일본어 연극제**

대학생들이 참여하는 일본어연극제는 부산만이 아니라 서울에서도 열고 있다. 서울의 일본어연극제는 매년 주한일본대사관 공보문화원과 (사)한일미래포럼, 일본국제교류기금 서울문화센터가 공동주최하고 있다. 공연장은 서울 종로구 율곡로 일본 공보문화원. 매년 6월경 예선을 거쳐 5,6개 팀이 11월의 본선에서 기량을 겨룬다. 입상팀에게는 상금과 함께 일본 외무성의 'JENESYS(일본 방문 프로그램)' 참가 자격을 준다.

## 고교생 퀴즈대회

주 부산일본국총영사관과 공동으로 매년 7월경에 개최하는데, 부산, 대구, 울산, 경상남북도의 고교생들이 참가할 수 있다. 단체전 — 최우수상 1팀, 우수상 2팀,

장려상 1팀, 부산외대총장상 3팀 — 과 개인전 — 시마네현지사상, 시모노세키시장상, 후쿠오카시장상 각 1명 — 으로 나눠 시장하며, 단체전 최우수상과 우수상 수상팀은 10일간 일본 연수 기회를 얻는다.

부산한일교류센터 이사진은 다음과 같다.

| 직 책 | 이 름 | 소 속 |
|---|---|---|
| 이사장 | **조영수** | 동아대 생명공학과 교수 |
| 회장 | **김정혜** | 부산외대 일본어창의융합학부 명예교수 |
| 이사 | **하형주** | 동아대 스포츠과학대학 교수 |
| | **차동엽** | 부산한일교류센터 사무국장 |
| | **안수현** | 부산대 한국민족문화연구소 연구교수 |
| | **장익호** | 아스티호텔 부산 대표 |

**부산한일교류센터는** (48508) **부산광역시 남구 수영로** 312, 1015**호**(**대연동**, 21**센츄리시티 오피스텔**)**에 있다.**

**전화** (051) 610-0900, **팩스** (051) 610-0901, **이메일** busan@kopan.or.kr,

**홈페이지** http://www.kopan.or.kr

# 23. 부산문화재단

KOREA-JAPAN

부산은 조선통신사라는 콘텐츠를 적극적으로 활용하고 있는 도시다. 2002년 안상영 시장 시절, 한일 월드컵 공동개최 분위기를 살려 처음으로 조선통신사 행렬을 재현했다. 부산시는 2003년 조선통신사문화사업추진회(나중에 조선통신사문화사업회)를 만들어 본격적으로 사업을 추진한다.

부산시는 조선통신사 사업의 취지와 목표를 다음과 같이 밝혔다.

- '조선통신사'는 과거 평화 시대 우리의 선진문화를 일본에 전파시킨 선린우호 외교사절단으로서 최근 한일 양국의 관심증대와 더불어 그 역사적 가치가 재조명되고 있는 바,

- '조선통신사행렬 재현사업'을 21세기 새로운 한일 문화교류의 핵심사업으로 확대 발전시켜 한일 양국 공동의 역사성을 바탕으로 문화관광 특화상품으로 육성하고, 2002년 한일 월드컵 성공개최를 계기로 조성된 한일 우호 협력 분위기를 더욱 증진시켜 나가고자 함.

부산의 조선통신사 사업은 더욱 정교해진다. 2005년 계획은 이후 조신통신사 행사의 원형이 될 만한 것이었다. 이때 세운 계획은 지금도 거의 시행하고 있다. 구체적으로 ▷정사, 부사, 종사관 등 3사 임명식(서울) ▷우정의 행렬(충주, 안동, 의성, 밀양 등) ▷학술행사(국제학술심포지엄, 관련 서적 번역 발간, 〈조선통신사 저널〉 발간) ▷문화행사(조선통신사 주간 선포, 해신제 재현, 조선통신사 행렬 재현, 조선통신사의 밤, 한일 대중문화 공연, 한일 청소년 문화교류의 밤, 조선통신사 연고지 도시대표자 회의, 조선통신사 음식 축제) ▷조선통신사 유물전 ▷일본에서 개최하는 우정의 행렬 등을 시행했다.

이런 행사를 주관하던 조선통신사문화사업회는 2010년 부산문화재단에 흡수됐다. 따라서 조선통신사 관련 업무는 부산문화재단이 맡고 있다. 부산문화재단은 2009년 출범했으며 2011년 4월에 개관한 조선통신사역사관도 재단이 관리하고 있다.

코로나 사태 이전인 2019년 부산문화재단이 밝힌 조선통신사 관련 사업은 다음과 같다.

**조선통신사선**

1607년부터 1811년까지 약 200년 동안 12회에 걸쳐 일본으로 통신사를 파견할 때 통신사들이 탑승했던 배이다. 대선, 중선, 소선 각 2척씩 6척을 보낸다. 정사, 부사, 종사관 등 고위직 3명이 각각 승선하는 3척을 기선(騎船)으로, 화물과 나머지 인원이 탑승하는 3척을 복선(卜船)으로 부른다. 국립해양문화재연구소는 2018년 10월 조선통신사선을 복원해 진수식을 가졌다. 연구소는 이 배로 한일간을 왕복할 예정이었으나 한일간의 관계가 악화하면서 보류됐다. (문화원형백과)

| 행사명 | | 일 자 | 장 소 | 주요내용 및 성과 |
|---|---|---|---|---|
| 2019 조선통신사 축제 | | 5.3~6 | 용두산공원, 부산항만공사, 광복로 일원 | • 5.3(금) 조선통신사 학술심포지엄, 조선통신사의 밤1(국립국악원 '유마도' 작품 연계)<br>• 5.4(토) 한일거리공연, 조선통신사행렬 재현, 조선통신사선(船) 출항 세리머니, 조선통신사의 밤2(한일문화공연, 한일 네트워크 파티(일본예술단 교류회))<br>• 5.5(일) 한일 거리공연, 新조선통신사 필담창화<br>• 5.6(월) 자원봉사단 해단식<br>• 5.4(토)~6(월) 조선통신사 광장 운영, 조선통신사선 승선체험<br>- 2019조선통신사축제 관람인원: 25만명<br>- 2019조선통신사 행렬재현 참가: 2200명(국내 2000, 일본 200명) |
| 학술사업 | 조선통신사 국제학술 심포지엄 | 5.3 | 아스티호텔 | • 조선통신사 축제기간 연계 국제학술심포지엄 개최(200명)<br>- 조선통신사 오행 교섭과 막번제 국가<br>- 신미통신사 역지통신사 교섭을 둘러싼 외교교습 현장에서<br>- 한국 전통선박 변천 과정과 조선통신사선 재현에 관한 연구<br>- 조선통신사가 들여온 도자기 |
| | 학회지원 | 연중 | | • 조선통신사학회 지원<br>- 학술지 발간 및 연구 지원 등 |
| | 조선통신사 서적 발간 | 연중 | | • 조선통신사 소식지 통합본 제작 |
| 한일 네트워크 사업 | 쓰시마 이즈하라항 축제 | 8.4~5 | 쓰시마 | • 조선통신사 행렬 재현(약 400명), 국서교환식<br>• 전통예술공연 개최<br>- 참가인원: 한국 측 58명(정사, 부사, 무용단, 취타대 등) |
| | 시모노세키 행사 | 8.24~25 | 시모노세키 | • 조선통신사 행렬 재현, 한일 문화교류 공연<br>- 참가인원: 한국 측 120명(정사, 취타대, 무용단 등) |
| | 시즈오카 행사 | 10.12~13 | 시즈오카 | • 조선통신사 행렬 재현, 국서교환식, 한국전통예술단 공연 등<br>- 참가인원: 한국 측 47명(정사, 취타대, 무용단 등) |
| | 가와고에 행사 | 11.9~10 | 가와고에 | • 조선통신사 행렬 재현, 한국전통예술공연, 홍보부스 운영<br>- 참가인원: 한국 측 8명(정사, 스태프 등)<br>※ 재단 지원사업 연계 '부산예술단' 48명 참가 |

| | | | | |
|---|---|---|---|---|
| | 네트워크 활성화 | 연중 | 국내외 | • 조선통신사 유네스코 기록물 소장처 교류<br>• 조선통신사선 관련 국립해양문화재연구소와 협업<br>• 조선통신사 연고지역 전국 교류대회(나가하마)<br>• 세토우치 국제교류페스타<br>• 시모노세키 리틀부산페스타 참가(사물놀이 파견 · 신설) |
| 新조선통신사 | 新조선통신사의 기록 | 연중 | 국내외 | • 5월 조선통신사 홍보 및 교육 영상 제작(연예인 권혁수 출연)<br>• 조선통신사 사업 관련 관계자 인터뷰 및 추진사업 결과 등을 다큐형식으로 제작<br>• 新조선통신사 성신교린의 길(세토우치 국제포럼 참가)<br>• 新조선통신사 납시오(시즈오카 다이도게(大道芸 · 거리예술가)월드컵 참가) |
| | 新조선통신사 성신교린의 길 | 8.21~23 | 세토우치 | • 세토우치 트리엔날레에 부산 시각예술가를 파견하고 향후 작품 출품을 목표로 2019년 세토우치 포럼에 참가(新조선통신사 사업 내용 발제, 각국의 예술가들과의 교류를 통한 인적 네트워크 강화) |
| | 新조선통신사 납시오 | 11.1~3 | 시즈오카 | • 5월 조선통신사 축제, 11월 '다이도게월드컵 in 시즈오카'에 양국 거리예술가 상호 파견<br>• 국제교류페스티벌 부문(신설)에 부산 거리예술가 3팀 초청 |
| 홍보와 교육 | 연중 | | 국내외 | • 조선통신사 서포터즈 활동지원(4월~11월)<br>- 조선통신사 온오프라인 홍보 활동<br>• 한일축제한마당 참가(9.1)<br>- 조선통신사 사업 및 조선통신사선 전시, 홍보<br>- 조선통신사 복식체험, 기념품 제공 등<br>• 조선통신사 홈페이지 리뉴얼 |
| | | | | • 소식지 발간<br>- 봄호, 여름호, 가을호, 겨울호; 호당 1500부<br>• 배부대상<br>- 유관기관(국내와 일본), 한일교류기관, 언론, 도서관 등<br>- 조선통신사 축제 및 역사관 관람객 등 |

재단은 초대 강남주 대표(2009)를 시작으로 2,3대 남송우(2011, 2014), 4대 이문섭(2014), 5대 유종목 대표(2016)를 거쳐 현재 강동수 씨(2019~ )가 대표를 맡고 있다.

**부산문화재단은 (48543) 부산광역시 남구 우암로 84-1(감만동)에 있다.**

**전화** (051) 744-7707, **팩스** (051) 744-7708~9,

**홈페이지** http://www.bscf.or.kr/00main/main.php

# 3장. 포럼

1. 한일포럼
2. 한일미래포럼
3. 세토포럼
4. 한일비전포럼
5. 부산-후쿠오카 포럼
6. 한일차세대학술포럼
7. 게이트웨이 투 코리아 포럼(GTKF)
8. 한일신시대포럼

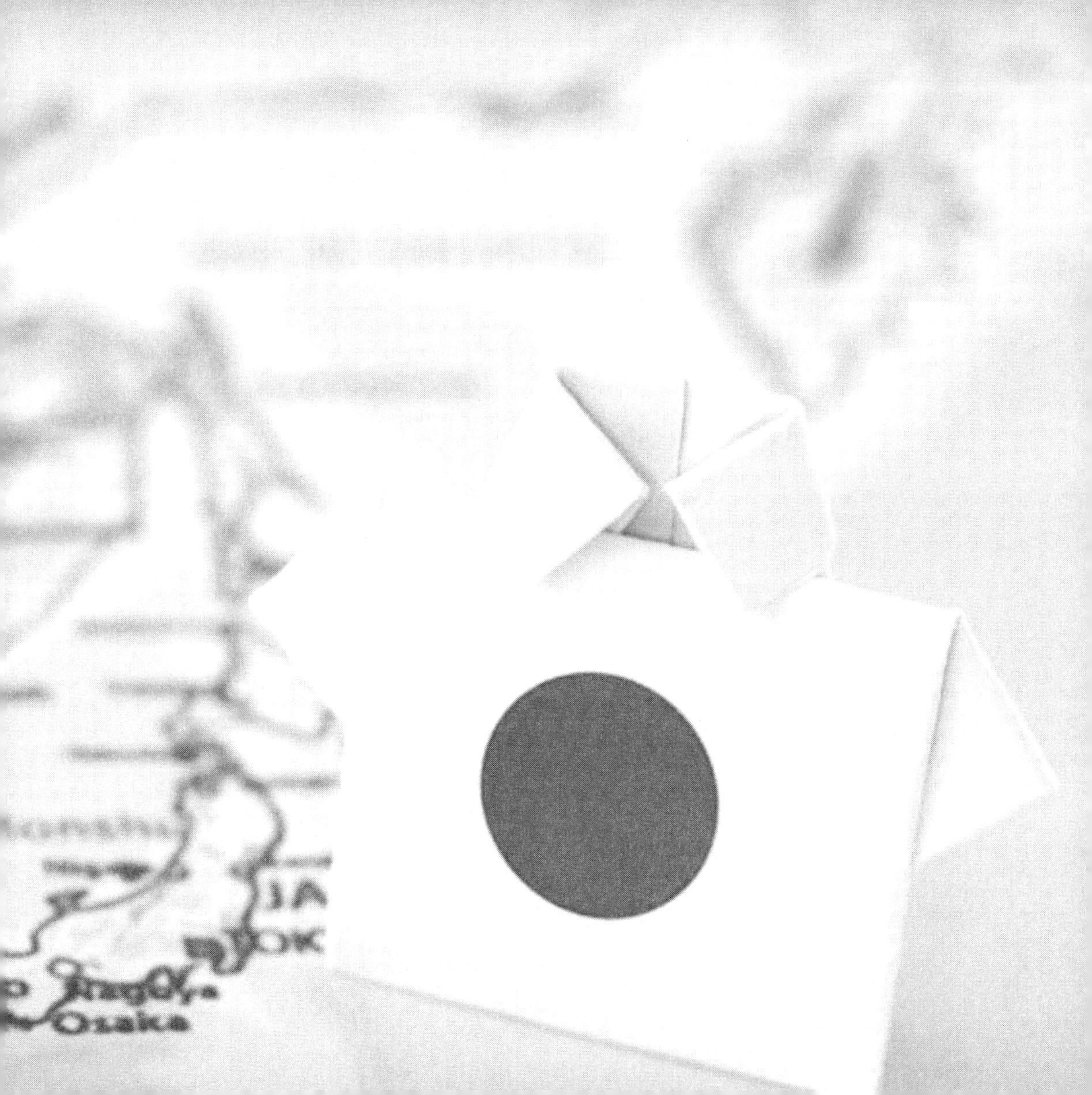

# 1. 한일포럼

KOREA-JAPAN

한일포럼은 김영삼 대통령과 호소카와 모리히로(細川護熙) 일본 총리가 1993년 11월 6일 경주에서 개최한 정상회담에서 탄생했다. 두 정상은 정부 차원과는 별도로 양국의 오피니언 리더들이 소통하는 채널이 필요하다고 합의했고, 그 합의에 따라 만든 것이 한일포럼이다. 일본 측도 일한포럼을 만들어 운영하고 있다. 민간협의체이긴 하지만 정상 간 합의로 만든 기구여서 한국은 한국국제교류재단(KF)이, 일본은 일본국제교류센터(JICE)가 사무국 역할을 하고 있으며, 양국 외교부도 직간접적으로 관여하고 있다.
한국과 일본을 오가며 매년 한 차례씩 여는데 제1회 포럼은 한일포럼을 만들기로 합의한 1993년 바로 그해 연말에 서울에서 개최했고, 2020년 28번째를 맞았다. 그 해 논의할 테마는 매년 양국의 운영위원들이 합의해 결정한다. 양국에서 보통 25명 정도가 참가하며, 학자, 경제인, 정치인, 관료, 언론인 등을 고루 안배한다.

그간의 회의 개요를 소개하면 다음과 같다.

| 회차 | 기 간 | 장 소 | 참가인원 | 회의 의제 |
|---|---|---|---|---|
| 1 | 1993.12.5~7. | 서울 | 59명<br>한 32명<br>일 27명 | - 한일 양국의 국내정치 변화와 외교정책<br>- 아태 지역의 정치안보 문제와 한일관계<br>- 아태 경제 속에서의 한국과 일본의 역할<br>- 한일 양국의 미래 협력방안 |
| 2 | 1994.8.24~26. | 도쿄, 고텐바, 하코네 | 54명<br>한 26명<br>일 28명 | - 아태 지역의 안보협력<br>- 아태 지역의 지속적 성장과 한일 경제협력<br>- 세계문제에 대한 한일협력<br>- 교육 및 문화교류 |
| 3 | 1995.9.2~6. | 서울, 제주도 | 53명<br>한 28명<br>일 25명 | - 한국과 일본의 국내정치, 경제, 사회<br>- 아태 지역의 한일 안보 관계<br>- 아태 지역의 한일 경제협력<br>- 범지구적 문제에 관한 한일협력<br>- 한일 학술 · 문화교류 |
| 4 | 1996.9.4~8. | 도쿄, 아오모 | 51명 | - 한일 양국의 국내정세 |

| 회차 | 기 간 | 장 소 | 참가인원 | 회의 의제 |
|---|---|---|---|---|
| | | 리 | 한 24명<br>일 27명 | -동아시아에서의 한일 안보협력<br>-아태 지역에서의 한일 경제협력<br>-한일 협력증진 방안<br>-한일 문화협력 |
| 5 | 1997.9.5~7. | 서울 | 41명<br>한 22명<br>일 19명 | -한국과 일본의 국내정세<br>-북한 문제와 한일협력<br>-동북아 정세와 한일 안보협력<br>-새로운 차원의 한일협력과 교류증진 방안 |
| 6 | 1998.10.25~28. | 지바 | 42명<br>한 24명<br>일 18명 | -한일 양국의 정치·경제·사회 상황<br>-동아시아 금융위기와 한일협력<br>-동아시아 안보와 한일협력<br>-21세기 한일협력 기반 구축 |
| 7 | 1999.8.27~30. | 서울 | 45명<br>한 25명<br>일 20명 | -한일 양국의 국내정세<br>-한일 안보협력<br>-한일 경제협력<br>-한일 사회문화 협력<br>-새로운 차원의 한일 협력 |
| 8 | 2000.9.16~19. | 후쿠시마 | 43명<br>한 20명<br>일 23명 | -한일 양국의 국내정세<br>-한반도 정세와 지역 안보<br>-한일 양국의 경제협력<br>-한일협력을 위한 도전과 기회 |
| 9 | 2001.8.31~9.3. | 평창 | 45명<br>한 23명<br>일 22명 | -한일 양국의 국내정세<br>-한일 양국 관계: 과거 극복문제<br>-동북아지역 안보정세<br>-경제협력<br>-종합토의 |
| 10 | 2002.9.6~9. | 가나자와 | 45명<br>한 22명<br>일 23명 | -2002 월드컵 이후의 한일교류와 협력관계: 새로운 비약을 위한 방안들<br>-한일 국내정치·사회의 변화와 전망<br>-한일 경제협력의 미래: 경제통합의 가능성<br>-중국의 대두와 아태 지역의 미래<br>-새로운 10년을 향한 한일협력의 비전 |
| 11 | 2003.8.31~9.2. | 경주 | 41명<br>한 23명<br>일 18명 | -한일 양국의 인구동태 및 세대변화의 정치, 사회적 영향<br>-동북아시아 경제환경 변화와 한일협력<br>-북한 핵 개발 문제에 대한 한일의 대응과 양국의 협력전망<br>-동아시아 안전보장 환경의 변화와 한미, 미일 동맹의 전망 |

| 회차 | 기 간 | 장 소 | 참가인원 | 회의 의제 |
|---|---|---|---|---|
| | | | | - 2005년 한일 국교 정상화 40주년을 향한 한일 교류협력 촉진 방안 |
| 12 | 2004.9.13~15. | 시모노세키 | 45명<br>한 23명<br>일 22명 | - 한일 양국의 국내정치와 사회변화<br>- 동북아 안보 상황의 진단과 한일안보협력 전망<br>- 동아시아 지역공동체 구축을 위한 한일협력 전망<br>- 한일교류의 비약적 발전을 위한 다양한 섹터의 역할<br>- 종합토론 |
| 13 | 2005.8.29~31. | 제주도 | 41명<br>한 24명<br>일 17명 | - 한일 양국의 국내정치 및 사회변화가 양국 관계에 미치는 영향<br>- 역사 · 영토문제의 여러 측면: 장단기적 대처 방안<br>- 동아시아공동체 구축과 한일협력: 정치적 도전과 전망<br>- 동아시아공동체 구축과 한일협력: 경제적 도전과 전망<br>- 〈한일 우정의 해를 맞아〉: 멀티 트랙 시대의 한일교류 |
| 14 | 2006.8.28~30. | 아와지시마 | 45명<br>한 24명<br>일 21명 | - 한일 양국의 정치 · 경제 · 사회 정세<br>- 동아시아 안전보장의 과제와 한일협력<br>- 동아시아 경제발전과 한일협력<br>- 자유토론: 한일관계의 기본적 과제와 전망<br>- 한일간 새로운 문화접촉 의의와 과제<br>- 종합토론 |
| 15 | 2007.8.28~30. | 부산 | 43명<br>한 21명<br>일 22명 | - 한일 양국의 정치 · 사회 정세와 전망<br>- 한일관계의 최근 동향과 평가: 문화 · 인적교류 확대와 정치 외교 마찰의 현상<br>- 동아시아 안전보장과 평화협력<br>- 아태 지역경제의 진전과 한일협력 |
| 16 | 2008.8.28~30. | 도쿄 | 49명<br>한 23명<br>일 26명 | - 한일 양국의 정치 · 사회 변화와 양국 관계<br>- 동아시아의 변동과 외교 · 안전보장에 있어서의 한일협력<br>- 다변화하는 사회에의 대응과 한일협력<br>- 동아시아의 경제발전을 위한 한일의 역할 |
| 17 | 2009.12.6~9. | 서울 | 53명<br>한 28명<br>일 25명 | - 한일 양국의 정치 · 사회변화와 양국관계<br>- 북한 미사일 · 핵문제에 대한 한 · 일 · 미의 대응과 협력<br>- 글로벌 경제위기와 한일협력<br>- 새로운 한일관계와 과제 |

**한일 우정의 해**

1965년의 대한민국과 일본의 국교 정상화 40주년을 앞둔 2003년 6월, 노무현 대통령과 고이즈미 준이치로 총리는 정상회담에서 2005년을 '한일 우정의 해 2005'로 지정했다. 그해 양국은 문화, 예술, 학술, 스포츠 등 다양한 분야에서 각종 행사를 공동으로 개최했다. 캐치프레이즈는 "나가자 미래로, 다같이 세계로(進もう未来へ,一緒に世界へ; Toward the Future, Into the World)"였다. (위키백과) 한일의 유지(有志)들과 기업가들은 이 행사가 한번으로 끝나는 것은 아쉽다며, 그 다음 해부터 민간인 주도로 '한일축제한마당' 행사를 열고 있다.

| 회차 | 기 간 | 장 소 | 참가인원 | 회의 의제 |
|---|---|---|---|---|
| 18 | 2010.10.3~5. | 도쿄 | 47명<br>한 22명<br>일 25명 | - 한일 양국의 국내정세 변동의 상호관계를 포함한 대외 관계에의 영향<br>- 동아시아의 지역적 안전보장의 새로운 과제와 한일협력<br>- 동아시아의 지역적 경제발전을 위한 한일협력<br>- 지구적 과제에의 대응을 위한 한일협력<br>- 새 시대의 한일협력촉진을 위한 정치적 리더십 |
| 19 | 2011.8.24~26. | 서울 | 51명<br>한 33명<br>일 18명 | - 동아시아의 정치 · 경제의 안정과 발전을 위한 한일협력<br>- 국제적 · 지역적 안전보장의 증진과 한일 양국의 협력<br>- 동일본대지진: 한일 · 일한의 협력과 공생 가능성<br>- 동아시아의 지역발전을 위한 한일교류와 협력 강화의 추진<br>- 종합토론 |
| 20 | 2012.12.20~22. | 도쿄 | 54명<br>한 30명<br>일 24명 | - 동북아시아의 안전보장: 지도자 교체와 한일 · 중일 관계의 과제<br>- 글로벌화한 경제와 한일협력<br>- 새로운 시대의 한일협력: 글로벌 규모의 과제해결을 위한 대처와 국내문제 해결에의 시사점<br>- 전환점에 놓인 한일 국내정치: 양국 관계에의 영향과 전망<br>- 총괄 세션: 한일포럼 20주년, 위기의 타개와 미래지향의 재구축 |
| 21 | 2013.8.22~24. | 서울 | 69명<br>한 34명<br>일 35명 | - 동북아시아의 안보정세변화와 한미일 협력<br>- 한일 신정권의 출범: 국내정치 정세와 정책과제<br>- 역사 마찰 속의 한일관계<br>- 글로벌 경제환경의 변화와 동아시아 지역 경제 |
| 22 | 2014.8.7~9. | 후쿠오카 | 60명<br>한 27명<br>일 33명 | - 한일 양국의 국내정치 현황과 전망<br>- 북동아시아 정세와 미국의 역할<br>- 한일 양국 국민감정의 악화: 여론의 변화와 미디어<br>- 동아시아 지역경제와 한일협력<br>- 한일 국교정상화 50년을 어떻게 맞을 것인가<br>- 한일의 미래를 여는 지역 간 교류: 후쿠오카 · 부산 사례를 중심으로 |
| 23 | 2015.8.27~29. | 서울 | 49명<br>한 24명<br>일 25명 | - 한일관계 50년의 총괄<br>- 동북아 정세와 지역 안보태세<br>- 새로운 한일관계를 위한 길 |

**주니어포럼**

한일포럼 주니어포럼은 한일포럼 내 서브포럼으로서 2015년 서울회의에서 처음 시작했다. 한일관계 개선을 위한 젊은이들의 기탄없는 의견을 듣기 위한 시도이다. 포럼이 한국에서 열리면 한국인 대학(원)생과 한국에 유학 중인 일본인 학생 중에서, 일본에서 열리면 일본인 대학(원)생과 일본에 유학 중인 한국인 학생 중에서 각 10여 명을 공모한다. 분과별로 토론을 벌인 뒤 그 내용을 요약해 포럼 전체회의에 보고하고 있다.

| 회차 | 기 간 | 장 소 | 참가인원 | 회의 의제 |
|---|---|---|---|---|
| | | | | - 주니어포럼: 한일관계의 미래를 위한 젊은 세대의 역할 |
| 24 | 2016.8.24~26 | 도쿄 | 50명<br>한 22명<br>일 28명 | - 한일 시민, 풀뿌리 교류<br>- 동아시아 지역 정세와 외교 안보<br>- 국제경제정세와 한일경제협력<br>- 한일 공통의 전략적 이익은 무엇인가? |
| 25 | 2017.8.28~30 | 서울 | 52명<br>한 26명<br>일 26명 | - 동북아 안보정세와 한일협력<br>- 한일 양국 국내정세와 대외전략의 방향성<br>- 국제경제 정세와 한일 경제협력 |
| 26 | 2018.8.20~22 | 도쿄 | 51명<br>한 26명<br>일 25명 | - 미북 정상회담과 비핵화 문제<br>- 한일 공동선언 20주년 회고와 전망<br>- 한일 사회의 공통 과제 및 해결을 위한 협력<br>- 혼란이 심화하는 세계 통상 질서와 한일 공통 어젠다 |
| 27 | 2019.8.21~23 | 서울 | 49명<br>한 25명<br>일 24명 | - 북한 비핵화 문제와 관계국의 역할<br>- 한일 양국의 국내정치 역학 변화와 양국 관계에 대한 영향<br>- 한일 경제 관계의 현재와 미래<br>- 한일관계를 어떻게 개선해야 하나: 한일 사회의 '화해'를 향해 |
| 28 | 2020.11.13 | 화상회의 | 42명<br>한 23명<br>일 19명 | - 한일 양국의 국내정치와 사회상황<br>- 미국 대통령 선거 후의 미중 관계와 동아시아<br>- 한일 정치경제의 과제와 전망<br>- 종합토론: 코로나 이후의 한일 사회변화와 협력 가능성 |

한일포럼은 또 2016년부터 '한일포럼상'을 제정해 시상하고 있다. 한일간의 유대 강화에 노력한 사람을 선정해 시상하는데 포럼이 한국에서 열릴 때는 한국인을, 일본에서 열릴 때는 일본인을 선정해 시상하는 것을 원칙으로 하고 있다.

한일포럼 역대 수상자는 다음과 같다.

| 차수 | 연 도 | 수상자 |
|---|---|---|
| 1 | 2016 | (故) **와카미야 요시부미(若宮啓文)** 전 아사히신문 주필 |
| 2 | 2017 | **최서면** 국제한국연구원장 |
| 3 | 2018 | **부산문화재단, 조선통신사연지연락협의회** 공동수상 |
| 4 | 2019 | **공로명** 전 외무부장관 |
| 5 | 2020 | **윤기** 공생복지재단 명예회장 |

서울에서 한일포럼이 열리면 한국의 외교부장관과 주한 일본대사가, 도쿄에서 열리면 일본의 외무대신과 주일 한국대사가 각각 한 차례씩 저녁을 내는 것이 관례이다(2019년에는 이낙연 당시 국무총리가 서울 삼청동 공관에서 만찬을 냈다). 또 양국의 회장과 운영위원들이 개최국의 대통령이나 국무총리, 총리대신 등을 예방하는 것도 관례로 되어 있다.

한일포럼은 참석자들의 자유로운 토론을 유도하기 위해 누가 발언했는지는 밝히지 않는 '채텀하우스 룰'을 채택하고 있다. 포럼은 회의에서 논의한 내용을 정리해서 정부에 보고하거나 건의를 하는 경우도 많다. 대표적인 예가 2002년의 월드컵을 한국과 일본이 공동개최하라고 촉구한 일이다. 양국이 월드컵을 유치하기 위해 치열하게 경쟁하던 1995년 9월 2~5일 서울과 제주에서 열린 제3차 한일포럼은 제주도성명을 통해 공동개최를 촉구했다. 1995년 성명은 한일 월드컵 공동개최만이 아니라 다양한 분야에서의 한일 협력을 촉구하는 등 한일포럼에서 내놓은 공동성명의 모델로 불린다. 다음은 그 성명의 전문(全文)이다.

**채텀하우스 룰**

채텀하우스(Chatham House)는 영국 왕립국제문제연구소(RIIA · Royal Institute of International Affairs)가 들어있는 건물 이름으로 연구소의 별칭이다. 이 연구소는 세계 최정상급 싱크탱크 중 하나이다. 1920년 빅터 벌머 토머스가 설립했으며 1926년 칙령으로 왕립 연구소로 승격했다. 연구원은 100명이 넘고 1년 예산이 1300만 파운드(약 228억)가 넘지만 정부지원금이나 세금은 받지 않고 자체 수익 사업과 기부금으로 충당한다. 연구소의 보도 준칙인 '채텀하우스 룰(Chatham House Rule)'은 토론의 내용은 보도하되 발언자와 참석자의 신분은 공개하지 않는다는 원칙이다. (시사상식사전)

### 제3차 한일포럼 제주도 성명 (1995년)

제3차 한일포럼은 1995년 9월 2일부터 5일까지 서울과 제주도에서 개최되었다.

본 포럼은 새로운 시대의 한일 관계를 구축하기 위하여 양국 간의 민간 수준에서 폭넓고 계속적인 대화를 추진한다는 목적하에 1993년 11월에 경주에서 개최된 한일 정상회담 시, 양국 정상의 축복 속에 발족되었다. 제2차 세계대전 종결 50주년임과 동시에 한일 국교 정상화 30주년에 해당되는 금년은 한일관계에 있어서 역사적인 의의를 지닌다는 인식하에 양국 참가자들은 양국 관계의 장래에 대하여 흉금을 털어놓고, 과거를 되새기며 새로운 한일 관계의 장래에 대하여 깊이 있는 토의를 나눴다.

금년은 제2차 세계대전 종결 50주년으로, 일본 국민들에게 있어서는 한국과의 불행한 과거를 되새기게 하고, 한사람, 한사람이 內省을 토대로 역사 인식을 새롭게 심화시키는 기회가 되었다. 무라야마 수상은 전후 50주년에 즈음한 담화를 통하여 '식민지 지배와 침략으로 말미암아 많은 나라들, 특히 아시아 각국의 국민들에게 크나큰 손실과 고통을 끼쳤다'고 하고, 나아가서 '이 역사적 사실을 겸허하게 받아들이고, 이에 다시 한번 痛切한 반성의 뜻을 표하며 진심으로 사과의 마음을 표명한다.'고 하였다. 이것은 일본 국민들 대다수의 솔직한 심정을 표명한 것으로, 한국 국민들도 이를 평가하였다.

금년은 또한 한일 국교 정상화 30주년에 해당된다. 이 30년은, 양국 관계가 경제, 정치, 안전보장, 문화교류 등의 분야에서 비약적인 진전을 이룩한 시기였으며, 또한 과거의 기반 위에서 미래지향적 관계를 지향하는 토대가 구축된 시기였다고 할 수 있을 것이다. 김영삼 대통령이 1994년 3월에 국빈 자격으로 일본을 방문했을 때, 일본 국회연설을 통하여 표명한 바와 같이 지금이야말로 '한국인과 일본인은 새로운 한일 관계, 새로운 아시아 태평양, 나아가서 새로운 세계에 대한 꿈을 가져야 할' 단계에 이르렀다고 할 수 있을 것이다.

## Ⅰ. 바람직한 새로운 한일 관계

오늘날 한일 관계를 둘러싼 국제환경은 크게 변화했다. 냉전 구조의 소멸로 인해 국제관계는 구조적인 변화를 겪어왔다. 국제사회에 있어서 상호 의존관계는 심화되고 국제관계에 있어서 주권 국가의 역할도 상대적으로 저하되었다. 한일관계에 있어서도 정부 간의 관계뿐만 아니라 양국의 사회나 국민들 상호 간의 직접적인 교류가 보다 큰 의미를 지니게 되었다. 한편으로는 눈부신 경제발전을 배경으로 일본과 한국의 국제사회에서 보다 큰 역할을 하기를 기대하고 있다. 특히 세계의 경제적, 정치적 성장의 중심으로서 아시아 태평양지역이 보다 많은 발전을 이룩하기 위하여 한일 협력이 더욱 중요시되고 있으며, 환경, 인권, 난민, 빈곤 등의 地球的인 과제에 대한 대응에 관하여 한일 양국의 동반자 관계의 정립이 기대되고 있다.

21세기의 도래와 더불어 앞으로의 30년을 전망해 볼 때, 새로운 차원에서의 한일 협력관계의 구축이야말로 양국 국민이 함께 지향해야 할 목표이다. 그러한 새로운 협력관계의 기본적인 개념과 이것을 구체화하기 위한 새로운 틀에 대하여 양국간에 공동연구와 대화를 추진해야 할 것을 한일 국교정상화 30주년에 즈음하여 열린 본 포럼의 기본적 건의로 제시하고 싶다. 나아가 이에 입각하여, 이러한 관계의 구축을 향한 각 분야에서의 바람직한 협력활동을 추진시키는 일이 중요하고, 지금까지 포럼의 토의를 통하여 거론된 몇 가지 구체적 분야에 대한 제언을 아래와 같이 제시한다.

## II. 구체적 제언

### 1. 문화 · 인적 교류의 비약적인 확대를 위한 조치

한일 양국간의 문화 교류 및 인적 교류는 각 분야에 있어서 더욱 확대 강화되는 경향을 보이고 있으나, 이것을 더욱 비약적으로 발전시키기 위한 중점적인 방안을 강구해야 한다.

(1) 지적 교류의 추진

다른 분야에 비하여 양국간의 지적 교류는 아직 충분히 발전된 상태는 아니며, 중점적인 노력을 필요로 하고 있다. 특히 아시아 · 태평양의 새로운 지역적 질서의 형성, 地球的 과제, 공통과제 등에 관한 공동 연구와 대화를 활발히 촉진시키기 위한 체제와 구체적인 방안을 검토해야 한다. 더욱이 정보 교환, 번역, 출판 등의 조치를 더욱 활발히 추진해야 한다.

(2) 청소년 교류, 유학생제도의 확대

양국 관계의 증진에 있어서 청소년 교류의 중요성은 아무리 강조해도 지나침이 없다. 이 점은 양국 정부가 이전부터 특히 힘을 쏟아왔는 바, 양국의 민간 수준에서 청소년 교류 단체, 지방의 각종 단체 등도 근년에 들어와서 이 분야에서의 활동을 중시하고 있다. 이러한 청소년 교류활동의 효과를 증대시키기 위해서는 이들 조직의 전문 스텝의 양성 등을 통하여 체제를 정비할 필요가 있다. 무엇보다 단기 · 장기 유학생의 교환을 통해 상대국의 역사문화, 사회연구를 강화하는 일이 중요하다. 유학생의 수를 보다 비약적으로 증대시키기 위한 장학금과 펠로십 제도의 근본적 강화가 필요하다.

(3) 지방 교류의 촉진

지방 레벨에서의 한일 교류가 최근 크게 증대되고 있으며, 양국간 교류의 저변을 확대하는데 큰 역할을 하고 있다. 1995년 성공리에 부활된 한국의 지방 자치는 이러한 교류를 더욱 활성화시킬 것으로 보인다. 이와 같은 교류를 더욱 알차게 만들기 위해서는 이러한 교류 활동의 추진 체제를 정비할 필요가 있으며, 이를 위한 민간 조직을 강화하고 교류 · 협력 활동을 추진할 인재를 양성할 필요가 있다. 특히 최근 양국의 지역 사회에서 커다란 진진을 보이고 있는 NGO와 같은 시민 레벨 조직의 한일 교류에 대한 참여를 촉진해야 한다.

(4) 언론인 교류

양국의 올바른 상호 이해를 촉진하기 위해서 언론기관의 역할이 결정적으로 중요하다. 언론인 교류, 연수생, 공동세미나, 취재 협력, 정보통신망을 통한 협력 등 다양한 교류를 대폭적으로 강화해야 한다.

(5) 입국 사증(비자)의 간소화와 면제

인적 교류를 촉진함에 있어서 입국 비자의 간소화와 면제가 효과적이라는 사실은 한국의 「대전 엑스포」와 「1994년 한국방문의 해」에 즈음하여 일본 관광객에 대한 비자 면제가 일본으로부터의 방문객 증가로 이어졌다는 점에서도 명백하다. 일본이 8월 10일 한국인에 대한 입국 비자 절차를 대폭 완화하였음을 환영하는 바이며, 앞으로 이와 같은 면제 조치의 적용범위를 단계적으로 확대하여, 장래에는 양국 간의 왕래에 대해 비자를 원칙적으로 철폐하는 방향으로 나아가야 한다.

**한일 비자면제**

한국과 일본은 양국 국민이 2006년 3월 1일부터 상대국을 방문해 90일 이하로 체류할 경우, 관광·통과·상용(商用) 목적의 입국비자를 무기한 면제했다. 그전까지 한국은 15일 이하로 체류하는 일본인 관광객에게만, 일본은 특정 이벤트(월드컵, 아오모리동계아시안게임, 수학여행자와 인솔자)에 참여하는 한국인에게만 40일 또는 30일간 비자를 면제해 줬다. 상호 90일씩 비자를 면제해 준 이 조치로 양국 국민의 상대국 방문은 대폭 늘어났다. 비자면제는 코로나사태로 인해 2020년 3월 9일부터 잠정 중단한 상태다.

(6) 예술·문화교류의 확대

양국간의 예술·문화교류의 분야에서도 다양한 활동들이 그 어느 때보다 활발히 이루어지고, 일종의 비국경화(borderless) 현상이 일어나고 있다고까지 말한다. 뿐만 아니라 대중 수준의 상호문화나 예능에 대한 관심 또한 고조되고 있다. 이와 같은 활동이 양국간의 폭넓은 국민 상호 이해와 친근감을 증진시키는데 있어서 커다란 의의를 갖는 만큼, 질 높은 대중수준에서의 교류를 자연스러운 형태로 발전시켜 나가기 위한 방안에 대한 검토가 추진되어야 할 것이다.

(7) 한일 교류 추진 합동 위원회의 설치

이상 모든 분야에 있어서의 한일 교류를 보다 지속적이고 효과적으로 촉진시키기 위하여 양국 정부와 민간 전문가로 구성된 합동위원회를 설치할 것으로 검토해야 한다. 이 위원회가 각종 활동 현황에 관한 정보를 정기적으로 모니터하고, 교류 활동에 새로운 우선순위에 관하여 협의하며, 지방과 민간의 조직에 대하여 필요에 따라 정보나 조언을 제공하는 등의 지원활동이 기대된다. 또한 이 위원회에서 한일교류를 위한 재원을 대폭적으로 증대시키기 위한 노력을 해야 한다.

**2. 양국간 경제교류의 촉진**

한일 양국의 협력 하에 양국간의 경제무역관계, 그 중에서도 투자와 기술 이전을 촉진하기 위한 구체적 방안을 검토해야 한다. 특히 양국에 있어서의 투자에 관한 규제 완화를 비교 연구하거나 기업간의 전략적 제휴 방안에 관한 공동 연구를 양국 관계자 간에 추진해야 할 것이다. 아울러 아시아·태평양의 지역적 발전에 대하여 일본과 한국이 각기 어떤 역할을 분담하고, 또 양국 간의 협력을 어떻게 전개해야 할 것인지, 그리고 앞으로 최대과제인 개발 문제에 대하여 한일 양국이 어떻게 협력할 수 있는가에 관해서도 양국 관계자들이 공동 전략을 모색해야 한다.

### 3. 한일 안보 대화의 추진

냉전 후의 새로운 국제 환경 속에서 한반도와 아시아 태평양 전체의 안보에 관한 의견과 정보를 교환하여 양국 공통의 이해를 깊게 하며, 이 분야에서의 협력관계를 향상시키기 위하여 한일 양국 간에 안보에 관한 협의를 충실화시킬 필요가 있다. 이미 한국과 미국, 미국과 일본, 중국과 러시아 간에는 몇몇 유사한 대화가 이루어져 왔다. 일본과 한국간에도 종전의 비공식 협의를 공식화하고, 양국 간의 협력은 물론 동아시아와 아시아 태평양 지역의 다국가간의 안보 협력, 나아가서 UN과 평화유지 기능 강화 등 바람직한 협력을 검토해 나가야 한다.

### 4. 역사 공동연구 위원회의 설치

역사적 사실에 대한 공통 인식을 갖고, 후세에게 올바른 역사관을 전해 주는 일은 양국 관계의 강화에 있어서 불가결한 조건이다. 1994년에 시작된 「한일평화 우호 계획」을 통하여, 선사 시대 이래 오랜 관계를 갖고 있는 양국의 역사, 관계사 등에 대한 지원이 강화되고 있음은 주목할 만하다. 이러한 방향으로 가일층의 노력이 필요하다. 이를 위해 역사 연구를 중심으로 「역사 연구 공동위원회」를 설치하고, 이것을 여하히 교육에 반영시킬 것인지 그 구체적 방안을 검토해야 한다.

### 5. 2002년 월드컵 공동 개최

2002년의 월드컵은 아시아 태평양 지역에 있어서 21세기에 처음으로 개최되는 세계적 규모의 행사이다. 따라서 개최 유지를 둘러싸고 한일 양국 간에 격렬한 경쟁이 펼쳐지고 있는데, 이로 인하여 양국에 큰 경제적인 부담을 주게 되고 감정적인 응어리를 남길 것마저도 우려되고 있다. 제3차 한일포럼 참가자들 다수는 월드컵을 가능한 한 한일 양국이 공동사업으로 실시할 수가 있다면, 이것이야말로 새 시대 양국의 새로운 협력 관계를 크게 발전시키는 것임을 강조하였다. 이러한 공동 주최의 실현에는 실시상의 여러 문제 등 많은 장애가 있을 것으로 인식하나, 이러한 가능성에 대해 쌍방 관계자들이 진지하게 검토할 것으로 바라는 바이다.

2020년 11월 13일 제28차 포럼은 원래 일본에서 열 예정이었으나 코로나로 인해 양국 참가자는 도쿄(아카사카 인터시티 AIR)와 서울(그랜드 하얏트 서울 호텔)에 각자 모이고, 기간도 하루로 줄여서 줌으로 개최했다.
따라서 2019년 서울 그랜드 하얏트호텔에서 제대로 개최했던 제27차 한일포럼을 소개한다.

**역사연구공동위원회**

한일공동역사연구위원회는 두 차례 운영했다. 1기는 2001년 4월 일본 역사 교과서 파동을 계기로 같은 해 10월 열린 한일 정상회담 합의에 따라 2002년 5월 발족해 3년간 활동했다. 2기 역시 2004년 12월과 2005년 6월 정상회담에서 합의하고 2006년 발족해 2010년 3월 최종 연구결과를 발표했다. 2기 때는 1기 때의 3개 분과위(고대사·중세사·근현대사)에 더해 교과서 위원회를 만든 것이 특징이다. 최근 한일 관계 악화하자 제3기 공동역사연구위원회를 만들어야 한다는 주장도 있다.

**월드컵 한일공동 개최**

2002년 한일 월드컵 공동 개최를 본인이 성사시켰다고 주장하는 사람이 많다. 일본이 먼저 유치에 나섰고 한국은 뒤늦게 뛰어들면서 유치경쟁이 과열 양상을 보였다. 양국이 모두 승리를 점치고 있던 1995년, 한일포럼이 공개적으로 공동개최를 제안한 것은 용기 있고 시의적절했다는 평가를 받고 있다. 한일포럼도 과거의 성과를 얘기할 때 이를 가장 먼저 꼽고, 그 다음으로 일정기간 상호 비자면제를 건의한 것을 들고 있다.

## 2019년 제27차 한일포럼

### ■8월 21일

| 시 간 | 구 분 | 내용(주제, 발표자, 사회자) |
|---|---|---|
| 14:00~14:30 | 개회식 | • 양국 회장 개회사<br>- 한국 측 유명환 회장<br>- 일본 측 오코노기 마사오(小此木政夫) 회장<br>• 양국 대표간사의 참가자 소개<br>• 일정 안내: 박철희 한국측 대표간사 |
| 14:30~18:05 | **세션1 북한 비핵화 문제와 관계국의 역할**<br>사회 장제국 동서대 총장<br>**• 미북회담 이후의 북한 비핵화, 남북대화, 미북협상의 전망**<br>**• 중국, 러시아의 역할과 일북정상회담 가능성**<br>**• 미국과의 동맹 관리를 위한 한일협력** | |
| | 주제발표 | 한국 측 김기정 연세대 정외과 교수<br>일본 측 오타 마사카쓰(太田昌克) 교도통신 편집위원 겸 논설위원 |
| 15:30~16:00 | 휴식 및 기념촬영 | |
| 19:00~21:00 | 이낙연 국무총리 주재 만찬(삼청동 국무총리 공관) | |

### ■8월 22일

| 시 간 | 구 분 | 내용(주제, 발표자, 사회자) |
|---|---|---|
| 09:00~11:00 | **세션2 한일 양국의 국내정치 역학 변화와 양국 관계에 대한 영향**<br>사회 오코노기 마사오 일본 측 회장<br>**• 일본 참의원선거 후 일본정치의 향배**<br>**• 문재인 정부 3년 차 한국 정치의 향배**<br>**• 여론, 국민 감정과 정치 리더십** | |
| | 주제발표 | 한국 측 심규선 서울대 일본연구소 객원연구원<br>일본 측 미네기시 히로시(峯岸博) 니혼게이자이신문 편집위원 |
| 11:20~12:00 | **제4회 한일포럼상 시상식**<br>수상자 **공로명 동아시아재단 이사장(전 외무부장관, 한일포럼회장)**<br>사회 박철희 한국측 대표간사<br>공적발표 심규선 서울대 일본연구소 객원연구원 | |
| 13:40~16:40 | **세션3 한일 경제 관계의 현재와 미래**<br>사회 오가와라 아키오(大河原昭夫) 일본국제교류센터 이사장<br>**• 미중 대립이 한일경제에 미치는 영향**<br>**• 한일 마찰이 기업 간 협력에 미치는 영향**<br>**• 민간 분야의 경제 연계 가능성과 과제** | |

| | | |
|---|---|---|
| | 주제발표 | 한국 측 서석승 한일경제협회 상근부회장(전 슬로바키아대사)<br>일본 측 후카가와 유키코(深川由紀子) 와세다대 교수 |
| 17:00~18:00 | **제5회 한일주니어포럼 논의 결과 보고 및 토론**<br>**: 미래세대가 본 한일 갈등의 타개책** | |
| | 사회 | 한국 측 김준 ㈜경방 회장<br>일본 측 고하리 스스무(小針進) 시즈오카현립대 교수 |
| 19:15~21:00 | 나가미네 야스마사(長嶺安政) 주한 일본대사 주재 만찬(대사 관저) | |

■8월 23일

| 시 간 | 구 분 | 내용 (주제, 발표자, 사회자) |
|---|---|---|
| 09:00~11:30 | **세션4(종합토론) 한일관계를 어떻게 개선해야 하나: 한일의 '화해'를 향해**<br>사회 심규선 서울대 일본연구소 객원연구원<br>**• 미래지향적 한일관계와 문화 · 관광 · 교류**<br>**• 한일 협력 논리와 과제**<br>**• 구체적인 해결책과 행동 지침** | |
| | 주제발표 | 한국 측 신각수 법무법인 세종 고문(전 주일대사)<br>일본 측 니시노 준야(西野純也) 게이오대 교수 |
| 11:30~12:00 | 폐회식 | |

2019년 제27차 한일포럼 한국 측 참가자는 다음과 같다.

| 이 름 | 현직(당시, 전직) | 비 고 |
|---|---|---|
| **유명환** | 세종대 이사장, 전 외교통상부 장관 | 회장 |
| **김기정** | 연세대 정외과 교수 | 제1세션 발표 |
| **김부겸** | 더불어민주당 국회의원 | |
| **김세연** | 자유한국당 국회의원 | |
| **김영춘** | 더불어민주당 국회의원 | |
| **김 준** | ㈜경방회장 | 운영위원 |
| **박선숙** | 바른미래당 국회의원 | |
| **박정훈** | 조선일보 논설위원실장 | |
| **박철희** | 서울대 국제대학원 교수 | 대표간사 |
| **백승택** | 에스티벤처스 사장 | |
| **서석승** | 한일경제협회 상근부회장 | 제3세션 발표 |

| | | |
|---|---|---|
| **서승원** | 고려대 일어일문학과 교수 | |
| **서영아** | 동아일보 논설위원 | |
| **서의동** | 경향신문 논설위원 | |
| **신각수** | 법무법인 세종 고문(전 주일대사) | 제4세션 발표 |
| **심규선** | 서울대 일본연구소 객원연구원 | 운영위원 · 제2세션 발표 |
| **양기호** | 성공회대 교수 | |
| **오경석** | 팬코 사장 | |
| **윤덕민** | 한국외국어대 석좌교수 | |
| **이시형** | 한국국제교류재단 이사장 | 운영위원 |
| **장제국** | 동서대 총장 | 운영위원 |
| **정남구** | 한겨레신문 논설위원 | |
| **정재정** | 서울시립대 명예교수 | |
| **최석영** | 법무법인 광장 고문(전 제네바대사) | |
| **최희식** | 국민대 일본학연구소장 | |

2019년 제27차 한일포럼 일본 측 참가자는 다음과 같다.

| 이 름 | 현 직 | 비 고 |
|---|---|---|
| **오코노기 마사오(小此木政夫)** | 게이오대 명예교수 | 회장 |
| **이오키베 마코토(五百旗頭眞)** | 효고현립대 이사장 | 전 회장 |
| **후카가와 유키코(深川由起子)** | 와세다대 교수 | 제3세션 발표 |
| **후쿠야마 데쓰로(福山哲郎)** | 참의원의원(입헌민주당) | |
| **후루카와 모토히사(古川元久)** | 중의원의원(국민민주당) | |
| **하코다 데쓰야(箱田哲也)** | 아사히신문 논설위원 | |
| **히라이와 슌지(平岩俊司)** | 난잔대 아태연구센터장 | |
| **이데이시 다다시(出石直)** | NHK 해설주간 | |
| **이와무라 가즈야(磐村和哉)** | 교도통신 편집위원 겸 논설위원 | 운영위원 |
| **고하리 스스무(小針進)** | 시즈오카현립대 교수 | 운영위원 |
| **고쿠분 료세이(国分良成)** | 방위대학교 교장 | |
| **고레나가 가즈오(是永和夫)** | 일한경제협회 전무이사 | |
| **미네기시 히로시(峯岸博)** | 니혼게이자이신문 논설위원 겸 편집위원 | 제2세션 발표 |
| **미즈누마 게이코(水沼啓子)** | 산케이신문 편집위원 | |

| **모리 지하루**(森千春) | 요미우리신문 논설위원 | |
|---|---|---|
| **모리야마 도모유키**(森山朋之) | 한국미쓰이물산 대표이사 사장 | |
| **니시노 준야**(西野純也) | 게이오대 교수 | 제4세션 발표 |
| **오가와라 아키오**(大河原昭夫) | 일본국제교류센터 이사장 | |
| **오타 마사카쓰**(太田昌克) | 교토통신 편집위원 겸 논설위원 | 제1세션 발표 |
| **사이토 겐**(齋藤健) | 중의원의원(자민당) | |
| **사와다 가쓰미**(澤田克己) | 마이니치신문 외신부장 | |
| **소에야 요시히데**(添谷芳秀) | 게이오대 교수 | 대표간사 |
| **다나카 히토시**(田中均) | 일본총합연구소 국제전략연구소 이사장 | |
| **야마구치 쓰요시**(山口壯) | 중의원의원(자민당) | |

2015년 23차부터 2020년 28차까지 6년간 한차례 이상 한일포럼에 참석했던 한국측 인사는 다음과 같다(직책은 당시를 우선으로 하고, 계속 참가자는 현직으로 했다).

공로명(전 외무부 장관), 김기정(연세대 교수), 김부겸(더불어민주당 국회의원), 김석기(국민의힘 국회의원), 김세연(자유한국당 국회의원), 김영춘(더불어민주당 국회의원), 김준((주)경방 회장), 김준형(한동대 교수), 김현겸(팬스타그룹 회장), 나경원(자유한국당 국회의원), 문정인(연세대 명예특임교수), 박광온(더불어민주당 국회의원), 박선숙(바른미래당 국회의원), 박정훈(조선일본 논설실장), 박준우(세종재단 이사장), 박철희(서울대 국제대학원 교수), 방문신(SBS 논설위원), 백승택(에스티벤처스 사장), 서석숭(한일경제협회 상근부회장), 서승원(고려대 교수), 서영아(동아일본 논설위원), 서의동(경향신문 논설위원), 선우정(조선일보 논설위원), 손열(동아시아연구원장), 송지연(서울대 국제대학원 교수), 신각수(전 주일대사), 심규선(서울대 일본연구소 객원연구원), 심윤조(전 국회의원), 심재권(더불어민주당 국회의원), 안세영(경제인문사회연구회 이사장), 안충영(동반성장위원회 위원장), 양기호(성공회대 교수), 오경석(팬코 사장), 오영환(중앙일보 논설위원), 오태규(주오사카 총영사), 유명순(서울대 보건대학원 교수), 유명환(전 외교통상부 장관), 유현석(한국국제교류재단 이사장), 윤덕민(한국외대 석좌교수), 윤석민(태영그룹 부회장), 이낙연(더불어민주당 대표), 이미숙(문화일보 논설위원), 이숙종(동아시아연구원장), 이시형(한국국제교류재단 이사장), 이희옥(성균관대 교수), 장제국(동서대 총장), 정구종(한일문화교류회의 위원장), 정남구(한겨레신문 논설위원), 정재정(광주과학기술원 초빙석좌교수), 정재호(서울대 정치외교학부 교수), 조현상(효성그룹 사장), 진창수(세종연구소장), 최석영(법무법인 광장 고문), 최희식(국민대 일본학연구소장), 홍지연(김앤장 법률사무소 미국변호사), 황영식(전 한국일보 주필)

한일포럼 역대 한국 측 회장은 다음과 같다.

| 대수 | 이름 | 경력 |
|---|---|---|
| 초대 | **배재식** | 서울법대학장 |
| 2 | **최광수** | 외무부 장관. 대통령 비서실장 |
| 3 | **공로명** | 외무부 장관, 동아시아재단 이사장 |
| 4(현재) | **유명환** | 외교통상부 장관, 세종대 이사장 |

한일포럼 역대 일본 측 회장은 다음과 같다.

| 대수 | 이름 | 경력 |
|---|---|---|
| 초대 | **오와다 히사시(小和田恆)** | 국제사법재판소장 |
| 2 | **모기 유자부로(茂木友三郎)** | 깃코만 회장 |
| 3 | **이오키베 마코토(五百旗頭眞)** | 방위대학교 교장 |
| 4(현재) | **오코노기 마사오(小此木政夫)** | 게이오대 교수 |

한일포럼과 일한포럼은 대표간사직을 두고 있는데 사무국장 역할을 한다. 한일포럼의 대표간사는 안병준 연세대 교수, 정구종 동서대 일본연구센터 고문을 거쳐 현재 박철희 서울대 교수가 맡고 있다. 일본 측은 와카미야 요시부미(若宮啓文) 전 아사히신문 주필이 맡아오다 2016년부터는 소에야 요시히데(添谷芳秀) 전 게이오대 교수가 맡고 있다.

# 2. 한일미래포럼

KOREA-JAPAN

한일미래포럼(Korea-Japan Future Forum)은 한일 양국간의 지적 교류와 상호 이해증진을 목적으로 2005년 12월 외교통상부에 사단법인 '한일사회문화포럼'이라는 이름으로 출발했다. 일본 관련 전문가, 정책담당자, 연구자, 언론인, 일반 시민과 대학생 등이 참여하고 있다.

2007년 5월, 한일간에서 발생하는 다양한 의제를 수렴하고 미래지향적인 양국 관계 구축에 기여하기 위해 법인 이름을 '한일미래포럼'으로 바꾸었다. 시민교류활동과 한일미디어포럼, 국회위원포럼, 언론인심포지엄, 유스포럼 등을 개최하고 있다.

최근 10년간의 주요활동을 보면 다음과 같다.

| 연도 | 월일 | 형 태 | 주 제 |
|---|---|---|---|
| 2011 | 3.14 | 제100차 세미나-한일미디어포럼 | 시라이시 다카시(白石隆) 정책연구대학원대학 교수 초청강연회, **동아시아에 있어서의 지역통합** |
| | 5.18 | 한일미디어포럼 | 일본대지진 사고현장 보고 발표 |
| | 6.30 | 국제심포지엄 | **한일 사회적 기업과 동아시아 네트워크 구축** |
| | 8.23 | 한일국회의원포럼 | **한일간 역사화해와 글로벌협력의 모색** |
| | 9.20 | 한일유스포럼 | **한일청소년의 활발한 문화교류를 중심으로**(한일학생미래회의와 공동주최) |
| | 12.6 | 초청강연회 | 아와야 쓰토무(粟谷勉) 서울재팬클럽 이사장 초청 강연회, **세계와 한일경제협력의 전망** |
| 2012 | 3.22 | 한일미디어포럼 | **동일본 대지진 1년: 쟁점과 대안** |
| | 5.24 | 초청강연회 | 정재정 동북아역사재단 이사장 초청 강연 |
| | 10.11 | 한일미디어포럼 | **동북아정세의 변화와 신한일관계 구축** |
| | 11.17 | 일본어 연극제 | 일본문화원과 제1회 전국대학생 일본어 연극대회 공동개최 |

**사회적 기업**
취약계층에게 사회서비스 또는 일자리를 제공해 지역주민의 삶의 질을 높이는 등의 사회적 목적을 추구하면서 재화 및 서비스의 생산·판매 등 영업활동을 수행하는 기업을 말한다(사회적기업육성법 제2조 제1호). 영리기업과 비영리기업의 중간 형태이다. 특징으로는 취약계층에 게 일자리와 사회서비스를 제공하는 등 사회적 목적 추구, 영업활동을 하면서도 사회적 목적으로 수익 재투자, 민주적인 의사 결정구조 구비 등을 들 수 있다. (두산백과)

| 연도 | 월일 | 형 태 | 주 제 |
|---|---|---|---|
| 2013 | 3.28 | 신년좌담회 | 2013년 신년좌담회: **한일관계의 전망** |
| | 5.30 | 한일미디어포럼 | **2013년 아베 정권의 우경화와 동북아정세의 변화** |
| | 9.27 | 한일 대학(원)생 토론회 | 동북역사재단과 공동주최: 한일 대학(원)생 토론회 |
| | 11.17 | 일본어 연극제 | 제2회 전국 대학생 일본어 연극대회 공동주최 |
| 2015 | 10.18 | 한일언론인 심포지엄 | 한국언론진흥재단, 게이오대 현대한국연구센터와 공동 주최 |
| | 11.1 | 한일대학생 국제회의 | 한일수교 50년을 향한 한일대학생 국제회의 |
| | 11.23 | 일본어 연극제 | 제3회 전국 대학생 일본어 연극대회 공동주최 |
| 2014 | 3.4 | 초청강연회 | 기무라 간(木村幹) 고베대 교수 초청강연회, **한일수교 50주년, 관계개선은 가능한가 - 일본의 시각** |
| | 4.30 | 초청강연회 | 이승신 시인(손호연 단가연구소 이사장) 초청 강연회 |
| | 10.8 | 기념 심포지엄 | 한일수교 50주년 심포지엄, **21세기 동북아정세 변화와 한일관계의 재구축** |
| | 11.21 | 일본어 연극제 | 제4회 전국 대학생 일본어 연극대회 공동주최 |
| | 12.15 | 초청강연회 | 아라이 히로유키(荒井広幸) 신당 개혁 대표, 히라노 다쓰오(平野達男) 참의원의원 초청강연회 |
| 2016 | 3.24 | 한일미디어포럼 | **한일 미래 50년을 향한 공동비전과 동북아 국제질서** |
| | 5.24 | 한일미디어포럼 | **새로운 한일미래 50년을 향한 언론의 역할** |
| | 6.21 | 초청간담회 | 이준규 주일 한국대사와 한일 언론인 간담회 |
| | 8.31 | 한일미디어포럼 | **지자체 차원의 교류 및 한일 문화관광 확대를 위하여** |
| | 9.9~11 | 한일대학생 교류회 | 2016년 한일대학생 미래포럼 1차 교류회 및 토론회, **한일 미래 50년의 새로운 구상** |
| | 10.19 | 한일미디어포럼 | **한일 문화교류 현황과 과제** |
| | 11.4~6 | 한일대학생 교류회 | 2016년 한일대학생 미래포럼 2차 교류회 및 토론회, **한일 미래 50년의 새로운 구상** |
| | 11.19 | 일본어 연극제 | 제5회 전국 대학생 일본어 연극대회 공동주최 |
| 2017 | 6.23~25 | 한일언론인 심포지엄 | 제7차 한일언론인 심포지엄 in 도쿄 |
| | 10.17 | 초청강연회 | 유명환 전 외교통상부장관 초청 강연회 |
| | 11.18 | 일본어 연극제 | 제6회 전국 대학생 일본어 연극대회 공동주최 |

| 연도 | 월일 | 형 태 | 주 제 |
|---|---|---|---|
| 2018 | 4.20 | 세미나 | **동북아 역사인식의 현상과 전망** |
| | 8.10 | 세미나 | **동북아 역사문제와 시민사회 미래세대의 인식** |
| | 10.1 | 심포지엄 | 김대중-오부치 한일파트너십 공동선언 20주년 기념 학술심포지엄 및 기념식 |
| | 10.26 | 한일미디어포럼 | **동북아 언론인과 시민사회의 역사인식, 대화와 소통** |
| | 11.17 | 일본어 연극제 | 제7회 전국 대학생 일본어 연극대회 공동주최 |
| 2019 | 3.22 | 세미나 | **2019년 한일관계 전망** |
| | 5.17 | 한일대학생 심포지엄 | **글로벌 한일협력** |
| | 6.7 | 한일언론인 심포지엄 | **한일 현안과 언론보도, 역사화해의 모색** |
| | 6.28 | 한일대학생 심포지엄 | **글로벌 한일협력** |
| | 8.14 | 한일대학생 네트워크 | **한일미래 새로운 100년을 꿈꾸며** |
| | 8.30 | 한일대학생 미래포럼 | (이희건한일교류재단 후원) |
| | 9.25 | 언론인세미나(삿포로) | **한일 시민 사회와 언론인: 미래를 향한 대화** |
| | 10.18 | 한일 공공외교 세미나(규슈) | **동북아시아의 정세와 지방외교** |
| | 10.28 | 세미나 | **한일관계 위기와 해법 - 대안은 있는가** |
| | 11.2 | 한일대학생 미래포럼 | (이희건한일교류재단 후원) |
| | 11.16 | 일본어 연극제 | 제8회 전국 대학생 일본어 연극대회 공동주최 |
| | 12.21 | 한일대학생 교류회 | 릿쿄대학과의 교류회 |
| 2020 | 5.29 | 세미나 | **한일관계의 위기 - 해법은 있는가** |

한일미래포럼이 2019년 10월 18일 '동북아시아의 정세와 지방외교'라는 주제로 일본 후쿠오카 규슈국제대학(KIU홀)에서 개최한 '2019 한일공공외교 제3차 세미나'의 개요를 소개하면 다음과 같다.

**동북아시아의 정세와 지방외교 국제세미나 (2019년 10월 18일)**

| 시 간 | 구 분 | 발표자 |
|---|---|---|
| 전체 진행 강신일 규슈국제대 교수 | | |
| 12:40~13:00 | 등 록 | |
| 13:00~13:10 | 개회식 사회: 기무라 다카시(木村貴) 규슈국제대 교수 | |
| | 개회사 | 추규호 (사)한일미래포럼 대표 |
| | 축 사 | 후쿠니시 가즈유키(福西和幸) 규슈국제대 국제센터장 |
| 13:10~13:30 | 기조강연 | 추규호 (사)한일미래포럼 대표<br>**"한반도 비핵화 협상과 한국의 과제"** |
| **제1세션 한반도 비핵화와 한일언론의 인식과 보도**<br>사회 유의상 한중협회 이사 | | |
| 13:30~15:30 | 발 표 | 간 히데키(菅英輝) 교토외국어대 교수 |
| | 패 널 | 고이데 히로키(小出浩樹) 니시니혼신문 논설위원<br>서의동 경향신문 논설위원<br>다케다 하지무(武田肇) 아사히신문 서울특파원<br>이시카와 유키(石川有紀) 오사카 산케이신문 정치국제부 기자<br>심규선 서울대 일본연구소 객원연구원 |
| **제2세션 한일 지방간 교류를 통한 역사 화해**<br>사회 이노우에 마사노리(井上政典) 규슈 역사관광전략연구소 대표 | | |
| 16:00~18:00 | 발 표 | 임승빈 명지대 교수 |
| | 패 널 | 기무라 다카시(木村貴) 규슈국제대 교수<br>김진아 전국시도지사협의회 국제협력부장<br>히라이 가즈오미(平井一臣) 가고시마대 교수<br>강신일 규슈국제대 교수<br>양기호 성공회대 교수 |
| | 질의응답 | 참가자 전원 |

한일미래포럼은 연세대 김대중도서관과 공동으로 2019년 10월 28일 연세대 김대중도서관 컨벤션홀에서 '김대중-오부치 공동선언 21주년기념 한일관계 국제학술회의'를 열었다. 테마는 '한일관계의 위기와 해법-대안은 있는가'였다. 내용은 다음과 같다.

### 김대중-오부치 공동선언 21주년기념 한일관계 국제학술회의 (2019년 10월 28일)

| 시간 | 구분 | 발표자 |
|---|---|---|
| 15:00~15:30 | 등 록 | |
| 15:30~15:50<br>개회식 | 개회사 | 박명림 연세대 김대중도서관장<br>추규호 (사)한일미래포럼 대표 · 전 주영국 대사 |
| | 축 사 | 강창일 (사)한일의원연맹 회장<br>김도형 (재)동북아역사재단 이사장 |
| 16:00~18:00<br>토론 | 주 제 | **강제징용 해법과 한일관계 개선 방향** |
| | 패널토론 | 사회 추규호 (사)한일미래포럼 대표<br>발표 양기호 성공회대 교수<br>토론 이하경 중앙일보 주필<br>가미야 다케시(神谷毅) 아사히신문 서울지국장<br>박민희 한겨레신문 기자<br>스즈키 소타로 닛케이신문 서울지국장<br>조양현 국립외교원 일본연구센터 책임교수 |

한일미래포럼은 2020년 10월 17일 도쿄대 한국연구센터와 공동으로 2020 한일관계 전문가와 언론인 세미나를 줌으로 개최했다(후원 외교부, (재)수림문화재단). 그 내용은 다음과 같다.

### 한일관계 전문가와 언론인 세미나 (2020년 10월 17일)

| 시간 | 구분 | 발표자 |
|---|---|---|
| 14:00~14:20 | 개회식 | 개회사 도노무라 마사루 도쿄대 한국학센터 소장<br>추규호 (사)한일미래포럼 대표<br>축사 장재복 외교부 공공외교 대사 |
| 14:20~15:30 | **제1세션 한일간 강제징용 해법과 회해의 모색**<br>사회 도노무라 마사루(外村大) 도쿄대 한국학센터 소장 | |
| | 발표 | 기미야 다다시 도쿄대 교수 |
| | 토론 | 김재신 국립외교원 일본연구센터 고문<br>사와다 가쓰미 마이니치신문 논설위원<br>최은미 아산정책연구원 연구위원<br>이하원 조선일보 도쿄지국장<br>도노무라 마사루 도쿄대 한국학연구센터 소장<br>양기호 성공회대 일본학전공 교수 |

| | | |
|---|---|---|
| 15:50~17:00 | **제2세션 포스트 코로나시대 G2체제와 한반도, 그리고 한일관계**<br>사회 추규호 (사)한일미래포럼 대표 | |
| | 발표 | 전재성 서울대 국제대학원 교수 |
| | 토론 | 이데이시 다다시 NHK해설위원<br>서승원 고려대 일문학과 교수<br>다카하라 아키오 도쿄대 공공정책대학원장<br>박민희 한겨레신문 논설위원 · 전 베이징지국장<br>기미야 다다시 도쿄대 교수 |
| 폐회사 | 신경호 (재)수림문화재단 이사 | |

한일미래포럼이 게이오대 현대한국연구센터와 공동으로 2017년 6월 24일 도쿄 게이오대에서 개최한 '제7차 한일 언론인 심포지엄'을 보도한 한국일보 기사를 소개한다.

**"위안부합의 수정보완해야 할 책임 한일 양국에 있다"**
**본보 황영식 주필 등 참석한 제7차 한일언론인 심포지엄**

니시노 준야 일본 게이오대 동아시아연구소 현대한국연구센터장이 24일 도쿄의 게이오대 국제회의실에서 열린 제7차 한일언론인 심포지엄에서 인사말을 하고 있다. 도쿄=박석원 특파원

문재인 대통령의 대선 캠프 외교안보자문그룹에서 핵심역할을 한 최종건 연세대 교수가 24일 일본 도쿄에서 열린 한일 언론인 심포지엄에서 새 정부의 위안부합의 재검토를 시사하는 언급을 해 주목된다. 최 교수는 "합의가 특정 정권의 매우 편협하게 해석된 국익을 위해 만들어졌다면 이것 역시 한국과 일본의 미래지향적 관계에 좋지 않다"며 향후 대일정책 방향성과 관련, 본격적인 합의 재평가 수순을 시사했다.

최 교수는 이날 사단법인 한일미래포럼(대표 추규호 전 주영국대사)과 일본 게이오대 동아시아연구소 현대한국연구센터(센터장 니시노 준야 교수)가 주최하고 한국국제교류재단, 주일한국대사관이 후원해 도쿄의 게이오대 국제회의실에서 열린 '제7차 한일언론인 심포지엄'에서 이같이 설명했다. 최 교수는 문 대통령의 싱크탱크 '정책공간 국민성장'에서 한반도안보신성장추진단장을 맡는 등 문재인 정부의 외교안보정책 수립 과정에 깊숙이 관여해 왔다. 그는 "200만 시민이 참여한 촛불시위로 문재인 정부가 탄생했다"며 새정부의 성격을 일본이 이해할 것을 주문했다.

**게이오대 현대한국연구센터**

한국국제교류재단(KF)과 일본국제교류기금(JF)의 지원을 받아 2009년 문을 열었다. 일본 내 한반도 연구의 중심 중 하나로 연구 프로젝트, 심포지엄, 세미나, 연구회 등 자체 연구를 하는 한편, 한국과의 학술교류에도 힘쓰고 있다. 개소 이래 오코노기 마사오(小此木政夫), 소에야 요시히데(添谷芳秀) 교수가 센터장을 맡아오다 2016년 4월 니시노 준야(西野純也) 교수가 후임 센터장이 됐다.

최 교수는 "우리가 가진 유일한 안보자산은 피플파워"라며 "한국민 대다수가 받아들이지 못하는 위안부합의를 수정 보완해야 할 책임이 한일 양국에 있다"고 말했다. 그는 "재합의, 재개정이란 용어보다 수정 보완이 적합하다고 생각한다. 양 국민과 정부가 동의하도록 업그레이드가 필요하다"며 "일본과의 '관계 보통화'가 매우 중요하다"고도 했다.

이날 니시노 준야 게이오대 교수와 양기호 성공회대 교수의 사회로 진행된 토론에서 양국 언론인들은 위안부합의 등 한일간 현안을 놓고 치열한 공방과 함께 다양한 관계개선 해법을 제안했다. 황영식 한국일보 주필은 과거 '김대중-오부치 선언'(1998년)을 거론하며 구체적 대안을 제시했다. 아베 신조(安倍晋三) 총리의 직접화법에 의한 사죄 등 위안부합의 실효성을 높일 추가적 노력을 언급하면서도 합의를 독립적으로 다룰 경우 해결전망이 불투명해진다며 '조용한 접근'을 강조했다. 그러면서 "역사문제 일괄정리를 겨냥한 제2의 한일파트너십 공동선언이 필요하다"며 "문 정부가 집권당의 정치적 계보나 국민지지도에 비춰 가장 적합하다"고 말했다. 또 "한국의 극심한 일자리문제 해결방안으로 20년 전 '한일대학생교류'같은 대졸자 취업교류 검토"를 주문했다.

그러나 일본 전문가들은 상반된 인식을 드러냈다. 도요우라 준이치 요미우리신문 국제부차장은 "위안부합의를 한국민 대다수가 받아들일 수 없는 상황이라는 데 동의하지 않는다"며 "강경한 입장이 국민전체로 퍼져 다른 의견이 무시당한다"고 말했다. 북한문제에 관해선 "한국은 군사경계선에 배치된 북한 고사포로 서울이 '인질'로 잡혀있지만 북핵·미사일을 새로운 위협으로 간주하지 않는다"며 "일본은 트럼프 정부의 군사공격이나 한반도 유사시 시나리오를 현실적으로 받아들이는 경향이 강하다"고 지적했다.

사와다 가쓰미 마이니치신문 논설위원은 "한미일 입장에서 북한위협은 동상이몽"이라며 일본이 인정해야 할 '불편한 진실'로 "한국의 대일의존도가 1980년대 후반이후 극적으로 줄었다는 점"을 언급했다. 이어 "한국의 '올바름'이 국제표준을 의미하지 않으며 국제사회에서 일본의 존재감은 여전히 크다"라고 말해 눈길을 끌었다.

선우정 조선일보 사회부장은 지난해 더불어민주당이 한일군사정보협정(GISOMIA)에 대해 "전범국 자위대의 실체를 인정하고 우리 관할권내 자위대 진출을 용인한다고 비판했다"며 문재인 정부가 오는 11월 기한이 끝나는 이 협정을 연장하지 않을 것으로 전망했다. 또 "일본이 독도문제를 자위권으로 생각할 여지가 있어 무력으로 해결하지 않는다는 것을 확실히 해야 한다"고 지적했다.

심규선 동아일보 고문은 양국 정부를 향해 "비공개 물밑접촉을 꾸준히 해 (위안부합의 이견 등에 대한) 해결방안을 찾을 것" 등을 제안한 뒤 "한국은 공개검증으로 전 정권 공무원을 망신줘선 안 되며, 일본은 재협상에 응하든 안 하든 돈을 줬으니 소녀상을 이전하라는 식으로 말하지 말라"고 주장했다. "북한 변수를 군사대국화나 평화헌법 개정의 국제사회 무마용으로 사용하지 말라"(한상덕 KBS 보도국 앵커), "양국의 역사·문화가 다르다고 인정해 전면적 갈등구조를 막아야 한다"(조용래 국민일보 편집인), "사태가 꼬인 결정적 지점(위안부합의)으로 뒷걸음질할 필요가 있다"(정남구 한겨레신문 논설위원)는 의견도 제시됐다.

하코다 데쓰야 아사히신문 논설위원은 "위안부 문제가 국가위신의 상징이 돼가고 있다"며 "(합의 파기는) 국제법 위반이라는 불명예를 가져올 수 있다"고 진단했다. 이데이시 타다시 NHK해설위원은 "초고령사회와 빈부격차 확대, 세계화의 그늘, 언론 불신풍조 등 양국 공통의 관심과제를 주목하자"고 주장했다. 이준규 주일 한국대사가 이날 행사에 앞서 축사를 했고, 일본내 한반도 연구 대부격인 오코노기 마사오 게이오대 명예교수가 참석했다. (도쿄=박석원 특파원·2017년 6월 26일 입력)

한일미래포럼의 운영진은 다음과 같다(2021년 7월 현재).

| 직 책 | 이 름 | 경 력 |
|---|---|---|
| 이사장<br>(대표) | 김충식 | 고려대 졸업, 동아일보 사회부장·도쿄지사장·논설위원, 방송통신위원회 부위원장, 가천대 대외부총장, (현)가천대 특임부총장 |
| 이사 | 고바야시 나오히토(小林直人) | 교토대 법학부 졸업, 마루베니 서울지점 기획실장, 국제교류기금 서울일본문화센터 소장, 김앤장 법률사무소 고문 |
| | 서영아 | 연세대 영문과 졸업, 동아일보 도쿄특파원, 지국장. 논설위원, 채널A 보도본부 부본부장 (현)동아일보 콘텐츠기획본부 국장급기자 |
| | 심규선 | 서울대 국어교육과 졸업, 동아일보 도쿄특파원, 편집국장, 대기자 (현)서울대 일본연구소 객원연구원 |

| | | |
|---|---|---|
| | **양기호** (운영위원장) | 연세대 정외과 졸업, 게이오대 정치학 박사<br>(현)성공회대 교수, 청와대 국가안보실 자문위원 |
| | **이유진** | 연세대 정외과 졸업, 캐나다 토론토대 정치학 박사, 통일연구원 책임연구원 (현)숙명여대 정외과 교수 |
| | **임승빈** | 도쿄대 학술(행정학)박사, 한국행정연구원 연구위원, 한국지방자치학회장 (현)명지대 행정학과 교수 |
| | **함채원** | 한국외대 통번역학 박사, 삼성전자 근무, (현)한국외대 통번역대학원 강사, 한국외대 통번역연구소 초빙연구원 |
| | **황영식** | 서울대 정치학과 졸업, 한국일보 도쿄특파원, 문화부장, 논설실장, 주필, 서울대 언론정보학과 기금교수 |
| 감사 | **김영덕** | 조치대 신문학전공 박사과정 수료, 한국콘텐츠진흥원 일본사무소장, 한국콘텐츠진흥원 부원장, (현)경남문화예술진흥원장 |

한일미래포럼의 전 이사장(대표)은 정구종 동서대 일본연구센터 고문, 염재호 전 고려대 총장, 추규호 교황청 대사였고, 전 운영위원장은 이강민 한양대 교수였다.

미래포럼의 자문위원은 다음과 같다.

| 이 름 | 경 력 |
|---|---|
| **유명환** | 전 외교통상부장관, (현)김앤장 법률사무소 고문 |
| **정재정** | 전 동북아역사재단이사장 (현)광주과학기술원 초빙석학교수 |
| **서석숭** | 전 주 슬로바키아 대사 (현)한일경제협회 상근부회장 |
| **문정인** | 전 연세대 교수, 대통령 통일외교안보특별보좌관, (현)세종연구소 이사장 |
| **선우정** | 전 조선일보 전 도쿄특파원, (현)조선일보 논설위원 |
| **신경호** | 고쿠시칸대 교수, 수림문화재단 상임이사 |
| **유재진** | 고려대 일어일문학과 교수 |
| **이 훈** | 이희건한일교류재단 선임고문 |
| **임병걸** | 전 KBS 도쿄특파원, (현)KBS 부사장 |

한일미래포럼은 서울 서대문구 충정로 2-191, 골든타워 빌딩 1701호에 있다.

전화 02-723-3855 팩스 02-3453-2407 이메일 kjsforum@daum.net 홈페이지 www.kjff.kr

## 3. 세토포럼

세토포럼은 2013년 6월에 발족한 사단법인 민간포럼이다. 세토(SETO)라는 이름은 SEOUL의 'SE'와 TOKYO의 'TO'에서 따왔다. 한일관계 전문가들이 모여 양국 간의 이해증진과 이를 위한 대안 마련에 노력하고 있다.

그간의 주요 행사를 보면 다음과 같다.

| 일시 | | 내용 |
|---|---|---|
| 2013년 6월 | | SETO(SEOUL-TOKYO) 포럼 공식발족 |
| 2014년 7월 | | 창립 1주년 기념 제1회 한일세미나(한국프레스센터) |
| 2015년 12월 | | 제2회 한일세미나(일본 게이오대) |
| 2016년 9월 | | 사단법인으로 변경 |
| 2017년 | 4월 | 지정기부금단체 지정 |
| | 12월 | 제3회 한일세미나(한국프레스센터) |
| 2018년 5월 | | 제4회 한일세미나(일본 게이오대) |
| 2019년 | 4월 | 전경련과 공동주최: 한일관계 진단 전문가 좌담회(전경련회관) |
| | 5월 | 일본 자매조직 구성을 위한 도쿄회의(제국호텔) |
| | 10월 | 제5회 한일세미나(일본 릿쿄대) |
| 2020년 | 10월 | 부산 국제세미나 |
| 2021년 | 5월 | 청년아카데미 발족 |

세토포럼은 한 달에 한 번꼴로 정기포럼을 열고 있다. 발표자가 한일관계의 주요 현안을 발표하고, 회원들이 자유롭게 토론하는 방식이다. 보통 2시간이 걸리고 20~30여 명의 회원이 참석한다. 2013년부터 시작해 2021년 6월에 68번째 정기포럼을 개최했다.

## 국내 정기포럼(2015년 이후)

| 연 월 | | 발표자 | 내 용 |
|---|---|---|---|
| 2015 | 2 | 황영식 한국일보 주필 | 한일관계와 언론의 역할 |
| | 3 | 박철희 서울대 교수 | 한일 양국의 착시 현상과 한일관계 |
| | 4 | 박준우 세종연구소 이사장 | 최근의 한일관계 어떻게 보아야 하나-양국관계 갈등봉합의 패턴 |
| | 5 | 오영환 중앙일보 논설위원 | 미일 방위협력지침과 일본 안보 법제 |
| | 6 | 와카미야 요시부미(若宮啓文) 전 아사히신문 주필 | 일본은 지금 |
| | 7 | 심규선 동아일보 대기자 | 한일정상회담과 장기적 관계 개선을 위한 언론의 역할 |
| | 10 | 다카스기 노부야(高杉暢也) 김앤장 고문 | 외국인 CEO가 바라본 한국 경제 과거·현재·미래 |
| | 12 | 한일세미나 | 제2회 한일세미나: 한일, 새로운 50년을 향해서 |
| 2016 | 3 | 최종문 클래식500 대표 | 최근 통계로 본 한일 민간교류 현황 |
| | 4 | 윤종규 KB금융그룹 회장 | 일본의 산업구조조정 경험과 한국에 대한 시사점 |
| | 5 | 야나기마치 이사오(柳町功) 게이오대 교수 | 기업의 지속 성장과 최고경영자-스즈키 오사무의 사례 |
| | 6 | 이준규 신임 일본대사 | 이준규 신임 일본대사 초청 간담회 |
| | 7 | 이용숙 간사이국제대 교수 | 관광과 사케 |
| | 9 | 심규선 동아일보 대기자 | 화해치유재단을 둘러싼 환경 |
| | 12 | 박철희 서울대 교수 | 트럼프시대의 동아시아정책과 한일관계 |
| 2017 | 2 | 오태규 한겨레신문 논설실장<br>이케하타 슈헤이(池畑修平) NHK 서울지국장 | 한일갈등 장기화에 따른 일본의 시각과 분위기 |
| | 3 | 서석숭 한일경제협회 상근부회장 | 최근의 한일경제협력 현황 |
| | 4 | 김현철 서울대 일본연구소장 | 저성장과 새로운 대한민국 |
| | 5 | 김기정 연세대 교수 | 새정부의 외교정책 |
| | 6 | 요네무라 고이치(米村耕一) 마이니치신문 서울지국장 | 문재인정부 출범을 보는 일본의 시각 |
| | 9 | 오태규 전 한겨레신문 논설실장 | 문재인정부의 대일정책, 역사문제와 안보협력 사이에서 |

**스즈키 오사무(鈴木修)**

일본 스즈키 자동차 2대 사장인 스즈키 슌조(鈴木俊三)의 사위로 1958년 스즈키에 입사해 1978년 48세 때 사장에 취임했다. 이후 회장까지 지내며 2021년 6월 고문으로 물러날 때까지 50년 이상 회사를 이끌었다. 그간 인도 진출 등에 성공해 매출을 10배 이상 끌어올리는 등 경차 시장의 강자로 성장했다. 장수 경영인으로도 유명하지만 '카리스마 경영자' '원맨 경영자'가 트레이드 마크다. 후임 사장은 장남인 스즈키 도시히로.

| 연 월 | | 발표자 | 내 용 |
|---|---|---|---|
| | 10 | 후지요시 유코(藤吉優行) 서울재팬 클럽회장 | 앞으로의 한일 양국 기업의 연계 · 협업에 대하여 |
| | 11 | 자유토론 | 나가미네 야스마사 주한 일본대사 초청 |
| | 12 | 한일세미나 | 제3회 한일세미나: 한일관계 어떻게 할 것인가 |
| 2018 | 2 | 윤덕민 한국외대 석좌교수 | 북한문제 어떻게 해결할 것인가 |
| | 3 | 데이비드 스트라우브 전 미국무부 한국과장 | 미국은 한일관계를 어떻게 보는가 |
| | 4 | 미치가미 히사시(道上尙史) 주한 일본대사관 공사<br>심규선 서울대 일본연구소 객원연구원 | 중국, 북한 그리고 일본<br>북미중 그리고 한일 |
| | 5 | 한일세미나 | 제4회 한일세미나: 새로운 국면을 맞이한 한일협력 |
| | 6 | 나카지마 겐타로(中島健太郎) 요미우리신문 서울지국장 | 북미회담결과와 한일관계 |
| | 7 | 김경한 컨슈머타임스대표 | 사카모토 료마와 메이지 유신 |
| | 9 | 서승원 한일경제협회 상근부회장 | 지정학적 관점에서 본 아베 일본의 대외전략과 한일관계 |
| | 10 | 김인덕 재일코리안연구소장 | 통일시대 재일동포의 사회화합 |
| | 11 | 호리야마 아키코(堀山明子) 마이니치신문 서울지국장 | 아베 총리의 대한반도 정책: 북일문제, 징용자판결 |
| 2019 | 2 | 박철희 서울대 교수 | 한일갈등의 원인과 해법 |
| | 3 | 김현겸 팬스타그룹 회장 | 한일갈등의 원인과 해법2: 해양에서의 한일북 협력 현황과 미래 |
| | 4 | 긴급좌담회 | 한일관계진단 전문가 긴급좌담회(전경련과 공동주최) |
| | 6 | 이구형 ㈜삼일물산대표 | 내가 만난 일본 사람 - 한일 비즈니스 39년 노하우 |
| | 7 | 자유토론 | 현 한일관계에 대하여 |
| | 9 | 이영관 도레이첨단소재 회장 | 한국 부품소재산업 경쟁력 강화 방안 |
| | 10 | 한일세미나 | 제5회 한일세미나: 한일갈등을 넘어서 |
| | 11 | 신각수 전 주일대사<br>김태환 한일친선협 이사장 | 한일관계 회복을 위한 로드맵<br>한일관계에 대한 회고 |

| 연 월 | | 발표자 | 내 용 |
|---|---|---|---|
| 2020 | 2 | 미바에 다이스케(實生泰介) 주한 일본대사관 정무공사 | 한일 양국 간의 현안 설명 |
| | 5 | 신각수 전 주일대사 | 코로나와 한일관계 |
| | 6 | 박철희 서울대 국제대학원 교수 | 일본기업자산의 현금화 가능성과 한일관계 |
| | 7 | 안총기 전 외교부 1차관 | 11.3 미국 대선 전망과 국내 영향 |
| | 10 | 부산세미나 | 한일관계의 역발상: 지역, 민간, 차세대, 탈역사의 이니셔티브 |
| 2021 | 2 | 방문신 SBS논설위원 | 언론 속 한일관계와 친일 프레임의 근원 |
| | 3 | 호리야마 아키코 마이니치신문 서울지국장 | 한일관계의 악화와 디지털 미디어이 변화: 상호관계와 부(負)의 스파이럴을 고찰한다 |
| | 4 | 윤태성 카이스트 기술경영전문대학원 교수 | 세계의 기술전쟁 |
| | 5 | 권용대 전 아시아나항공 일본본부장 | 한국과 일본의 미묘한 차이 |
| | 6 | 문성욱 KT글로벌사업본부장 | 선택이 아닌 필수: 디지털 트랜스포메이션(DX) |

2020년 10월 16일 부산 동서대의 센텀캠퍼스 컨벤션홀에서 열린 세미나의 내용은 다음과 같다.

**한일관계의 역발상 : 지역, 민간, 차세대, 탈역사의 이니셔티브**

| 시 간 | 구 분 | 발표자 |
|---|---|---|
| 14:00~14:30 | 개회식 | 개회사 신각수(세토포럼 이사장)<br>환영사 마루야마 고헤이(주부산 일본총영사)<br>장제국(동서대 총장) |
| 14:30~16:00 | 제1세션 | 주제 **지역발 한일관계**<br>사회 방문신(SBS 논설위원)<br>발제 배수현(부산연구원 연구위원)<br>김현겸(팬스타회장, 대한민국해양연맹 총재) |
| 16:15~17:45 | 제2세션 | 주제 **차세대와 탈역사의 눈으로 본 한일관계**<br>사회 서형원(청암대 총장)<br>발제 이원범(전 동서대 일본연구센터 소장, 한일차세대 학술포럼 운영위원장, 캠퍼스아시아 책임교수)<br>심규선(전 동아일보 대기자) |
| 17:45~18:00 | 종합정리 | 박철희 세토포럼 기획위원장 |

세토포럼은 또 매년 일본과 한국에서 학계, 경제, 언론계, 정계, 관계(전직 외교관)의 한일전문가들을 모아 한일세미나를 개최하고 있다.

다음은 최근 두 차례의 한일세미나 개요이다.

**새로운 국면을 맞이한 한일협력(일본 게이오대 동관홀, 2018년 5월 19일)**

| 시 간 | 구 분 | 발표자 |
|---|---|---|
| 13:30~14:00 | 개회사 | 신각수(SETO포럼 이사장) |
| | 격려사 | 아오야마 도지로(게이오대 선임이사) |
| | 축사 | 이수훈(주일 한국대사)<br>누카가 후쿠시로(額賀福志郎 · 일본 자민당 의원, 한일의원연맹 회장)<br>니카이 도시히로(二階俊博 · 일본 자민당 간사장) |
| **제1세션: 북핵과 한 · 일협력의 이중주-평화구축과 안보협력**<br>진행 소에야 요시히데(添谷芳秀) 게이오대 법학과 교수 | | |
| 14:00~15:50<br>(110) | 주제 발표 | 일본 니시노 준야(西野純也 · 게이오대 현대한국연구센터장)<br>한국 박철희(서울대 국제대학원 원장) |
| | 지정 토론 | 일본 사카타 야스요(坂田康代 · 간다외국어대 국제커뮤니케이션학과 교수)<br>한국 심규선(서울대 언론정보학과 기금교수) |
| **제2세션: 한 · 일경제사회의 새 단계 - 생활향상협력과 자유개방경제**<br>진행 이수철(GH홀딩스 회장) | | |
| 16:10~18:00<br>(110) | 주제 발표 | 일본 다카야스 유이치(高安雄一 · 다이토분카대 교수)<br>한국 김현겸(팬스타그룹 회장) |
| | 지정 토론 | 일본 아베 마코토(安倍誠 · 아시아경제연구소 연구원)<br>한국 김춘환(한국 하쿠호도제일 사장) |

**곽양춘(郭洋春)**

도쿄에서 태어나고 자란 재일동포 2세로 2018년 4월 일본 릿쿄대(立教大) 총장이 됐다. 릿쿄대는 1874년 미국 선교사가 세운 대학으로 게이오대, 와세다대의 뒤를 잇는 사학 명문이다. 곽 총장은 한국계 최초의 일본 주요대학의 총장이자, 이 대학의 전후 최초 외국인 총장으로 주목을 받았다. 일본에서 통일운동을 했던 고 곽동의 재일한국민주통일연합 의장의 장남으로 아시아경제에 정통한 경제학자이다. 2020년 5월 총장실 근무자의 성추행사건에 책임을 지고 중도 사임했다.

**한일 갈등을 넘어서(일본 릿쿄대 다치카와 기념교류회관, 2019년 10월 25일)**

| 시 간 | 구 분 | 발표자 |
|---|---|---|
| 14:00~14:30 | 개회 | 유철준(SETO포럼 상임이사 겸 사무총장) |
| | 환영사 | 곽양춘(릿쿄대 총장) |
| | 축사 | 남관표(주일 한국대사)<br>가와무라 다케오(河村建夫 · 일한의원연맹 간사장, 일한친선협회 회장) |

| 14:30~15:00 | 기조강연 | 신각수(SETO포럼 이사장): **한일 관계 회복을 위한 로드맵** |
|---|---|---|
| **제1세션: 한일 경제 - 협력의 끈**<br>사회 다지마 가요(릿쿄대 교수) | | |
| 15:15~16:45 | 대담 | 후카가와 유키코(深川由起子 · 와세다대 교수)<br>이수철(한일경제협회 상임이사)<br>야나기마치 이사오(柳町功 · 게이오대 교수)<br>황성빈(릿쿄대 교수) |
| **제2세션: 한일 외교안보 - 지정학적 연대**<br>사회 오코노기 마사오(小此木政夫 · 게이오대 명예교수) | | |
| 16:45~18:30 | 대담 | 이가라시 아키오(五十嵐曉郎 · 릿쿄대 명예교수)<br>박철희(서울대 국제대학원 교수)<br>하코다 데쓰야(箱田哲也 · 아사히신문 논설위원)<br>사와다 가쓰미(澤田勝己 · 마이니치신문 외신부장)<br>박진원 (LG경제연구원 정책연구부문장 · 전무) |

세토포럼 운영진은 다음과 같다.

| 직책 | 이름 | 경력 |
|---|---|---|
| 이사장 | **신각수** | 법무법인 세종 고문, 전 주일대사, 외교부 1, 2차관 |
| 이사 | **구자열** | LS그룹 회장, 한국무역협회장, 대한자전거연맹 회장 |
| 이사 | **박준우** | 전 세종연구소 이사장, 대통령정무수석 |
| 이사(기획위원장) | **박철희** | 서울대 국제대학원 교수, 국제학연구소장 |
| 이사(재정위원장) | **신상훈** | 금융산업공익재단 이사장, 전 신한은행장 |
| 이사(홍보위원장) | **심규선** | 서울대 일본연구소 객원연구원, 전 동아일보 편집국장 |
| 이사 | **유자은** | 건국대 이사장 |
| 이사(사무총장) | **유철준** | 유림그룹 부회장, 전 대통령비서실 해외언론국장 |
| 이사(대외협력위원장) | **이수철** | GH홀딩스 회장, 전 삼성재팬 사장 |
| 이사 | **장제국** | 동서대 총장, 한국사립대학총장협의회 회장 |
| 감사 | **김춘환** | 하쿠호도제일 고문, 전 하쿠호도제일 대표이사 |

2021년 7월 현재 세토포럼 정회원 명단은 다음과 같다(가나다순).

가미야 다케시(아사히신문 서울지국장), 강원형(에스엔케이폴리텍㈜ 회장), 고로야스 도시로(미즈호은행 서울지점장), 구자열(LS그룹 회장), 권용대(전 아시아나항공 일본본부장), 권태환(한국국방외교협회장), 김경조(㈜메가마트 대표), 김경한(컨슈머타임스 대표), 김석기(국민의힘 국회의원), 김영대(대성 회장), 김원진(전 캄보디아 대사), 김윤(삼양홀딩스 대표이사 회장), 김인회(KT 경영전략부문 사장), 김재옥(법무법인(유) 변호사), 김정수(㈜케이씨앤에이 대표), 김준(㈜경방 회장), 김춘환(하쿠호도제일 사장), 김태환(한일친선협회 이사장), 김현겸(팬스타그룹 회장), 김현철(서울대 일본연구소장), 김회선(김앤장 변호사), 김효상(㈜크로스로드파트너스 대표), 노운하(파나소닉코리아 고문), 모리야마 도모유키(森山朋之, 한국미쓰이물산㈜ 사장), 문성욱(KT글로벌사업본부장), 문재연(헤럴드경제 기자), 문지용(Kenkai Investment Advisor CEO), 박남숙(교세이국제특허정보 대표(포럼 여성위원장)), 박동하(대경대 한류캠퍼스 교수), 박재하(한국금융연구원 선임연구원), 박준우(전 세종연구소 이사장), 박진원(LG경제연구원 정책연구부문 전무), 박철희(서울대 국제대학원 교수), 방문신(SBS논설위원), 서석숭(한일경제협회 상근부회장), 서형원(청암대 총장), 성상제(㈜렉서스와이엠 사장), 신각수(전 주일대사), 신상훈(전 신한은행장), 심규선(서울대 일본연구소 객원연구원), 심윤조(국민대 정치대학원 초빙교수), 안종원(한국무역협회 부회장), 안총기(전 외교부 2차관), 양용웅(재일본 본국투자협회 고문), 양희민(세토포럼 사무국장), 염재호(전 고려대 총장), 오경석(주식회사 팬코 대표), 오태규(전 주 오사카 총영사), 유이화(이타미준 건축연구소 대표), 유자은(건국대 이사장), 유철준(우림그룹 부회장), 윤덕민(전 국립외교원장), 윤종규(KB금융그룹 회장), 윤태성(카이스트 기술경영전문대학원 교수), 윤호중(더불어민주당 국회의원), 이경재(㈜삼진엘앤디 회장), 이구형(㈜삼일씨앤에프 회장), 이상덕(전 싱가포르 대사), 이상준(화인㈜ 대표), 이석구(전 국방대 총장), 이석봉(㈜대덕넷 대표), 이성락(전 고든앤파트너스 대표), 이수철(㈜지에이치홀딩스 회장), 이영관(도레이첨단소재 회장), 이용숙(간사이국제대 교수), 이종걸(민족화해범국민협의회 대표상임의장), 이진섭(한성PC건설건설 영업부문장 상무), 이철희(전 CJ그룹 부사장), 임은정(국립공주대 교수), 장제국(동서대 총장), 조시희(덴쓰코리아 이사), 조용래(한일의원연맹 사무총장), 조준희(전 IBK산업은행장), 조현재(전 매일경제 사장), 조현준(효성그룹 회장), 진옥동(신한은행장), 최윤(OK금융그룹 회장), 최종문(㈜케프 부회장), 하세가와 고지(한국이토추 사장), 하영봉(삼양인터내셔널 대표이사 부회장), 현주미(신한금융투자 본부장), 후지요시 유코(한국미쓰비시상사㈜ 사장)

일본에서는 2020년 세토포럼의 카운터파트 조직을 구성했다. '토세(도쿄-서울)포럼'이라고 할 만한 이 포럼은 세토포럼의 멤버였다가 일본으로 돌아간 상사주재원이나 언론사 특파원들을 어떻게 네트워킹할지를 고민하다 떠올린 아이디어다. 일본에서 활동하고 있는 유력한 재일동포 경제인들도 이 구상에 합류하며 사무실을 마련하는 등 40여 명이 본격적인 활동을 준비 중이다.

다음은 2017년 12월 7일 한국프레스센터에서 '한일관계, 어떻게 할 것인가'를 주제로 연 세미나를 보도한 〈한겨레신문〉의 기사이다.

### 日 "민감한 현안이 미치는 영향 과소평가 말라"

**7일 세토포럼 참석한 주한 일본 총괄공사**
**"미묘·민감한 문제 조용히 관리가 중요"**
**외교부 위안부 합의 TF 조사 발표 앞 눈길**

한-일 정부가 2015년 맺은 일본군 위안부 피해자 문제 관련 '12·28 합의'에 대한 외교부의 검토 결과 발표를 앞두고, 일본 정부 관계자가 "미묘하고 민감한 현안 각각이 미치는 영향을 과소평가하지 말라"고 말했다.

(2017년 12월) 7일 오후 서울 프레스센터에서 열린 세토포럼 국제세미나 '한-일 관계 어떻게 할 것인가'에 참석한 미즈시마 고이치 주한 일본대사관 총괄공사는 "한-일 양국 간에는 미묘한 현안이 있는 게 사실"이라며 이같이 말했다. 미즈시마 총괄공사는 "미묘한 센시티브(민감)한 문제는 조용하게 매니지먼트(관리)하는 게 중요하다고 하는데, 미묘한 문제를 외교문제화, 정치문제화하지 않는 노력이 필요하지 않나 싶다"고 덧붙였다.

이는 지난 7월말 출범한 외교부 '한-일 일본군 위안부 피해자 문제 합의 검토 태스크포스'(이하 12·28 티에프)가 곧 지난 5개월간의 활동을 마치고 공개할 내용을 겨냥한 발언으로 보인다. 문재인 정부는 위안부 등 역사 문제와 다른 분야를 분리·병행하는 '투 트랙' 접근법 제시하고, 위안부 문제의 경우는 '12·28 티에프' 조사 결과 발표 이후로 정부의 대응을 미뤄둔 상태다.

미즈시마 총괄공사는 또 "중장기적으로 한-일 관계를 어떻게 할 것인지, 어떻게 만들고 싶

**위안부 합의 검토 TF**
문재인 정부 출범 후 외교부가 박근혜 정부의 2015년 12월 28일 위안부 합의를 검증하려고 만든 조직이다. 공식 이름은 '한일 일본군 위안부 피해자 문제 합의 검토 태스크포스.' 외교부 내외부 인사 10여 명으로 구성해 2017년 7월 31일부터 12월 27일(보고서 발표)까지 활동했다. 보고서는 2015년 12월 28일 합의가 피해자중심주의를 지키지 않았고, 비밀협상을 했으며, 대통령과 외교부 사이에 소통이 부족했다고 지적했다. 이 보고서는 화해치유재단을 해산하는 근거가 됐다.

은지를 충분히 생각하면서 해나갈 필요가 있다"며 "미묘하고 민감한 현안 각각이 미치는 영향을 과소평가하지 말고 적절히 대응해야 할 필요가 있다고 생각한다"고 말했다.

이에 앞서 '12 · 28 티에프'를 이끌고 있는 오태규 위원장은 개인 입장임을 전제로 "일본은 (위안부) 합의를 지키지 않으면 한-일 관계가 큰 어려움에 처할 것이라는 점을 강조하고 있다"면서 "하지만 '국민이 주인인 나라'를 표방하고 있는 문재인 정부는 국민의 70% 이상이 합의에 반대하는 상황을 무겁게 받아들이지 않을 수 없는 상황"이라고 말했다. 오 위원장은 "위안부 티에프의 검토보고서가 나온 뒤 정부가 시점을 골라 대응책을 내놓겠지만 (중략) 이 과정에서 한-일 두 나라가 접점을 찾을 수 있는 창의적인 해법이 있다면 가장 좋을 것이지만 어떤 것이 그런 것인지는 잘 떠오르지 않는 게 현실"이라고 덧붙였다. 이달 중에 있을 12 · 28 티에프 결과 발표로 한-일 관계가 다시 풍파를 맞을 수 있음을 내비친 것으로 보인다.

이날 토론자로 참석한 심규선 동아일보 고문은 "(문재인 정부의) 투트랙 문제에 비관적"이라며 "(투트랙 접근법은) 일본도 수용할 것이라는 전제에서 얘기하는데 지금 (일본이) 조용한 것은 (투 트랙 접근법을) 수용해서가 아니라 위안부 티에프 결과가 나오지 않았기 때문"이라고 말했다. 그는 "상대방(일본)이 (투 트랙 접근을) 수용하지 않을 경우 대비책도 있어야 한다"고 조언했다. 심 고문은 "한국에서 위안부 문제가 얼마나 중요한지 알고 싶으면 일본에서 납치 문제를 생각했으면 좋겠다"고도 해 눈길을 끌었다. 그는 위안부 문제와 일본 납치 문제는 "누구도 반대하지 못하는 인권에 관한 문제이며, 양쪽 모두 국가가 개입한 범죄이자 세계적인 이슈로 발전"된 공통점이 있다면서 "(두 문제 모두) 가해자가 큰소리를 치는 문제"라고 덧붙였다.

이케하다 슈헤이 〈엔에이치케이〉(NHK)방송 서울지국장은 "문재인 대통령은 국민정서상 위안부 합의를 받아들이기 힘들다고 했는데 국민 정서는 어느 나라든 갖고 있다"며 "일본에서 (주한 일본)대사관과 부산총영사관 앞 소녀상을 보면서 국민정서상 반감을 갖는 게 한국 사람들이 이해하는 것보다 더 크다"고 말했다. 이케하다 지국장은 지난 8 · 15 축사에서 문 대통령의 조선인 강제징용노동자 발언과 일본 정부의 한국 위안부 피해자 기념비 또는 기념관 설립 문제에 대한 항의는 것은 양국 관계에 도움되지 않는다고 지적했다. 아울러 한국 정부가 말하는 '투 트랙' 접근이 되기 위해서는 위안부 문제 등 역사문제를 민간 전문가들에게 맡겨야 한다고도 했다.

**부산소녀상**
2016년 12월 28일 부산시민단체들이 부산 동구의 주 부산 일본총영사관 앞에 설치했다. 일본은 이에 항의해 나가미네 야스마사(長嶺安政) 주한 일본대사와 모리모토 야스히로(森本康敏) 부산총영사를 일시 귀국시키고, 양국 간 진행 중이던 한일통화스와프 협상과 한일고위급 경제협의를 중단했다. 과거사와 그 밖의 문제를 분리해 대응하자는 소위 '투 트랙'을 주장해 온 일본 정부는 이 사건을 계기로 '원 트랙'으로 돌아갔다.

이날 포럼에서는 한-일 관계를 어떻게 복원해야 할지에 대한 다양한 의견이 제시됐다. 미즈시마 총괄공사는 "(문재인 정부 출범 후) 한-일 관계는 좋은 스타트를 끊었다"면서 "(양국 정상 간) 첫 정상회담에서 합의했던 셔틀외교 재개 구체화는 충분히 이행되지 않았다"고 말했다. 그러면서 "셔틀외교는 이를 통해 양국의 지도자가 신뢰 관계를 더욱 증진할 수 있고 양국 국민에 대해서도 정상 간의 신뢰관계를 보일 수 있는 관점에서 중요한 의미"라며 "기회를 봐서 셔틀외교 재개를 희망하는 바"라고 밝혔다.

앞서 지난 7월 문재인 대통령과 아베 신조 일본 총리는 독일 함부르크의 주요 20개국(G20)

정상회의를 계기로 한 첫 정상회담에서 지난해 말 부산 일본총영사관 앞 소녀상이 세워진 뒤 경색됐던 양국 관계를 '미래지향적인 새로운 한-일 관계'로 만들자는 데 공감했다. 이 일환으로 두 정상은 2012년 8월 이명박 전 대통령의 독도 방문 뒤 중단된 양국 정상 간 셔틀외교 복권에도 합의했다. 두 정상은 그동안 2차례의 정상회담과 9차례의 전화통화를 했으나 양국은 아직 전면적인 관계 정상화를 하지 못하고 있다. (김지은 기자 mirae@hani.co.kr · 2017년 12월 7일 입력)

KOREA-JAPAN

# 4. 한일비전포럼

한일비전포럼은 2019년 4월 재단법인 한반도평화만들기(이사장 홍석현 중앙일보 · JTBC 회장)가 만든 포럼이다.

한반도평화만들기 측은 "정치 · 역사 · 경제 · 군사 등 중요분야에서 한일관계가 경색됐지만 정부와 민간 차원 모두 관계개선 노력이 부족하고, 장기적으로 남북문제 해결 및 동북아시아 평화정착에 도움을 주기 위해서도 한일관계에 대한 논의가 필요하다는 판단에 따라 포럼을 만들게 됐다"고 밝혔다.

한일비전포럼은 한국 내 일본 관련 전문가와 경제계 인사가 모여 한일 관계 개선을 위한 실질적이고 전략적인 해법을 논의하고, 그 과정과 결과를 정책 당국과 공유하거나 조언하겠다는 의지를 갖고 있다. 또 중앙일보 미디어그룹과 연계해 포럼 활동을 소개하고 한일 관계 개선을 위한 국민적 공감대 형성에도 기여하겠다는 뜻을 피력했다.

재단법인 한반도평화만들기(사무총장 신영수)는 한일비전포럼을 재단의 일본 및 외교 관련 싱크탱크로 포지셔닝해 매월 한 차례 정기모임을 열고, 상대국을 오가며 매년 두 차례 한일 공동모임을 개최하며, 중장기적으로는 한일 1.5트랙 포럼으로 발전시키겠다는 구상을 다듬고 있다.

**한일 1.5트랙 포럼**

민간인인 포럼 회원과 정부관계자가 참석하는 반관반민 형태의 포럼. 정부 간의 관계가 경색됐을 때 정부보다는 유연한 태도나 입장을 취할 수 있는 1.5트랙을 통해 관계 개선의 물꼬를 트려는 시도를 많이 한다.

한일비전포럼의 조직은 다음과 같다.

| 직 책 | 이 름 | 전 현직 경력 |
|---|---|---|
| 대표 | **홍석현** | 재단법인 한반도평화만들기 이사장, 중앙일보 · JTBC 회장 |
| 운영위원장 | **신각수** | 세토포럼 이사장, 전 주일대사, 외교부 1,2차관 |
| 간사 | **박철희** | 서울대 국제대학원 교수, 국제학연구소 소장 |
| 참가자 | **구자열** | LS그룹 회장, 한국무역협회장, 대한자전거연맹 회장 |
| | **권태환** | 한국국방외교협회장 |
| | **김광두** | 국가미래연구원장, 전 국민경제자문회의 부의장 |
| | **김성곤** | 사단법인 평화 이사장, 전 국회의원 |
| | **김세연** | 전 국회의원 |

| 참가자 | 김 윤 | 삼양홀딩스 회장, 한일경제협회 회장 |
|---|---|---|
| | 김진표 | 국회의원 |
| | 김현철 | 서울대 일본연구소장, 전 대통령 경제보좌관 |
| | 서석숭 | 한일경제협회 상근부회장 |
| | 신현호 | 법률사무소 해울 대표변호사 |
| | 안호영 | 북한대학원대학교 총장, 전 주미 대사 |
| | 양기호 | 성공회대 일본학과 교수 |
| | 위성락 | 서울대 객원교수, 전 주러시아 대사 |
| | 유명환 | 한일포럼 회장, 전 외교통상부 장관, 대양학원(세종대) 이사장 |
| | 이근관 | 서울대 법학전문대학원 교수 |
| | 이원덕 | 국민대 일본학과 교수, 전 국민대 일본학연구소장 |
| | 이하경 | 중앙일보 주필 |
| | 장제국 | 동서대 총장. 한국사립대학총장협의회 회장 |
| | 정재정 | 서울시립대 명예교수, 광주과학기술원 초빙석학교수 |
| | 조관자 | 서울대 일본연구소 교수 |
| | 최상용 | 고려대 명예교수, 전 주일 대사 |
| | 홍규덕 | 숙명여대 정외과 교수, 전 국방부 국방개혁실장 |

한일비전포럼에 발표자나 옵저버로 참석한 인사는 다음과 같다(2020년 8월까지, 직책은 참석 당시).

김동열(글로벌강소기업지원센터 대표, 전 중소기업연구원장), 김동환(금융연구원 부원장), 김준(SK이노베이션 사장), 박상규(SK네트웍스 사장), 박영준(국방대 안보대학원 교수), 박철균(국방부 군비통제검증단장), 송기호(수륜아시아법률사무소 변호사), 송호근(포스텍 석좌교수), 오성엽(롯데지주 사장), 이지평(LG경제연구원 상근자문위원), 이재민(서울대 법학전문대학원 교수), 유의상(전 외교부 영토표기대사), 윤기(일본 고향의집 이사장), 윤창현(전 금융연구원장), 장용호(SK머티리얼스 사장), 조태용(전 외교부 차관), 주완(김앤장 법률사무소 변호사), 주현(전 청와대 중소기업비서관), 천영우(전 대통령비서실 외교안보수석), 최광해(우리금융연구소장, 전 기획재정부 공공정책국장), 최병일(이화여대 국제대학원 교수)

한일비전포럼은 발족 후 2019년 4월부터 11월부터 집중토의를 했다.

**한일비전포럼 집중토의 주제 및 발표자**

| 월 일 | | 발표자 | 발표 주제 |
|---|---|---|---|
| 4월 | 15일 | 신각수 전 주일대사 | 한일은 서로에게 왜 중요한가 |
| | 29일 | 정재정 서울시립대 명예교수 | 한일 과거사 현안, 어떻게 처리해야 하나 |
| 5월 | 7일 | 홍규덕 숙명여대 교수 | 미국의 동아시아 전략과 한일관계 |
| | 27일 | 박철희 서울대 교수 | 동북아 세력전환과 한일관계 |
| 6월 | 3일 | 나가미네 야스마사 주한대사 | 일본 관점에서 본 한일관계 타개 방안 |
| | 24일 | 서석숭 한일경제협회 상근부회장 | 한일기업 간 협력 네트워크: 단절의 위험성과 시너지 효과 |
| 7월 | 1일 | 박태호 법무법인 광장 국제통상연구원장 | 한일 무역통상 협력의 도전과 과제 |
| | 8일 | 조세영 외교부 제1차관 | 한일관계에 대한 정부의 입장 |
| 8월 | 7일 | 이지평 LG경제연구원 상근자문위원 | 일본의 화이트리스트 한국배제 충격과 대응 |
| | 14일 | 이근관 서울대 법학전문대학원 교수 | 대법원 징용피해자 배상판결의 국제법적 의미 |
| | 19일 | 박영준 국방대 교수 | 한일 대립과 지소미아(GSOMIA), 그리고 한반도 안보 |
| | 26일 | 윤창현 전 금융연구원장 | 한일 갈등과 금융위기 가능성 |
| 9월 | 9일 | 박철희 서울대 교수 | 지소미아 이후의 한국외교 |
| 11월 | 12일 | 최봉태 대한변협 일제피해자특별위원회 위원장 | 강제징용 피해자 '현금화' 가능성과 대책 |

다음은 2019년 9월 25일 서울의 한국프레스센터 내셔널프레스클럽에서 개최했던 한일공동세미나의 내용이다

**한일 공동세미나 (2019년 9월 25일)**

주제: 갈등을 넘어 공생을 위한 한일관계를 향하여

| 구분 | 내용 |
|---|---|
| 개회식 | 한일비전포럼 소개 |
| 축사 | 공로명 동아시아재단 이사장, 전 외무부 장관<br>나가미네 야스마사 주한 일본대사 |
| 기조연설 | 홍석현 재단법인 한반도평화만들기 이사장 |
| **제1세션 한일관계 회복의 길: 강제징용자 문제를 중심으로**<br>사회 유명환 전 외교통상부 장관 | |
| 패널 | 오코노기 마사오 게이오대 명예교수<br>기미야 다다시 도쿄대 교수<br>박철희 서울대 국제대학원 교수<br>이원덕 국민대 교수 |
| 오찬 및 강연 | 최상용 고려대 명예교수, 전 주일대사 |
| **제2세션 한일경제관계의 지속과 확대**<br>사회 박태호 서울대 국제대학원 명예교수 | |
| 패널 | 후카가와 유키코 와세다대 교수<br>김광두 국가미래연구원장, 전 국민경제자문회의 부의장<br>황철주 주성엔지니어링 회장 |
| **제3세션 동아시아 질서 구축과 한일 협력**<br>사회 한승주 아산정책연구원 이사장, 전 외교부 장관 | |
| 패널 | 오구라 가즈오 전 주한 일본대사<br>소에야 요시히데 게이오대 교수<br>신각수 세토포럼 이사장, 전 주일 대사<br>안호영 북한대학원대학교 총장, 전 주미대사 |

중앙일보는 다음날 이 세미나의 내용을 다음과 같이 보도했다(9월 26일 자, 일부 생략).

### "한국은 징용 배상 요구 않고 일본은 분명한 사과를"

한 · 일 갈등의 해법을 찾기 위해 양국 전문가들이 25일 한국프레스센터에서 한일공동세미나(한반도평화만들기 주최)로 머리를 맞댔다.

'갈등을 넘어 공생을 위한 한 · 일 관계를 향하여'를 주제로 하는 이번 세미나는 양국 관계를 진단하는 국내 전문가 모임인 한일비전포럼이 지난 4월부터 13차례에 걸쳐 진행했던 논의를 결산하는 자리다.

홍석현 한반도평화만들기 이사장은 기조연설에서 "양국 관계가 최악의 상태로 빠져들고 있어 너무도 안타깝다"며 "단 하나의 갈등 요인이라도 추가되면 낙타의 등을 부러뜨릴 마지막 지푸라기가 될 수 있는 위험한 상태"라고 말했다.

홍 이사장은 양국 정부에 특단의 대책을 제안했다. 한국 정부에는 "일본을 상대로 강제징용 피해자 배상을 요구하지 않겠다고 선언하길 바란다"며 "'일본이 곤란해하면 굳이 받지 않겠다'고 정리하자는 것"이라고 말했다. 일본 정부엔 "불법적인 식민지배와 강제징용에 대해 사과하고 반성하는 입장을 분명히 밝혀야 한다"며 "김대중 · 오부치 한 · 일 파트너십 선언처럼 양국 정부 간 합의 형태로 '한국인'을 상대로 한 분명한 메시지를 보내야 한다"고 지적했다.

공로명 동아시아재단 이사장은 축사에서 "미래지향적 관계를 위해 한국은 일본의 역사적 과오에 대해 좀 더 관대해야 한다"며 "일본도 지금처럼 한국을 대륙 세력에 몰아넣는 자세를 유지하면 일본 이익에 도움이 되지 않는다"고 짚었다.

### "외교 협상도 정치 결단 없으면 못해… 한 · 일 지도자 나서야"

한 · 일 갈등의 해법을 모색하기 위한 한일공동세미나가 25일 한국프레스센터에서 열렸다.

25일 열린 한반도평화만들기 주최 한일공동세미나에 참석한 전문가들은 경색된 양국 관계를 풀기 위해 양국 지도자의 정치적 결단을 한목소리로 촉구했다.

홍석현 한반도평화만들기 이사장은 "양국 지도자들이 통큰 타협을 하자"고 제안했다. 홍 이사장은 "대법원 판결 취지는 일본 기업이 배상하라는 거지만 국제법적 약속인 한일협정과 충돌하는 만큼 우리 정부와 기업이 해결하자는 것"이라며 "한국이 결단하면 일본에 끌려다니지 않고 스스로의 의지로 난제를 해결할 수 있다"고 강조했다.

그러면서 "양국 지도자가 용단을 내리면 강제징용 피해자 배상이라는 결정적인 뇌관이 제거될 수 있고, 양국의 치킨게임식 싸움은 즉시 중단될 것"이라고 내다봤다. 또 홍 이사장은 "한 · 일 관계가 잘 풀리면 일본이 한반도 비핵평화 과정에 참여할 수 있다"며 "아베 총리의 숙원인 북 · 일 수교와 납북자 문제도 타결할 수 있다"고 말했다.

대법원 강제징용 판결과 관련한 첫 세션(한승주 아산정책연구원 이사장 사회)에서 박철희 서울대 국제대학원 교수는 "외교적 협상도 정치적 결단이 없으면 못 한다"고 지적했다. 박 교수는 "대법원 판결은 일본 기업에 의한 배상을 기본 원칙으로 한다"며 "일본도 어떤 식으로든 참여해야 한다"고 말했다. 또 박 교수는 "한국 측이 한국 기업의 배상 여지를 열었는데도 (일본이 이를 받아들이지 않아) 대화 진전을 막고 있다"며 "양국 정부가 상황 악화를 막기 위한 추가 대응을 삼가고 청와대와 총리관저를 중심으로 다각도로 정치적인 소통을 늘려야 한다"고 짚었다.

반면 오코노기 마사오(小此木政夫) 게이오대 명예교수는 "만일 한국 법원이 (일본 법원 판결처럼) 인도적 관점에서 당사자 간에 해결할 것을 주문했다면 일본도 역할을 다했을 것"이라며 "지금이라도 한국이 국내적인 조치로 (강제징용 배상 문제를) 해결하는 게 양국 간 협상의 출발점이 될 것"이라고 주장했다.

오코노기 교수는 "악수(惡手)에 악수로 대응하는 연쇄작용으로 한일군사정보보호협정(GSOMIA · 지소미아) 파기까지 불렀다"며 "삼권분립 하에서 사법부와 행정부의 판단이 다를 수 있지만, 견제와 균형 관점에서 (한국 정부가 대응해 준다면) 일본도 감사할 것"이라고 말했다.

일본 기업 압류 재산에 대한 현금화 조치를 유보해야 한다는 주장도 제기됐다. 기미야 다다시(木宮正史) 도쿄대 교수는 "현금화 조치가 이뤄져 일본 기업에 피해가 발생하면 일본은 지금처럼 한국에 대한 수출관리를 실무적인 차원이 아닌 정치적으로 운용할 가능성이 높고 이는 한·일 경제전쟁으로 치닫게 된다"며 "적어도 해결에 대한 로드맵이 마련될 때까진 현금화 조치가 미뤄져야 한다"고 지적했다. 이원덕 국민대 교수도 "최악의 상황을 막기 위해 양국이 협의해 강제집행 프로세스를 중지하는 잠정 조치 방안을 내놔야 한다"며 "이후 한국 측이 (노무현 정부 때인) 2005년처럼 민관위원회를 조직해 해결책을 논의하면 일본도 경제보복 조치를 철회할 명분을 얻는다"고 강조했다.

이홍구 전 국무총리는 세미나에서 "초강대국들이 이 문제를 해결할 원칙이나 외교력을 상실한 상황"이라고 우려했다. 그러면서 "양측이 시간을 놓치지 말고 곧 대화를 시작해야 한다"며 "(11월 22일까지 기한인) 지소미아 문제 등을 생각할 때 타이밍상 10월에는 대화를 시작해야 한다"고 주문했다.

최상용 전 주일 대사는 특별강연을 통해 '한반도 평화 조성을 위한 한·일 협력'을 제안했다. 최 전 대사는 "아베 신조(安倍晋三) 일본 총리가 조건 없이 김정은 북한 국무위원장을 만나겠다고 두 차례나 얘기했고, 우리 정부도 일찌감치 공식적으로 지지 입장을 밝혔다"며 "일 · 북 국교정상화를 통해 한반도 평화 조성에 기여할 수 있고, 부수적으로 한·일 간 역사 문제도 보완할 수 있다"고 말했다.

**한일비전포럼은 〈위기의 한일관계 연속진단〉이라는 제목 아래 정기적으로 포럼을 열고 논의한 내용을 중앙일보에 보도했다. 〈위기의 한일관계 연속진단〉은 주제발표자가 의제를 제안하면 참석자가 자유롭게 토론하는 형식이다.**

신문기사의 제목은 주제발표자의 의견일 경우가 많으나, 참석자의 의견이거나 참석자의 의견을 종합한 경우도 있다.

**오사카 G20**

문재인 대통령과 아베 총리가 2019년 6월 28, 29일 오사카에서 열린 G20 정상회의에서 양자 회담을 할지가 관심을 끌었으나 결국 무산됐다. 이 때문에 호스트인 일본이 한국을 홀대했다거나 한국이 무시를 당했다는 뒷말이 나왔다. 2018년 10월 30일의 대법원의 강제징용 판결이 부정적인 영향을 미쳤다. 이 갈등은 2년 후 문재인 대통령이 도쿄올림픽 개막식에 참석하는 문제를 두고 재연했으며, 이것도 결국 무산됐다.

## '위기의 한일관계 연속진단' 시리즈 (날짜는 중앙일보 게재일)

* 번호가 빠진 것은 비공개여서 보도하지 않은 것임

| 번호 | 게재일 | | 발표자 | 기사 제목 |
|---|---|---|---|---|
| 1 | 2019년 4월 17일 | | 신각수 전 주일대사 | 강제징용 압류 재산 현금화하면 파탄 위기… 파국 막아야 |
| 2 | 5월 | 1일 | 정재정 서울시립대 명예교수 | 민간인 전문가로 대통령위원회 구성해 강제 징용 해법 찾자 |
| 3 | | 15일 | 홍규덕 숙대 교수 | 일본은 중요한 안보 파트너… 양국 관계 급성질환 치유해야 |
| 4 | | 29일 | 박철희 서울대 교수 | 문재인-아베 다음달 오사카 G20에서 조건없이 만나야 |
| 5 | 6월 26일 | | 서석숭 한일경제협회 상근부회장 | 한일기업 윈-윈 협력, 올 들어 뚝 끊겼다. |
| 6 | 7월 3일 | | 박태호 서울대 명예교수 | '설마 보복하랴' 희망적 사고 허 찌른 반도체 규제 |
| 9 | 8월 | 9일 | 이지평 LG경제연구원 수석연구위원 | 격분은 그만… 8·15 경축사 활용 대화 공간 넓혀야 |
| 10 | | 16일 | 이근관 서울대 법학전문대학원 교수 | 국내법과 국제법 인식차 좁혀 강제징용 충돌 해결하자 |
| 11 | | 21일 | 박영준 국방대 교수 | "지소미아 파기는 한미일 안보협력 이탈로 비쳐질 것" |
| 12 | | 28일 | 윤창현 서울시립대 교수 | 일본발 금융위기 가능성 크지 않지만 안심도 금물이다. |
| 13 | 9월 11일 | | 박철희 서울대 교수 | 지소미아 종료 전에 강제징용 해결 돌파구 찾아야 |
| 15 | 11월 14일 | | 최봉태 변호사 | 일본에 배상받지 말고 사과·참회 요구하자(이 제목은 최봉태 변호사의 발표는 아님 - 필자) |
| 16 | 2020년 4월 22일 | | 조성일 서울대 보건대학원 교수 | '공동의 적' 만난 한일, 싸움 멈추고 방역 협력해야 |
| 17 | 5월 27일 | | 박홍규 고려대 교수 | 미래를 여는 지도자 결단으로 한일관계 교착 풀어야 |
| 18 | 6월 29일 | | 박철희 서울대 교수 | 과거사 굴레 벗어나야 역사 화해를 향해 나갈 수 있다. |
| 19 | 9월 23일 | | 박철희 서울대 교수 | 한·일 정상 서한 오간 지금, '양보 이니셔티브' 추진해야 |
| 20 | 11월 30일 | | 신각수 전 일본대사 | 강제징용 문제 풀려면 '과거사 원리주의'부터 탈피하자 |
| 21 | 2021년 1월 29일 | | 이원덕 국민대 교수 | 문 정부의 대일정책 전환 의지, 실천으로 보여줘야 |

| 22 | 4월 2일 | 이숙종 성균관대 교수 | **한국 살길은 '비례외교'와 '코어 테크 고슴도치' 전략** |
|---|---|---|---|
| 23 | 4월 30일 | 윤태성 KAIST 교수 | **미중 기술패권에 대비해 한일 '제3의 기술축' 협력하자** |

**코어 테크 고슴도치 전략**
한국이 과학기술분에서 미국이나 중국보다 비교우위를 차지하는 코어 테크(core tech · 핵심기술)를 확보해 고슴도치처럼 누구도 건드릴 수 없는 전략을 펴야 한다는 의미. 이 과정에서 한국과 일본은 과거사와는 별도로 기술분야에서는 상호 협력해야 한다는 것이다.

한일비전포럼은 연속진단 시리즈 말고도 포럼 멤버에게 중앙일보에 〈시론〉〈칼럼〉〈한반도평화워치〉〈리셋코리아〉〈인터뷰〉〈대담〉〈퍼스텍티브〉 등의 이름으로 지면을 주고 있다.

## 한일비전포럼 참여자 보도 리스트

| 게재일자 | | 집필자, 출연자 | 형 태 | 기사 제목 |
|---|---|---|---|---|
| 2019년 1월 14일 | | 이원덕 국민대 교수 | 시론 | **강제징용 문제 국제사법재판소 제소로 해결하자** |
| 2월 | 15일 | 신각수 전 주일 대사 | 한반도평화워치 | **최악 한 · 일 관계, 위안부 · 강제징용 빅딜로 돌파해야** |
| | 22일 | 위성락 전 주러시아 대사 | 한반도평화워치 | **지난 100년 성취 기반으로 중 · 일에 성숙하게 대응하자** |
| 4월 | 1일 | 박철희 서울대 교수 | 시론 | **과거로 퇴행하는 한 · 일 관계, 더는 방치할 수 없다** |
| | 8일 | 이하경 중앙일보 주필 | 이하경칼럼 | **아직도 일본이 원수인가** |
| | 12일 | 신각수 전 주일대사 | 한반도평화워치 | **동아시아 평화, 한미동맹 중심의 다층 외교에 달렸다** |
| | 22일 | 이하경 중앙일보 주필 | 이하경칼럼 | **문재인 정부발 한 · 일 관계 파탄의 공포** |
| | 6일 | 이하경 중앙일보 주필 | 이하경칼럼 | **문재인 정부, 한 · 일관계 망치면 이명박 탓 할건가** |
| | 6일 | 정재정 서울시립대 명예교수 | 리셋 코리아 | **동아시아의 미래, 한 · 일 유대 재발견에 달렸다** |
| | 10일 | 박철희 서울대 교수 | 한반도평화워치 | **반일은 북한만 이롭게 하고 한국엔 이롭지 않다** |
| | 13일 | 최상용 고려대 명예교수 | 리셋 코리아 | **북 · 일 수교 협력을 한 · 일 관계 회복의 계기로 삼자** |
| | 22일 | 강창일 한일의원연맹 회장 | 인터뷰 | **대통령 한마디에 올스톱한 한 · 일관계, 여당서 출구 찾는다** |

| 게재일자 | | 집필자, 출연자 | 형 태 | 기사 제목 |
|---|---|---|---|---|
| | 23일 | 김영희 중앙일보 국제문제대기자 | 퍼스펙티브 | 일본의 관계 복원 움직임에 한국도 긍정 대응해야 |
| | 25일 | 위성락 전 주러시아 대사 | 시평 | 징용문제, 정당 추천 현인 모임으로 풀자 |
| 6월 | 3일 | 이하경 중앙일보 주필 | 이하경칼럼 | 왜 일본은 "차라리 한국은 없는 셈 치자"고 하는가 |
| | 3일 | 장제국 동서대 총장 | 리셋코리아 | 한 · 일 관계, 더 방치하면 한국 설 곳 없어진다 |
| | 17일 | 하토야마 일본 전총리 - 홍석현 이사장 | 특별대담 | 문재인 - 아베, G20서 조건 없이 만나 터놓고 의견 나눠야 |
| | 21일 | 조태용 전 외교부 1차관 | 한반도평화워치 | 정부는 강제징용 문제 수습에 박차 가해야 |
| | 28일 | 신각수 전 주일대사 | 한반도평화워치 | 상황에 급급한 한국 외교, 전체 조감하는 시야 길러야 |
| 7월 | 1일 | 양기호 성공회대 교수 | 리셋 코리아 | 한국이 선제적으로 강제징용 해법 구체화해야 |
| | 5일 | 위성락 전 주러시아 대사 | 한반도평화워치 | 외교 좌표 설정하지 않으면 주변 강대국들에 휘둘린다 |
| | 15일 | 이하경 중앙일보 주필 | 이하경 칼럼 | 일본의 경제전쟁 도발, 일본보다 더 생각해야 이긴다 |
| | 15일 | 이원덕 국민대 교수 | 리셋 코리아 | 일본의 보복 철회위해선 진전된 징용 해법 내놔야 |
| | 19일 | 박철희 서울대 교수 | 한반도평화워치 | 경제보복엔 엄처 대처하되 징용문제엔 협상력 발휘해야 |
| | 22일 | 정재정 서울시립대 명예교수 | 리셋 코리아 | 한일 갈등 해결, 양국 정상의 신뢰회복이 관건 |
| | 29일 | 이하경 중앙일보 주필 | 이하경 칼럼 | 아베 측근들도 경제보복은 너무했다는데… |
| 8월 | 12일 | 이하경 중앙일보 주필 | 이하경 칼럼 | 내 마음 속의 '왜놈'이 문제다 |
| 9월 | 6일 | 신각수 전 주일 대사 | 한반도평화워치 | 한일 과거사문제는 원칙 지키되 국익 챙기면서 풀어야 |
| | 9일 | 최상용 전 주일 대사 | 리셋 코리아 | 엉클어진 한일관계, 문화평화로 풀자 |
| | 20일 | 위성락 전 주러 대사 | 한반도평화워치 | 강제징용 문제, 새 해법 찾아 양자문제로 풀 때다 |

| 게재일자 | | 집필자, 출연자 | 형 태 | 기사 제목 |
|---|---|---|---|---|
| 10월 | 11일 | 최상용 전 주일 대사 | 한반도평화워치 | **한일 정상, 지금이 역사적 결단 내릴 절호의 기회다** |
| | 21일 | 이원덕 국민대 교수 | 리셋 코리아 | **총리 방일이 징용 해법 마련의 분수령 돼야** |
| | 21일 | 박철희 서울대 교수 | 한반도평화워치 | **한미일서 나오는 한미동맹 약화론 기민하게 대응해야** |
| | 28일 | 정재정 서울시립대 명예교수 | 리셋 코리아 | **한국은 배상 요구 철회하고 일본은 식민지 지배 사죄해야** |
| 11월 | 25일 | 신각수 전 주일 대사 | 리셋 코리아 | **지소미아 연장 계기로 선제 대응 외교 절실하다** |
| 12월 | 2일 | 홍규덕 숙명여대 교수 | 리셋 코리아 | **북한도발 대비하려면 한일 안보협력 절실하다** |
| | 9일 | 김동호 중앙일보 논설위원 | 퍼스펙티브 | **한일 경제 협력은 '양국 생존 위한 운명적 선택'** |
| | 30일 | 정주영 일본 국제기독교대 교수 | 리셋 코리아 | **일본을 정치적으로만 접근하면 관계 회복 어렵다** |
| 2020년 3월 | 16일 | 신각수 전 주일 대사 | 리셋 코리아 | **한중일의 코로나 삼국지, 대립 아닌 협력이 답이다** |
| 4월 | 27일 | 권태환 한국국방외교협회장 | 리셋 코리아 | **코로나 위기 대응하려면 한일 손잡아야** |
| 7월 | 14일 | 임한택 전 외교부 조약국장 | 시론 | **대법원 강제 징용판결의 현금화 사태, 정부가 결단해야** |
| 8월 | 6일 | 황칠성 서울대 교수 | 시론 | **일본의 '소부장 때리기' 1년, 독립의 길 아직 멀었다** |
| 2021년 1월 | 18일 | 박철희 서울대 교수 | 리셋 코리아 | **한·일 지도자 '통 큰 거래' 시도해 보길** |
| 9월 | 1일 | 신각수 전 주일 대사 | 한반도 평화워치 | **새 정부가 리셋할 수 있게 한일관계 악화는 막아야** |

**이낙연 총리 방일**

이낙연 총리는 2019년 10월 24일 일본에서 아베 신조 총리와 만나 "한일 관계 악화를 더 이상 방치해선 안 된다"는 데 뜻을 모았다. 이 총리는 10월 22일의 나루히토(德仁) 천황 즉위식을 축하하기 위해 방일했다. 이 총리와 아베 총리의 회담은 2018년 10월 대법원의 강제징용배상 판결이 나온 후 1년 만에 열린 최고위급 회담이었다. 문제의 심각성과 해결의 필요성에는 공감했으나 구체적인 해결 방안이나 액션플랜은 논의하지 않아 한계가 있었다.

한일비전포럼은 2020년 8월 그간의 발표와 보도를 묶어 《갈등에 휩싸인 한일관계: 현안, 리스크, 대응》(박철희 엮음)이란 단행본을 출간했다.

**한일비전포럼은 (02838) 서울시 성북구 성북로 148, 3층에 있다.**

**전화 02-3676-6001~4, 팩스 02-742-9118, 홈페이지는 www.koreapeace.foundation**

# 5. 부산-후쿠오카 포럼

KOREA-JAPAN

지리적으로 가까운 부산과 후쿠오카의 각계를 대표하는 민간지도자 22명이 2006년 부산 파라다이스 호텔에서 창립총회를 열고 매년 한 차례씩 두 도시를 오가며 포럼을 열고 있다. 이것이 부산-후쿠오카 포럼이다. 자연발생적인 두 도시의 우호 협력 관계를 제도화함으로써 경제, 문화, 교육 등 다방면에서 시너지 효과를 내기 위한 것으로 단순한 '교류'를 넘어 내실 있는 '협력'을 지향한다. 그래서 포럼은 구체적인 정책을 논의하고 건의한다.

부산 측 회장은 2006, 2007년 김종렬 부산일보 사장과 장성만 동서학원 설립자가 공동으로 맡았고, 2008~2011년 김 부산일보 사장을 거쳐 2012년부터 이장호 회장이 맡고 있다.

포럼 운영방식은 분야별 주제 발표와 자유 토론이다. 이장호 전 BNK금융지주 회장이 2012년부터 포럼의 부산 측 회장을 맡고 있으며, 후쿠오카 측은 이시하라 스스무(石原進) JR규슈 상담역(전 회장)이 창립 때부터 회장직을 맡고 있다.

부산-후쿠오카포럼의 참가자 명단은 다음과 같다(코로나로 회의가 열리지 않아 회원 교체를 못 하고 있다).

| 번호 | 부산 | | 후쿠오카 | |
|---|---|---|---|---|
| | 이름 | 직책 | 이름 | 직책 |
| 1 | **이장호**<br>〈회장〉 | 전 BNK금융지주 회장 | **이시하라 스스무**(石原進)<br>〈회장〉 | 규슈여객철도㈜ 상담역 |
| 2 | **구정회** | 은성의료재단 이사장 | **구보 지하루**(久保千春) | 규슈대 총장 |
| 3 | **김경조** | 부산벤처기업협회 명예회장 | **시바타 겐야**(柴田建哉) | 니시니혼신문 사장 |
| 4 | **김병근** | ㈜KNN 사장 | **스즈키 가쓰아키**(鈴木克明) | ㈜서일본방송 사장 |
| 5 | **김진수** | 부산일보 사장 | **다카키 나오토**(高木直人) | (재)규슈경제조사협회 이사장 |
| 6 | **박기식** | 부산경제진흥원 원장 | **다니가와 히로미치**(谷川浩道) | ㈜일본시티은행 은행장 |
| 7 | **박용준** | 삼진어묵㈜ 대표이사 | **도요마 마코토**(豊馬誠) | 규슈전력㈜ 상무집행임원 |
| 8 | **신정택** | 세운철강 회장 | **후지나가 겐이치**(藤永憲一) | 후쿠오카상공회의소 회장 |
| 9 | **심상균** | 부산경영자총연합회장 | **마에다 쓰네아키**(前田恒明) | 스미토모상사규슈㈜ 사장 |

| 10 | **이영갑** | 부산지방변호사회 회장 | **야마구치 마사시**(山口雅司) | 후쿠오카변호사회 회장 |
|---|---|---|---|---|
| 11 | **장제국** | 동서대 총장 | **야마구치 마사토시**(山口政俊) | 후쿠오카대 총장 |
| 12 | **전호환** | (전)부산대 총장 | **야마모토 마사히데**(山本正秀) | ㈜야마이커뮤니케이션즈 사장 |
| 13 | **최삼섭** | ㈜대원플러스건설 대표 | **마쓰바라 다카토시**(松原孝俊)〈사무국장〉 | 규슈대 명예교수 |
| 14 | **허용도** | 부산상공회의소 회장 | | |
| 15 | **송교욱** | 부산연구원 원장 | | |

다음은 2006년 9월 제1회 부산-후쿠오카 포럼을 열었을 때 발표했던 '부산선언문'이다. 포럼의 취지를 잘 보여주기에 전문(全文)을 소개한다.

### 제1차 부산-후쿠오카 포럼 부산 선언문

부산과 후쿠오카의 재계, 언론계, 학계, 문화계, 의료복지계에서 활약하고 있는 22인이 2006년 9월 9일 대한민국 부산광역시에서 '부산-후쿠오카 포럼'을 창립하고, '한일 해협권: 교류를 넘어 지역협력으로'라는 제목으로 제1차 부산-후쿠오카 포럼을 개최하였다.

한일 양국을 잇는 관문에 위치한 두 도시는 미래지향적이고 건설적인 양국 관계를 열어가는 데 있어서 견인차 역할을 해야 한다는데 합의하고, 다음과 같은 인식을 공유하였다.

1. 부산과 후쿠오카간의 인적 물적 교류가 매년 증가하고 있는 것을 환영하며, 이러한 교류가 앞으로 질적 양적으로 성장할 수 있도록 하기 위한 한 차원 높은 행정적, 법적, 인프라적 지원이 요구된다. 이러한 적극적인 지원을 토대로 교류에서 협력으로, 협력에서 공동체로의 발전을 도모해야 한다. 부산-후쿠오카의 협력체 구성은 동아시아 공동체의 좋은 모델이 될 것이다.

2. 부산과 후쿠오카가 '세계도시 부산'과 '아시아 거점도시 후쿠오카'를 각각 표방하고 있는 것을 높이 평가하며, 이러한 비전의 조기 실현을 위하여 각각의 지역이 가지고 있는 잠재력을 활용한 양 도시간의 구체적이고 상호보완적 정책 공유가 필요하다.

3. 부산과 후쿠오카는 우수한 인적자원의 확보를 위하여 양질의 교육을 지속적으로 공급하여야 한다. 그리고 첨단 산업의 창업과 육성에 필요한 높은 수준의 연구 환경을 구축하고, 다가올 지역협력 시대를 이끌어갈 국제인을 양성할 필요가 있다.

이러한 인식을 바탕으로 제1차 부산-후쿠오카 포럼에서 발제자 발표와 자유토론을 통해 제기된 사안 등에 대해 보다 구체적인 계획안을 검토하기 위해 포럼 산하에 공동 전문위원회를 두기로 한다.

본 포럼은 제2차 회의를 일본 후쿠오카에서 2007년 가을에 개최하기로 한다.

2006년 9월 9일
대한민국 부산광역시에서
제1차 부산-후쿠오카 포럼 참가 회원 일동

부산-후쿠오카 포럼은 매년 토의 주제를 정하고, 끝날 때는 항상 '의장총괄'이라는 문건을 내고 있다(14회만 예외). 다음은 그 문건을 중심으로 정리한 그동안의 논의 내용이다.

### 부산-후쿠오카 포럼의 논의 내용

| 회차 | 일 시 | 장 소 | 논의 내용 |
|---|---|---|---|
| 1회 | 2006년 9월 | 부산 | 주제 **한일해협권, 교류를 넘어 지역협력으로**<br>(1) 두 도시의 교류를 질적 양적으로 성장시키기 위해 행정, 법, 인프라의 지원이 필요하다.<br>(2) 두 도시간에 구체적이고 상호보완적 정책 공유가 필요하다.<br>(3) 두 도시는 양질의 교육과 높은 수준의 연구 환경을 구축함으로써 국제인의 양성해야 한다.<br>이를 위해 포럼 산하에 전문위원회를 둔다. |
| 2회 | 2007년 9월 | 후쿠오카 | 주제 **부산-후쿠오카 '협력체' 형성을 위하여**<br>(1) 시민 사회의 공감대 형성을 위해 2009년을 '부산-후쿠오카 우정의 해'로 지정하자(부산시와 후쿠오카시는 실제로 2009년을 '부산-후쿠오카 우정의 해'로 선포했다).<br>(2) 두 도시의 협력을 위해 행정, 기업, 교육기관, 의료 등의 정보를 종합적으로 제공하는 거점(또는 웹사이트)를 상호 설치하자.<br>(3) 젊은이들에게 상호 이해 의장을 마련해 주기 위해 '부산-후쿠오카 대학 간 컨소시엄'을 구성하자 |
| 3회 | 2008년 10월 30일~11월 1일 | 부산 | 주제 **부산-후쿠오카, 국경을 초월한 지역연계의 비전과 과제**<br>(1) 상호투자촉진을 위한 지원조직 구성<br>(2) 젊은이들이 두 도시를 오가며 취업할 수 있도록 '인터십협의회' 강화 |

| 회차 | 일 시 | 장 소 | 논의 내용 |
|---|---|---|---|
| | | | (3) 2회 회의의 제안을 받아들여 2008년 9월 25일 한국 측 11개 대학, 일본 측 13개 대학의 총장들이 '부산-후쿠오카 대학 컨소시엄'을 구성한 것은 고무적<br>(4) 상호 의료제공을 위한 정보 교환<br>(5) 언론매체를 중심으로 한 공동이벤트 개최<br>(6) 한일정상회담의 부산, 후쿠오카 개최 희망 |
| 4회 | 2009년 9월 | 후쿠오카 | 주제 **지속가능한 사회실현을 향하여 - 해협을 넘은 지역 공통과제**<br>(1) '부산-후쿠오카 초광역경제권' 구상을 추진하기 위한 지속적 연구와 조사<br>(2) '수소에너지' '해양오염방지'를 공동연구하고, 그 시도로 '에코 라이프 데이(eco life day)'를 정하자<br>(3) 한일간 광케이블을 적극 활용해 두 도시간의 인터넷 활용 촉진, 초중고의 e러닝 확대, 통신판매 활성화<br>(4) 두 도시의 초광역경제권 실현을 위해 양국 정부의 관심과 지원 요청<br>(부산시와 후쿠오카시의 행정교류 20주년을 기념하는 '부산-후쿠오카 우정의 해'를 포럼과 함께 축하했다.) |
| 5회 | 2010년 9월 | 부산 | 주제 **부산-후쿠오카 협력의 구체화를 위하여, 공동협력 메카니즘**<br>(1) 두 도시가 설립한 경제협력협의회의가 초광역경제권을 만들기 위해 제시한 4대 기본방향, 9개 전략, 23개 세부추진사업을 착실하게 실천한다.<br>(2) 2010년 11월 KTX 완전개통과 2011년 3월 규슈 신칸센 개통을 계기로 양국의 교류와 관광을 확대한다.<br>(3) 두 도시의 의료관광 확대를 위해 상호 협력한다.<br>(4) 2008년 8월의 '대학간 컨소시엄'이 실시하고 있는 국제화 프로그램을 지지한다. |
| 6회 | 2011년 9월 | 후쿠오카,<br>가고시마 | 주제 **한일 해협권 신시대 - 부산 · 후쿠오카를 기축으로 한 장래상**<br>(1) 동일본 대지진에 대한 풍문피해를 방지하고 한국 국민의 일본 관광 및 규슈 방문에 대한 긍정적 평가<br>(2) 한국의 KTX개통과 규슈의 신칸센 전 구간 개통을 관광자원의 개발 및 의료관광에 활용(포럼 멤버들이 후쿠오카에서 신칸센을 타고 규슈의 남단 가고시마시까지 가서 다양한 교류 활동을 펼쳤다).<br>(3) 두 도시의 초경제권구상에 걸림돌이 되는 법적 장애를 두 도시의 변호사회가 조사<br>(4) 양 도시의 기업에 청년들의 인턴십 고용 권장<br>(5) 황사나 해양표류 등 다양한 문제에 상호 협력 대응 |
| 7회 | 2013년 2월 | 부산 | (제7차 회의는 원래 2012년 9월에 개최할 예정이었으나, 그 전달 이명박 대통령의 독도 방문과 천황 관련 발언 등으로 한일관계가 냉각되면서 2013년 2월로 연기) |

| 회차 | 일 시 | 장 소 | 논의 내용 |
|---|---|---|---|
| | | | 주제 **한일 해협권 시대의 경제문화권 창조**<br>(1) 두 도시 학생들의 실질적 교류를 위한 프로그램 확대<br>(2) 두 도시 교류에 걸림돌이 되는 관행, 문화적 차이 등을 관계기관에게 시정 요구<br>(3) 부산–후쿠오카 초광역경제권 구상을 실현하기 위해서는 한국의 동남권과 규슈 전체로 지역을 확대할 필요성 대두<br>(4) 8회 회의에서는 대학 컨소시엄에 참여하는 총장과 벤처기업가를 초청하고 수산물 상호상장 및 전자옥션 도입에 대해 논의<br>(5) 양국 정상이 '부산–후쿠오카 초광역 경제권'에 대해 언급하도록 노력 |
| 8회 | 2013년 9월 | 후쿠오카 | 주제 **격동하는 동아시아 정세 속에서 현재 후쿠오카–부산이 완수해야 할 역할은 무엇인가**<br>(1) 양국 미디어의 성숙한 보도가 필요하다는 데 인식을 같이하고 두 도시의 미디어 협력모델을 긍정평가<br>(2) 부산과 후쿠오카 지역 외의 인사들도 포럼에 참여하도록 검토<br>(3) 양국이 에너지를 안정적으로 공동구입할 수 있도록 협력<br>(4) 오해 불식을 위해 일본 정부가 후쿠시마 오염수 유출에 대해 투명하게 정보를 공개해야 한다. |
| 9회 | 2014년 9월 | 부산 | 주제 **한일국교정상화 50주년을 맞는 부산과 후쿠오카의 역할**<br>(1) 부산–후쿠오카의 언론이 칼럼을 공동 게재하는 등의 교류 검토. 2015년에 '(가칭) 부산-후쿠오카 매스미디어포럼' 개최 검토<br>(2) 한일 양국이 조선통신사 기록을 유네스코에 공동등재하려는 움직임을 주시<br>(3) 두 도시의 차세대 젊은이들이 '현해인(玄海人)이라는 공동체 의식을 갖도록 2015년에 '(가칭) 한일우호촉진 대학생포럼' 개최 검토 |
| 10회 | 2015년 9월 | 후쿠오카 | 주제 **지금까지의 10년, 앞으로의 10년**(2015년은 포럼 10주년이면서 한일국교정상화 50주년의 해)<br>(1) 두 도시 간 교류의 폭을 확대하기 위해 두 도시에 설치한 경제연락사무소 등의 활용 촉진 요청<br>(2) '부산–후쿠오카 대학생 미래 포럼'에서 제시한 학생들의 제언에 대해 구체적 실천 방안을 검토하고 지원할 것에 합의(부산–후쿠오카 대학생 미래 포럼: 2015년 5월 발족. 포럼에서 양 도시 대학생들을 대상으로 실시한 설문조사 결과 발표) |
| 11회 | 2016년 9월 30~10월 1일 | 부산 | 주제 **부산–후쿠오카 자매도시 체결 10주년, 새로운 비전을 위한 제언**<br>(1) 향후 10년 이내 부산-후쿠오카 교류 인구 연간 500만 명을 |

**후쿠시마 오염수**

일본 정부는 2021년 4월 13일 후쿠시마 원전 폭발 사고 이후 저장 용기에 담아 보관 중인 다량의 방사성 오염수를 2023년부터 바다로 방류하겠다고 발표했다. 일본은 오염수를 '처리수'라고 주장하지만 한국은 거세게 반발하고 있다. 한국은 일본 측에 정확한 정보 공개, 사전 협의, 검증팀 참여를 요구하고 있으나 양국 간의 신뢰 관계가 바닥이어서 타협의 실마리를 찾지 못하고 있다.

| 회차 | 일 시 | 장 소 | 논의 내용 |
|---|---|---|---|
| | | | 목표로 '부산-후쿠오카 상호 방문의 해' 지정을 추진하기로 합의<br>(2) 두 도시의 교류확대를 위해 '사전입국심사제(프리클리어런스) 도입 추진<br>(3) 대학생 포럼과 저널리스트 포럼 상설화<br>(4) 두 시민 차원의 공감대 형성을 위해 한일 포장마차대회, 부산-후쿠오카 푸드페스티벌, 부산-후쿠오카 마라톤대회 등을 검토<br>(5) 대학 컨소시엄 활성화를 위해 서머스쿨, 원격강의 등 검토<br>(6) 부산 청년의 실업난 해소를 위해 일본 기업의 인턴십 제공, 일본 기업문화 설명회 등을 실시 |
| 12회 | 2017년 9월 | 후쿠오카 | 주제 **부산-후쿠오카를 기점으로 한 한일 파트너십**(부산시-후쿠오카시 자매도시 체결 10주년 기념)<br>(1) 한일 교류 1000만 명, 두 도시 교류 500만 명 시대를 조기 실현하기 위해 노력<br>(2) 2018년 평창 겨울올림픽, 2019년 럭비월드컵 일본대회, 2020년 도쿄올림픽·장애인올림픽을 계기로 외국인 관광객을 부산과 후쿠오카로 유치하기 위한 '부산-후쿠오카 관광루트' 공동개발과 프로모션<br>(3) 두 도시의 고령화에 대비한 ICT활용 온라인 진료, 인재 육성 등에 대한 정보 교환 |
| 13회 | 2018년 8월 31~9월 1일 | 부산 | 주제 **부산-후쿠오카 교류협력의 미래 비전**<br>제1세션 '**부산-후쿠오카 교류협력의 미래 비전**'이라는 테마로 법률, 미디어 등 각 분야에서 두 도시 간 교류를 돌아보고, 좀 더 미래지향적인 교류 협력을 위해 어떤 비전이 필요한지를 검토.<br>제2세션 '**부산-후쿠오카 대학 간 협력과 교류**'라는 테마로 부산-후쿠오카 소재 8개 대학 컨소시엄의 재학생들이 학생교류 결과를 발표하고, 8개 대학 총장들이 컨소시엄 활성화 방안에 대해 논의. |
| 14회 | 2020년 2월 | 부산 | (제14차 회의는 원래 2019년 9월 후쿠오카에서 열릴 예정이었으나 두 나라의 관계 악화로 연기돼 2020년 2월 부산에서 규모를 축소해 개최했다)<br>주제 **부산-후쿠오카에서 한일 미래를 만든다**<br>'인생 100세 시대와 미래' '부산-후쿠오카 스타트업 현황' 등을 압축적으로 논의 |

**2019 럭비월드컵 일본**

럭비월드컵은 1987년 첫 대회를 열었으며 2019년 제9회 대회를 일본에서 개최했다. 아시아권 개최는 처음이다. 9월 20일부터 11월 2일까지 일본 전역의 12개 경기장에서 조별 리그와 토너먼트전을 치렀다. 남아공이 통산 세 번째 우승을 차지하며 막을 내렸다. 일본은 아시아최고의 럭비리그를 갖고 있고, 세계 랭킹 11위의 럭비강국으로 2016 리우데자네이루 올림픽에서는 4위였다. 한국은 실업팀이 3개(한국전력공사, 포스코건설, 현대글로비스), 대학팀도 4개(연세대, 고려대, 경희대, 단국대)뿐이지만, 일본은 등록선수만 10만 명이 넘는다. 한국 럭비 국가대표 팀은 2021년 7월 28일 도쿄올림픽 11-12위 결정전에서 일본에게 19-31로 졌다.

2019년 현재 243개 지방자치단체 중 일본과 자매결연이나 우호관계를 맺은 건수가 217건이나 된다(대한민국시도지사협의회 조사). 그러나 부산-후쿠오카 포럼처럼 공동정책을 논의하고 제안하는 사례는 드물다. 포럼의 제안을 받아들여 두 도시가 2009년을 '부산-후쿠오카 우정의 해'로 선포하고, 두 지역의 대학들이 2008년에 컨소시엄을 구성한 것은 주목할 만하다.

다음은 2020년 2월의 제14차 회의를 보도한 부산일보의 기사이다(일부 생략 · 2020년 2월 16일 입력).

**"경제력 갖춘 뉴 시니어 등장, 100세 시대의 기회로"**
**제14회 부산-후쿠오카 포럼**

"한 · 일 관계 악화와 코로나19 확산 우려 속에서도 부산과 후쿠오카의 협력과 우정은 더욱 단단해졌습니다."

제14회 부산-후쿠오카 포럼이 15일 부산에서 열렸다. 양 도시의 협력과 상생을 논의하기 위해 2006년 〈부산일보〉를 비롯한 양국 각계 민간 대표들이 모여 만든 민간 주도 협의체인 부산-후쿠오카 포럼은 해마다 부산과 후쿠오카에서 번갈아가며 개최됐다.

하지만 지난해 8월 일본의 백색국가(화이트리스트) 배제와 우리나라의 지소미아(한 · 일 군사정보보호협정) 폐기 대응 등으로 한 · 일 관계가 악화되면서 당초 9월 후쿠오카에서 개최될 예정이었던 포럼이 올해 2월 부산에서 개최되는 것으로 변경, 연기됐다. 이 때문에 이번 포럼은 일정을 하루로 줄이고 포럼 주제 또한 '인생 100세 시대와 미래' '스타트업의 현황' 두 가지로 압축해 열렸다.

올해 포럼은 '부산-후쿠오카에서 한 · 일 미래를 만든다'는 주제로 부산 롯데호텔 3층 펄룸에서 양국의 포럼 회원 28명 등 모두 70여 명이 참석해 진행됐다.

이장호 부산 측 회장은 포럼을 시작하면서 "구체적으로 오늘 다루지는 않지만, 최근 발생한 코로나19 확산 사태는 100세 시대를 위협하는 인류 공동의 문제가 되고 있기에 이 부분에서의 한 · 일 공동 협력도 모색해야 할 것"이라며 시의성 있는 언급을 했다.

이 회장은 또 "얼마 전 부산은 정부로부터 국제관광거점도시로 선정되었고, 일본은 오는 7월 도쿄 올림픽과 패럴림픽 개최를 앞두고 있다"면서 "외교 관계 악화와 코로나19 우려로 관광 분야가 특히 위축되고 있으므로 상호 교류 활성화를 향후 주요 과제로 삼고 협력하자"고 주장했다.

첫 발표자로 나선 구정회 은성의료재단 이사장은 "세계적 노령화 추세를 볼 때, 2050년에는 한국이 65세 이상 인구 비율이 38.2%로 일본의 37.7%보다 앞서게 될 것"이라며 "수명이 늘어나는 노인들의 생활은 연금과 건강보험 등이 제대로 뒷받침돼야 가능한데 국가 재정은 줄고 생산인구가 감소하면서 노인들의 사회적 문제는 가중될 것"이라고 말했다.

하지만 구 이사장은 "미래지향적이고 독립적이며 경제력을 갖춘 뉴시니어의 등장과 4차산업혁명에 따른 빅데이터 유전자 분석, 인공지능 로봇을 통한 의학적 진료 등으로 100세 시대 위기는 기회가 될 수 있다"고 강조했다. 더불어 건강한 노인들이 다른 고령자들의 생활을 돕는 일본 지바현 가시와시의 도요시키다이 사례와 일본 고령화 시대를 상징하는 노인들을 위한 상점과 편의시설이 모여 있는 '노인들의 하라주쿠' 도쿄의 스가모 지조도리 상점 사례를 소개하며 양국의 협업 필요성을 제기했다.

이어 일본 측 발표자인 구보 지하루 규슈대학 총장은 '100세 시대 한·일 해협권을 구상한다'는 주제 발표에서, 마찬가지로 겪고 있는 일본의 고령화 현상과 인구 감소, 그리고 평균 수명의 연장으로 인한 의료비 증가, 장수 사회로 가는 과정에서의 삶의 질 저하 등을 폭넓게 짚어냈다.

구보 총장은 또 "규슈대학이 규슈경제연합회 일원으로 참여해 지역 노인들의 삶의 질 개선에 밀접하게 관여하며 도움을 주고 있으며, 시민대학과 후쿠오카학습센터, 규슈대학 공개강좌 등을 통해 풍족한 장수사회를 지원하는 평생학습 기회를 다양하게 제공하고 있다"고 소개했다. 아울러 "100세 시대 도래에 대비해 건강한 장수사회의 모델을 만드는 100가지 액션플랜을 담은 '후쿠오카 100' 사업을 시행하고 있다"고 전하기도 했다.

스타트업 관련 발표에서는 부산연구원 배수현 연구위원이 부산의 주력산업인 제조업의 고도화, 서비스 산업의 고부가가치화 필요성 속에 신서비스업 육성을 위한 스타트업 및 창업 활성화를 제안했다. 배 연구위원은 "소프트웨어가 주도하는 신기술 시장은 현재 미국과 중국이 주도하고 있어 한국과 일본은 인재 교류와 기업 간 공동기술 개발 등을 시도하고, 부산-후쿠오카 청년 창업 프로그램을 확대하자"고 주장했다.

이에 스미토모상사규슈㈜ 마에다 쓰네아키 대표이사는 규슈에서 영업 중인 전동 킥보드와 전동 오토바이 셰어링 사업은 물론, 교통취약지 거주 노인 환자들을 위한 온디맨드 버스 사업, 온라인 진료 및 복약지도 사업 등을 소개했다.

한편, 제15회 부산-후쿠오카 포럼은 오는 9월 다시 한번 부산에서 열린다. (김경희 기자 miso@busan.com)

**부산-후쿠오카 포럼의 부산 측 사무국은 동서대 국제교류센터가 담당하고 있다.**

**동서대 (47011) 부산광역시 사상구 주례로 47, 국제교류센터 전화 051-320-2108, 팩스 051-320-2094**

# 6. 한일차세대학술포럼

KOREA-JAPAN

한일차세대학술포럼은 대상은 청년, 분야는 학술, 주도는 민간, 장소는 지방이라는 특징을 지닌 포럼이다.

이 포럼은 2003년 10월에 준비위원회를 만들고 2004년 6월에 제1회 국제학술대회를 열면서 시작했다. 대표는 장제국 동서대 총장이고, 운영위원장은 이원범 동서대 일본연구센터 소장이 맡고 있다.

국제학술대회는 매년 6월 말 양국 대학에서 번갈아 가며 연다(2020년은 코로나로 열지 못했다). 분과는 국제관계, 정치 · 법률, 경제 · 경영, 역사, 언어 · 문학, 사회 · 젠더, 종교 · 사상, 민속 · 인류, 문화 · 예술 등 9개 분야이다. 매년 약 250여 명의 차세대 연구자가 참여하며, 2019년까지 연인원 4000여 명이 참가했다.

16회 학술대회까지의 개요를 살펴보면 다음과 같다(테마 밑의 행사는 당해 연도에 있었던 특별프로그램이다).

### 역대 학술대회 개요

| 연도와 차수 | 장 소 | 테마와 특별프로그램 |
|---|---|---|
| 2004년 1회 | 동서대(부산) | **한일차세대 인문사회연구의 동향과 전망**<br>기조강연 조세형(전 주일대사) 21세기의 새로운 한일관계 |
| 2005년 2회 | 동서대(부산) | **동아시아에서의 인문사회 연구의 신동향**<br>분과별 보고 및 총평 자문교수단 |
| 2006년 3회 | 리쓰메이칸대(교토) | **글로벌리즘과 내셔널리즘**<br>참가 대학원생 공개토론 김윤진(부산대) 송재호(동서대) 최유(중앙대) 허윤(이화여대) 나라 가쓰지(리쓰메이칸대) 아사바 유키(규슈대) 우에키 미치루(메이지대) 쓰지무라 시노부(도쿄대) |
| 2007년 4회 | 조사이데(도쿄) | **동아시아의 문화교류**<br>특별대담 임권택(동서대 석좌교수) × 박건섭(동서대) |
| 2008년 5회 | 서울대(서울) | **한국 in 일본, 일본 in 한국**<br>특별대담 전여옥(국회의원) × 구로다 가쓰히로(산케이신문 서울지국장) |

| | | |
|---|---|---|
| 2009년 6회 | 규슈대(후쿠오카) | **한일해협권에서 본 동아시아**<br>기조강연 공로명(전 외무부장관) |
| 2010년 7회 | 전남대(전남 광주) | **한일 지금까지의 100년, 앞으로의 100년**<br>공개패널토론 박유하(세종대) 김용의(전남대) 니시노 준야(게이오대) 하루키 이쿠미(도요에이와여학원대) |
| 2011년 8회 | 동아대(부산) | **동아시아의 안정적 발전을 위하여**<br>기조강연 김영희(중앙일보 국제문제 대기자) |
| 2012년 9회 | 히토쓰바시대(도쿄) | **경계와 이동**<br>기조강연 이토 아비토(와세다대 아시아기구 교수) |
| 2013년 10회 | 동서대(부산) | **계승과 창출**<br>특별대담 와카미야 요시부미(전 아사히신문주필) × 심규선(동아일보 논설위원실장) |
| 2014년 11회 | 리쓰메이칸대(교토) | **글로벌 시대의 한일협력과 상생**<br>기조강연 오코노기 마사오(게이오대 명예교수) |
| 2015년 12회 | 고려대(서울) | **우리(한일)는 서로를 어떻게 마주할 것인가**<br>참가 대학원생 공개토론 김욱(고려대) 연경심(부산대) 신자토 요시노부(서울대) 이시하라 야마토리(리쓰메이칸대) Ten Veniamin(교토대) 김을리(도쿄대) |
| 2016년 13회 | 가나가와대(요코하마) | **한일에서 세계로, 그리고 미래로**<br>참가 대학원생 공개토론 정은주(동아대) Malenica Mirco Michael Misan(부산대) 김창진(홋카이도대) 이나가와 미도리(와세다대) |
| 2017년 14회 | 아주대(수원) | **초네트워크 사회를 어떻게 맞이할 것인가**<br>기조강연 권철현(전 주일대사) 한일 차세대 지도자들에게 바란다 |
| 2018년 15회 | 시즈오카현립대(시즈오카) | **동아시아의 문화와 그 교섭**<br>기조강연 가와카쓰 헤이타(시즈오카현 지사) 한국과 일본의 문화교류-불교 · 유학 · 차(茶)문화 등을 사례로 |
| 2019년 16회 | 한신대(오산) | **동아시아문화콘텐츠의 과거와 미래**<br>특별대담 후루야 마사아키(한국대중문화 저널리스트) × 신광철(한신대 교수) |

## 2019년 분과별 발표 논문(한신대 개최)

| 발표자 | 논 문 | 지정토론자 |
|---|---|---|
| **국제관계** 사회 고민성(고베대), XIE RU(동아대) | | |
| 김미정(동아대) | 감정노동자 보호법에 관한 연구 | 이토 호다카(고베대) |
| 와카스기 미나(도쿄대) | 남북외교전쟁에서의 비동맹주요국의 영향 | XIE RU(동아대) |
| 김민정(동아대) | 재외동포 취업 인력 활용방안과 문제점에 관한 연구 | 기타 가나(고베대) |
| 고민성(고베대) | '6.25 전쟁'과 '피난민'의 재등장 - '이북'에서 이동한 자를 '국민'으로 만드는 목적 | Webb Jonathan Christopher (게이오대) |
| **정치 · 법률** 사회 이수민(도쿄대), 구로다 아쓰호(고베대) | | |
| 나카지마 유키히로(게이오대) | 일본의 중의원 소선거구 구할 변경에 대해 현직 의원이 끼치는 영향 | 이지용(고려대) |
| CUI YINGLAN(부산대) | 비례대표 선거제도가 국회의원의 남녀성비 균형과 관련이 있는가? - 비례대표제와 여성할당제 | 구로다 아쓰호(고베대) |
| 이와사키 사호(도시샤대) | 문화 정책 평가의 구조 전환 - Interactive-Based Process에 착목하여 | 곽인신(동아대) |
| 이수민(도쿄대) | 지방의회에서의 청원과 이익단체의 영향력 | 이코마 도모카즈(리쓰메이칸대) |
| **경제 · 경영** 사회 류영진(기타규슈시립대), 다니 게이(히토쓰바시대) | | |
| 다니 게이(히토쓰바시대) | 1950년대 후반의 북일 무역 전개 과정 - 전후 일본 외교의 '경제의 논리' | 이인희(동아대) |
| 박건우(연세대) | 지역경제 발전과 외국인 직접투자에 관한 실증분석 - 경기도의 사례를 중심으로 | LI XUEFEI(조사이국제대) |
| 류영진(기타규슈시립대) | SDGs인지도 조절효과에 따른 지역민의 환경의식과 지역에의 자긍심 간의 실증분석 - 기타큐슈시를 사례로 | LI XIMING(메이지대) |
| 노길관(부산대) | 전기 매출액 변동이 비대칭적 원가행태에 미치는 영향 - 한 · 일 비교연구 | 다카하시 고지(릿쿄대) |
| **역사** 사회 아베 다이세이(오사카시립대), 강태희(경기대) | | |
| 히라타 데쓰야(규슈대) | 나치 강제수용소의 독일 공산당원 - '붉은 카포'의 '주체성' | 신성욱(동서대) |
| LUO TAISHUN(리쓰메이칸대) | 막스 베버의 비교역사사회학에서의 인과추정 논리 - 『유교와 도교』의 개정을 실마리로 | 강태희(경기대) |

**SDGs**

지속가능개발목표, 또는 지속가능발전목표(Sustainable Development Goals)를 의미한다. 국제사회가 2000년부터 2015년까지 시행한 밀레니엄개발목표(MDGs)를 끝내고 2016년부터 2030년까지 새로 시행하려는 글로벌 차원의 공동목표이다. 인류의 보편적 문제(빈곤, 질병, 교육, 성평등, 난민, 분쟁), 지구 환경문제(기후변화, 에너지, 환경오염, 물, 생물다양성), 경제 사회문제(기술, 주거, 노사, 고용, 생산 소비, 사회구조, 법, 대내외 경제)를 17가지 주목표와 169개 세부목표로 나눠 해결하려고 시도하고 있다.

| 발표자 | 논 문 | 지정토론자 |
|---|---|---|
| 정규완(경기대) | 정조대 화성축성과 옹성의 군사적 기능 | 모리타 도모에(도시샤대) |
| 기다 유스케<br>(리쓰메이칸대 | 일본 육군 내 멕켈 건의의 취사선택과 그 의의 | 김다해(경기대) |
| 야노 료코(고베대) | 남양군도 통치의 전사(前史)로서의 독일령 - 식민지 성립기(1870-1899)의 일본어사료에서 | 오영태(도쿄대) |
| 이상일(충남대) | 고대 한·중·일 조명 도구 비교연구 | 구누기 에나(한국외대) |
| 아베 다이세이<br>(오사카시립대) | 한일에서 출토된 '구부러진 철기'에 대해서 | 정효민(교토대) |
| 운노 다이치<br>(리쓰메이칸대) | 1911년 관세개정의 '복관세제도' 구상 - '의회의 개입'을 둘러싸고 | HASIGAOWA(고베대) |
| **언어·문학** 사회 전태호(나고야대), 김준(연세대) | | |
| 신다슬(충남대) | 소통 불가능한 세계 안의 개인 - 봉준호의 〈옥자〉를 중심으로 | 오타니 신페이(고베대) |
| 손미나(지바대) | 일본의 지역 일본어 교실에서의 참가자 간의 배움 - 지원 발화와 외국인 학생의 포지셔닝을 중심으로 | 이유진(충남대) |
| 김준(연세대) | 개화기 한국에서의 국문담론의 양상 - 순한글 신문을 중심으로 - | 이하은(충남대) |
| CHENHUARONG<br>(도쿄대) | 량치차오(梁啓超) 문학의 정취 | 정남훈(동아대) |
| LIU HAN<br>(조사이국제대) | '히라의 만월'을 둘러싼 〈기억〉이야기 - 집필 시기의 의미를 중심으로 | 권은희(나고야대) |
| 이형진(동아대) | 최서해 문학에 있어서 문예와 생활의 의미 | 차진명(충남대) |
| 기요스에 모모<br>(구마모토대) | 요괴들의 러일전쟁 - 이노우에 엔료의 '덴구론'을 소재로 | 황현우(동아대) |
| 이선영<br>(리쓰메이칸대) | 한국의 언어공동체 형성으로 보는 언어정책연구 - 1910년부터 1979년까지의 언어표기 문제를 중심으로 | 히라타 데쓰야(규슈대) |
| **사회·젠더** 사회 오가와 미사(리쓰메이칸대), SEKARDIATI YULIA ASTUTI(동아대) | | |
| 고바야시 마나에<br>(리쓰메이칸대) | 민간 사회의 병에 대한 대처 - 근대 일본을 중심으로 | DUAN XIAOQIN<br>(동아대) |
| 김진배<br>(한국기술교육대) | 금융기관 종사자의 감정노동, 직무스트레스, 직무소진, 이직의도 간의 가설적 인과모형 - 새마을금고 사례 연구 | 마쓰모토 미와(고베대) |

**맥켈**

일본 군부의 요청으로 독일이 일본 육군대학에 파견한 군사교관 야콥 멕켈(Klemens Wilhelm Jacob Meckel) 소좌를 말한다. 1884년 일본에 도착한 즉시 오야마 이와오(大山巖), 고다마 겐타로(兒玉源太郎) 대장의 적극적인 지원을 받아 일본 육군을 전면적으로 재조직하고 훈련했다. 일본 육군을 위해 강령과 조례를 만들고, 도쿄에 군사학술원도 설립했다. 1924년 독일에서 타계하자 일본 육군은 육군대학 대강당에서 추도식을 열었으며, 교정에 멕켈 동상을 건립하고, 그가 살던 관사도 영구 보존했다.

| 발표자 | 논 문 | 지정토론자 |
|---|---|---|
| 마쓰시타 마나(고베대) | 한국의 고령자 자살 예방 대책에 대해 – 민간 단체의 역할을 중심으로 | SEKARDIATIYULIA ASTUTI(동아대) |
| 정년경(동서대) | 고령화 시대를 대비한 공공 공연장의 기획공연 성향 분석 연구 | 이마사토 하지메(리쓰메이칸대) |
| 오가와 미사(리쓰메이칸대) | 박람회와 도시의 공간 편성 – 교토시 오카자키를 사례로 | 김창진(홋카이도대) |
| 김현미(전남대) | 초등 돌봄교사의 노동과정 연구 | 마쓰시타 다쿠마(고베대) |
| WANG WENYI(나고야대) | '외설' 논쟁을 비판하는 닛카쓰 로망 포르노 – 영화 '이치조 사유리의 젖은 욕정'에 나타나는 성노동자의 다양성 | 박기범(간사이대) |
| 육선(호세이대) | 일본 고령사회에 있어서 문화예술의 역할과 의의 | KIM SONIA(교토대) |
| **종교 · 사상** 사회 오바 아야(다이쇼대), 소토야 쓰요시(히토쓰바시대) | | |
| 요시미즈 기에(리쓰메이칸대) | 근대 신사 제도에서의 사격(社格) 승격 운동의 위치 | 김현석(동서대) |
| LIU YANG(간사이대) | 조선시대의 도교 내단사상 연구 – 『매월당집』을 중심으로 | 곽민석(교토대) |
| 김나현(리쓰메이칸대) | 일본종교사에 있어 神子의 자리매김 – 막말 유신기를 중심으로 | 아오키 시게루(도쿄공업대) |
| ZHANG YANYAN(광동외대) | 입원(入元) 일본 승려 셋손 유바이와 중원의 승속과의 교류에 대해서 | 소토야 쓰요시(히토쓰바시대) |
| 오바 아야(다이쇼대) | '생활개선'과 장례의 간소화 – 전후 야마가타 현의 신생활 운동의 전개 | ZAN GUIJUN(광동외대) |
| GU WENYING(리쓰메이칸대) | 방법으로서의 양명학 – 막부 말 유신기 양명학자 이케다 구사안을 중심으로 | 김현주(서울대) |
| 오가와 미치요(간사이대) | 구마노(熊野) 신앙을 창도하는 이야기의 형성 | 김유리(서울대) |
| GENDUNASIER(가나가와대) | 지역과 실천불교 연구 – 내몽골 불교 민족에 대한 고찰 | 와타리 유키(붓쿄대) |
| **민속 · 인류** 사회 다카타 아야(고쿠가쿠인대), 최주성(중앙대) | | |
| 와타리 유키(붓쿄대) | 야나기타 (구니오) 민속학과 근대 신도사 | 명수정(서울대) |

**닛카스 로망 포르노**

일본의 영화사 닛카쓰(日活)가 제작한 '핑크 영화'를 말한다. TV의 보급으로 영화가 침체기에 들어서자 이를 타개하기 위한 시도였다. 포르노이긴 하지만 기존의 전문인력과 상대적으로 많은 제작비로 작품성을 확보해 1970년대 일본 박스오피스 상영작의 40%를 닛카스 로망 포르노가 점유했다. 1980년대 후반 본격적인 포르노와 비디어 대여점의 등장으로 1988년 제작을 중단했다. 17년간 만든 로망 포르노는 1143편이었다.

**내단사상(內丹思想)**

내단사상(內丹思想)은 보통 선도(仙道) 또는 단학(丹學)이라고 불리는데 우리나라의 경우 그 흐름이 고대로부터 면면히 이어져 내려와 우리 민족의 내면세계에 큰 영향을 끼쳐왔다. 그러나 불교나 유교에 비해 이론화된 자료가 매우 적은 탓에 내단사상의 세계관이나 인간관, 실천 수련론 등에 대한 체계적인 접근이 어려웠다. (김낙필 지음《조선시대의 내단사상》소개에서)

| 발표자 | 논 문 | 지정토론자 |
|---|---|---|
| ZHANG XIAOLIN (가나가와대) | 티베트불교의 미술과 신앙-칭하이성·퉁런현지구 탕카(불화)를 중심으로 | 최주성(중앙대) |
| 아라키 마호 (고베대) | 봉오도리에 있어 '해체'의 방향-무형 문화유산에 관한 일시론 | 박연수(중앙대) |
| WENGKANGJIAN (홋카이도대) | 월경하는 종교와 이민집단의 중층적 커뮤니티융합-고베 화교와 중국 민간신앙을 사례로 | 최창행(교토대) |
| CUI LINA (한국학중앙연구원) | 1900-1910년대 한·중 여자 일본유학생 단체와 간행물 비교-'동경여자유학생 친목회'와 『여자계』, '공애회'와 『백화보』 비교를 중심으로 | 닛사토 유키(고베대) |
| 오자키 후미아키 (고베대) | 동향회에서의 경로관계-간사이 기카이쵸 향우회를 사례로 | 곽인신(동아대) |
| LI NANJIN (종합연구대학원대) | 민족 공예와 관광을 둘러싼 인류학적 연구-중국 윈남성 따리 자치주 저우청의 홀치기염색을 사례로 | 이와사키 사호(도시샤대) |
| 다카타 아야 (고쿠가쿠인대) | 근대화에서의 산악 성지의 생존전략 | 김현석(동서대) |
| **문화·예술1** 사회 배수정(간사이대), 김소현(한국외대) | | |
| 이영아(한국외대) | 후기 현대 문화관광콘텐츠의 역할과 영향 연구 | 후지와라 미즈키 (간사이대) |
| 오부치 준페이 (구마모토대) | 국회의사당 건설에서 다쓰노 긴고와 쓰마키 요리나가의 충돌 | 김소현(한국외대) |
| 허의진(한신대) | 영국 3대 판타지에서 드러나는 기독교적 선과 악에 대한 비교 연구 | 후쿠이 요시타케 (홋카이도대) |
| 오타니 신페이 (고베대) | 오시마 나기사에 의한 '오시마'의 표현-〈잊혀진 황군〉 분석 | 박주현(동아대) |
| 정현일(부산대) | 원도심 도시재생에서 나타나는 공간유형-산복도로 르네상스 프로젝트를 중심으로 | ALDRIE ALMAN DRAJAT(고베대) |
| 가미야 가즈히로 (홋카이도대) | 일본 특수 촬영의 문화사회학적 연구-19세기 시각 문화연구의 관점에서- | 배수정(간사이대) |
| 이민주(한국외대) | 보는 게임 문화와 게임 방송 시청자의 유형 | 호리 슌노스케(고베대) |
| 이은준(연세대) | 아시아 예술문화의 키워드-의미연결망 분석을 통한 문화예술기관연구 동향 분석 | 후쿠이 요시타케 (홋카이도대) |
| **문화·예술2** 사회 이효원(한국외대), 다카오카 미나(고베대) | | |

**〈잊혀진 황군〉**

재일 한국인 상이군경의 모습을 추적하여 일본 제국주의의 무책임을 고발한 오시마 나기사(大島渚) 감독의 텔레비전 방영 다큐멘터리. 1963년 8월 16일 니혼(日本)TV 「논픽션 극장」에서 방영했다. 다큐멘터리에는 일본군으로 복무했으나 패전 후 은급(恩給) 등 아무런 보상도 받지 못하는 한국인 상이군인 12명이 등장한다. 그들은 실명했거나 의수를 하고 있다. 다큐멘터리의 마지막 나레이션은 "일본인이여, 우리들이여, 이 상태로 괜찮은 것인가, 이 상태로 괜찮은 것인가?"이다. (세계한민족문화대전)

| 발표자 | 논 문 | 지정토론자 |
|---|---|---|
| 신미숙(동아대) | **음악과 인성요소를 수업모형에 적용한 지도방안 연구** | 다카오카 미나(고베대) |
| 김태용(도쿄대) | **사회변동기와 서브컬처 미디어의 성립 – 잡지 『파후』를 중심으로** | 민슬아(리쓰메이칸대) |
| 이효원(한국외대) | **예술영화 속 연극의 기능과 의미 – 아쉬가르 파라디의 〈세일즈맨〉과 안드레아 팔라오로의 〈한나〉를 중심으로** | 임동우(도쿄대) |
| 이리자와 마사아키(교토시립예술대) | **야기 가즈오의 초기 작품에 대한 고찰 – 아이치현 도자미술관 2018년도 기증자료 〈철상감향일규도호〉를 계기로** | 전태호(나고야대) |

포럼 운영위원회는 한국과 일본 각 9명으로 구성되어 있다.

| 분 과 | 한국 측 | 일본 측 |
|---|---|---|
| 국제관계 | **김진기**(부경대) | **고하리 스스무**(시즈오카현립대) |
| 정치 · 법률 | **임석준**(동아대) | **시미즈 유이치로**(게이오기주쿠대) |
| 경제 · 경영 | **박성빈**(아주대) | **다카세 고이치**(와세다대) |
| 역사 | **송양섭**(고려대) | **하야시 유스케**(메이세이대) |
| 언어 · 문학 | **금종애**(충남대) | **사이토 마레시**(도쿄대) |
| 사회 · 젠더 | **신지원**(전남대) | **가이즈미 게이코**(이와테대) |
| 종교 · 사상 | **최종성**(서울대) | **가와세 다카야**(교토부립대) |
| 민속 · 인류 | **박환영**(중앙대) | **사쿠라이 요시히데**(홋카이도대) |
| 문화 · 예술 | **신광철**(한신대) | **하마다 요**(데이쿄대) |

포럼은 한국 측 64명과 일본 측 74명의 자문 교수를 두고 있다.

| 한국 측 (64명) | 강제훈(고려대) 강철구(배재대) 고유환(동국대) 김미현(이화여대) 김민구(전남대) 김민규(동아대) 김상준(연세대) 김수갑(충북대) 김순전(전남대) 김영순(인하대) 김용의(전남대) 김재봉(한국해양대) 김종대(중앙대) 김치완(제주대) 김학권(원광대) 김현철(서울대) 김혜숙(이화여대) 문옥표(한국학중앙연구원) 문정인(연세대) 민영성(부산대) 박경하(중앙대) 박대재(고려대) 박삼헌(건국대) 박용순(성결대) 박치완(한국외대) 박훈하(경성대) 백승국(인하대) 사이토 아케미(한림대) 서영대(인하대) 서영표(제주대) 송효섭(서강대) 신진욱(중앙대) 양준호(인천대) 연규홍(한신대) 오세정(충북대) 요시모토 고지(경상대) 유요한(서 |
|---|---|

| | |
|---|---|
| | 울대) 이기성(한국전통문화대) 이진한(고려대) 이창민(한국외대) 이향철(광운대) 임대근(한국외대) 임영진(전남대) 임온규(부산외대) 임혁백(고려대) 장세훈(동아대) 장원호(서울시립대) 전홍찬(부산대) 정근식(서울대) 정병호(한양대) 정승연(인하대) 정창원(제주대) 조진희(숙명여대) 조춘범(성결대) 지현숙(배재대) 채성식(고려대) 최영환(동국대) 최우용(동아대) 최정기(전남대) 최희식(국민대) 표민찬(서울시립대) 표정옥(숙명여대) 허남춘(제주대) 황기식(동아대) |
| 일본 측<br>(74명) | 가나즈 히데미(리쓰메이칸대) 가시오 나오키(게이오대) 가쓰라지마 노부히로(리쓰메이칸대) 가와마타 도시노리(스즈카대) 가타 오카류(도호쿠대) 가토 게이키(히토쓰바시대) 가토 기요후미(국문학연구자료관) 겐조 데이지(치바대) 고바야시 요시아키(게이오대) 구라바야시마 사토(조사이국제대) 구리타 루미코(조사이대) 구사노 모토오(조사이대) 기구치 다케히로(교토첨단과학대) 기무라 간(고베대) 기미야 다다시(도쿄대) 기시에 신스케(도쿠시마대) 기즈 유코(교토대) 깃카와 겐(히로시마시립대) 나카스 미오(교토부립대) 니시무라 아키라(도쿄대) 다니모리 마사히로(코난대) 데루야 유키오(가나가와대) 도자키 하지메(와세다대) 도코로 노부유키(니혼대) 마키노 에이지(호세이대) 미쓰이 다카시(도쿄대) 미야지마 슌이치(홋카이도대) 미와 겐지(일본교육대학원대) 사노 겐지(가나가와대) 사노 마사토(도호쿠대) 사도 아키히로(츄쿄대) 사이토 요시히코(오사카경제대) 사지마 아키코(후쿠오카여학원대) 사카모토 다다시(나고야외국어대) 삿사 미쓰아키(리쓰메이칸대) 센세 이키(조사이대) 소에야 요시히데(게이오대) 스가와라 야스노리(홋카이가쿠엔대) 스기하시 다카오(리쓰메이칸대) 시라이 사토시(교토세이카대) 시마조노 스스무(죠치대) 시미즈 아키히로(테즈카야마대) 야나타 스구루(와카야마대) 야마오카 미치오(와세다대) 야스다 다케히코(니혼대) 오니시 유타카(고베대) 오사 시즈에(고베대) 오오시마 다쿠(조사이국제대) 오오이시 요시히로(메이지대) 오오키 야스시(도쿄대) 오자와 도모하루(규슈국제대) 오자키 이치로(홋카이도대) 오카다 히로키(고베대) 오카모토 다키코(메이지가쿠인대) 오카모토 아키라(히로시마여학원대) 오타 오사무(도시샤대) 와타나베 사토시(시즈오카현립대) 요시다 유타카(히토쓰바시대) 우메야 기요시(고베대) 유미야마 다쓰야(도쿄공업대) 이구치 미쓰구(도시샤대) 이노우에 도모카쓰(사이타마대) 이소자키 아쓰히토(게이오대) 이연숙(히토쓰바시대) 이와사키 다케히코(구마모토대) 이와이 히로시(테즈카야마대) 이토 마사유키(아이치가쿠인대) 이희석(조사이대) 전재욱(돗쿄대) 하라 도모히로(테이쿄대) 하세가와 고(홋카이도대) 호시노 하루히코(후쿠오카대) 후지노 요헤이(홋카이도대) 후카가와 히로시(규슈대) |

한일차세대학술포럼의 운영은 동서대 일본연구센터가 맡고 있다.

**동서대 일본연구센터의 본부는 (47011) 부산광역시 사상구 주례로 47 동서대학교 국제협력관 8층에 있다. 전화 (051) 320-1900~1, 팩스 (051) 320-1902. 서울사무소는 (03186) 서울특별시 종로구 새문안로 92 광화문오피시아 2331호에 있다. 전화 (02) 723-2270~1, 팩스 (02) 723-2272. 홈페이지 https://uni.dongseo.ac.kr/japancenter**

# 7. 게이트웨이 투 코리아 포럼(GTKF)

KOREA-JAPAN

'게이트웨이 투 코리아 포럼'은 연세대가 운영하는 '게이트웨이 투 코리아(Gateway to Korea)' 과정을 모태로 2021년에 시작한 신생 포럼이다. 포럼의 모체인 '게이트웨이 투 코리아'는 한국에 주재하는 일본 기업의 중견간부들에게 한국의 정치, 사회, 노동, 언론 문제 등을 소개하는 고위과정이다.

'게이트웨이 투 코리아 포럼'은 팸플릿에서 포럼의 성격을 "한국에 주재하는 일본 기업인, 특파원, 외교관, 그리고 그 가족 및 동료들과 한일관계 개선을 추구하는 한국의 오피니언 리더들이 서로 있는 그대로의 모습과 생각을 공유해 나가는 소통의 장"이라고 설명했다. 포럼은 서로를 안다, 함께 발전한다, 더 나은 세계로 연결한다는 것을 포럼의 비전으로 제시했다.

이 포럼은 한 달에 한 번씩 정기포럼을 개최한다는 계획이다. 1부에서는 한국과 일본의 회원 1명씩이 발표와 질의응답을 하고, 2부에서는 식사를 겸한 의견교환의 기회를 마련한다. 포럼은 정기포럼 외에도 세미나, 이벤트, 장학제도 등도 검토하고 있다.

회원은 정회원과 협력회원을 나누고 조직은 회장 1명, 부회장 2명(한일 각 1명), 사무총장과 간사를 두기로 했다. 초대 회장은 양인집 전 주일한국기업협회장이, 사무국장은 연세대 권성주 박사가 맡았다. 발기인으로는 한국 측에서 박인동 김앤장 변호사, 신훈식 EY한영 회계사, 이경욱 벡터컴 대표, 백민성 퍼솔켈리 이사가, 일본 측에서는 후지모토 세이지 삼우레코 부회장, 이케모토 다케시 아사히카세이 머티리얼즈 대표, 야마다 유이치 A Beam Consulting 대표, 가스가이 모에 KOREC(취직지원카페) 운영자가 참여했다.

이 포럼의 연락처는 ksj8060@naver.com, 070-8065-2847이다

# 8. 한일신시대포럼

KOREA-JAPAN

한일신시대포럼은 2021년 부산에서 새로 발족한 포럼이다. 3월 31일의 발족식에서 이원범 동서대 일본연구센터 소장이 보고한 경과를 소개한다.

지금부터, 한일 신시대포럼 창립총회가 열리기까지의 경과에 대해 간략하게 보고 말씀드리겠습니다.

금번 창립총회의 직접적 계기는, 한일관계의 미래지향적 발전에 뜻을 함께 하는 사람들이 작년 봄, 포럼 창립을 위한 준비모임을 만들면서부터입니다. 아시는 바와 같이, 근래의 한일관계는 국가 간은 물론, 시민사회에서조차 서로에 대한 비난을 서슴지 않는 모습을 보입니다. 악화일로로 치닫는 한일관계를 개선하기 위한 행동이 필요하다는 공감대가 준비모임 결성으로 이어졌다고 하겠습니다.

그리고, 이러한 준비모임과 창립총회로 이어지는 일련의 과정의 배경에는 2006년부터 활동을 시작한 〈부산일본연구포럼〉이 있다는 보고 말씀도 드려야 한다고 생각합니다. 이 포럼은 부산지역 대학에 속해있는 일본 연구자, 일본 관련 업무에 종사하는 각 분야의 전문가들이 함께한 모임으로, 정기적인 학습을 통하여 서로의 지식정보를 공유하고, 일본과 관련한 지역사회의 현안을 함께 고민하는 연구모임이었습니다. 이 모임의 회장을 맡은 장제국 동서대 총장과 그 중심 멤버들의 업무가 바빠지면서, 그간 활동이 중지된 상태로 있습니다만, 이번 창립모임을 통하여 그 뜻을 이어가게 되었습니다.

생각해 보면, 긴 역사 속에서, 부산은 항상 한일교류의 중심에 있었습니다. 이러한 인식을 바탕으로 한일관계의 새로운 비전을, 국가가 아닌 민간 영역에서, 수도권이 아닌 부산에서 만들어 가겠다는 것이 〈한일 신시대포럼〉의 창립 정신이라 하겠습니다. 따라서 한일 신시대포럼은, 학습 위주의 연구모임이나 친목 단체를 넘어, 학습하고 행동하는 실천적 시민단체를 지향해야 한다고 생각합니다. 포럼 준비위원회에서는, 이러한 취지를 바탕으로 한일관계에 관심을 갖는 대학의 연구자, 각각의 민간 영역의 리더분들에게 동참을 부탁드렸고, 그 결과 오늘 이렇게 46명의 창립회원이 모인 자리가 마련되었습니다. (후략)

**한일신시대포럼 대표는 장제국 동서대 총장이 맡았다. 다음은 장 총장의 취임사이다. 포럼의 발족 의도와 운영방안을 짐작할 수 있어 요약 소개한다.**

(전략) 조금 전 정기영 포럼창립준비위원장님께서도 말씀하셨습니다만, 최근 한일관계가 최악이라는 것에 대해서 별다른 이론의 여지는 없는 것 같습니다. 안타깝게도 일련의 사건으로 인하여 서로 감정이 많이 상했고, 어느 순간부터인가 상대에 대한 무관심 현상이 일어나고 있습니다. 결코 바람직하지 않습니다.

한일신시대포럼은 다음과 같은 문제의식에서 출발하게 되었습니다.

첫째, 적어도 한일관계에 있어서만은 우리 부산이 상당 부분 중요한 역할을 담당해야 한다는 것입니다. 부산은 일본에서 지리적으로 가장 가까운 국경도시입니다. 부산에서 후쿠오카까지 220킬로밖에 되지 않습니다. 서울보다 가까운 거리입니다. 코로나 사태 전까지만 해도 후쿠오카 하카타역 근처에 가면 경상도 말을 쉽게 들을 수 있을 정도로 많은 부산 사람들이 일본을 방문했습니다. 금요일 밤이면 강태공들이 쓰시마행 배를 타기 위해 국제부두에 장사진을 이루기도 했습니다. 쇄국정책의 조선시대였지만 부산에는 일본 왜관이 존재했습니다. 부산의 왜관은 쓰시마를 매개로 한 조일관계의 중개소였던 것입니다. 또 조일우호의 상징이었던 조선통신사가 일본을 향해 출발을 했던 곳도 부산이었습니다.

**왜관**

조선 시대에 일본과 교역하기 위해 만든 장소. 태종은 왜구의 노략질을 막기 위해 일본인의 왕래와 무역을 인정해 주고 부산포(부산), 내이포(진해), 염포(울산), 가배량(거제)에 왜관을 설치했다. 일본 상인들은 왜관 안에서만 활동해야 했다. 세종은 쓰시마 정벌을 하며 왜관을 모두 폐쇄했다. 그러나 일본이 계속 교역을 요구하자 부산포, 염포, 제포(진해) 등 세 곳에 왜관을 다시 설치했다. 임진왜란 직전에는 부산포 왜관만 있었고, 임진왜란 후에는 이마저 폐쇄했다. 외교관계를 복원하면서 부산 초량에 왜관을 다시 만들어 강화도 조약 전까지 운영했다.

이처럼 부산은 한국에서 일본과 지리적으로 가장 가까운 거리에 있을 뿐 아니라, 역사적으로도 깊은 관계가 있던 곳이므로 부산은 당연히 학문적으로나 역할에 있어서 일본에 대해 가장 정통한 곳이어야 합니다. 그러나 안타깝게도 현실은 그렇지 않습니다. 양국관계에 있어 부산은 별 중요한 역할을 담당하지 못하고 있는 것이 사실입니다. 언제나 서울과 도쿄의 논리에 크게 좌우되고 있고, 그 논리를 답습하고 있습니다. 중앙 논리가 과격하게 흐를 때도 아무런 대안도 새로운 시각도 제시하지 못하고 있습니다. 그래서는 안 되겠습니다.

부산의 각계 각층의 전문가들이 모인 본 포럼은 앞으로 일본에 대해 새로운 각도에서 폭넓게 연구하고, 중앙논리에 맹목적으로 휘둘리지 않는 울림이 있는 제언을 해 나갈 것입니다. 일본연구에 관한 한 부산이 메카가 되어 보자는 꿈을 가지고 싶습니다.

둘째, 한일관계에 있어 새로운 패러다임을 제시해 양국관계의 신시대를 여는데 보탬이 되어 보자는 것입니다. 현재 양국관계는 역사문제로 한 발짝도 못 나가고 있습니다. 물론 역사는 직시해야겠지만, 역사문제가 한일관계의 전부는 아닙니다. 이제 새로운 패러다임으로 갈아타야 합니다.

예를 들면, 오랫동안 회자되어 왔지만 여전히 담론 수준에 머물고 있는 '부산-후쿠오카 초광역경제권 구상'을 실현해 나가는 것도 새로운 아이디어가 될 수 있을 것입니다. 발상 전환을 통해 양국관계의 새로운 패러다임을 도출해 내야 합니다. 그렇게 될 때, 비로소 양국관계는 성숙하고 안정적인 관계로 발전해 나갈 수 있을 것입니다. 본 포럼은 한일관계에 있어 새로운 패러다임을 제안하는 아이디어 뱅크 같은 역할을 하는 것을 목표로 하고 있습니다. (후략)

한일신시대포럼의 창립회원 46명은 다음과 같다(가나다 순).

강해운(삼진TM 전무), 곽병익(KNN미디어플러스 대표), 권성찬(흥국건설 부사장), 금성근(전 부산연구원 선임연구원), 김대식(동서대 대외협력부총장), 김연성(IDS 회장), 김은영(부산일보 논설위원), 김정기(창원대 행정학과 교수), 김종천(영파의료재단 규림요양병원·마음향기병원 원장), 김진기(부경대 일어일문학부 교수), 김태균(ESS 대표), 김현겸(팬스타그룹 회장), 박재욱(신라대 부산학센터장), 박지윤(부산대 통일한국연구원 특임교수), 배재한(국제신문 대표), 변찬복(안양대 관광경영학과 교수), 손기섭(부산외대 외교학과 교수), 신정화(동서대 국제관계학전공 교수), 오금아(부산일보 문화부 공연예술팀장), 이경규(동의대 일본어학과 교수), 이부승(재단법인 가나안교육원 기획이사), 이상열(부산국제친선협회 상임이사), 이원범(동서대 일본연구센터 소장), 이유아(부산외대 통번역대학원 부교수), 이효선(부산외대 호텔관광컨벤션학부 교수), 임석준(동아대 국제전문대학원 교수), 장세진(프레세나 스트레티직 파트너스 대표), 장제국(동서대 총장), 전홍찬(부산대 정치외교학과 교수), 정기영(전 부산외대 총장), 정종필(부산국제교류재단 사무총장), 정충영(삼보푸드 대표), 조강희(부산대 일어일문학교 교수), 조탄제(서면미리벌직업전문학교 대표), 최인택(동아대 중국·일본학부 교수), 하숙경(부산한일문화교류협회 사무처장 겸 상임이사), 하은정(법무법인(유) 세종 파트너변호사), 한태문(부산대 국어국문학과 교수), 현대송(한국해양수산개발원 글로벌해양아카데미 학장)

**■ 일본인 특별회원**

가네다 다이(金田達依, 서일본신문 기자), 스즈키 마사토(鈴木正人, 주부산일본국총영사관 수석영사), 시바타 후미타케(柴田文武, 부산일본어교사회 회장), 쓰다 히로후미(津田裕史, 부산일본인회 회장), 오자사 가쓰유키(小笹克行, 동서대 일본연구센터 사무국장), 후지타 도모히코(藤田智彦, 일본국제교류기금 영남지역일본어교육 어드바이저), 히라노 도시유키(原野利之, 부산일본인학교 교장)

# 4장. 학생 및 청년 모임

1. 한일학생회의(KJSC)
2. 한일학생포럼(KJSF)
3. 한일학생교류(KJSE)
4. 한일학생미래회의(KJSFF)
5. 한일청년포럼
6. 한일국제교류회(KJIF · 크지프)
7. 글로벌아시아리더십포럼(GALF)
8. 한국국제교류재단(KF) 대학생교류사업
9. 한일포럼 주니어포럼
10. 한일대학생 미래포럼
11. 세토포럼 청년아카데미

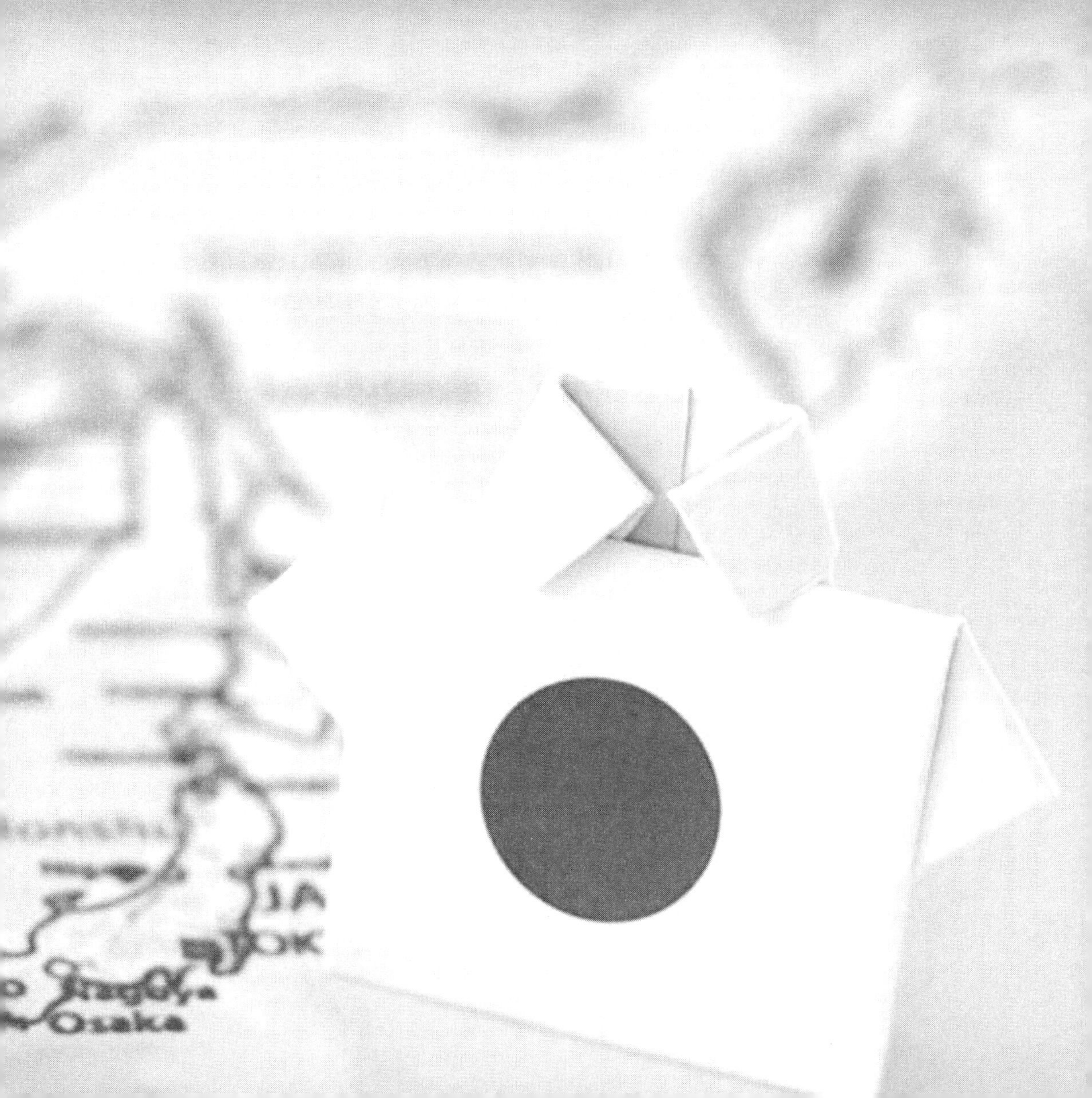

KOREA-JAPAN

# 1. 한일학생회의(KJSC)

한일학생회의(Korea Japan Student Convention · KJSC)는 〈한국민족문화대백과〉에서 다음과 설명하고 있다. 공식 블로그 https://blog.naver.com/koreajapansc

> 한일학생회의(Korea Japan Student Convention, KJSC)는 1985년 창설되었고, 한국의 대학생으로만 이루어진 일본 관련 대학생 학술단체의 하나이다. 격년 단위로 여름에 한국과 일본에서 학술교류와 문화교류를 목표로 하는 회의를 개최하고 있다.
>
> 자매단체로는 일한학생회의(Japan Korea Student Conference)가 있다. 1986년 제1회 동경대회 개최 이래로 각국의 대학생들을 선발해 학술과 연계된 활동을 하고 있으며, 학술 외에도 '나눔의 집' 방문 등 한국과 일본 양국과 관련된 활동을 포괄적으로 해오고 있다.
>
> '한국과 일본을 대표하는 대학생 민간 외교관'이라는 모토 하에 다방면에서 교류를 추진하고, 한국과 일본 사회에 긍정적 영향을 주기 위해 노력하고 있다. 특징으로는 다양한 전공 학생들의 모임과 체계적인 동우회, 자치적 구조 등을 들 수 있다.
>
> 주요 활동으로는 매주 토요일 한국, 일본 등 국제적인 이슈를 주제로 학습을 진행하고 있으며, 매년 8월 한일 양국을 오가며 진행되는 약 2주간의 학술대회 등이 있다. 이밖에도 공모전, 유니브엑스포(UnivEXPO) 참여 등 자체적으로 프로젝트를 진행해 오고 있다.
>
> 한일학생회의는 특정 단체의 산하에 있지 않고, 회의의 운용 및 다른 비용은 후원금과 소정의 참가비로만 이루어진다. 즉, 한일학생회의에서 운용되는 기금은 다양한 교류 단체를 후원하는 기금회나 사기업의 홍보 혹은 사회 환원 목적의 지원에서 대부분 확보해 왔다. 사회에서 지원을 받는 만큼 한일학생회의는 '나눔의 집'에 정기적으로 봉사활동을 하거나, 일본과의 역사 관련 논란이 불거질 때마다 관련 토론회를 개최하는 등 사회의 일원으로서 다양한 활동을 벌이고 있다.

**유니브 엑스포 (UnivEXPO)**

대학생들이 만드는 대학생활박람회이다. 2021년 12회를 맞았다. 연합동아리, 기업 대학생 프로그램, 강연, 공연, 이벤트, 공모전, 취업컨설팅, 봉사활동 등 다양한 정보를 제공한다. 코로나 사태 전에는 오프라인에서 행사를 열었으나 코로나 사태 이후에는 온라인으로 개최하고 있다. 서울, 부산, 대구가 별도로 운영하고 있다.

〈연합뉴스〉는 2015년 6월 30일 이 단체를 다음과 같이 소개했다.

**광복70년: 30년간 서울-도쿄 오가며 교류 앞장선 대학생들**
**'친일파 손가락질' 견디며 양국간 소통 기회로 활용 매년 문화·학술교류…**
**8월 15일 서울과 도쿄서 日학생들과 토론**

민간외교관을 자처하며 약 30년간 한국과 일본 양국의 문화교류와 학술활동을 이어온 대학생들이 있다. 조선 후기 외교사절단인 조선통신사와 비슷한 역할을 했다.

조선통신사 행렬을 따라 약 400년간(200년간의 오류인 듯-필자) 한일 문화·학술 교류가 꽃피웠다. 대학생들은 매년 서울과 도쿄를 한두 차례씩 오가며 교류의 끈을 이어가고 있다.

한 가지 다른 점은 있다. 조선통신사가 국가 주도의 친선교류의 통로였다면 대학생 단체는 자생적인 소통의 장이라고 할 수 있다.

광복 70주년, 한일수교 50주년을 맞아 이들 대학생이 8월 15일 서울과 도쿄에서 각각 일본 학생들과 한자리에 모여 과거와 현재, 미래를 논의한다.

◇ **일본 외무성 초청받은 대학생들, 이듬해 일본 학생 초청해 문화·학술교류**

한일학생회의(KJSC)는 1986년 서울대·연세대·고려대·한국외대 등 서울 소재 대학생 10여 명이 '일본과의 문화·학술 교류로 이해의 폭을 넓히자'는 목적으로 구성한 단체다.

일본이 주최한 한일대학생 대상 포럼행사에 참석한 학생들이 귀국해 '내년에는 일본 학생들을 우리가 초청하자'며 조직을 꾸렸다.

당시만 해도 국외여행이 자유롭지 않았고 대학생끼리 단체를 만들어 활동하는 것이 수사의 대상이 되기도 했다. 각종 우여곡절을 겪었음에도 양국 청년들은 패기와 열정으로 30년 가까이 외길을 걸어올 수 있었다.

한일학생회의 1기 조직위원장 방세현 시사정책연구소 소장은 30일 당시 상황을 회고했다. "경제적으로 사정이 좋았던 일본 학생들을 만나고 자존심이 상했는지 '진정한 국제회의가 뭔지 보여주겠다'며 일본 학생들 앞에서 엄포를 놨다. 그리고 한국으로 돌아오자마자 단체를 만들었다."

방 소장은 "그때는 친일파라는 손가락질을 받기도 했고, 대학생들이 모였다고 하니 수시로 경찰서에 가 조사받으며 어려움을 겪었지만 '한국인이라는 자존심'으로 활동했다"고 덧붙였다.

그렇게 첫발을 내디딘 한일학생회의는 매년 서울과 도쿄를 번갈아 오가며 일본 대학생들을 만나 상대국의 전통문화를 체험하고 사회·경제·문화·정치·역사 주제별 학술회의를 개최했다.

### ◇ "우리는 민간외교관… 작은 활동이 큰 변화 가져올 것"

국내 한일교류를 추구하는 대표적인 대학생 단체로는 한일학생회의 말고도 비슷한 시기에 활동을 시작한 한일학생포럼(KJSF), 한일학생교류(KJSE)가 있다.

3개 단체는 저마다 다른 특색을 갖지만, 약 30년간 매년 특정시기에 일본 학생들을 만나 문화 · 학술교류를 하는 점은 같다.

일본 학생들과 함께 활동하는 과정에서 서로 몰랐던 인식의 차이와 문화적 배경을 이해할 수 있다고 이들 단체 학생들은 입을 모은다.

한일학생회의 30기 위원장인 김수정(성균관대 유학동양학과) 씨는 "한국 사람들에겐 반감의 대상인 야스쿠니 신사가 일본인들에겐 참배라는 문화적 배경이 있다는 점을 일본 학생들과 논의하면서 깨닫게 됐다"고 전했다. "답을 구하지는 못할지라도 서로 이해의 폭을 넓히는 과정이라고 생각한다"는 평가도 했다.

하나같이 '민간외교관'이라는 사명감으로 활동하고 있다.

한일학생포럼 31기 부회장 이준영(숭실대 벤처중소기업학과) 씨는 "한국과 일본 간 관심이 점점 줄어드는 것 같다. 그만큼 우리 학생들의 역할이 중요하다고 생각한다. 비록 10여 명의 활동이지만 장기적으로는 값진 일"이라고 강조했다.

### ◇ "한일관계 크게 달라지지 않았다는 고민… 소통의 힘 믿는다"

문화 · 학술교류에 앞장서 온 학생들이 최근 당면한 고민은 아이러니하게도 '한일 관계가 과거와 비교해 크게 다르지 않은 것 같다'는 점이다.

역사 현안에 있어서 '큰 진전이 없다'는 게 공통된 문제의식이다.

상대국 대중문화에 받는 영향이 점차 커지며 문화적 이해도는 높아졌지만, 역사적 이슈가 발생할 때마다 다시 원점으로 되돌아가길 반복하고 있다고 진단한다.

한일학생회의 30기 부위원장 김승현(고려대 일어일문학과) 씨는 "처음엔 수교 50주년을 기념하자며 막연히 즐거워했는데 한 번 더 생각해보니 위안부 피해 할머니들을 비롯해 역사적 문제들은 아직도 정리되고 있지 않다는 것을 깨달았다"고 말했다.

한일관계에 관한 전문가가 아닌 아마추어나 다름없는 대학생들의 논의가 얼마나 사회적으로 영향을 미칠 수 있는가도 오래된 과제다.

짧으면 짧다고 할 수 있는 10여일 간의 만남을 통해 한일간 오해와 편견을 지우기도 쉬운 일은 아니다.

한일학생회의 30기 기획부장 심현정(고려대 일어일문학과) 씨는 "수일간 일본학생과 토론하고 마무리하고서 느끼는 점 중 하나는 '서로 견해 차이만 확인하고 끝났다'는 것"이라고 했다.

그럼에도, 대학생들이 활동을 멈추지 않은 것은 '소통에 대한 믿음'일 터다.

심씨는 "아무런 대화도 하지 않고 단절된 채 있는 것보다 의견 교류라도 하면서 소통하다 보면 단절됐을 때보다는 확실히 좋아지는 부분이 있을 거라는 믿음이 있다"고 소신을 밝혔다.

### ◇ 한일학생회의 서울서… 한일학생포럼은 광복절 도쿄서 개최

광복 70주년, 한일수교 50주년을 맞은 한일 대학생 3개 단체는 저마다 특별한 일정을 준비한다.

한일학생회의는 8월5일부터 2주간 일본 자매단체인 일한학생회의 대학생들을 한국으로 초청한다.

이 기간에 '조선통신사를 중심으로 한일 교류의 역사와 앞으로의 방향성', '한일의 종교', '양국의 역사교육과 그 영향' 등을 주제로 12차례 토의한 내용을 광복절 당일 심포지엄 형식으로 발표한다.

한일학생포럼 소속 대학생 15명은 8월 5일부터 20일까지 일본 나가사키, 오사카, 도쿄를 차례로 방문해 자매단체인 일한학생포럼과 문화·학술교류를 한다.

특히 8월 15일께 발표될 예정인 아베 신조(安倍晋三) 일본 총리의 전후 70년 담화 내용을 현지 학생들과 분석하고 토론해볼 생각이다.

여름에는 서울, 겨울에는 도쿄에서 한일대학생 교류의 장을 만드는 한일학생교류 학생들도 8월 4일부터 11일까지 행사를 연다.

이번 행사에서는 평소보다 학술을 강화해 일본 학생들과의 허심탄회한 대화를 할 계획이다.

한일학생포럼 31기 부회장 이준영 씨는 "저도 활동 전까지 일본에 대한 지식이 거의 없었다. 보통의 젊은 사람들은 예전의 저처럼 단적인 부분만 보고 한일관계를 이해한다고 본다"며 "우리들의 활동을 영상과 사진 등으로 기록해 더 많은 사람과 공유할 것"이라고 밝혔다.

한일학생회의 2020년 멤버는 35기이다. 2020년는 코로나19 때문에 서울회의와 도쿄회의를 열지 못하고 한일학생회의와 일한학생회의가 함께 8월 14일부터 22일까지 온라인으로 '여름대회'라는 것을 개최했다. 프로그램은 아이스브레이킹, 온라인회의, 심포지엄 등이었다.

심포지엄 프로그램의 주제는 다음과 같다.

■ 외교: 한일 군사협력의 전망과 필요성
■ 복지: 한일 저출산에 영향을 미치는 주요인의 현황 및 정책 분석과 대안의 제시

- 문화: 한일 교류를 방해하는 언론보도와 그에 대한 해결방안
- 과학: AI에 따른 일자리의 감소, 업무의 자동화에 대한 양국의 생각

# 2. 한일학생포럼(KJSF)

KOREA-JAPAN

한일학생포럼(Korea Japan Student Forum · KJSF)은 홈페이지에서 단체와 구성, 활동 등을 다음과 같이 소개하고 있다. www.kjsf.org

**한일학생포럼**

1986년 3월 순수학생단체로서 서울대를 중심으로 처음 시작한 한일학생포럼(KJSF)은 일본 측 파트너인 일한학생포럼(JKSF)과 함께 한일 양국 간의 올바른 상호인식과 교류 확대, 나아가 동등한 이웃으로서 양국이 함께 지향하여야 할 가치를 순수 대학생들의 힘으로 새롭게 정리해 보고자 하는 취지에서 만들어졌습니다. 특히 한일 양국 간의 올바른 역사 이해에 대한 요구가 높아지는 요즘, 왜곡된 편견과 불신에서 벗어난 한일 양국 대학생들의 직접적인 교류를 통해 보다 밝고 희망찬 내일로 이어가는 가교 역할을 해나갈 것입니다.

**한일학생포럼 멤버**

한일학생포럼은 자체 선발기준을 통해 매년 새로운 회원을 모집하고 있습니다. 모집대상은 서울시내 소재 대학의 학부과정에 입학예정이거나 재학 중인 대학생으로서, 한국과 일본 양국의 역사, 문화, 사회, 경제, 정치 등 다방면에 관심을 가지고 있다면 학년과 나이, 전공, 그리고 국적에 관계없이 누구나 회원이 될 수 있습니다. 신규회원 모집은 매년 10월 즈음에 시작하여 11월 중 최종 마감하며, 지원서 및 자기소개서, 에세이 접수, 면접(간단한 영어면접 포함) 등의 과정을 거쳐 16명에서 18명 정도의 인원이 한일학생포럼의 신입회원으로 최종 선발합니다.

**한일학생포럼 조직위원회**

한일학생포럼 조직위원회(OC)는 메인포럼을 경험한 회원 중에서 선발한 2~4명의 인원으로 구성하며, 한 해 동안 한일학생포럼의 운영을 담당하는 관리조직입니다. 성공적인 학생포럼 활동을 위하여 조직위원들은 신규회원 선발부터 메인포럼까지 한 해 동안의 운영계획을 세우고, 운영과 관련된 중요한 사항을 결정하며, 새롭게 선발된 회원들을 메인포럼까지 이끌어 가는 등 한일학생포럼의 일원으로서 회원들과 함께 여러 가지 활동을 해 나가게 됩니다.

**한일학생포럼 활동**

한일학생포럼의 활동은 크게 학술활동과 문화교류활동으로 나눌 수 있습니다. 겨울방학 세미나부터 학기 중 세미나까지 진행하는 학술활동은 양국의 역사, 경제, 문화, 사회, 정치와 관련한 비판적인 주제를 선정하여 토론과 세미나, 영어 프레젠테이션 등의 형식으로 진행하게 됩니다. 학기 말에는 개인 논문을 작성하여 메인포럼 기간 동안 일한학생포럼 회원들과 토론하면서 학술활동의 결실을 거두게 됩니다. 학술활동을 통해 구체적인 결과물들을 성취하기 위해서는 각 회원들의 적극적이고 능동적인 참여가 필수적입니다.

문화교류활동은 주로 코리아나잇 프로그램 준비와 시연을 통해 진행합니다. 코리아나잇은 메인포럼 기간에 열리는 중요한 문화행사로, 한국의 전통문화와 최신 대중문화를 일본에 소개한다는 취지에서 매년 8월에 열리는 메인포럼을 앞두고 한 달여 동안 준비합니다. 전통극, 전통춤(봉산탈춤, 한삼춤 등), 사물놀이, 태권도, 응원, 댄스, 개인 장기 등 여러 프로그램으로 구성하는 코리아나잇은 이제까지 잘 몰랐던 한국 문화를 되돌아보게 하는 계기가 됩니다.

한일학생포럼은 2020년 36기가 활동했다. 2020년에는 일한학생포럼과 함께 8월 12일부터 20일까지 온라인으로 정치, 경제, 사회, 문화 등을 주제로 메인포럼을 개최했다.

## 3. 한일학생교류(KJSE)

KOREA-JAPAN

한일학생교류(Korea Japan Student Exchange · KJSE)는 한일여성친선협회의 대학생 회원단체를 표방하고 있다. 일본에는 자매단체로 일한학생교류(Japan Korea Student Exchange · JKSE)가 있다. 한일학생교류가 자체 홈페이지에 올린 글을 소개한다. http://kjse.new21.org/

한일학생교류는 양국간 문화교류를 통한 상호 이해의 증진을 목적으로 합니다. 이를 실천하기 위한 방안으로 다음과 같은 두 가지 방향에서 활동을 전개하고 있습니다.

첫째 방안으로는 이론적인 면에서의 준비로서, 주로 학기 중에 이루어지고 있는 디스커션과 관련한 활동입니다. 이는 원활한 상호교류를 위한 일종의 준비작업의 성격을 가지고 있는 것이 사실이지만, 이러한 준비는 단순히 일본에 대한 학습의 차원에 국한하는 것이 아니라 우리 자신이 일본에 대해 확실히 이해하기 위한 것과 마찬가지로 그들에게 우리를 제대로 이해시키기 위한 쌍방향의 접근을 모두 행하고 있다는 점에서 여타의 일본에 대한 학습과 구별됩니다.

둘째 방안으로는 실제로 그들과의 접촉을 통해 종합적인 이해를 이루는 공식행사 및 기타 교류 사업이라고 할 수 있습니다. 물론 이 중 공식행사가 차지하는 비중은 매우 큽니다. 행사에서는 우선 양국 간 교류 주체의 합의에 의하여 선정한 특정 주제에 대해 토론하는 디스커션, 양국 간 명사를 초빙하여 이해의 심화를 도모하는 강연회, 행사 호스트 국가의 문화와 역사에 대해 현장에서 소개하는 견학 및 유적지 방문, 그리고 피상적인 이해를 지양하기 위해 실제로 그들의 생활을 접하는 홈스테이 등 학술과 실생활을 적절히 조화시켜 균형잡힌 교류를 지향하고 있습니다.

이를 종합하여 보면, 가장 핵심을 이루는 것은 바로 '균형 잡힌 이해'를 추구하는 것이라 할 수 있습니다. 현실적으로 현재 모임 내 교류의 주축을 이루고 있는 층은 대학생으로서 아직 학문의 깊이나 경제적인 면에서, 또한 인생의 경험 면에서 모두 깊은 이해를 하기에는 현실적인 한계를 지니고 있는 것이 사실입니다. 이러한 상황에서 기존의 방식, 곧 학문적인 접근만을 강조하거나 문화적 단편만을 접하는 형태의 다소 편향적 접근으로는 그들에 대해 제대로 이해할 수 없을 뿐만 아니라, 더 나아가서 앞으로 그들과 본격적으로 접촉하게 되었을 때 필요한 올바른 이해에도 오히려 장애가 될 위험이 있습니다. 이러한 문제점을 피하고 향후 바른 이해를 통한 바람직한 관계 수립을 이루는 밑거름으로써 상대방의 총체적인 문화 이해와 다양한 접근을 시도하고 있습니다.

### 1. 한일여성친선협회 주관의 행사 참여

■ 한일 아동 그림 그리기 대회 행사 참여

※ 일시: 여름 정기 공식 행사를 전후로 하여 '한일여성친선협회' 측에서 결정한 날짜

■ 한일여성친선협회 총회

홀수 해에는 서울, 짝수 해에는 도쿄에서 열리는 한일여성친선협회 총회에 도우미로 참여

### 2. 정기 공식 행사

■ 서울 행사: 매년 여름 8월, 양국 회원들의 협의에 의해 결정

■ 도쿄 행사: 매년 겨울 2월, 양국 회원들의 협의에 의해 결정

■ 행사 내용

① 오프닝 파티: 공식적으로 행사 시작을 알리는 파티

② 근교 여행: 자국의 문화 유적을 알리거나, 전통문화를 체험하는 기회 제공하는 시간

③ 디스커션: 상호간의 토론을 통해 생각을 넓히고 더 깊게 이해할 수 있는 기회

④ 홈스테이: 양국의 일반적인 가정의 모습을 보여주고 체험하는 시간

⑤ 자유시간: 개인적으로 가고 싶었던 곳을 호스트의 안내 아래 즐기는 시간

⑥ 짧은 여행: 양국의 유명한 유적지나 관광지를 소개하고 친목을 도모할 수 있도록 하는 1박 2일의 짧은 여행

⑦ 환송 파티: 공식적인 행사의 끝을 알리는 파티

### 3. 디스커션

■ 정기 행사에서 이루어지는 디스커션

양국 회원들의 협의에 의해서 세 개의 주제를 정해서 각 파트별로 진행한다.

■ 동아리 내부에서의 독자적인 주제를 정해 이루어지는 디스커션

### 4. 동아리 회지 〈우연(友緣)〉 발간

당시 회장단의 주도로 이루어진 여름과 겨울의 두 차례의 행사 후 그해 7월, 새로운 회장단 주도의 여름 공식 행사 이전에 학술부를 중심으로 지난 두 차례 공식 행사의 디스커션과 내부의 자체적인 디스커션의 내용, 행사 감상문과 자기 소개글, 자유로운 기술을 포함한 다양한 콘텐츠로 구성하여 발간합니다.

### 5. 국내 활동

상기 활동 이외에도 KJSE는 서울 소재 4년제 대학의 재학생들로 구성한 연합동아리로서, 국내 MT, 체육대회, 일일호프, 홈커밍데이 등의 활동을 통해 한일교류뿐 아니라 국내 대학 간의 교류에도 힘쓰고 있습니다. 학기 중 정기모임을 통해 위의 프로그램 외에도 회원들의 다양한 의견을 수렴하여 다채로운 프로그램을 기획하고 있습니다.

KOREA-JAPAN

# 4. 한일학생미래회의(KJSFF)

한일학생미래회의(Korea Japan Students Future Forum · KJSFF)는 한일경제협회와 일한경제협회가 주최하는 한일고교생 교류캠프에 참가한 학생들이 만든 모임이다. 지속적인 한일교류와 상호호혜적인 미래와 우호증진을 목적으로 2006년 설립했으며, 2016년에는 남부권 학생들이 원활한 한일교류를 위해 부산지부(KJSFF SOUTH)를 만들었다. 다음은 한일미래학생회의의 자기단체 소개이다.

KJSFF는 회원 모두가 '풀뿌리 민간 외교관'이라는 책임과 자부심을 가지고 활동하고 있습니다. 자매단체로는 일본의 JKSFF(Japan Korea Students Future Forum)가 있으며, 양국 단체는 각각 한일경제협회와 일한경제협회의 후원을 받고 있습니다. 한일학생교류에 관심 있는 대학생이라면 누구나 참여할 수 있으며 한일고교생교류캠프에 참가했던 고등학생도 참여할 수 있습니다.

### 정기총회

매월 두 차례 정기총회를 열고 다양한 테마에 대한 발제와 토론, 스터디, JKSFF와의 연합 토론 등을 통해 일본에 대해 배우고 있습니다. 또 정기총회에서는 우리 단체의 가장 중요한 행사인 한일학생 미래회의도 준비합니다.

### 미래회의

한일 양국 청소년들의 꾸준한 교류를 위해 매년 8월 초에 5일간 진행합니다. 한일학생미래회의의 가장 큰 행사입니다. 2006년 일본 지바 현에서 제1회 미래회의를 개최한 이래 매년 한일 양국에서 번갈아 가며 개최하고 있으며, 개최지의 특색에 맞는 주제를 정하는 것이 특징입니다. 미래회의는 '미래회의 준비위원회'라는 별도의 조직을 구성해 10개월 동안 준비합니다. 양국 청소년이 정치, 경제, 문화 등 다양한 주제의 학술교류와 문화교류, 현장학습 등을 함께 하며 서로를 더 잘 이해할 수 있도록 노력하고 있습니다.
지금까지의 미래회의 개최에 대한 상세는 아래와 같습니다.

| 회차 | 개최시기 | 개최지 | 주 제 |
|---|---|---|---|
| 1회 | 2007년 2월 | 일본 지바 | 한일고교생교류캠프의 참가경험 공유 |
| 2회 | 2008년 2월 | 한국 서울 | 다섯 가지 키워드의 토론 |
| 3회 | 2009년 2월 | 일본 도쿄 | 한일의 과거와 미래 |
| 4회 | 2009년 8월 | 한국 부산 | 양국의 고용환경, 인터넷 문화 |
| 5회 | 2010년 8월 | 일본 교토 | 도시환경, '이상도시 교토'의 구상 |
| 6회 | 2011년 8월 | 한국 서울 | 역사교육 |
| 7회 | 2012년 8월 | 한국 서울 | 사회의 질(Quality of Society) |
| 8회 | 2013년 8월 | 일본 오사카 | 다양한 분야와 영역의 한일협력 |
| 9회 | 2014년 8월 | 한국 대전 | 한일의 과거 50년 돌아보기, 미래 50년 그리기 |
| 10회 | 2015년 8월 | 한국 부산 | 차세대 신산업(신소재, 문화, 정보) |
| 11회 | 2016년 8월 | 일본 후쿠오카 | 사회문제(복지, 가정, 윤리, 고용, 교육) 분석과 대안 |
| 12회 | 2017년 8월 | 한국 용인 | 정치, 경제, 역사, 교육, 스포츠를 통한 상호 이해 |
| 13회 | 2018년 8월 | 일본 나가사키 | 법률, 의료, 농업, 지역공동체, 서비스업, 정치 |
| 14회 | 2019년 8월 | 한국 부산 | 언어(사투리), 외국인노동자, 건축, 식문화, 관광 |

### 한일축제한마당

매년 9월경에 개최하는 한일 최대의 민간교류행사인 '한일축제한마당'에 학생단체로는 유일하게 참가하고 있으며, 한일 전통문화 기념품 만들기 등의 한일 양국 문화 소개와 한일학생미래회의 홍보를 하고 있습니다.

### 주한일본대사관 간담회

주한일본대사를 비롯해 대사관 관계자들과 만나 자유로운 의견교환을 하는 기회를 갖고 있습니다.

2020년에도 한국 대학생 대표가 도미타 고지(富田浩司) 주한일본대사를 관저로 방문해 의견을 교환했다

### 기타 활동

한일고교생교류캠프에 자원봉사자로 참가하고 있는 후배들과 교류하고 있으며, 매년 홈커밍데이를 개최해 선배들과의 교류에도 힘쓰고 있습니다. 또 각종 한일 관련 국제세미나, 심포지엄, 토론회에 적극적으로 참가해 한일문제에 대한 지식을 쌓고 이를 한일관계 개선에 활용하고자 노력하고 있습니다.

**이 단체의 탄생에 깊숙이 관여했던 고바야시 나오히토(小林直人) 전 김&장법률사무소 상임고문은 이렇게 회고한다**(서울재팬클럽(SJC)회보 2009년 12월호 인용).

**세토 류조(瀨戸雄三)**
1953년 아사히맥주에 입사해 말단 사원에서 사장, 회장에 오른 입지전적인 인물. (사)일한경제협회장으로 활동하면서 '한일 고교생 교류캠프'와 '한일 중소기업상담회'를 운영하는 등 양국 교류증진과 경제발전에 기여했다. 우석대는 2008년 '수퍼드라이' 등을 출시하며 아사히맥주를 부활시키기까지의 인생역정과 경영철학을 담은 그의 자서전《역경은 두렵지 않다》를 한국어판으로 출간하고, 그에게 명예 경영학 박사학위도 수여했다.

2003년 당시 고바야시 씨는 도쿄의 일한경제협회에서 일하고 있었다. 어느 날 세토 유조(瀨戸雄三) 회장이 이런 지시를 했다.

"협회가 추진하고 있는 청소년(대학생) 교류사업은 그 의미가 매우 크다. 이 사업은 내년에 20년을 맞는다. 지금 대학생들은 자기 의사와 자기 돈으로 상대국에 갈 수 있는 시대가 됐다. 이 청소년교류 사업을 좀 더 젊은 세대인 고교생을 대상으로 합시다."

2004년 한국 고교생 50명을 동경으로 초대하면서 제1회 '일한고교생경제캠프'가 시작됐다(지금은 경제캠프가 아니라 교류캠프로 바뀌었다). 2006년 일본국제교류기금 서울일본문화센터 소장이 된 고바야시 씨는 이 캠프 참석자의 한국동창회 조직인 KJSFF의 활동을 공사석에서 지켜봐 왔다고 한다. 고바야시 씨는 이렇게 말한다.

"한국의 KJSFF와 일본의 JKSFF는 모두 대학입시 직전의 고교생까지 포함해 캠프참가라는 강한 유대감으로 연결돼 '자발적으로' 조직활동을 모색하면서 성장을 계속하고 있다. 그 결과 일한 젊은이 교류의 일익을 담당하는 큰 힘이 되고 있어, 양국 경제협회가 계속해온 오랜 노력이 결실을 맺고 있다는 느낌이 든다. 동시에, 고교생캠프를 계속하는 한, 양국에서 새로운 고교생이 참가하기 때문에 '지속적인' 동창회 조직의 존속과 운영이 가능하다. 경제협회나 외무성의 지원을 넘어 스스로 생각하고 행동에 옮기면서 언젠가는 독립할 그들에게 기대하는 바가 크다."

# 5. 한일청년포럼



한일청년포럼(KJyouthforum)을 지원하고 있는 K2인터내셔널코리아는 이 단체를 이렇게 소개하고 있다. https://web.facebook.com/KJyouthforum?_rdc=1&_rdr

지금의 청년, 괜찮은가요? 여러분의 이야기를 들려주세요.

한일 청년 포럼에서는 일본과 한국의 국경을 넘어 청년들의 목소리를 모아 함께 생각하고 있습니다.

한일 청년 포럼은 한일 청년들이 모여 2012년 12월에 설립되었습니다.

2013년 1월 제 1회를 시작으로 한국과 일본의 청년 문제에 대해 많은 고민을 나누고 포럼을 개최해 왔습니다.

2014년에는 포럼뿐만 아니라 많은 청년들과의 직접적인 만남을 넓히기 위한 프로젝트로써, '청년 무죄 페스티벌'을 개최했습니다. 또한 GSEF2014에서는 한일 청년의 서울 선언으로, 건강, 일, 관계, 주택, 교육, 환경의 6가지 키워드를 내걸고 이들에 대해 광범위하게 논의해 나갈 것을 호소했습니다.

**GSEF(국제사회적경제협의체)**

GSEF(Global Social Economy Forum)은 2014년 서울시가 주도해 만든 사회적경제 분야 국제협의체로 2년마다 개최한다. 세계 주요 도시 시장과 국제기구 대표, 사회적경제 리더들이 총회에 참가해 사회적 경제 사례, 지역경제 활성화 방안 등을 논의한다. 2016년에는 캐나다 몬트리올, 2018년에는 스페인 빌바오, 2020년에는 멕시코 멕시코시티에서 열렸다.

한일 청년 포럼은 이처럼 포럼 및 축제 등을 기획하고 한일 청년들이 공통적으로 가지고 있는 다양한 문제에 대해 함께 이야기하고 의견을 공유할 수 있는 장을 만들고 있습니다.

### 그동안 한일청년포럼이 개최한 포럼은 다음과 같다.

| 일시 | 형식 | 내용 |
|---|---|---|
| 2012.11 | 한일청년포럼 설립 | 한국과 일본의 청년지원조직 지원자 그룹이 모여 '한일청년포럼' 설립 |
| 2013.1.21 | 한일청년포럼 1회 | **"멘붕시대의 청년들, 그 곤란함에 관하여"**<br>발제 이충한(유자살롱 공동대표)<br>이와모토 마미(K2인터내셔널 재팬)<br>토론 정연순(한국고용정보원) |
| 2013.4.6 | 한일청년포럼 2회 | **"일이냐 삶이냐, 그것이 문제… 일까?"**<br>발제 조금득(토닥토닥협동조합)<br>아쓰미 나루히코(K2인터내셔널 재팬) |

| 일 시 | 형 식 | 내 용 |
|---|---|---|
| 2013.7.3 | 한일청년포럼 3회 | **"니트 있다, 없다"**<br>발제 미야모토 미치코(일본 방송대)<br>정연순(한국고용정보원 진로교육센터장) |
| 2013.9.28 | 한일청년포럼 4회 | **"서울에서 외국인으로 산다는 것"** 유학생 초청 토론<br>(2013 희망서울 정책박람회 부대행사)<br>발제 서울시 거주 외국인 유학생 6명 |
| 2013.11.7 | 한일청년포럼 5회 | **"일의 재구성"**<br>('2013 서울시 청년허브 국제 컨퍼런스' 부대행사)<br>발제 기쿠치 겐(일본, 프리타전반노조 활동가)<br>가메야마 유리코(일본, K2 인터네셔널)<br>전유미(한국, 땡땡책협동조합 조합원)<br>민경은(한국, 여러가지연구소 대표) |
| 2014.6.25 | 한일니트 비교포럼 공동기획 | **"고립의 원인과 자립의 실마리"**(함께일하는재단과 공동기획)<br>발제 구도 게이(소다테아게넷)<br>니시다 요스케(리쓰메이칸대)<br>이충한(유자살롱 공동대표)<br>그룹별 발표 공공상담소, 민달팽이유니온, 기본소득청'소'년네트워크, 하자센터, K2인터내셔널재팬, 유자살롱 |
| 2014.10.24~25 | 한일청년페스티벌 | **"청년무죄"**<br>강연 강정욱, 권지웅(청년부시장, 민달팽이유니온), 박정근, 세바또(최게바라 기획사) |
| 2014.11.18 | GSEF 2014 청년세션 기획 · 운영 | **"청년문제, 사회적경제로 풀어내기"** 한일청년의 서울선언 발표<br>(주최: 사회적경제지원센터)<br>발제 이와모토 마미(K2인터내셔널재팬)<br>박진숙(서울형사회적기업 ㈜연금술사 대표)<br>토론 김지경(한국청소년정책연구원)<br>이상준(한일청년포럼 기획단) |
| 2015.5.16 | 성북문화다양성축제 "한일청(소)년국제교류포럼"기획협력 | **"한일 청 · 소년 문제의 현주소와 신(新)빈곤"**<br>**섹션1 "청 · 소년(와카모노) 지원의 새로운 모색"**<br>**섹션2 "청 · 소년(와카모노)의 자조 · 자립의 시도"**<br>발제 김찬호(하자센터), 나카니시 신타로(문화사회학자), 사쿠라이 준(건축가/마을만들기), 정수경(해방촌 빈집), 송민기, 안영신(성북아동청소년네트워크), 구도 게이(소다테아게넷), 후소 후미에(일본노동자협동조합연합회), 김선민(성북청년회), 심한기(청소년문화공동체 품), 이와사키 다이키(후쿠시마 하자), 나카무라 유스케(쿠라시즈쿠리네트워크 키타시바)<br>토론 이원재(문화연대), 가나모리 가쓰오(K2인터내셔널그룹), 강원재(OO은대학연구소), 사토 요시쿠(NPO문화학습협 |

| 일시 | 형식 | 내용 |
|---|---|---|
| | | 동네트워크) |
| 2015.7.18 | 서울청년주간 '바람과 함께 살아간다' N개의 컨퍼런스 기획 · 진행 | **"한국와 일본의 청년니트: 청년은 무엇을 잘못했는가"**<br>발제 이상준(한일청년포럼)<br>고보리 모토무(K2인터내셔널코리아) |
| 2015.8.21~22 | K2인터내셔널재팬 나리유키 축제, 기획 · 참여(일본 요코하마) | **"청년무죄 파트2"**<br>발제 이상준(한일청년포럼)<br>이충한(유자살롱)<br>구도 게이(소다테아게넷) |

2019년에는 페이스북 홈페이지에 이런 글도 게재했다.

우리는 '한일청년포럼'과 다양한 국제교류행사를 통해 한국과 일본의 청년들이 직면하고 있는 사회문제에 대해 함께 고민하고 서로의 지혜를 공유하며 해결책을 찾아왔습니다. 그 노력의 일부는 최근에 전라도 광주시의회에서 전국에서 처음으로 통과된 〈은둔형 외톨이를 위한 지원조례〉 및 서울시 청년정책네트워크에서의 은둔형외톨이 지원정책 채택으로도 이어갔습니다.

지금 한일관계는 이차대전 후 최악의 상황이라고 하지만, 한국에서는 청년에 대한 지원에 대해 일본에서 배워야 한다는 목소리가 높아지고 있습니다. 은둔형외톨이가 일본만의 문제가 아닌 것처럼, 정치적인 역사문제도 근원을 따지면 모두 인권의 문제요 결코 한국만의 문제가 아닙니다. '옳음'이나 '경제'의 이름 밑에서 개인이 업신여기게 되고, 남에게 불관용이 되고, 다양성이 부정되며 가치판단을 받아 '이물질'로 배제되는 움직임은 한 사람 한 사람 모두에게 답답하고 살기 힘든 압력으로서 사회에 가득 차 있습니다. 한국 민주화운동의 원점인 광주에서 한국 첫 은둔형외톨이 조례가 가결된 것은 결코 우연히 아니라, 그 근분에서 공통된 문제의식이 있습니다. 사는 권리를 위협하는 것에 대해서 민감하게 반응하여 연대해서 일어나는 문화가 한국에는 있는 것입니다. 하지만 일본인의 대부분은 그것을 너무 몰랐던 것이 아닐까요. 우리는 지금이야 말로 서로가 필요한 시점입니다.

그래서 이번 포럼에서는 주제를 "우리 지금 만나! 당장 만나! -청년으로 하나 되는 한일우호의 연대-"로 정하여 우리가 미래가 아니라 지금 직접 만나서 얼굴을 마주보고 서로 이야기를 나누고 소통하고 공통된 소망을 확인하며, 오해를 풀고 나아가서 함께 행동하는 것을 다시 호소하기로 했습니다.

우리가 '사람'이라는 기반에 서서 연대할 때, 그곳에 국경은 없습니다. 우리는 또 말이 필요 없는 문화 예술이라는 공통어도 가지고 있습니다. 지금이야말로 모든 사람 안에 빛과 가능성을

**은둔형 외톨이**
일본어 '히키코모리(ひきこもり)'를 번역한 용어. 방이나 집 등 특정 공간에서 나가지 못하거나 나가지 않는 사람, 또는 그러한 현상을 가리킨다. 1980년대 후반부터 문제로 부상했고, 서구에서는 일본 특유의 사회문화적 병리현상으로 본다. 원인으로는 학교나 사회에서 당하는 육체적 · 정신적 고통(왕따 등)의 회피, 사회에 압도당한 인생에 대한 절망, 가족 관계에 대한 자신감 부족, 접촉을 원치 않는 현실, 인간, 장소의 기피 등을 꼽고 있다. (상담학사전)

찾고, 단 한명도 배제하지 않은 사회의 실현을 위해 힘을 모아야 합니다. 이번 한일청년포럼은 국경과 언어를 넘는 〈문화·예술〉, 〈국제시민교류〉, 그리고 〈청년 지원〉의 세 가지 영역에서 연대하고 소통하며 새로운 가능성을 여는 〈유스 서포트 페스티벌〉입니다. 우리의 뜻에 공감해주시는 많은 분들, 단체, 기관의 참여를 기다리고 있겠습니다.

# 6. 한일국제교류회(KJIF · 크지프)

한일국제교류회의 영문 이름은 'Korea Japan International Friendship'이고, 이 단체는 약자인 KJIF를 '크지프'라고 읽어 단체 이름으로 삼고 있다. 2012년에 출범했다. 네이버카페나 블로그 등을 보면 "어학 교육컨설팅 크지프! 매일 월/화/수/목/토/일: 강남 혜화 신촌 홍대 이태원에서 회화카페, 매주 금/ 토요일: 즐거운 교류파티, 매일 강남/신촌: 일본어 영어 스터디, 매주 토/일/공휴일: 문화체험 이벤트 & 소풍!" 등이라고 소개하고 있다. 주로 언어와 문화를 중심으로 한 교류활동에 중점을 두고 있는 단체이다.

2020년 1월 6일 〈아주경제〉에서 이 단체를 소개한 기사를 소개한다.

**한일 갈등 속에 꽃 피는 민간 교류… 한일교류회 크지프 현장 가보니**

"하지메마시떼(처음 뵙겠습니다)"

지난 (2020년 1월) 5일 오후 3시 서울 강남역 9번 출구 인근의 한 카페. 사람들의 이야기 소리에 일본어가 스며들어 카페를 채웠다. 카페 한쪽에 따로 마련된 공간에서는 서툰 한국어와 일본어가 뒤섞여 2시간 동안 이야기가 이어졌다. 8년 동안 이어진 한일교류회 크지프(KJIF)가 개최한 한일교류 현장이다.

2012년 4월에 만들어진 크지프는 한일 국제교류단체다. 크지프는 매주 언어교류와 요리 교실 등 한일 문화 교류 프로그램을 진행하고 있다. 이날 카페에서도 매주 일요일에 열리는 언어교류 모임이 한창이었다.

일본인 유학생 아오이 씨는 태블릿 PC 화면 속 히라가나를 가리키며 한국 학생들에게 일본 생활을 차분히 알려줬다. 에반 강 크지프 대표는 "작년 한일 분위기는 얼어붙었지만, 민간 차원 교류는 여전히 활발하다"고 말했다. 강 대표와 인터뷰하는 중에도 교류회를 찾은 한국 참가자들은 가타카나로 적은 자신의 이름표를 들고 일본인이 있는 테이블로 가 인사를 나눴다.

그러나 한 · 일 국가 간 관계는 여느 때보다 좋지 않다. 마이니치 신문이 지난 30일 발표한 여론조사에 따르면 일본인이 느끼는 한국 친밀도는 역대 최저 수준이다. 미국, 중국, 한국, 러시아 등 4개국에 대한 친밀도 평가에서 한국은 1.9점(평균치)을 얻었다. 2018년 대법원의 징용 배상 판결 이후 한일 분위기가 얼어붙었던 당시 조사 때(2.1점)와 비교해도 0.2점이 떨어진 셈이다.

깊어진 한일 갈등의 골만큼 한국 유학을 준비하는 일본 학생의 걱정도 높아졌다.

이화여자대학교에서 유학했던 미치카(츠다주쿠대학 · 4년) 씨는 "한국 유학 예정인 일본 학생들의 경우, 주변인들이 걱정하는 경우를 봤다"며 "한국에 대해 잘 모르고, 한국 내 반일시위만을 TV로 접하는 만큼 우려하는 목소리가 있었다"라고 전했다.

그런데도 크지프에서 만난 한일 참가자들의 교류는 그 어느 때보다 활발했다.

이날 열린 한일교류회에는 양국 문화에 관심을 가진 한일 청년 스무 명 가량이 모였다. 세 시간가량 이어진 이 날 교류회에는 일본인 학생이 한국인 참가자들에게 일본 문화와 신조어 등을 알려줬다. 한 한국인 참가자는 휴대폰 사전으로 일본어 단어를 일일이 찾아 이야기를 이어나가기도 했다.

일본인 참가자가 틀린 문법을 사용할 때는 한국인 참가자가 잘못된 부분을 차분하게 알려주는 모습도 보였다. 교류회 종료 한 시간 전. 한일 청년들은 강강술래 하듯 둥글게 모여 앉아 한국어와 일본어를 섞어가며 관심 분야를 이야기했다. 얼어붙은 한일 관계 속에서도 교류회에는 훈풍이 불고 있었다.

교류회에 참가했던 박세훈(29) 씨는 "정치적으로는 한일 관계가 좋지 않지만, 이 영향이 민간 교류에까지 영향을 주어서는 안 된다"고 주장했다. 박 씨는 "양국 간의 호전적인 관계 형성은 결국 한일 국민들 간의 교류가 그 바탕"이라며 "앞으로도 한일 국민들이 만날 수 있는 교류 행사가 많아지길 바란다"고 말했다.

한편 강 대표는 양국 문화 교류 행사에 대해 아쉬움을 드러냈다.

강 대표는 "매년 서울에서 열리는 한일문화교류 행사인 한일축제한마당을 가보면 우리와 같은 민간단체가 들어갈 수 있는 공간이 매우 제한적이다."라고 전했다. 이어 "정부가 민간 교류단체도 무료로 참여할 수 있도록 개방해준다면 한일 교류가 더 활발해지지 않을까 생각한다"고 말했다.

# 7. 글로벌아시아리더십포럼(GALF)

글로벌아시아리더십포럼(Global Asia Leadership Forum · GALF)은 한중일 대학생이 주도하는 학술교류 단체로 동아시아재단이 후원하고 있다. '아시아의 관점으로 세계를 이끌어 나가자'는 모토 아래 여러 국적의 대학생, 대학원생들이 함께 모여 동아시아의 정치, 경제 등 다양한 이슈를 공부하고 있으며 외교 안보 등의 국제 이슈를 다루는 학술행사도 정기적으로 열고 있다. 이런 활동을 통해 아시아의 젊은 리더를 양성하고, 한중일을 비롯한 아시아 대학생 간 협력과 친목을 도모하며, 아시아의 문화, 정치, 경제 등 다방면의 이슈들에 대한 이해를 지향하고 있다.

# 8. 한국국제교류재단(KF) 대학생교류사업

1971년 8월 제5차 한일각료회담 합의에 따라 양국 외교부가 1972년부터 시작한 사업이다. 매년 9~11월 경 상대국 대학생 대표단 20명을 9박 10일씩 상호 초청해 오다 2003년부터 30명으로 늘렸다(단장 1명, 인솔자 1명, 대학생 28명). 주관기관은 한국은 한국국제교류재단이, 일본은 일한문화교류기금이 맡고 있다.
한일대학생 교류사업 내용은 다음과 같다.

| 사업명 | 일본 대학생 방한 초청 사업 | 한국 대학생 대표단 일본 파견 사업 |
|---|---|---|
| 방문기관 | 외교부, 주한일본대사관 공보문화원 | 외무성, 주일대한민국대사관 |
| 교류활동 | 한국대학 대학생들과 간담회<br>(반나절 소요) | 일본대학 대학생들과 간담회<br>(반나절 소요) |
| 역사문화체험 | 서울 및 지방 주요도시에 따른 문화탐방 | 동경 및 지방 주요도시에 따른 문화탐방 |
| 홈스테이 | 2박 3일 (서울 및 지방) | 2박 3일 (서울 및 지방) |
| 양국 대표단 만남 및 교류회 (서울 및 동경 각 1회) | | |

# 9. 한일포럼 주니어포럼



한일포럼은 2015년부터 '주니어포럼'이라는 '포럼 내 포럼'을 운영하고 있다. 한국과 일본의 대학(원)생 각 10여 명이 테마를 정해 하루 동안 토론한 뒤, 논의 결과를 정리해서 포럼 전체회의에서 보고한다. '주니어포럼'에 참석하는 학생은 한국국제교류재단과 일본국제교류센터의 홈페이지를 통해 공모하거나 포럼에 참석하는 양국 교수들의 추천을 받아 선정하고 있다.

한일포럼 주니어포럼 참가자들은 다음과 같다.

| 연 도 | | 참가자 |
|---|---|---|
| 2015 | 한국 | 강태석(숭실대 전기공학부) 김은아(이화여대 국제대학원 한국학과) 이강백(한양대 경영학과) 이희원(홋카이도대 응용이공계학과) 전상현(충북대 농업경제학과) 전여화(선문대 일어일문학과) 최의지(규슈대 물질과학공학과) 최지윤(연세대 국제관계학과) 한지연(교토대 인간환경연구과 석사과정) |
| | 일본 | 가와구치 슌(서울대 국제대학원 일본지역학) 나가이 고시로(서울대 국제대학원) 다가와 세이미(규슈대, 서울대 교환학생) 사쿠라이 미사토(게이오대 법학부) 사토 도모미(간세이가쿠인대, 연세대 교환학생) 오기쓰 마이(도요에이와대, 이화여대 교환학생) 요네자와 미유(시즈오카현립대, 서울여대 교환학생) 이노우에 히나코(규슈대, 서울대 교환학생) 하가 유리(게이오대) |
| 2017 | 한국 | 구자령(인하대 국제통상학과) 기민형(연세대 대학원 지역학협동과정) 김도연(게이오대 정치학과) 남수현(한동대 국제지역학과) 문이현(서강대 국제한국학과) 석지현(경희대 경영학과) 양석용(런던정치경제대 대학원 국제정치학부) 양아람(고려대 대학원 중일어문학과) 오사랑(제주대 일어일문학과) 홍유라(칭화대 국제정치학과) |
| | 일본 | 고바야시 시게루(리쓰메이칸대 인문학부) 고치 유이(한양대 국제학과) 미나모토 히로유키(교토대 대학원 인간환경학연구학) 아사미 아시키(서울대 국제대학원) 아쿠쓰 유키(한국예술종합대 예술경영학과) 야마히라 모에(리쓰메이칸대 인문학부) 요네자와 미유(시즈오카현립대 국제언어문화학과) 이노우에 아이미(국민대 국제지역학과) 이노우에 하루키(서울대, 게이오대) 후사마에 하루나(나가사키외국어대 국제커뮤니케이션학과) |
| 2018 | 한국 | 김희영(쓰다주쿠대 학예학부) 박대원(도쿄대 대학원 법학정치학연구과) 배해림(도큐호텔주식회사 도쿄본사) 이상하(게이오대 법학연구과) 이수민(도쿄대 대학원) 이종현(메이지대 정치학과) 조규환(게이오대 대학원) |
| | 일본 | 가네코 다카오(와세다대 상학부) 가와베 세이카(게이오대 정치학과) 고지마 가즈키 |

| | | |
|---|---|---|
| | | (게이오대 정치학과) 스즈키 가오루(게이오대 인문사회학과) 시노자키 유키(쓰다주쿠대) 아사하라 다이치(게이오대 정치학과) 아키 요시후미(게이오대 정치학과) 야스이 고헤이(게이오대 정치학과) 오우치 아야카(와세다대 법학부) 히요시 아미(시즈오카현립대 국제관계학부 국제언어문화학과) |
| 2019 | 한국 | 김대영(고려대 정치외교학과) 김은비(한동대 언론정보/국제지역학과) 노미진(연세대 정치학과) 민주윤(한국외대 경제학과) 우성국(강릉원주대 일본학과) 이한별(서강대 국제대학원) 정소윤(인하대 일본언어문화학과) 조윤재(서울대 국사학과) 허선주(제주대 사학과) 홍지원(성신여대 사회교육과) |
| | 일본 | 노자키 아야카(시즈오카대 국제언어문화학과) 다테노 스즈(고려대 경제학과) 미조와키 미레(고베대, 고려대 교환학생) 사쿠라기 유키(도쿄대, 한국외대와 연세대 연수) 사토 모토키(규슈대, 이화여대 교환학생) 시노하라 슌(게이오대 정치학과) 쓰지 히토미(이화여대 교육대학원 한국어교육학과) 와다 리사(한국외대 국제지역대학원 한국학과) 우에노 마사히로(홍콩대 심리학과) 이노우에 하나코(규슈대 법학대학원) |
| 2020 | 한국 | 권혁인(부산외대 외교학과) 김수환(영남대 무역학부) 신영수(서울대 동양사학과) 유아름(이화여대 국어국문학과) 장세인(아주대 법학과) 장효재(서울시립대 국제관계학과) |
| | 일본 | 나카토미 신노스케(게이오대) 노자키 아야카(시즈오카대 국제언어문화학과) 사카이 아야카(나가사키대) 쓰쿠바 마리모(릿쿄대) 아사오 고타(게이오대) 이데이 노조미(게이오대) |

# 10. 한일대학생 미래포럼



'한일대학생 미래포럼'은 한일미래포럼이 운영하는 '포럼 내 포럼'으로 2016년에 시작했다. 재일동포 기업가이자 신한은행의 필두 창업주인 이희건 씨가 출연한 (재)이희건한일교류재단(이사장 박노수)이 지원하고 있다. 한국과 일본의 대학생 각 15명 정도가 한국과 일본을 오가며 두 차례 만나 한일간의 현안을 토의하고 대안을 제시하는 프로그램이다. 2020년에는 코로나로 인해 줌으로 개최했기 때문에 2019년 행사내용을 소개한다.

### 2019년 한일대학생 미래포럼

| 국가 | 날 짜 | 장 소 | 활동 내용 |
|---|---|---|---|
| 한국<br>서울 | 8월 30일 | 공항 | 오전 일본 학생들 간사이공항 출발, 인천공항 입국<br>오후 정동길, 덕숭궁 관람하고 마포의 호텔 체크인 |
| | 8월 31일 | 서울시내 | 오전 대한민국역사박물관 견학 |
| | | 숙명여대<br>백주년기념관 | 12:30~18:00 한일대학생 워크숍<br>특별강연 서현섭 나가사키현립대 명예교수<br>분과토의 **1분과 한일양국의 글로벌협력과 일본의 시각**<br>**2분과 동북아미래 100년과 일본**<br>**3분과 한국 속의 일본, 일본 속의 한국**<br>생생토크 분과위원장 분과별 토의 내용 보고 및 자유토론 |
| | 9월 1일 | 시내, 공항 | 오전 **한일축제한마당 참가(코엑스)**<br>오후 **홍대입구, 신촌 견학**<br>김포공항에서 간사이공항으로 출국 |
| 일본<br>교토 | 11월 1일 | 공항 | 한국학생들, 인천공항에서 간사이공항으로 |
| | 11월 2일 | 교토 | 후시미 이나리(伏見稲荷) 신사 견학 |
| | | 교토대 인간환경연구과 지하 대강의실 | 12:30~18:00 한일대학생 워크숍<br>특별강연 **왓소축제 30년**(이노쿠마 가네카쓰 이사장)<br>**동아시아와 유럽의 화해와 상생: 비교와 전망**<br>(오구라 기조 교토대 교수)<br>분과토의 (서울에서와 같음)<br>생생토크 분과위원장 분과별 토의 내용 보고 및 자유토론 |

| | | | |
|---|---|---|---|
| | 11월 3일 | 오사카 일원 | **오사카 사천왕사 견학**<br>**사천왕사 왓소 축제 참관**<br>간사이공항에서 인천공항으로 |

# 11. 세토포럼 청년아카데미

'세토포럼 청년아카데미'(원장 박철희 서울대 국제대학원 교수)는 세토포럼이 2021년 5월부터 시작한 프로그램이다. 1기생은 47명. 이 아카데미는 가장 가까운 일본에 대한 청년세대의 이해를 증진시키고, 갈등에 빠진 한일관계를 넘어 21세기형 한일 관계를 모색하는 것을 목표로 하고 있다. 40세 이하의 전국 대학 및 대학원생, 직장인이 대상이다. 5월부터 11월까지 한 달에 두 번 강의를 하고, 역사와 기업 탐방, 집중토론회도 연다. KB금융그룹(회장 윤종규)의 지원을 받기 때문에 참가자의 금전적 부담은 없다.

2021년 강의 프로그램은 다음과 같다.

| 회 | 강의 주제 | 강 사 |
|---|---|---|
| 1 | 일본에 대한 오해와 이해: 일본은 우리에게 무엇인가 | 신각수(전 주일대사) |
| 2 | 세계 속의 한국과 일본: 매의 눈으로 본 동아시아 | 박철희(서울대 국제학연구소장) |
| 3 | 한일관계 역사에 대한 새로운 이해 | 정재정(서울시립대 명예교수) |
| 4 | 청년, 학술, 인적 교류에 비친 한국과 일본 | 장제국(동서대 총장) |
| 5 | 현장에서 본 한일 안보 협력 | 권태환(한국국방외교협회 회장) |
| 6 | 외교 현장에서 본 한국과 일본 | 서형원(청암대 총장) |
| 7 | 동아시아 지역협력체제 구축과 한일협력 가능성 | 이신화(고려대 정치외교학부 교수) |
| 8 | 경제인 본 한일 경제 생태계 | 이영관(한국도레이첨단소재 회장) |
| 9 | 1965년 한일기본조약과 위안부, 강제징용 | 이원덕(국민대 일본학과 교수) |
| 10 | 한국과 일본의 언론이 작동하는 원리 | 심규선(전 동아일보 대기자) |

2021년 청년아카데미 1기 회원(49명)은 다음과 같다.

고혜빈(베인앤컴퍼니), 권용재(KB국민은행), 권혜수(국제정책연구원), 김경웅((주)보이스루), 김규태(고려대 기계공학과), 김나은(국민대 일본학과), 김성대(신한은행), 김연수(신한은행), 김진서(서울대 국제대학원), 김태희(주식회사 윕스), 김형기(삼성물산), 노태훈(LG전자), 박규태(㈜신세계인터내셔널), 박현우(한반도미래포럼 연구원), 서정주(쿠팡), 성지민(와이엠렉서스), 손수민(동서대 동아시아학과), 신우진(김포대 실용음악과), 신현호(리코코리아), 심은주(주식회사 헬로), 야마구치 유카(규슈대 학술연구원), 야마모토 유키오(주한일본대사관), 양세은(한양대 공공정책대학원), 우종범(서울대 국제대학원), 이기선(㈜한큐한신익스프레스코리아), 이민진(국립외교원 외교사연구센터), 이석민(와세다대 대학원 정치학연구과), 이성민(동국대 융합보안학과), 이승현(동서대 대학원 일본학과), 이시구로 미유(주한일본대사관), 이자원(이화여대 대학원 커뮤니케이션미디어학부), 이정호(한국미쓰이물산㈜), 이지은(숙명여대 음악대&경영학과), 이태윤(법무법인 화우), 이황헌(충남대 인문사회과학전공), 임영(㈜메가마트), 임현주(㈜신세계인터내셔널), 정수원(대전대 식품영양학과), 정유리(Center for Asia Leadership Initiative), 조인희(㈜제오빌더), 주영산(케이씨엔엔이), 주용찬(KB금융지주), 최동녘(서울대 시각디자인학과), 최영대(삼성물산), 한보화(KB금융지주), 한수경(국민대 일본학과), 홍지원(고려대 가정교육과), 황은아(차의과대 미술치료대학원), 히다카 사와코(주한일본대사관)

# 5장. 학회

1. 현대일본학회
2. 한국일본학회
3. 한일관계사학회
4. 한일민족문제학회
5. 일본사학회
6. 한국일본사상사학회
7. 한국일본근대학회
8. 한국일본문화학회
9. 한국국제정치학회
10. 한국정치외교사학회
11. 재외한인학회

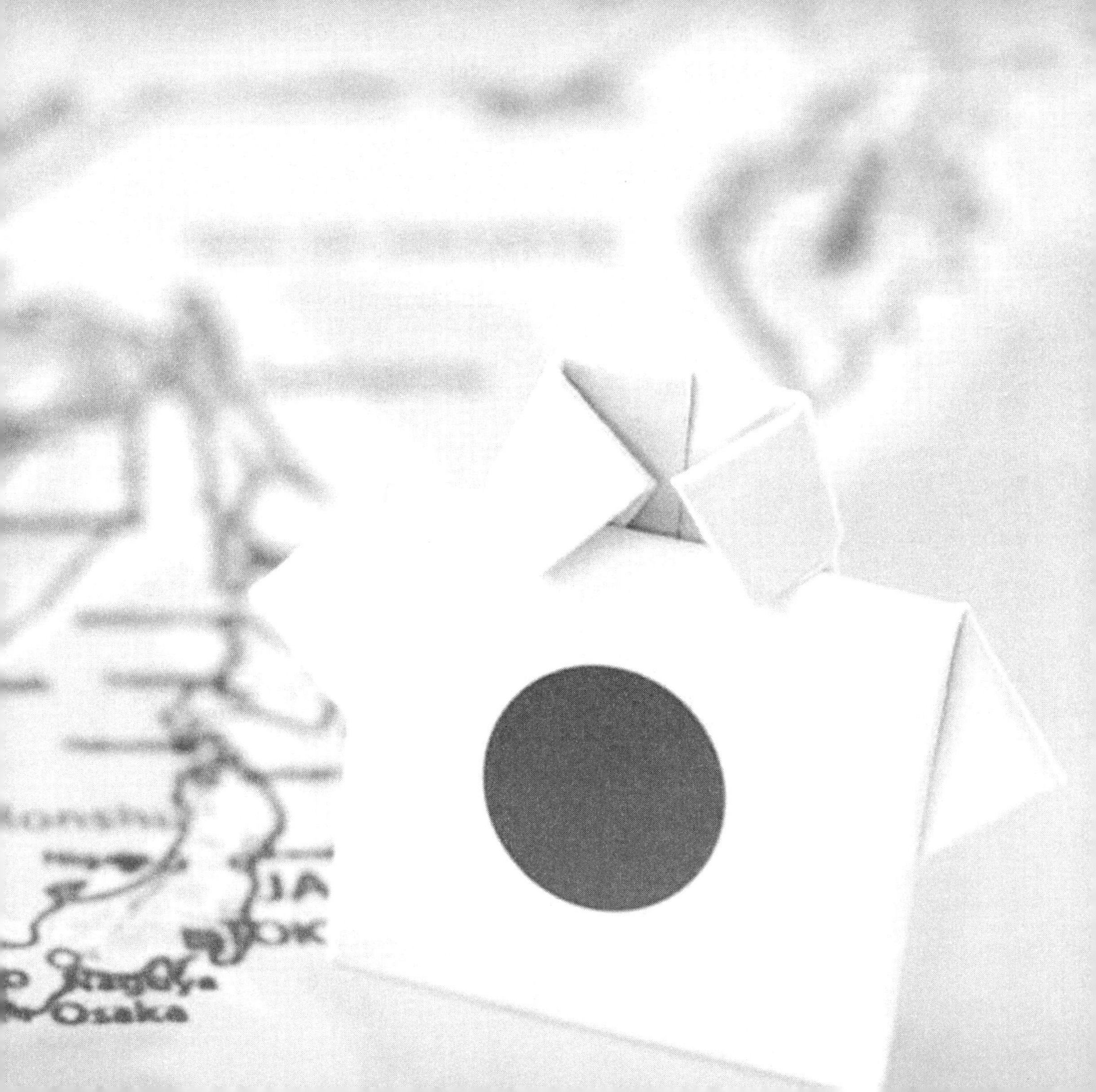

# 1. 현대일본학회

현대일본학회(The Korean Association of Contemporary Japanese Studies)는 1978년 9월에 출범했다. 국내 일본학회 중 대표적인 단체이다. 현대 일본에 대한 체계적인 학술연구, 한일 연구자의 학술교류 심화, 정책대안 개발을 통한 산학협동을 목적으로 제시하고 있고, 정기간행물 〈日本研究論叢〉를 발행한다.

학회의 대표적 활동은 월례연구회와 1년에 두세 차례 여는 학술회의가 있다. 학술회의는 보통 춘계, 추계학술대회가 있고, 겨울에는 연례학술회의를 연다. 특별한 이슈를 계기로 여는 학술대회도 있다.

**요시노 사쿠조(吉野作造)**

1878~1933. 다이쇼 데모크라시를 대표하는 사상가. 도쿄대를 졸업하고 도쿄대 교수로 정치사와 정치학을 가르쳤다. 동시에 〈중앙공론〉을 통해 보통선거와 정당내각제를 실시해 민의를 존중하라고 주장한다. 1924년 군부를 공격하는 논문 때문에 도쿄대 교수에서 물러나 잠시 아사히신문에서 근무했다. 다시 도쿄대 강사로 돌아가며 '메이지문화연구회'를 만들어 《메이지문화전집》 24권을 만든다. 사회민중당과 사회대중당의 결성에도 노력했다. (브리태니커 국제대백과사전)

**마루야마 마사오(丸山眞男)**

1914~1996. 일본 정치사상사의 거목. 쇼와 시대 일본의 정치학자이자 사상가이다. 저널리스트인 마루야마 간지(丸山幹治)의 차남으로 오사카에서 태어나 도쿄대를 졸업했으며, 도쿄대 법학부 교수를 지냈다. 일본의 정치사상, 일본의 파시즘 사상과 운동 등에 관한 다양한 논문을 발표하는 등 전후 민주주의의 대표적 논객으로 활약했다. 그의 학문은 마루야마 정치학, 마루야마 정치사학 등으로 불리며 후대의 학자들에게 많은 영향을 끼치고 있다. (일본사학회)

### 월례연구회 (2010년 이후)

| 일 시 | | 연구회 내용 |
|---|---|---|
| 2010년 | 3월 | 사회 남기정<br>발표 문연주(아주대) **일본 서적 편집자의 직업형성의 역사와 직업의식**<br>토론 정미애(국민대) 김영덕(한국콘텐츠진흥원)<br>대학원생 발표 김금영(연세대 지역학협동과정 박사과정) **미국의 동아시아인식과 재일코리안정책: 아시아태평양전쟁과 국공내전을 통한 미국의 동아시아인식을 중심으로** |
| | 4월 | 사회 진창수(세종연구소)<br>발표 박정진(서울대) **냉전기 북일관계의 형성(1945-65)**<br>토론 서승원(고려대) 손기섭(부산외대) 최희식(국민대) |
| | 5월 | 발표 노병호(한국외대) **요시노 사쿠조(吉野作造)와 마루야마 마사오(丸山真男): 〈민본주의〉와 〈영구혁명〉, 그 교착과 분열**<br>토론 고희탁(연세대) 이기원(강원대) |
| | 9월 | 발표 이정환(국민대) **2000년대 민간주도형 지방경제정책의 도입과 지역재분배 구조의 변화**<br>토론 김기석(강원대) 박성빈(아주대) |
| | 10월 | 발표1 경제희(경남대) **시민사회에서의 투표 행동에 관한 연구-민주화 이후 한국의 선거를 케이스로 해서**<br>토론 고선규(중앙선거관리위원회)<br>발표2 한의석(중앙대) **일본 지역 격차의 정치**<br>토론 양기호((성공회대) 이정환(국민대) |

| 일시 | | 연구회 내용 |
|---|---|---|
| 2011년 | 3월 | 사회 김영작(국민대)<br>발표1 정준영(한림대) **경성제대 법문학부 교수들의 전후: 동문회지 〈紺碧〉을 중심으로**<br>발표2 이형식(국민대) **패전 후 귀환한 조선총독부 관료들의 식민지 지배 경험과 그 영향**<br>토론 강상규(방송통신대) 전상숙(이화여대) |
| | 4월 | 사회 김도형(동서대)<br>발표 김용민(동서대) **일본 주요관청의 EPA전략: 외무성과 경제산업성의 정책 언설을 중심으로**<br>토론 박창건(국민대) 이영근(미래자원연구원) |
| | 5월 | 사회 김광열(광운대)<br>발표 남상구(동북아역사재단) **전후 일본에 있어서 은급과 위령·추도의 사회사**<br>토론 이면우(세종연구소) 오일환(대일항쟁기강제동원피해조사위원회) |
| | 9월 | 사회 양기호(성공회대)<br>발표 박명희(이화여대) **1990년대 이후 일본의 정치변동과 시민사회: 고령자복지 NPO의 애드보커시를 중심으로**<br>토론 이정환(국민대) 이지영(한국외대) |
| | 10월 | 사회 김호섭(중앙대)<br>발표 이상현(한양대) **ASPAC(아시아태평양이사회)을 둘러싼 국제관계: 1964~1973**<br>토론 이종국(동북아역사재단), 현대송(국민대) |
| 2012년 | 4월 | 사회 현대송(국민대)<br>발표 김용민(경희대) **영국의 입헌군주제와 일본의 천황제 비교**<br>토론 박환무(한양대) 이형식(가천대) |
| | 5월 | 사회 김호섭(중앙대)<br>발표 이현웅(쓰쿠바대 박사) **원자력의 평화이용을 둘러싼 국제정치의 원점**<br>토론 전봉근(국립외교원 비확산핵안보센터장) 박영준(국방대) |
| | 6월 | 대학원생 발표회<br>**〈제1패널〉** 사회 최은봉(이화여대)<br>이시마루 도모요시(서강대 박사과정) **일본과 한국의 민족주의 정치담론 비교 분석-근대화 과정 국민동원원리를 중심으로**<br>이현주(국민대 석사과정) **일본의 외국인노동자 정책에 대응하는 시민사회에 대한 고찰**<br>다부치 다카아키(동서대 박사과정) **일본의 유학생 수용과 고용-고급인력 획득의 관점에서**<br>토론 조양현(국립외교원) 정미애(국민대) 이영근(미래자원연구원)<br>**〈제2패널〉** 사회 김기석(강원대)<br>석주희(이화여대 박사과정) **중일 센카쿠 제도 분쟁-'미뤄두기(다나아게)' 방식의 채택과 기원 1969-1978** |

**EPA전략**

EPA는 Economic Partnership Agreement(경제협력협정)을 말한다. 일본은 FTA(Free Trade Agreement)보다는 EPA를 통한 경제통합을 꾀하고 있다. 김용민은 논문에서 "일본은 1997년 경제위기를 계기로… 동아시아 경제공동체 구축의 주도권 선점을 위해 경쟁적으로 EPA를 추진하고 있다"면서 "일본의 대외정책은 WTO체제를 중심으로 전개하고 있지만, 교섭의 정체가 계속되면서 EPA를 적극적으로 활용하고 있다"고 했다.

| 일 시 | | 연구회 내용 |
| --- | --- | --- |
| | | 이보람(고려대 석사과정) Who files?－Japan and Korea's choice of trade forum in auto & electronics<br>하규빈(연세대 석사과정) **일본의 농업정책: 보호와 자립의 사이에서－쌀의 자유화를 둘러싼 정관업(政官業)의 힘의 연속성**<br>토론 이명찬(동북아역사재단), 이승주(중앙대), 김영근(고려대) |
| | 9월 | 사회 진창수(세종연구소)<br>발표1 이기태(연세대 BK21사업단 박사후연구원) **데탕트기 일본의 대한안보정책: 주한미군 철수문제와 한일안보협력의 모색 1969-1979**<br>발표2 김지영(도쿄대, 일본학술진흥회 외국인 특별연구원) Symbolic Politics, the History Problem, and the Japan-South Korea Security Relationship During the Post-Cold War Period<br>토론 송화섭(한국국방연구원) 이원덕(국민대) |
| | 10월 | 사회 이유진(숙명여대)<br>발표 임은정(국민대) Democracy and Energy Policy Formation: Nuclear Waste Disposal and Reprocessing in South Korea and Japan<br>토론 류상영(연세대) 박성빈(아주대)<br>신간소개 **《일본의 영토분쟁》** 마고사키 우케루 저, 번역자 양기호(성공회대) |
| 2013년 | 3월 | 사회 진창수(현대일본학회 회장, 세종연구소)<br>발표1 윤대엽(한국고등교육재단) **상상된 위기: 경제적 상호의존의 심화와 한일갈등의 역설**<br>토론 최희식(국민대)<br>발표2 이강원(서울대) **공공의 지구: 일본 방재과학기술에서 지진 재해의 집합적 실험**<br>토론 임은정(국민대) |
| | 4월 | 사회 손열(연세대)<br>발표1 이영진(전남대) **전후 일본과 애도의 정치: 전쟁체험의 의의와 그 한계**<br>토론 현대송(국민대)<br>발표2 류시현(서울시립대) **부패방지 국제규범 형성의 프로세스**<br>토론 이기태(연세대) |
| | 5월 | 사회 양기호(성공회대)<br>발표1 박지환(서울대) **일본 공립 중학교에서의 위계적 사회화: 계급정체성의 형성**<br>토론 이지영(국민대)<br>발표2 천자현(고려대) **화해의 국제정치: 국가 간 화해의 유형과 가해국 정책 결정 요인 연구**<br>토론 남기정(서울대) |
| | 6월 | 사회 박영준(국방대)<br>발표1 차은정(서울대학교 인류학과 박사과정) **식민자와 탈회하는 조선**<br>토론 김석연(국민대)<br>발표2 정혜윤(한국외대 정치외교학과 박사과정) **일본의 새로운 노동운동으로서의 유니온 운동** |

| 일 시 | | 연구회 내용 |
|---|---|---|
| | | 토론 권순미(한국기술교육대 고용노동연수원)<br>발표3 석주희(이화여대 정치외교학과 박사과정) **전후 일본의 보수화와 정책집단: 세란카이의 활동을 중심으로**<br>토론 정미애(국민대)<br>발표4 차아름(연세대 정치외교학과 석사과정) **파벌의 재해석**<br>토론 한의석(중앙대) |
| | 9월 | 사회 최영호(영산대)<br>발표 유지아(국민대) **전후 대일강화조약과 미일안보조약 과정에 나타난 미일 양국의 의도**<br>토론 이기태(연세대), 박창건(국민대) |
| | 10월 | 사회 최운도(동북아역사재단)<br>발표 이동준(고려대) **미완의 탈식민지화: 조선은행 · 대만은행 재일재산의 전후처리**<br>토론 남기정(서울대), 장박진(국민대) |
| 2014년 | 3월 | 사회 양기호(성공회대)<br>발표1 문연주(방송통신심의위원회) **일본의 혐오표현(hate speech)과 규제**<br>토론 박선영(국민대)<br>발표2 박경희(라이덴대 박사) **전시기(戰時期) 일본의 국민식생활 만들기: 식생활의 과학화를 중심으로**<br>토론 박순애(호남대) |
| | 4월 | 사회 이원덕(국민대)<br>발표 이성(한성대) **한일회담(1951~65)에서의 재일코리안의 법적지위 교섭 - 영주권과 국적 문제에 나타난 한일 양국의 재일코리안 인식**<br>토론 장박진(국민대), 이영근(미래자원연구소) |
| | 5월 | 사회 손열(연세대)<br>발표1 남창희(인하대) **중국의 A2/AD와 미일동맹의 연합 공해전투(AirSea Battle): 대만의 선택과 센카쿠 분쟁 전망**<br>토론 최희식(국민대)<br>발표2 구양모(Norwich University) **National Interests or Multi-agent Dynamics?: Driving Forces behind Postwar Japanese and German Policies on Apology/Compensation**<br>토론 천자현(고려대) |
| | 10월 | 사회 최은봉(이화여대)<br>발표1 이은정(연세대) **근대화 과정시기 일본과 태국 외교 비교**<br>토론 이기태(국민대)<br>발표2 박민기(고려대) **Transforming State Identity and Japanese ODA: From the Yoshida Doctrine to the Enactment of the ODA charter**<br>토론 윤석상(한국외대)<br>발표3 석주희(이화여대 정치외교학과 박사과정) **일본의 정치리더십과 신보수주의의 형성: 마쓰시타정경숙 사례를 중심으로** |

**마쓰시타정경숙(松下政經塾)**

일본에서 '경영의 신'으로 불리는 마쓰시타전기(현 파나소닉)의 창업주 마쓰시타 고노스케(松下幸之助 · 1894~1989)가 1979년에 가나가와현 지가사키(茅ケ崎)시에 설립한 사설 정치경제 지도자 양성기관이다. 명문대 출신의 젊은이를 소수만 선발해 다방면에 걸쳐 최고 수준으로 교육한다. 정경숙 홈페이지(2021년 7월 15일 검색)에 따르면 졸업생 290명 중 117명(40%)이 정치분야로, 111명(38%)이 경제분야로, 43명(15%)이 연구교육분야로 진출했다. 1기 졸업생 노다 요시히코(野田佳彦) 전 민주당 대표가 2011년 8월 제95대 일본 총리에 오르는 등 중의원 23명, 참의원 9명, 지방의원 24명, 지사 2명을 배출했다.

| 일 시 | | 연구회 내용 |
|---|---|---|
| | | 토론 한의석(중앙대)<br>발표4 왕유위(인하대 정치외교학과 박사과정) **중국의 부상과 동아시아 해양영토 분쟁: 분쟁이론에 의한 비교 고찰**<br>토론 최운도(동북아역사재단) |
| | 11월 | 사회 김기석(강원대)<br>발표 임현정(2013년 리쓰메이칸대학 정책과학연구과 박사학위) **정책실시퍼포먼스의 차이점과 중앙-지방간 관계: 시가현의 장애인 취업지원정책을 사례로**<br>토론 박성빈(아주대) |
| 2015년 | 3월 | 사회 최은봉(이화여대)<br>발표1 박훈(서울대) **메이지 유신은 어떻게 가능했는가**<br>토론 유지아(국민대)<br>발표2 엔도 겐(홋카이도대) **일본과 독일의 전후 처리**<br>토론 이명찬(동북아역사재단), 최희식(국민대) |
| | 4월 | 사회 권순미(고용노동연수원)<br>발표1 후카오리 스즈카(한일산업기술협력재단) **한국의 중견국가 및 가교역할에 대한 인식의 형성과 변화**<br>토론 장혜영(중앙대)<br>발표2 안도 준코(국민대) **한일대륙붕협정을 둘러싼 한일관계**<br>토론 김용민(건국대) |
| | 5월 | 사회 남기정(서울대)<br>발표1 차재복(동북아역사재단) **아베와 시진핑의 중일관계와 한국**<br>토론 천자현(고려대)<br>발표2 김영근(고려대) **한일 경제협력자금 100억 달러의 비밀**<br>토론 박창건(국민대) |
| | 9월 | 사회 김기석(강원대)<br>발표1 이창민(한국외대) **아베노믹스의 미래**<br>토론 이정환(국민대)<br>발표2 고선규(선거연수원) **3·11 이후 일본 지역재생전략의 변화-사토야마 지역자립형 경제공동체 사례를 중심으로**<br>토론 박성빈(아주대) |
| | 11월 | 사회 양기호(성공회대)<br>발표1 윤대엽(연세대) **일본 의존 발전 이후: 중국의 부상, 경쟁적 의존과 동아시아의 경제협력**<br>토론 한의석(성신여대)<br>발표2 유인태(연세대) **경제불평등과 한일관계의 변화**<br>토론 김영근(고려대) |
| 2016년 | 4월 | 사회 이원덕(국민대)<br>발표1 김승배(연세대) **샌프란시스코평화체제의 탄생과 대립적 한일관계 구조 형성: 미일안전보장조약과 한미상호방위조약을 중심으로** |

**한일대륙붕협정**

한국과 일본이 대륙붕의 석유와 천연가스를 개발하기 위해 1974년 1월 30일 조인한 대륙붕협정과 부속문서를 말한다. 한일은 양국 사이의 수역을 중간선으로 그어 남북으로 나누고 '한일 양국에 인접하는 대륙붕 북부의 경계획정에 관한 협정'과, 9개의 소구역을 공동개발구역으로 하는 '한일 양국에 인접한 대륙붕 남부의 공동개발에 관한 협정' 등 두 개의 협정을 맺었다. 북부 협정의 유효기간은 무기한, 남부 협정은 50년으로 2024년까지이다. 북부는 국제기준에 입각한 해결을 전제로 결국 중간선으로 가르고 남부는 양국의 영유권 주장이 중복돼 난항을 거듭하다가 최종적으로 공동개발하기로 타협했다. 남부는 협정 조인 6년 3개월 만인 1980년 5월부터 공동개발을 시작했으나 성과를 거두지 못하고 있다. (두산백과)

| 일 시 | | 연구회 내용 |
|---|---|---|
| | | 토론 이기태(통일연구원)<br>발표2 최경희(한양대) **북한 '수령권력' 체제의 메커니즘**<br>토론 이무철(북한대학원대) |
| | 5월 | 사회 최은봉(이화여대)<br>발표1 김정(북한대학원대) **분점정부와 법안흥정 - 일본의 사례 1986-2009**<br>토론 고선규(선거연수원)<br>발표2 경제희(경남대) **일본유권자의 이념과 자민당 선택**<br>토론 김숙현(국가안보전략연구원) |
| | 6월 | 사회 이면우(세종연구소)<br>발표1 조비연(서울대) **일본의 차기전투기 획득과정을 통해 보는 21세기 미일동맹의 변환: F-35와 F-2(F-16) 공동생산/개발 프로그램을 중심으로**<br>토론 김영근(고려대)<br>발표2 배준호(한신대) **우리 눈으로 본 일본사**<br>토론 이지영(국민대) |
| | 9월 | 사회 전진호(현대일본학회장 · 광운대)<br>발표1 오현석(서울신학대, 정경사회학회 총무) **비교문화론을 통해 나타난 한일 스포츠 문화**<br>토론 한정선(고려대)<br>발표2 박영준(국방대) **미국 대학에서의 한국과 일본 공공외교 비교**<br>토론 이명찬(동북아역사재단) |
| | 10월 | 사회 김도형(한림대)<br>발표 김양태(성공회대) **일본의 모노즈쿠리 산업의 인재양성과 시사점**<br>토론 김도훈(한일산업기술협력재단)<br>신간소개 **《전후 한일관계 70년: 우리는 어떻게 갈등을 극복했나》**, 저자 발표 최희식(국민대), 토론 윤대엽(대전대) |
| | 11월 | 사회 정재정(서울시립대)<br>발표 박경민(게이오대 2016년 박사학위) **조선연고자의 귀환과 한일국교정상화 교섭의 연속성: '숫자'로 수렴된 식민지 인식과 한국외교의 원형(1945-1953)**<br>토론 한혜인(성균관대) 김승배(연세대)<br>신간소개 **《이만큼 가까운 일본》**, 저자 발표 강태웅(광운대, 일본사학회 총무) |
| 2017년 | 3월 | **〈1부 월례연구회〉** 사회 전진호(광운대)<br>발표1 서인원(일제강제동원피해자지원재단) **일본정치의 우경화와 영토정책의 변화, 그리고 동북아안보 - 한중러 영토에 대한 분쟁화를 바탕으로**<br>토론 곽진오(동북아역사재단)<br>발표2 류용욱(호주국립대) **일본헌법개정: 내셔널리즘, 국가정체성, 그리고 일본외교**<br>토론 김숙현(국가안보전략연구원)<br>**〈2부 '아베 시대의 국가전략' 연구모임〉**<br>발표1 이기태(통일연구원) **아베 시대의 글로벌 외교**<br>발표2 오승희(고려대) **아베 시대의 아시아 외교** |

**모노즈쿠리(物作り)**

글자 그대로는 '물건만들기' '물건제작'이라는 뜻이다. 그러나 이 말은 장인 정신을 바탕으로 한 일본의 독특한 제조 문화를 일컫는 대명사로, 일본 제조업의 혼(魂)이자 일본의 자존심을 상징한다. 후지모토 다카히로(藤本隆宏) 도쿄대 교수가 제조업에 강한 일본 기업의 특징을 설명하며 처음 사용한 이후 1990년대 후반부터 널리 쓰이고 있다. 후지모토 교수는 도쿄대 모노즈쿠리경영연구센터장을 맡고 있다. 외국도 '모노즈쿠리'라고 그대로 쓴다.

| 일 시 | 연구회 내용 |
|---|---|
| | 토론 남기정(서울대), 박창건(국민대) |
| 4월 | **〈1부 월례연구회〉** 사회 최은봉(이화여대)<br>발표1 김영근(고려대) **일본과 한국의 구조개혁에 관한 비교분석 - 규제의 기원과 전개를 중심으로**<br>토론 최은미(세종연구소)<br>발표2 유연정(한국외대) **일본 야당의 발전 과정 속에서 본 민주당 정권 - 인적네트워크형 정당조직의 등장과 한계**<br>토론 이주경(부산대)<br>**〈2부 '아베 시대의 국가전략' 연구모임〉**<br>발표1 이정환(서울대) **아베 시대의 지역부흥전략**<br>발표2 윤대엽(대전대) **아베 시대의 산업전략**<br>토론 김기석(강원대) |
| 5월 | **〈1부 월례연구회〉** 사회 양기호(성공회대)<br>발표1 조은일(연세대) **Regime Commitment and Energy Security - Japan's Nuclear Policy in 1970s**<br>토론 김지연(이화여대)<br>발표2 오승희(고려대) **인정투쟁의 중일관계 - '하나의 중국'에 대한 일본의 외교정책 분석(1949-1972)**<br>토론 박창건(국민대)<br>**〈2부 '아베 시대의 국가전략' 연구모임〉**<br>발표1 이주경(부산대) **아베 시대의 정계개편전략**<br>발표2 한의석(성신여대) **아베 시대의 개헌/전략**<br>토론 이이범(강릉원주대) 박영준 (국방대) |
| 9월 | **〈1부 월례연구회〉** 사회 정미애(성공회대)<br>발표1 신미라(신라대) **지방의원의 정치이데올로기와 정치심리 - 이데올로기와 자기복합성 비교**<br>토론 고선규(선거연수원)<br>발표2 박선영(국민대) **박근혜정권 탄핵과 일본**<br>토론 이기태(통일연구원)<br>**〈2부 '아베 시대의 국가전략' 연구모임〉**<br>발표1 송지연(서울대) **아베 시대의 노동개혁**<br>발표2 임은정(리쓰메이칸대) **아베 시대의 에너지정책**<br>토론 전진호(광운대) 권순미(고용노동연수원) |
| 10월 | **〈1부 월례연구회〉** 사회 김영근(고려대)<br>발표1 엄태봉(국민대) **한일문화재문제의 구조와 한계(1952~1965)**<br>토론 서인원(일제강제동원피해자지원재단)<br>발표2 도가시 아유미(규슈대) **일한 한전보장협력의 검증**<br>토론 서승원(고려대)<br>**〈2부 '아베 시대의 국가전략' 연구모임〉**<br>이창민(한국외대) **아베노믹스** |

| 일 시 | | 연구회 내용 |
|---|---|---|
| | | 토론 김영근(고려대)<br>최은미(세종연구소) **아베 시대의 통상정책**<br>토론 김도형(한림대)<br>조아라(문화관광연구원) **아베 시대 일본의 관광정책**<br>토론 정정숙(전주문화재단) |
| | 11월 | 사회 박영준(국방대)<br>발표1 윤석정(국민대) **이승만정권의 대일외교 – 일본 문제의 시점에서**<br>토론 최영호(영산대)<br>발표2 이이범(강릉원주대) **2017년 제48회 일본총선 분석**<br>토론 윤정석(중앙대) |
| 2018년 | 2월 | 사회 박영준(국방대, 현대일본학회장)<br>발표1 김성조(서울대) **제도, 아이디어, 연대성 – 1990년대 이후 한일 의료보험 개혁의 정치적 동학**<br>토론 이정환(서울대)<br>발표2 오태규(전 한일위안부합의 검토TF 위원장) **위안부 검토 보고서의 생산 과정과 보고서 내용에 관한 논란에 대하여**<br>토론 최희식(국민대) |
| | 3월 | 사회 김호섭(중앙대)<br>발표1 김태진(서울대) **근대 일본의 통치라는 신체성: 메이지 헌법의 구성과 바디폴리틱**<br>토론 김선희(건국대)<br>발표2 한상일(국민대) **이토 히로부미와 대한제국**<br>토론 정재정(서울시립대) |
| | 4월 | 사회 최은봉(이화여대)<br>발표1 오동룡(월간조선) **일본 방위정책 70년과 게이단렌 파워**<br>토론 이기태(통일연구원)<br>발표2 김상준(연세대) **국가정체성 개념과 국제관계**<br>토론 조양현(국립외교원) |
| | 5월 | 5월 월례연구회는 5월 11일(금)에 서울대 국제대학원에서 개최하는 학술회의(한중일 관계의 현황과 동북아 평화협력 전망, 현대일본학회 – 현대중국학회 공동주최)로 대체 |
| | 6월 | 사회 전진호(광운대)<br>발표1 정혜윤(한국외대) **일본민주당과 렌고 간 연계 형성과 지속의 정치과정**<br>토론 송지연(서울대)<br>발표2 양기호(성공회대) **김대중 · 오부치 공동선언 20주년과 문재인 정부의 대일정책**<br>토론 참가자 전원 |
| | 9월 | 사회 남기정(서울대)<br>발표1 최민경(부경대) **일본 정주외국인 자문기관에 대한 비판적 고찰: 하마마쓰시를 중심으로**<br>토론 박명희(국회입법조사처) |

**렌고(連合)**

일본노동조합총연합회의 약칭. 1989년 구 렌고가 일본노동조합총평의회(총평)와 합쳐 발족했다. 현재 일본 최대의 노동조합 연합체로서, 조합원 수는 2016년 현재 675만 명. 노동문제만이 아니라 각종 심의회에도 적극 참여해 국가의 정책 결정에 영향력을 행사하고 있다. 국제자유노련(ICFTU)에 일괄 가입했다. 렌고 이외의 노동조합조직으로는 공산당 색이 강한 전국노동조합총연합(전노련 · 55만 명), 같은 좌파 계열인 전국노동조합연락협의회(전노협 · 10만 명) 등이 있다.

**NPO(Non Profit Organization)**

비영리단체나 조직을 가리키는 말이다. NPO는 국가와 시장 영역에서 분리된 제3영역의 조직과 단체를 통칭하는 말로, 이윤을 추구하지 않는 영역에서 주로 활동하는 준공공(semi-public)조직과 민간조직을 가리킨다. NPO와 유사한 용어로는 NGO(Non Governmental Organization)가 있다. 두 용어는 동일한 개념으로 사용하기도 하지만 NGO를 NPO의 하위개념으로 보기도 한다. 일반적으로 NGO는 NPO 중에서 인권·환경·여성·소비자운동과 정치개혁 등의 문제에 초점을 맞추어 주로 개발도상국과 국제사회를 무대로 활동하는 비정부단체를 지칭하는 용어로 사용해 왔다. 한국에서는 NGO라는 말을 많이 쓰는 데 비해 일본에서는 NPO가 일반적이다. NPO는 서비스형과 보이스형이 있다. 서비스형은 복지, 교육·연구, 예술 및 문화, 건강 및 보건, 상담 등의 유형·무형 서비스를 제공하고, 보이스형은 소외계층 권익옹호, 여성, 인권, 환경, 소비자 권리보호 등 사회문제 해결과 정치개혁, 경제정의를 위한 사회운동, 계몽, 시민참여, 대안 제시, 정부의 정책 또는 입법 활동에 대한 감시와 비판 활동을 한다. (두산백과)

| 일 시 | | 연구회 내용 |
|---|---|---|
| | | 신간소개 《일본의 정치와 경제》, 저자 발표 김진기(부경대) |
| | 10월 | 사회 손열(연세대)<br>발표1 손석의(서울대) **적응형 선거연맹 - 자공연립정권의 지속성에 대한 고찰**<br>토론 고선규(선거연수원)<br>신간소개 **《철도와 근대 서울》**, 저자 발표 정재정(서울시립대), 토론 이형식(고려대) |
| | 11월 | 사회 박영준(국방대, 현대일본학회장)<br>발표1 강우철(한국수출입은행) **한일 공적개발원조 정책의 비교: 학습, 선택적 수용, 전략적 파트너 관계를 중심으로**<br>토론 김용민(건국대)<br>발표2 이원덕(국민대) **대법원 강제징용 판결 이후의 한일관계**<br>토론 참가자 전원 |
| 2019년 | 3월 | 사회 전진호(광운대)<br>발표 야쿠시지 가쓰유키(薬師寺克行 · 도요대) **전기를 맞이한 일본 외교와 한일관계**<br>토론 이원덕(국민대) 박영준(국방대) 최희식(국민대) |
| | 4월 | 사회 김용복(경남대)<br>발표 남기정(서울대) **문재인 정부의 대일정책과 한일관계**<br>토론 신정화(동서대) 윤석정(국민대) |
| | 5월 | 사회 손열(연세대)<br>발표1 오가타 요시히로(홍익대) **이승만 정부의 재일동포 정책 연구**<br>토론 박경민(국민대)<br>발표2 서승원(고려대) **근현대 일본의 지정학적 상상력: 야마가타 아리토모~아베 신조**<br>토론 남상구(동북아역사재단) |
| | 6월 | 사회 김영근(고려대)<br>발표1 최가영(교토대) **《한국의 대통령제와 보육정책》(미네르바쇼보) 출판보고와 한일비교 가능성 모색**<br>토론 이정환(서울대)<br>신간소개 **《국가와 교육 - 메이지 국민교육사》**, 저자 발표 이권희(고려대), 토론 이새봄(연세대) |
| | 10월 | 사회 이면우(세종연구소)<br>발표1 김남은(국방대) **아베 내각의 안보위협에 대한 인식 변화와 정책**<br>토론 이기태(통일연구원)<br>발표2 남창희(인하대) **한일관계 2천년: 화해의 실마리**<br>토론 배준호(한신대) |
| | 11월 | 사회 서승원(고려대)<br>발표1 권연이(이화여대 연구원, 쓰쿠바대 박사) **일본 NPO정책 형성과정에 대한 고찰**<br>토론 강우철(한국수출입은행) |

| 일 시 | | 연구회 내용 |
|---|---|---|
| | | 발표2 박영준(국방대) **지소미아 종료 결정과 한국 안보정책의 과제**<br>토론 조은일(한국국방연구원) |
| 2021년 | 4월 | 사회 이면우(세종연구소), 김숭배(충남대)<br>발표 심규선(서울대 일본연구소 객원연구원) **위안부운동, 성역에서 광장으로**<br>토론 하코다 데쓰야(아사히신문 논설위원), 오카다 요시히로(홍익대) |

최근 5년간의 학술대회 중 대표적인 것을 소개하면 다음과 같다.

### 2015년 하계학술회의(8월 18~19일)

주제: 한반도 통일시대의 한일협력 모색

| 일시 | 구분 | 발표자와 논문 주제 |
|---|---|---|
| 18일 | 개회 | 이원덕 현대일본학회장(국민대) |
| | **제1세션 한반도 통일과 지역의 역할**<br>사회 김수암(통일연구원) | |
| | 발표 | 김범수(강원발전연구원) **남북관계와 지방자치체의 역할: 강원도 사례를 중심으로**<br>김영식(강릉원주대) **전후 북러관계 변화와 한국의 통일** |
| | 토론 | 신정화(동서대) 이이범(강릉원주대) 고선규(선거연수원) 진창수(세종연구소) |
| 19일 | **제2세션 새로운 한일협력을 위한 대안**<br>사회 김기석(강원대) | |
| | 발표 | 이명찬(동북아역사재단) **전후 일본의 안보정책과 한반도 평화: 기원과 전개**<br>오일환(광운대) 이연식(일본소피아대) **포스트 한일국교정상화 50년의 과거청산: 독도영유권문제를 중심으로**<br>남기정(서울대) **한일수교 50년 한일관계 진단** |
| | 토론 | 양기호(성공회대) 이정환(국민대) 김영근(고려대) 이원덕(국민대) |

**2016년 하계 국제학술회의(8월 23~25일)**

주제: 일본 '전후 패러다임'의 연속과 단절

| 일시 | 구분 | 발표자와 논문 주제 |
|---|---|---|
| 23일 | 진행 | 박창건(국민대) |
| | **제1세션 라운드테이블: 일본 전후 패러다임의 연속과 단절 1**<br>사회 및 발제 전진호 현대일본학회장(광운대) | |
| | 토론 | 김기석(강원대) 경제희(경남대) 김영근(고려대) 박명희(국립외교원) 박창건(국민대) 이기태(통일연구원) 이면우(세종연구소) 이이범(강릉원주대) 이정환(국민대) 최운도(동북아역사재단) 한의석(성신여대) |
| 24일 | 진행 | 정미애(국민대) |
| | 축사 | 이현주(동북아역사재단 사무총장) |
| | **제2세션 일본 전후 패러다임의 연속과 단절 2: 정치경제**<br>사회 손기섭(부산외대) | |
| | 발표 | 이이범(강릉원주대) **참의원선거를 통해본 일본선거의 연속과 단절**<br>이정환(국민대) **장기 불황 극복의 경제정책**<br>박명희(국립외교원) **일본 시민사회** |
| | 토론 | 경제희(경남대) 권순미(고용노동연수원) 안소영(경희대) 정미애(국민대) |
| | **제3세션 일본 전후 패러다임의 연속과 단절3: 역사 영토**<br>사회 신장철(숭실대) | |
| | 발표 | 이면우(세종연구소) **한일간 역사갈등의 전후사 - 위안부문제를 중심으로**<br>김기석(강원대) **영토분쟁의 경제 · 안보 연계분석 - 센카쿠의 사례** |
| | 토론 | 김동명(국민대) 김용복(경남대, 한국의회발전연구회 이사장), 유지아(경희대) |
| | **제4세션 국립외교원 일본연구센터 공동주최: 새로운 한일관계를 위한 기반구축**<br>사회 조화용(국립외교원 일본연구센터 소장) | |
| | 발표 | 기무라 간(고베대) **위안부 합의 이후의 한일 관계**<br>이원덕(국민대) **한일관계의 현재와 미래 비전의 설계** |
| | 지정토론 | 김기석(강원대) 호소야 유이치(게이오대) 전진호(광운대) |
| | 자유토론 | 참석자 전체 |
| 25일 | 진행 | 김웅희(인하대) |
| | **제5세션 제주평화연구원 공동주최: 동아시아 평화구축과 일본**<br>사회 최은봉(이화여대) | |
| | 발표 | 이성우(제주평화연구원) **동북아영유권 분쟁의 과학적 이해: 한일간의 분쟁을 중** |

| | | |
|---|---|---|
| | | 심으로<br>김숙현(국가안보전략연구원) **아베 정부의 대북정책 평가와 대응방안** |
| | 토론 | 도종윤(제주평화연구원) 이명찬(동북아역사재단) 이지영(국민대) 한의석(성신여대) 도가시 아유미(규슈대) |
| | **제6세션 세종연구소 공동주최: 동아시아 정치경제와 일본**<br>사회 김성철(세종연구소) | |
| | 발표 | 김영근(고려대) **일본과 TPP**<br>최은미(세종연구소) **동북아 지역협력과 일본의 대외정책** |
| | 토론 | 김웅희(인하대) 임승빈(명지대) 정재홍(세종연구소) 이기태(통일연구원) |

## 2017년 연례국제학술회의(12월 16일)

주제: 아베 정권의 국가전략과 한일관계

| 구 분 | 발표자와 논문 주제 |
|---|---|
| 개회 | 박철희 현대일본학회장(서울대) |
| 축사 | 야마사키 히로키(일본국제교류기금 서울문화센터 소장) |
| **제1세션 아베 정권의 경제 전략**<br>사회 이정환(서울대) | |
| 발표 | 이창민(한국외대) **아베노믹스로 바라본 아베시대 국가전략**<br>최은미(세종연구소) **일본의 지역구상과 경제안보전략: TPP참여의 정치경제** |
| 토론 | 박창건(국민대) 박성빈(아주대) 토론 후 전체 토론 |
| **제2세션 아베 정권의 정치사회 전략**<br>사회 김상준(연세대) | |
| 발표 | 송지연(서울대) **아베 시대의 노동시장 정책: 저출산 고령화 위기와 경제재생 전략**<br>이주경(부산대) **아베 시대의 보수화 개혁전략** |
| 토론 | 권순미(고용노동연수원) 이이범(강릉원주대) |
| **제3세션 아베 정권의 국가전략과 미일동맹**<br>사회 손열(연세대) | |
| 발표 | 나카니시 히로시(교토대) **일본의 국가전략과 미일동맹**<br>호소야 유이치(게이오대) **동아시아 정세와 아베 정권의 국가전략** |
| 토론 | 박영준(국방대) 이명찬(동북아역사재단) 토론 후 전체 토론 |
| **제4세션 아베 정권의 국가전략과 한반도**<br>사회 진창수(세종연구소) | |

| | |
|---|---|
| 발표 | 히라이 히사시(교도통신사) **아베 정권과 북일관계**<br>미치시타 나루시게(정책연구대학원대학) **아베 정권의 대한국 방위협력과 한계** |
| 토론 | 신정화(동서대) 김준섭(국방대) 토론 후 전체 토론 |

### 2018년 김대중 - 오부치 공동선언 20주년 기념 하계학술회의 (8월 21일)

주제: 한일 파트너십 공동선언의 평가와 전망

| 구 분 | 발표자와 논문 주제 |
|---|---|
| 개회 | 박영준 현대일본학회장(국방대) |
| 축사 | 최상용(고려대 명예교수 · 전 주일대사) |
| 진행 | 한의석(성신여대 · 현대일본학회 총무이사) |
| **제1세션 김대중-오부치 공동선언 재평가**<br>사회 한상일(국민대 명예교수) | |
| 발표 | 윤석정(국민대) **글로벌 및 아시아 정세 변화 속에서의 한일 파트너십 공동선언 의미**<br>이주경(부산대) **한일 국내정치 변화와 한일 파트너십 공동선언**<br>이기태(통일연구원) **한일파트너십 공동선언과 한일 안보 협력** |
| 토론 | 조양현(국립외교원) 이정환(서울대) 남창희(인하대) |
| **제2세션 한일 문화개방 및 시민사회교류**<br>사회 어수영(이화여대 명예교수) | |
| 발표 | 오승희(고려대) **대중문화 개방 이후 한일 문화교류의 전개**<br>윤대엽(대전대) **공동선언 이후 한일 시민사회 · 지자체 교류의 전개**<br>김성조(서울대) **공동선언 이후 한일 기업 및 경제교류의 전개**<br>엄태봉(국민대) **공동선언 이후 한일 역사문제의 전개** |
| 토론 | 신정화(동서대) 이면우(세종연구소) 전진호(광운대) 도가시 아유미(규슈대) |

### 2019년 연례학술회의(12월 20일)

주제: 2019년을 넘어서 - 신세대 한일관계 연구의 지평

| 구 분 | 발표자와 주제 |
|---|---|
| 전체사회 | 박경민(국민대) |
| 개회 | 남기정 현대일본학회장(서울대)<br>김현철 서울대 일본연구소장 |
| 기조연설 | 한상일(국민대 명예교수) **한국의 대일외교 어디로 가고 있나** |

| **제1세션 국내정치와 한일관계의 연동**<br>사회 박영준(국방대) | |
|---|---|
| 발표 | 오승희(동아시아연구원) **정책결정과정의 변화와 한일관계**<br>조은일(한국국방연구원) **국가정체성과 한일관계의 구조적 변화**<br>석주희(연세대) **일본의 '전후'에 대한 우익의 인식과 미디어** |
| 토론 | 최은미(아산정책연구원) 김남은(국방대) 정지회(서울대) |
| **제2세션 국제체제 변동과 한일관계**<br>사회 신정화(동서대) | |
| 발표 | 윤석정(국민대) **포스트 탈냉전과 한일 안보관계의 재구성**<br>김성조(순천대) **글로벌 밸류체인과 한일관계**<br>김숭배(충남대) **동북아질서로서의 샌프란시스코평화체제: 공존과 갈등의 한일관계** |
| 토론 | 이기태(통일연구원) 엄태봉(대진대) 박경민(국민대) |
| 폐회 | 최희식(국민대 일본학연구소장) |

## 2020년 연례학술회의(12월 11일)

주제: 2021 한일협력의 신지평 모색(동아시아연구원과 공동주최)

| 구 분 | 발표자와 주제 |
|---|---|
| 오전 패널 **제4차 산업혁명을 향한 일본의 미래전략과 한일협력**<br>전체사회 윤석정(국립외교원) | |
| **제1세션** | **제4차 산업혁명과 일본의 국가전략** 사회 전진호(광운대) |
| 발표 | 김영근(고려대) **제4차 산업혁명 시대의 휴마트 파워와 한일국제협력**<br>임은정(공주대) **제4차 산업혁명과 일본의 에너지 정책**<br>이창민(한국외대) **제4차 산업혁명과 포스트 아베노믹스** |
| 토론 | 박명희(국회입법조사처) 호리야마 아키코(마이니치신문) 황세희(여시재) 김숭배(충남대) 윤대엽(대전대) 스즈키 소타로(니혼케이자이신문) |
| **제2세션** | **제4차 산업과 일본 경제 · 사회** 사회 김웅희(인하대) |
| 발표 | 이정환(서울대) **제4차 산업혁명, 코로나19, 일본의 중소기업 재편**<br>김성조(순천대) **제4차 산업혁명과 일본의 노동 및 복지**<br>석주희(대전대) **일본의 지역 활성화와 지역창생** |
| 토론 | 박성빈(아주대) 가미야 다케시(아사히신문) 권순미(한국기술교육대) 송지연(서울대) 고선규(와세다대) 권연이(서울시립대) |
| 오후 패널 **동해 표기 확산과 한일 해양협력**<br>전체사회 오승희(동아시아연구원) | |

**휴마트 파워**

휴마트는 Humanity와 Smart의 합성어이다. 스마트파워는 소프트파워와 하드파워의 적절한 결합을 통한 효율의 극대화를 의미하며 이는 4차 산업혁명이나 인공지능 등 기술의 발달에 비례해 점점 더 향상할 것이다. 그런데 효율로 치닫다 보면 '인간'과 '인간성'을 망각할 수 있다. 따라서 '휴마트 파워'란 '인간 본위의 스마트파워'라고 할 수 있다. 이런 사고는 사전에 사회적 손실을 막으면서 공동체의 가치를 확산하는 데도 도움을 줄 수 있다.

| | |
|---|---|
| 개회식 | 개회사 이면우(현대일본학회 회장, 세종연구소)<br>취지발언 손열(동아시아연구원장, 연세대) |
| **제1세션** | **동해 표기 확산: 쟁점과 과제** 사회 이원덕(국민대) |
| 발표 | 최은미(아산정책연구원) **동해표기문제와 한일관계**<br>김영훈(한국교원대) **IHO 총회와 동해표기 문제**<br>심정보(서원대) **동해와 일본해 표기에 대한 인식과 과제: 한일 대학생들의 설문조사를 중심으로** |
| 토론 | 김종근(동북아역사재단) 류연택(충북대) 박영준(국방대) 엄태봉(대진대) 최희식(국민대) 현대송(한국해양수산개발원) |
| **제2세션** | **한일해양협력: 과제와 도전** 사회 진창수(세종연구소) |
| 발표 | 김자영(국방부) **한일대륙붕협정: 이행조건과 과제**<br>조은일(한국국방연구원) **한일해양협력 과제와 위기관리**<br>허원영(고려대) **해양거버넌스와 한일협력의 모색** |
| 토론 | 박경민(고려대) 서승원(고려대) 손기섭(부산외대) 조진구(경남대) 최운도(동북아역사재단) |

**2021년 하계학술회의 (8월 20일)**

주제: 한일 상호인식과 공공외교: 역사 · 현황 · 발전

| 구 분 | 발표자와 주제 |
|---|---|
| 개회식 | 사회 윤석정(국립외교원)<br>개회사 이면우(세종연구소 · 현대일본학회장)<br>환영사 김현철(서울대 일본연구소장) |
| **제1세션** | **한일상호인식과 문화교류** 사회 박철희(서울대) |
| 발표 | 김용민(건국대) **미디어 담론으로 보는 한일 정체성 충돌 고찰**<br>석주희(대전대) **혐한 현상과 메커니즘에 관한 연구**<br>박명희(국회입법조사처) **한일 풀뿌리 민간교류의 상호인식** |
| 토론 | 김숭배(충남대), 김웅기(한림대), 오가타 요시히로(홍익대) |
| **제2세션** | **공공외교와 한일협력** 사회 진창수(세종연구소) |
| 발표 | 이기태(통일연구원) **한국의 대일 평화공공외교**<br>최은미(아산정책연구원) **한일갈등과 대일 공공외교**<br>오승희(서울대) **문화콘텐츠를 활용한 대일 공공외교** |
| 토론 | 조양현(국립외교원), 정미애(세종연구소), 이원덕(국민대) |
| **제3세션** | **종합토론** 사회 이면우(세종연구소) |
| 토론 | 손열(연세대), 남기정(서울대), 김경주(도카이대), 호리야마 아키코(마이니치신문), 오카사카 겐타로(교도통신) |

현대일본학회의 역대 회장은 다음과 같다.

한배호(고려대), 차기벽(성균관대), 양호민(성균관대), 오기평(서강대), 박충석(이화여대), 이상희(한양대), 길승흠(서울대), 유근호(성신여대), 어수영(이화여대), 배성동(서울대), 이정복(서울대), 윤정석(중앙대), 김영작(국민대), 김호섭(중앙대), 염재호(고려대), 이숙종(성균관대), 최은봉(이화여대), 김기석(강원대), 손열(연세대), 진창수(세종연구소), 김상준(연세대), 이원덕(국민대), 전진호(광운대), 박철희(서울대), 박영준(국방대), 남기정 교수(서울대)를 거쳐 현재는 이면우 세종연구소 부소장이 2020년 1월부터 제27대 회장을 맡고 있다.
14대 김호섭 회장까지는 임기가 2년이었으나(초대 한배호 회장 1년 3개월, 7대 길승흠 회장 3년만 예외) 15대 염재호 회장부터는 임기가 1월부터 12월까지 1년으로 바뀌었다. 그러나 27대 이면우 회장부터 다시 2년으로 늘어나 이 회장은 2021년 12월까지 회장직을 수행한다.

현대일본학회의 임원진은 다음과 같다.

| 직 책 | 이 름 | 소 속 |
|---|---|---|
| 회장 | **이면우** | 세종연구소 |
| 부회장 | **남창희** | 인하대 |
| | **박창건** | 국민대 |
| | **서승원** | 고려대 |
| | **신정화** | 동서대 |
| | **조양현** | 국립외교원 |
| | **최운도** | 동북아역사재단 |
| 총무이사 | **김숙현** | 국가안보전략연구원 |
| | **석주희** | 대전대 |
| | **엄태봉** | 한림대 |
| | **오승희** | 동아시아연구원 |
| | **윤석정** | 국립외교원 |
| 연구이사 | **김숭배** | 충남대 |
| | **윤대엽** | 대전대 |
| | **이기태** | 통일연구원 |

# 2. 한국일본학회

KOREA-JAPAN

한국일본학회(Korea Association of Japanology · KAJA)는 1973년에 창립했다. 회원 970여 명(학회장 인사말 중에서). 이 학회는 다른 학회와는 달리 일본어학과 일본문학에 대한 비중이 높다. 학회 산하에 일본어와 일본문학에 관한 전문 학회도 있다. 현재 한일언어학회, 한국일본문학회, 한일정경사회학회, 한국일본역사문화학회, 한국일어교육학회, 한국일본교육학회, 한국일본어통번역학회가 한국일본학회의 산하학회로 활동하고 있다.

### 2021년 국제학술대회 (2월 6일)

주제: 한일 65년 체제의 재조명과 제언

| 발표장 | 주제 및 발표자 |
|---|---|
| 〈제1부〉 일반발표 및 분과별 학술발표 | |
| 제1발표장: 일본어교육분과 심포지엄(주관 한일언어학회) | 좌장 겐코 히로아키(檢校裕朗 · 극동대) 사회 신은진(명지대) · 장근수(상명대)<br>겐코 히로아키(극동대) **「メディア研究」を取り入れたオンライン日本語授業実践報告-クリエイティブ·ラーニングにつながる実践**<br>토론 데라다 요헤이(寺田庸平 · 홍익대)<br>미네자키 도모코(峯崎知子 · 홍익대) **初級日本語のオンライン授業におけるオンライン試験の試み－教師の振り返りと学習者からの評価を中心に**<br>토론 고쿠쇼 가즈미(國生和美 · 동국대)<br>고지마 겐지(小島堅嗣 · 배재대) **韓国人日本語学習者が用いるフィラーの特徴** 토론 윤영민(연세대)<br>이와이 아사노(岩井朝乃 · 홍익대) 사와베 유코(澤邊裕子 · 미야기가쿠엔여자대) **交流学習における学習パートナーとの友人関係の形成-韓国の上級日本語学習者と日本の日本語教員養成課程の学生間の実践から**<br>토론 후지타 도모히코(藤田智彦 · 국제교류기금 서울문화센터) |
| 제2발표장: 한일언어학회 일반발표(주관 한일언어학회) | 좌장 이경철(동국대) 사회 윤상한(경상대)<br>양우(동국대) **대응규칙을 통한 중국인 일본어 학습자의 일본한자음 지도법－k · kh를 중심으로** 토론 하소정(서울여대)<br>최연주(신라대) **한국 · 중국 · 영어권학습자의 가능표현의 습득양상에 대하여** 토론 이현정(경상대)<br>맹요(동국대) **磨光韻鏡 左音注에 걸친 字音表記의 문제점** |

| 발표장 | 주제 및 발표자 |
|---|---|
| | 토론 이상이(명지전문대)<br>오채현(동국대) · 이경철(동국대) 唐宋音에 걸친 止攝韻의 字音形에 대하여<br>토론 최지수(동양미래대) |
| 제3발표장: 일본어학 · 교육 차세대 발표1 | 좌장 이경수(방송대)<br>사회 김의영(한밭대)<br>임정아(고려대) 韓日論文の序論に見られる研究正当化のストラテジー－社会科学分野の学術論文を中心に 토론 곽은심(경기대)<br>손주언(고려대) 医療談話における医師の質問行動に関する考察－情報統制観点からみた質問ストラテジーの使用様相 토론 주현숙(고려대)<br>오코노기 에리나(小此木江利菜 · 고려대) 断り場面における言いさし表現－「から」「ので」の機能を中心に 토론 송은미(백석예대)<br>사회 아이자와 유카(相澤由佳 · 성결대)<br>고원영(고려대) 한 · 일 만화에서 나타난 슬픔 표현 대조연구<br>토론 김지원(고려대)<br>나가타 유키(永田由紀 · 고려대) 日韓ビジネスコミュニケーションに関する日本人の問題意識－韓国語能力の自己評価の差に注目して<br>토론 우기홍(한국외대) |
| 제4발표장: 일본어학 · 교육 차세대 발표2 | 좌장 채성식(고려대)<br>사회 조영남(고려대)<br>김소희, 강준하, 스즈에 유카리(鈴江友香里), 윤선용(고려대) 韓国人日本語学習者の日本語の「格助詞」の誤用分析－「が」「を」「で」「に」を中心に<br>토론 사코다 아키코(迫田亜希子 · 명지대)<br>도현미, 아라이 미유(新井美優 · 고려대) 話し言葉で「と思う」の使用に関する一考察－韓国人学習者と日本語母語話者の比較を通じて<br>토론 장양광(가톨릭대)<br>사회 유수연(전남대)<br>간여운(고려대) 종조사 ね와 よ의 사용 현황에 관한 고찰 – 중국인 일본어 학습자와 한국인 일본어 학습자를 대상으로<br>토론 고이데 소이치(小出宗一 · 강원대)<br>강준하(고려대) 韓国人日本語学習者の作文における漢語系語彙の言語転移の可能性－中級以上の学習者を対象として<br>토론 이토 사치코(伊藤沙智子 · 한국외대)<br>박윤선(고려대) 韓国人上級日本語学習者の文の視覚呈示における漢字単語の処理過程－文脈性と2言語間の音韻類似性を操作した実験的検討<br>토론 나가시마 노리코(長島倫子 · 건국대) |
| 제5발표장: 일본문학분과 차세대 발표 | 좌장 신하경(숙명여대) 사회 남유민(고려대)<br>조경식(고려대) 오키나와 문학작품을 통한 지역운동 고찰<br>토론 조정민(부경대)<br>김여진(고려대) 간토대지진 시 조선인 학살을 제재로 한 일본시가 연구<br>토론 노윤선(고려대)<br>이경순(고려대) 엔도 슈사쿠(遠藤周作) 『침묵(沈黙)』에 내재된 수수께끼 고 |

| 발표장 | 주제 및 발표자 |
|---|---|
| | **찰 – 『침묵』의 등장인물과 성경 인물의 수수께끼를 중심으로**<br>토론 최순육(서울신학대)<br>조유미(경희대) **일본상대문학 속 '오지(ヲヂ)'에 대한 고찰 – 『니혼쇼키』 '시호쓰치노오지(塩土老翁)'의 신명 분석을 중심으로** 토론 이경화(한국외대)<br>한채민(고려대) **근대 천황상 형성과 군키모노가타리(軍記物語) – 『다이헤이키(太平記)』의 세계에 투영된 『헤이케모노가타리(平家物語)』를 중심으로**<br>토론 박은희(가천대) |
| 제6발표장: 일본문학분과 일반발표1 | 좌장 강우원용(가톨릭관동대) 사회 이선윤(홍익대)<br>이가현(고려대) **戦後の日本文学と映画–三島由紀夫の原作映画を中心に**<br>토론 나승회(부산대)<br>함충범(한양대) **북한과 일본의 영화 교류 관계사 연구(1945~1955)**<br>토론 김보경(한국방송대)<br>김보현(한양대) **1955년부터 65년까지 북한과 일본의 영화를 매개로 한 교류사와 상호 표상 연구** 토론 강태웅(광운대)<br>스기모토 쇼고(杉本章吾 · 고려대) **共同体主義の向こうへ–現代少年マンガにおける「成熟」の位相** 토론 김효진(서울대) |
| 제7발표장: 인천대학교 일본문화연구소 | 좌장 이호상(인천대) 사회 이가혜(인천대)<br>이강원(인천대) **장소자산으로서의 쓰나미 대피탑 – 난카이해구지진에 직면할 시코쿠 지역 한 지역공동체의 사전부흥** 토론 이경묵(신한대)<br>이석(인천대) **애니메이션 『좀비 랜드 사가』(2018)의 지역표상 연구**<br>토론 윤은호(인하대)<br>이가혜(인천대) **조선인 작가 문예물의 재조일본인 화류계 여성의 표상**<br>토론 김욱(한림대) |
| 제8발표장: 한일정경사회분과 일반발표1(주관 한일정경사회학회) | 좌장 김영근(고려대) 사회 임현정(한양대)<br>엄태봉(대진대) **한일회담의 과거사 청산 소멸 논리와 문화재반환 교섭 – '이중 소멸' 과정을 중심으로** 토론 최은미(아산정책연구원)<br>송정현(동국대) **포스트코로나 시대를 대비한 일본 경제정책의 향방**<br>토론 전영수(한양대)<br>후지무라 마이(광운대) **전후(戦後) 일본화의 변혁 – 교토 화단을 중심으로**<br>토론 최재혁(연립서가)<br>박성하(포스코) **동아시아 지역 원자력안전 협력에 관한 고찰 – 한국, 중국, 일본, 대만을 중심으로** 토론 김지영(한양대) |
| 제9발표장: 한림대학교 일본학연구소 인문한국플러스 사업단 | 좌장 서정완(한림대) 사회 전성곤(한림대)<br>석주희(대전대) **「日本及日本人」으로 본 전후 일본과 국민국가**<br>토론 임성숙(한림대)<br>김현아(한림대) **야스쿠니신사 합사자 자격심사로 보는 국민국가**<br>토론 김승배(충남대)<br>김웅기(한림대) **재일코리안의 귀환과 단절: 주민으로서의 권리로부터 소외되는 국민** 토론 오가타 요시히로(홍익대) |

**한일문화재 교섭에서의 과거사청산 기회 2중 소멸**

엄태봉 박사는 한일협정에서 과거사 청산을 제대로 하지 않은 것이 오늘날 한일 갈등의 원인이라는 사실을 환기시키면서, 문화재반환 교섭에서도 과거사를 청산할 기회를 두 차례나 놓쳤다고 지적했다. '이중 소멸'은 그런 의미이다. 한일회담은 제3차 회담(1953년 10월)에서 나온 일본 측 수석대표 구보다 간이치로(久保田貫一郎) 망언으로 장기간 중단됐다. 1957년 비공식회담에서 한국 측이 '왜 문화재를 반환받아야 하는지'에 대한 논리나 주장도 없이 일부 문화재만을 '인도'받기로 구두합의한 시점에서 과거사 청산 기회가 1차 소멸됐다고 주장했다(1차 소멸). 이후 1958년부터 1965년까지 4~7차회담에서도 구두합의의 틀에서 벗어나지 못하고 1965년 6월 22일 '문화재 협정'을 체결함으로써 문화재반환과 관련한 과거사 청산 기회는 2차 소멸됐했다는 것이다(최종 소멸).

| 발표장 | 주제 및 발표자 |
|---|---|
| 〈제2부〉 개회식 및 기조발표 | |
| 제10발표장 | 사회 조영남(고려대)<br>개회사 김환기(한국일본학회 회장)<br>환영사 이형대 (고려대학교 문과대학 학장)<br>기조발표 가쓰라지마 노부히로(桂島宣弘 · 리쓰메이칸대) **1965年日韓国交正常化と日韓関係における相互認識** |
| 〈제3부〉 한국일본학회 초청기획 발표 및 분과별 학술발표 | |
| 제10발표장: 초청기획 발표-한일 65년 체제에 대한 회상 | 좌장 이진원(서울시립대) 사회 곽진오(동북아역사재단)<br>Juljan E. Biontino(Chiba University) **전후 한일관계와 우쓰노미야 도쿠마(宇都宮徳馬, 1906-2000), 그리고 현재** 토론 양기호(성공회대)<br>Sandip Kumar Mishra(Jawaharlal Nehru University) **Japan and Two Koreas in the Changing East Asia: Contests with the Foe and the Friend**<br>토론 곽진오(동북아역사재단)<br>이원덕(국민대) **한일관계 65년 체제의 성격과 한일 신시대의 과제**<br>토론 조용래(한일의원연맹)<br>남기정(서울대) **한일 1965년 체제전환의 구조: 안보협력 하의 역사갈등에서 평화구축 하의 역사화해로** 토론 김영근(고려대) |
| 제11발표장: 일본역사문화분과 기획발표(주관 일본역사문화학회 · 동아시아비교문화연구회) | 기획주제 **동아시아의 제문제**<br>좌장 이호윤(서울기독대) 사회 이호윤(서울기독대)<br>채첩(고려대) **탈냉전기 한일 양국의 해양안보전략에 관한 고찰-대중(對中) 안보 강화를 중심으로**<br>하방용(히로시마대) **日本の介護保険制度におけるケアマネジメントの変化と実態-コーディネーション機能に注目する**<br>이부용(강원대) **일본 문헌에 나타난 덴가쿠(田楽) 분석-한일 비교의 시점에서**<br>장혜진(가톨릭관동대) **1867년 파리만국박람회를 둘러싼 사쓰마번과 류큐왕국의 관계-「薩摩琉球国」를 중심으로**<br>신근영(고려대) **근대 센니치마에의 변모와 흥행계**<br>종합토론 홍성화(건국대) 이기원(강원대) 이승희(동덕여대) |
| 제12발표장: 일본문학분과 일반발표2 | 좌장 이지형(숙명여대) 사회 이충호(부산외대)<br>유지혜(건국대) **최정희 문학에 나타난 경계성-'문화조선(文化朝鮮)'에 게재된 정적기(靜寂記)와 꽃(花)을 중심으로** 토론 조주희(성신여대)<br>네고로 유키(根來由紀 · 성신여대) **『国民詩歌』から見る日帝末期朝鮮的表現** 토론 임상민(동의대)<br>히로세 요이치(일본학술진흥회 특별연구원) **1950년대 전반 나카노 시게하루(中野重治)의 조선인식 전환과정-「피압박민족의 문학」과 「사서의 죽음」을 둘러싸고** 토론 이상혁(고려대)<br>김욱(한림대) **'감벽 저 멀리(紺碧遥かに)' 사라지는 귀환자의 '조선'-경성제국대학 동창회의 창립 기념집 3편을 중심으로** 토론 송혜경(고려대) |

**우쓰노미야 도쿠마(宇都宮徳馬)**

1906~2000. 도쿄 출신의 정치가. 아버지는 조선군 사령관을 지낸 육군대장 우쓰노미야 다로(宇都宮太郎). 교토대에 입학했으나 사회주의운동에 빠져 불경죄로 퇴학. 1938년 미노파겐 제약사를 설립해 운영하면서 1952년 정치가로 변신해 중의원 10회, 참의원 2회 당선. 1976년 록히드사건과 김대중납치사건 처리 방법에 불만을 품고 자민당을 탈당하고 의원직도 내놓았다. 제2차 세계대전 후 보수진영에서 그리 많지 않은 리버럴리스트로 활약했다. 한일 관계 개선과 아시아평화를 위해 활동한 정치가라는 평가를 듣고 있다.

**센니치마에(千日前)**

일본 오사카시 난바(大阪市難波)에서 가장 번화한 거리로 예전에 다카라쓰카 가극과 함께 인기를 누렸던 극장과 영화관이 많던 오락가이다. 근처에 있던 두 절에서 천일(千日 · 센니치) 불공을 많이 들였기 때문에 이런 이름이 붙었다. 옛날 대극(大劇 · 다이게키)으로 불렸던 극장은 파친코와 음식점 등으로 변했지만 건물은 그대로 있다. 오늘날에도 옛날처럼 길가의 노점상이 남아 있어 옛 풍정을 보여준다. 1972년 센니치백화점 화재가 났던 곳으로도 유명하다.

| 발표장 | 주제 및 발표자 |
|---|---|
| 第13발표장: 일본문학분과 일반발표3 | 좌장 임태균(성결대) 사회 이현희(고려대)<br>편용우(전주대) **일본 고전문학 속의 고독사** 토론 김학순(충남대)<br>이혜원(한신대) **지배적 시선에 대한 도발, 머리카락에 대한 자기의식 -『源氏物語』에서『乱れ髪』로** 토론 김화영(수원과학대)<br>류정훈(고려대) **90년대의 증상들과 J호러 - 나카타 히데오의 초기작품을 중심으로** 토론 남상현(고려대)<br>이민희(고려대) **디지털 시대, 아쿠타가와 문학으로 보는 트랜스문화**<br>토론 길미현(우송대) |
| 第14발표장: 일본문학분과 기획발표(주관 한국일본문학회, 경희대학교 글로벌류큐·오키나와 연구소) | 기획주제 **식민주의의 연속과 국민국가의 폭력**<br>좌장 손지연(경희대) 사회 고영란(니혼대)<br>김경채(도쿄대) **국가를 넘어서는 국민의 신념 - 식민지 말기 최재서의 國民文學論 재독**<br>김동현(경희대) **시선의 정치학과 내부식민지의 탄생 - 1962년 산업박람회를 중심으로**<br>심정명(조선대) **대항을 상상하는 문학 - 메도루마 슌(目取真俊)과 오키나와**<br>곽형덕(명지대) **전후와 냉전의 파열 - 시모타 세이지와 아시아**<br>종합토론 김지영(서울대) 이영진(강원대) |
| 第15발표장: 가천대학교 아시아문화연구소 | 기획주제 **역사 속의 한류**<br>좌장 박진수(가천대) 사회 김정희(가천대)<br>박태규(가천대) **고대 일본의 한류와 그 특이성 - 고마가쿠(高麗楽)의 고구려계 악무를 중심으로**<br>임다함(가천대) **1930년대 후반 조선영화의 해외 진출 - 안철영의 〈어화(漁火)〉(1938)를 중심으로**<br>김계자(한신대) **南北日의 영화 〈박치기! パッチギ!〉**<br>종합토론 김태영(한국외대) 양인실(이와테대) |
| 第16발표장 동국대학교 문화학술원 일본학연구소 대학중점연구소지원 사업 기획 | 기획주제 **일본 내셔널리즘의 재등장과 재일디아스포라의 공존 모색**<br>좌장 김환기(동국대) 사회 한정선(부산대)<br>이영호(동국대) **재일조선인 혐오의 계보와 인권운동**<br>토론 신소정(고려대)<br>이지영(동국대) **일본의 포스트페미니즘과 내셔널리즘: 애국여성과 여자력(女子力)** 토론 김경미(서강대)<br>조수일(동국대) **새로운 공존과 하모니의 상상력 - 이쓰키 히로유키(五木寛之)의「안녕히, 모스크바 불량배(さらば、モスクワ愚連隊)」를 중심으로**<br>토론 윤송아(동덕여대)<br>나리카와 아야(동국대) **한류 붐과 재일코리안** 토론 조경희(성공회대)<br>이승진(건국대) **일본 내셔널리즘의 재등장과 재일잡지 - 1990년대 이후 흐름에 주목하여** 토론 신승모(경성대) |
| 第17발표장: 일본어통번역분과 심포지엄(주관 한국일본어통번역학회) | 좌장 반노 신지(제주대) 사회 이주리애(이화여대)<br>박미정(한국외대) **한일 갈등 서사와 뉴스 번역**<br>토론 후지모토 다쿠미(서울외대) |

**고마가쿠(高麗楽)**

고대 일본 조정에 전한 고구려 음악. 고려악이라고 한다. 나라 시대(710~794) 일본에 전한 구다라가쿠(百済楽), 시라기가쿠(新羅楽)와 함께 고마가쿠는 본래 고구려음악을 뜻했다. 그러나 848년 왕립 음악기관인 가가쿠료(雅楽寮)의 악제개혁(楽制改革) 때 구다라가쿠, 시라기가쿠와 통폐합해 가가쿠료의 우방(右坊)에 두었다. 고마가쿠는 좌방(左坊)의 도가쿠(唐楽)와 함께 가가쿠(雅楽)의 양대산맥으로 현재까지 전해오고 있다. (한겨레음악대사전)

| 발표장 | 주제 및 발표자 |
| --- | --- |
| | 송신애(한국외대) **근대기록물의 일한번역에서 나타나는 '지배'와 '저항'의 양상 - 기록물의 활용과 번역의 역할에 대한 연구** 토론 오영아(이화여대)<br>대담 **포스트코로나 - 통번역사, 변화의 패러다임** 진행 장혜선(선문대)<br>대담자 이유아(부산외대) 길영숙(서울외대) 박세리(한국외대) 조승연(이화여대), 우기홍(서울외대), 강미정(제주대)<br>차세대 세션<br>유준희(이화여대) **한강 『채식주의자』의 일본어 번역 비평 - 베르만의 번역 비평 방법론을 적용하여** 토론 오경순(가톨릭대)<br>이가현(한국외대) **드라마 '사랑의 불시착'의 북한 문화소 자막번역 전략 분석** 토론 상우연(이화여대) |
| 제18발표장: 일본어학 · 교육 일반 발표 | 좌장 김영민(동덕여대)<br>사회 박효경(한양사이버대)<br>권근령(고려대) **日本語の省略現象にみられる間主観性の一考察 - 主語部の言語形態を中心として** 토론 스미 유리카(명지대)<br>선민정(도쿄대) **자율이동을 나타내는 한국어와 일본어의 양태표현 - Talmy의 유형론을 중심으로** 토론 박강훈(전주대)<br>사회 김지선(이화여대)<br>고마쓰 나나(小松奈々 · 고려대) **作文の協同推敲過程におけるコメントの役割 - 日本語学習者によるコメントの検討から**<br>토론 다카하시 미호(高橋美保 · 한국외대)<br>김현주(한밭대) **캡스톤디자인(일본문화)의 시작 및 방향성에 관한 제언**<br>토론 나카무라 유리(中川有里 · 인천대)<br>사회 이수향(가천대)<br>이노우에 사오리(井ノ上佐織 · 강원대) **韓国人中上級日本語学習者の作文にみる誤用と自己修正 - 就職用自己PRを資料として** 토론 백이연(고려대)<br>오혜경(국제기독교대) **芸能バラエーティー番組におけるテロップの日韓比較 - 使用目的による頻度を中心に** 토론 신은진(명지대) |
| 제19발표장 한일정경사회분과 일반발표2(주관 한일정경사회학회) | 좌장 박순애(호남대) 사회 오현석(서울신학대)<br>조정민(부경대) **미 점령기 스포츠의 정치성과 신체성-권투의 부활을 중심으로** 토론 오현석(서울신학대)<br>곽진오(동북아역사재단) **스가 요시히데(菅義偉) 내각의 독도정책**<br>토론 이기태(통일연구원) |
| 제20발표장: 고려대학교 글로벌일본연구원 기획발표(주관 고려대 글로벌일본연구원 · BK21중일언어문화연구사업단) | 기획주제 **근대일본과 동남아시아 - 일본의 '남양'에 대한 인식과 자료**<br>좌장 정병호(고려대) 사회 박희영(한밭대)<br>송완범(고려대) **1940년대 일본의 '남양' 인식 - 사와다 겐(沢田謙)의 『남양민족지(南洋民族誌)』를 중심으로**<br>김효순(고려대) **1940년대 대동아공영권 구상과 남양민족의 아시아성 - 이토 겐(井東憲) 저 『남양의 민족과 문화』의 질병 · 기형으로서의 혼혈**<br>채성식(고려대) **남양과 일본어문법교육 - 『남방 제지역용 일본어문법교본 학습지도서(南方諸地域用日本文法教本学習指導書)』를 중심으로**<br>유재진(고려대) **에도가와 란포(江戸川乱歩)의 국책소설과 남양 표상** |

**캡스톤 디자인 (capstone design)**

공학계열 학생들에게 산업현장에서 부딪칠 수 있는 문제들을 해결할 수 있는 능력을 길러주기 위해 졸업 논문 대신 작품을 기획, 설계, 제작하는 전 과정을 경험하게 하는 교육 과정이다. 즉 산업현장의 수요에 맞는 기술인력을 양성하기 위한 프로그램으로, '창의적 종합 설계'라고도 한다. (한경 경제용어사전)

| 발표장 | 주제 및 발표자 |
|---|---|
| | 엄인경(고려대) **나카지마 아쓰시(中島敦)의 남양 소설 속 원주민 표상**<br>김보현(고려대)·이가현(고려대) **일본의 위임통치령 '남양군도' 인식-야마다 기이치(山田毅一)의 『남양대관(南洋大觀)』을 중심으로**<br>정병호(고려대) **『경성일보(京城日報)』 동남아시아 관련 기사의 자료분석(1936-45)과 재조일본인의 시선**<br>종합토론 발표자 전원 |

## 2020년 국제학술대회에서 나온 논문

☑ 한국 국내 일본어 말하기시험에 관한 조사연구-FLEX, OPIc, SJPT의 문제유형을 중심으로 _ 김수경(한국외대)

☑ 직장 내 상하관계에서 나타나는 한·일 의뢰표현 대조연구-비즈니스 드라마의 공적인 장면을 중심으로 _ 이수미(고려대)

☑ 教養日本語の教科書に関する一考ー 教室活動を中心に _ 신은진(명지대)

☑ 日本語会話授業におけるマスメディアの活用-中上級レベルの学習者を対象に _ 고쿠쇼 가즈미(國生和美·동국대)

☑ 일본어계 외래어 전문용어의 위상-건설용어를 중심으로 _ 윤상한(부산경상대)

☑ 통사론 분석 방법의 토대에 관한 소개 _ 박용일(한양대)

☑ 話用的 側面에서의 文法化-'というか'에서 '(っ)ていうか'로 _ 劉堅眞(삼육대)

☑ 多音字를 통해 본 舌音의 變化 _ 이경철(동국대)

☑ 類似した意味用法を持つ文法項目の習得の特徴 _ 최연주(동국대 일본학연구소)

☑ CEFR Companion Volumeに対応した日本語例文分類手法 _ 미야자키 요시노리(宮崎佳典·시즈오카대) Vuong Hong Duc(시즈오카대) 安藤聖野(시즈오카대) 다니 세이지(谷誠司·도코하대) 안지영(군산대) 원유경(고려대 대학원)

☑ 『古言梯』以降の古典仮名遣い系統の仮名遣書における非古典仮名遣いの用例について-定家仮名遣い系統の仮名遣書と比較して _ 강성문(오사카대)

☑ テキストマイニングを活用した「X {まで}」構文の語彙分析-「X {さえ}」「X {も}」との比較·対照を中心に _ 김소희(고려대 박사과정)

☑ 戦後日本文学における「恋愛」-三島作品の人工的恋愛を中心に _ 이가현(고려대)

☑ 1960년 전후 재일조선인 미술가 단체의 활동과 의의-총련계를 중심으로 _ 오은영(오사카경제법과대)

☑ '히로시마'를 문학화하기-오다 마코토 『HIROSHIMA』와 '원폭문학' _ 심정명(도시샤대)

☑ '一人立ち'を選んだ女性の登場-金蒼生の「赤い実」(1988)を中心に _ 박성주(나고야대)

**〈호르몬문화(ほるもん文化)〉**

재일동포 고이삼 씨가 1990년 9월부터 2000년 9월까지 일본에서 발행했던 잡지다. '호르몬'은 곱창을 뜻하는 일본어로, '버리는 것'이라는 말에서 유래했다. 따라서 호르몬'이라는 말 속에는 해방 이후 일본인은 먹지 않고 버리는 곱창으로 근근이 연명했던 재일동포의 '힘든 과거'가 녹아 있다. 지금까지 일본에서 발행한 재일동포 잡지 제목은 〈조선〉〈계림〉〈삼천리〉〈청구〉 등이 많아 일본에 살면서도 조국을 지향하는 모습을 보여줬다. 그런 점에서 〈호르몬〉은 3, 4대 재일동포들이 본인이 삶을 영위할 곳은 한반도가 아니라 일본으로 생각한다는 '재일정체성'을 표방한 것으로도 볼 수 있다.

**다크 투어리즘 (dark tourism)**

재난이나 비극적인 사건이 일어났던 곳을 찾아가 반성과 교훈을 얻는 여행을 말한다. 블랙 투어리즘(blackk tourism), 그리프 투어리즘(grief tourism)이라고도 한다. 9·11 테러가 발생했던 세계무역센터 자리인 그라운드 제로, 유대인학살 현장인 폴란드의 아우슈비츠수용소, 수백만 명을 학살한 캄보디아의 킬링 필드, 원자폭탄을 투하했던 일본의 히로시마와 나가사키 등이 대표적인 다크 투어리즘 코스다. 국내에는 서대문 형무소 역사관, 비무장지대(DMZ), 일본군 위안부 역사관 등이 있다. (시사상식사전)

☑ 매개로서의 정동과 시·공간성-하니야 유타카(埴谷雄高)의 표현형식을 중심으로_이상혁(나고야대)

☑ 마쓰모토 세이초의 조선 체험-「빨간 제비(赤いくじ)」, 「주로(走路)」를 중심으로_최고은(도쿄대)

☑ 로컬로 회귀하는 '세계문학'-김석범문학을 중심으로_조수일(동국대 일본연구소 전임연구원)

☑ 재일코리안 잡지 『호르몬문화』의 문학텍스트-소설의 세계와 주제의식을 중심으로_민건기(동국대 박사과정)

☑ 재일코리안 문학과 제주도_김민애(동국대 박사과정)

☑ 가와바타 야스나리 문학 작품 속의 '조선인'-작품 「사자의 서(死者の書)」를 중심으로_김미정(동국대 박사과정)

☑ 일본 수출규제와 한일관계 재구축에 대한 고찰_서인원(일제강제동원피해자지원재단)

☑ 독도에 대한 한국과 일본의 인식고찰-사료를 중심으로_곽진오(동북아역사재단)

☑ 이승만의 일본 연구_박선영(국민대)

☑ 권력과 권위, 그리고 천황_김숭배(충남대)

☑ 오키나와 전쟁과 기억의 계승-오키나와 북부 모토부정 겐켄(本部町健堅)의 유골 작업과 다크투어리즘_허점숙(메이오대)

☑ 한국과 일본의 안전문화에 관한 실증적 비교 연구-후쿠시마 원전 사고 이후 원자력발전을 중심으로_박성하(포스코 안전전략사무국)

☑ 環境と身体をめぐるポスト・ヒューマンな想像力-多和田葉子と村田沙耶香_히비 요시타카(日比嘉高·나고야대)

☑ 〈ポスト・ヒューマン〉から抵抗の現場を構想する-許南麒「火縄銃のうた」を例に_사카사이 아키토(逆井聰人·도쿄외국어대)

☑ 到来するポストヒューマン、激変するヒューマン-飛浩隆『ラギッド・ガール』から考える「ポストヒューマン」の欲望と倫理の諸問題_신하경(숙명여대)

☑ 2020년 일본의 전략적 선택-아베 수상의 post-Corona인가? 글로벌 질서변화의 With-Corona인가?_고선규(와세다대)

☑ 포스트 코로나 시대의 탈국경과 국가의 역할-분쟁해결절차를 중심으로_김영근(고려대)

☑ 포스트 코로나 시대의 일본 경제와 아베노믹스 향방_송정현(동국대)

☑ 코로나19 사태로 나타난 일본의 외국인에 대한 대응과 인식_김웅기(홍익대)

☑ 무라카미 하루키의 「헛간을 태우다」와 이창동의 『버닝』에 나타난 시대와 서사방법_김

정희(경기대)

☑ 고전과 문화콘텐츠 - 일본 속 한국계 신사(神社)와 관련해서 _ 김정희(가천대 아시아문화연구소)

☑ 동남아시아의 한류와 와류(和流) - 한국과 일본의 대 태국 문화콘텐츠 수출 비교 _ 이미지(가천대)

☑ 한일 설교 통역에 관한 고찰 _ 김보애(한국외대)

☑ 통역사의 소셜미디어 이용 경험에 관한 연구 - SNS 이용자 인터뷰를 중심으로 _ 배소연(이화여대)

☑ 일한 문학 번역에 대한 고찰 - 미야자와 겐지의 『바람의 마타사부로』를 중심으로 _ 이예안(제주대)

☑ 書き言葉と話し言葉との連続性に関する考察 - 『古事記』を語る三つのメディアを中心に _ 강준하, 김도윤, 김세리, 최율기(이상 고려대 대학원 중일어문학과)

☑ 記事の伝達方法における日韓対照研究 - 視点と態度を中心に _ 하시타니 모에카(橋谷萌賀・고려대) 서유리(고려대) 오코노기 에리나(小此木江利菜・고려대) 曾柔(고려대)

☑ 日韓メディアにおける男性の告白の発話類型に関する一考察 _ 사코다 아키코(고려대) 申喩註(高麗大) 刘淼(高麗大)

☑ 韓日学術論文の序論のテキスト内容分析 - 語学系学術論文を中心に _ 임정아(고려대 대학원 석사)

☑ 日本における単身高齢者の在宅介護の実態と変化 - 介護保険制度に基づくケアマネジャーに着目して _ 何妨容(히로시마대 박사과정)

☑ 信濃지역과 渡來人 _ 홍성화(건국대)

☑ 東アジア共同体と沖縄の視座 _ 기무라 아키라(木村朗・가고시마대 명예교수・평화학)

☑ 1980년대 재일조선인의 '국적취득'과 아이덴티티 - '국적법 개정'을 중심으로 _ 김현아(한림대)

☑ 국민국가를 어떻게 상대화할 수 있는가: '호칭'과의 결별 - '재일/자이니치' 표상과 그 복수성 _ 전성곤(한림대)

☑ 『계간삼천리』를 통해 본 관동대지진과 '민중' _ 석주희(한림대)

☑ 일본의 다문화 공생사회와 재일코리안 - '자이니치(在日)'에서 'We Are Here'로 _ 이지영(동국대 일본학연구소)

☑ 재일조선인 민족교육의 변천과 정착 - 1970-2000년대까지를 중심으로 _ 이영호(동국대)

☑ 북한의 민족음악과 재일디아스포라 음악 _ 유영민(동국대)

☑ 『京城日報』の製作映画 - 〈死の輝き〉(1922)を中心に _ 임다함(고려대 글로벌일본연구원)

**계간삼천리(季刊三千里)**

1975년 2월부터 1987년 5월까지 일본 삼천리사에서 계간으로 총 50차례 발간한 일본어 종합잡지이다. 이 잡지는 창간사에서 "1972년의 '7・4공동성명'에 따른 '통일된 조선'을 실현하기 위한 절실한 바람"을 담고, "한일 상호의 이해와 연대를 꾀하기 위한 가교 역할"을 자임했다. 책임편집은 역사가 이진희가 맡고, 작가 김달수와 김석범, 평론가 윤학준, 역사가 강재언과 박경식, 시인 이철의가 편집위원으로 참여했다. 일본인들도 여러 명이 필자로 참여했다. 매호마다 특집을 꾸며 한국 정세를 비롯해 역사 속의 한일관계 및 한국문화, 재일조선인의 역사와 문학 등을 게재했다. 한국의 문화와 역사, 교과서문제에 관한 시민강좌 등도 개설해 일본 사회에서의 한국과 재일조선인의 위상을 높이는 데 크게 기여했다. (한국민족문화대백과사전)

☑ 『台湾日日新報』における横光利一関連文章の特徴 _ 謝惠貞(웬자오외국어대 부교수)

☑ 映画都市釜山の前史 - 日本語新聞『釜山日報』を中心に _ 양인실(이와테대 인문사회과학부)

☑ 植民地期の口演童話 - 『京城日報』の記事を中心に _ 이현진(고려대)

☑ 재조일본인 미디어의 모던 걸 부재와 여급의 표상 _ 가혜(인천대 일본문화연구소)

☑ 〈피안과흘(彼岸過迄)〉에서의 '고등유민'의 행방 - 신문 미디어의 언설과 소설적 언급의 구조 _ 곽동곤(고려대)

☑ 영화 『세상의 중심에서 사랑을 외치다』(2004)의 세토 내해 표상 - 빈집을 향한 노스탤지어에 주목하여 _ 이석(인천대)

☑ 테크노애니미즘 - 일본 기술과학 실천 속 사물의 생기 _ 이강원(인천대 일어일문학과 조교수)

☑ 번역적 신체의 탄생과 마이너리티의 목소리 - 제주와 오키나와에서의 지역어의 문제를 중심으로 _ 김동현(경희대)

☑ 翻訳と連帯 - 金碩禧「地鳴り」日本語訳について _ 사토 이즈미(佐藤泉 · 아오야마학원대)

☑ 일본군'위안부'문제 해결 운동과 피해자 중심주의 _ 윤명숙(일본군'위안부'문제연구소)

☑ レイプの位相と男性セクシュアリティ - 大島渚『絞死刑』と大城立裕『カクテルパーティー』のあいだから _ 고영란(니혼대)

## 2019년 국제학술대회에서 나온 논문

☑ 日本における三・一運動の認識、記憶と記念 _ 도노무라 마사루(外村大 · 도쿄대)

☑ '3.1'운동과 '5.4'운동에서 보여준 한 · 중 공동운명의 의식과 미래 한중일 관계 _ 손춘일(중국연변대)

☑ 3.1運動と韓日関係, そして東アジアの平和 _ 정재정(서울시립대 명예교수)

☑ 센카쿠열도 영토분쟁과 동북아안보 _ 서인원(일제강제동원피해자지원재단)

☑ 일본의 한국 수출규제와 CPTPP의 양면성에 관하여 _ 송정현(동국대)

☑ 조선적자의 귀속문제로 보는 재일동포의 위상 _ 김웅기(홍익대)

☑ 日韓両国における高齢者の社会的孤立に対する取り組み - 日本静岡市と韓国東豆川(キョンギド・ドンヅチョン)市を対象に _ 김경희(시즈오카현립대)

☑ 막부말기 사쓰마번과 유구왕국의 정치적 동향 _ 장혜진(가톨릭관동대)

☑ 신앙과 가면 - 오키나와의 미르쿠를 중심으로 _ 신근영(고려대)

☑ 일제강점기 강원도 관계기록 고찰 - 『사사종교』를 중심으로 _ 이부용(강원대)

☑ 재일지식인 김달수와 '일본 속의 조선 문화' _ 송완범(고려대 글로벌일본연구원)

**CPTPP**

포괄적 · 점진적 환태평양경제동반자협정(Comprehensive and Progressive Agreement for Trans-Pacific Partnership). 미국과 일본이 주도하던 환태평양경제동반자협정(TPP)에서 미국이 빠지면서 일본 주도로 아태지역 11개국(일본, 캐나다, 호주, 브루나이, 싱가포르, 멕시코, 베트남, 뉴질랜드, 칠레, 페루, 말레이시아)이 새롭게 추진한 경제공동체이다. 2018년 12월 30일 발효했다. 이 협정으로 총인구 6억 9000만 명, 전 세계 국내총생산(GDP)의 12.9%, 전 세계 교역량의 14.9%를 차지하는 거대 경제블럭이 탄생했다. (시사상식사전)

☑ 「日本とのつながり」を目指した教養日本語授業の一試み－『外国語学習のめやす』に基づいた実践報告 _ 아이자와 유카(相澤由佳・성결대)

☑ 한일국제결혼가정을 대상으로 한 이중언어교육의 현황과 과제－도봉구다문화가족지원센터의 프로그램을 중심으로 _ 노주현(덕성여대)

☑ 継承日本語における「のに」の習得について _ 가와구치 게이코(川口慶子・숭실대)

☑ 문말표현 「ている」에 관한 일고찰(1)－「(よく)食べられている」의 한국어 모어 화자의 사용 가능성 _ 조선영(인천대)

☑ 통시적 관점에서 본 일본어 속의 외래어 연구－외국어와 외래어의 구분 기준을 중심으로 _ 이은조(고려대)

☑ 對應規則을 통한 日本漢字音 學習－ja(ㅑ)・wa(ㅘ)계열을 중심으로 _ 하소정(서울여대)

☑ 否定文脈に現れる副詞の日・韓対照 －「とうてい、どうしても、とても、なかなか」を中心に _ 정윤영(한양대)

☑ 日本語学習者の作文における用言の誤用－動詞の誤用を中心に _ 고쿠쇼 가즈미(國生和美・동국대)

☑ 唐宋音에 걸친 流攝韻의 字音形에 대하여 _ 오채현(동국대 대학원), 이경철(동국대)

☑ 中原中也と尹東柱－「私(나)」の描き方 _ 네고로 유키(根來由紀・릿쿄대 대학원 박사과정)

☑ 『岬にての物語』における死の勝利 _ 滕夢溦(도쿄외국어대 박사후기과정)

☑ 村上春樹『1973年のピンボール』における「僕」の時間感覚の混乱とシミュラークル _ 정수진(고려대)

☑ 1970년대 재일조선인 민족 담론 연구－『계간 마당(季刊まだん)』의 기사를 중심으로 _ 이영호(동국대)

☑ 샌프란시스코시 일본군'위안부' 기림비 건립 운동－재일코리안 3세 커뮤니티 Eclipse Rising을 중심으로 _ 이지영(동국대 일본학연구소)

☑ 1950년대 재일조선인 잡지 『조선평론』과 전화황의 작품세계 _ 한정선(동국대)

☑ L과 G가 교차할 때－미시마 유키오와 마쓰우라 리에코를 중심으로 _ 이지형(숙명여대)

☑ '리 고토미'라는 현상－일본의 〈동지문학〉, 『독무』와 「다섯 세면 초승달이」를 중심으로 _ 유수정(숙명여대)

☑ 일본 LGBT문학의 (탈)정치성과 가족 표상 _ 안지나(숙명여대 인문학연구소)

☑ 서브컬처가 표상하는 '지방'－『うどんの国金色毛鞠』로 보는 가가와현 _ 남상욱(인천대)

☑ 양키 문화와 록음악 _ 이석(인천대)

☑ 일본 안드로이드 로봇이 제기하는 문제들 _ 이강원(인천대)

**리 고토미(李琴峰)**

《꽃무릇이 피는 섬(彼岸花が咲く島)》으로 2021년 일본의 최고 신인문학상인 아쿠다가와상을 수상한 작가이다. "작가 리 고토미는 일본어가 모국어가 아닌 작가다. 그녀는 대만에서 태어나 자란 대만 국적자로 대학 졸업 후 2013년 일본으로 와 와세다 대학원에서 석사를 수료했으며, 2018년 첫 일본어 소설 〈독무〉로 군조 신인문학상을 수상했다. 작은 섬에 온몸에 상처를 입은 소녀가 표류했다. 이름도 살던 곳도 가족도 기억하지 못하는 소녀. 섬사람들은 그녀를 '우미'라고 부르기로 한다. 꽃무릇이 가득 핀 해안가에서 '우미'를 발견한 '요나'는 섬의 사제인 '노로'를 꿈꾼다. … 이 섬이 일본과 대만 사이에 위치한 오키나와로 보인다는 점, 남성들이 만들어 놓은 역사의 비참함 때문에 여성들이 새로운 역사를 쓰기 시작했다는 점 등 여기저기서 현대사회와 소설을 잇는 조각들을 발견할 수 있다."(〈경향신문〉 김민정의 도쿄 책갈피, 2021년 7월 16일 입력)

**김희로(1928~2010)**
일본 시즈오카현(静岡縣) 시미즈시(清水市)에서 태어난 재일동포 2세. 1968년 2월 20일 밤 시미즈 시내의 바에서 빚 독촉을 하는 폭력배 2명을 총으로 쏘아 죽이고 달아나 스마다쿄(寸又峡) 온천여관 투숙객 16명을 인질로 잡고 88시간 동안 농성을 벌이다 체포된다. 재일동포의 피차별문제를 부각시켜 그를 '영웅시'하는 시각도 있다. 무기징역을 선고받고 복역하다 31년 만인 1999년 풀려나 한국에 귀화해 부산에서 살았다. 옥중결혼을 했던 부인과 헤어지고, 내연관계인 여자의 남편을 살해하려 한 혐의로 복역하는 등 출옥 후도 순탄하지 않은 삶을 살았다. 의부가 아닌 친부의 성으로 돌아가 '권희로'로 부르기도 한다.

☑ 自由で開かれたインド太平洋地域の平和と繁栄 - 競争から協調へ _ 林賢參(국립 대만사범대 준교수)

☑ 북핵 외교와 일본(1990-1994) - 핵 검증 문제와 미일관계 _ 윤석정(국민대 일본학연구소)

☑ 일본의 독도 고유영토 주장에 대한 고찰 _ 곽진오(동북아역사재단)

☑ 제3세계문학으로서의 일본 전후문학 _ 곽형덕(명지대)

☑ 오키나와 '집단자결'을 둘러싼 일본 본토(인)의 교착된 시선 _ 손지연(경희대)

☑ 냉전의 지속과 지역의 상상력 - 제주와 오키나와를 중심으로 _ 김동현(제주대 국어국문학과)

☑ "김희로를 심판할 수 있는가?": 스즈키 미치히코의 프란츠 파농 읽기와 김희로 사건 _ 남궁철(연세대)

☑ "経済界外交"をめぐる政策研究の地平と日韓通訳翻訳への期待 - 経済界と国益の表出にかかわる実務対応の視点から _ 오타 마코토(太田誠·21세기정책연구소)

☑ 번역수업 피드백에 대한 교수자의 인식 연구 - 통역번역대학원 번역수업을 중심으로 _ 김선주(한국외대)

☑ 소셜미디어 시대의 통역주체(Interpreting Agent) 연구 - 통역사의 인스타그램(Instagram) 계정 및 게시물을 중심으로 _ 배소연(이화여대)

☑ 한국과 일본의 핵심역량 교육과정 비교 분석 _ 정영근(한국교육과정평가원)

☑ 지구시민교육과 일본도서관의 평생교육 _ 임형연(경일대)

☑ 유아 다문화교육, 보육에 관한 일 고찰 _ 이성한(고신대)

☑ 아나키즘과 '유교국가주의'는 탈국가주의의 조건이 될 수 있는가? _ 전성곤(한림대)

☑ 20世紀初頭の東アジアの知識人におけるP・クロポトキンの影響 _ 야마모토 겐조(山本健三 · 시마네현립대)

☑ アナーキズムとナショナリズム: アナーキズムによるナショナリズムの解体は可能か _ 다나카 히카루(田中ひかる · 메이지대)

☑ 재일조선인 잡지를 통해 본 '한국전쟁' - 1950년대 발행 잡지를 중심으로 _ 소명선(제주대)

☑ 재일조선인 잡지『민도(民濤)』와 이회성의 사할린 이야기 _ 김계자(고려대)

☑ 재일한인에 대한 일본 사회의 미디어 표상 - 키워드 네트워크 분석을 활용하여 _ 정영미(동의대)

☑ 디아스포라의 초국적 연계성 및 정체성 - 영국 터키 이민자와 재일코리안의 다층·다중적으로 매개된 일상 중심으로 _ 이홍렬(Urban Nostalgia)

- ☑ 正当化ストラテジーの観点から見る日本のジェンダー問題 _ 하시타니 모에카(橋谷萌賀・고려대)
- ☑ 블로그를 이용하는 한국인 일본어 학습자의 학습신념 연구 - 문항 및 세부영역별 분석을 중심으로 _ 서유리(고려대)
- ☑ 『헤이케모노가타리(平家物語)』의 다이라노 기요모리(平清盛) 소재 활용 양상 _ 김린아(고려대)
- ☑ 1980년대 재일조선인 민중문화 운동과 『민도』 - 민중문화 관련 게재문과 제3세계에 대한 논의를 중심으로 _ 신재민(고려대)
- ☑ 사카구치 안고(坂口安吾)의 다다적 경향의 전체상 - '집의 제도(家の制度)'에 대한 비판을 중심으로 _ 설승훈(고려대)
- ☑ 재일코리안 잡지 『호르몬문화』의 문학텍스트 - 詩의 세계와 주제의식을 중심으로 _ 민건기(동국대)
- ☑ 가와바타 야스나리 문학 작품 속의 '조선인' - 작품 「바다(海)」를 중심으로 _ 김미정(동국대 박사과정), 송정현(동국대)
- ☑ 재일코리안 문학과 〈제주 4・3사건〉 _ 김민애(동국대 일어일문학과 박사과정)
- ☑ 神がかり・通俗道徳・資本主義の精神 - 安丸良夫の民衆思想史から見た日本の近世・近代 _ 이소마에 준이치(磯前順一・日文研)
- ☑ 日本陽明學の時・處・位論と日本資本主義の特殊性 _ 최재목(영남대)
- ☑ 近代の蹉跌と啓蒙という物語 - 近世「実学」の解釈を中心に _ 히라노 카쓰야(平野克弥・UCLA)
- ☑ 性理学から俯瞰した石門心学の資本主義の萌芽論 _ 이희복(강원대)
- ☑ 仏教戒律と日本の近代化 - 「国民」という比喩的な主体 _ 오다 료스케(小田龍哉・日文研)
- ☑ 「知的資本」としての起業家精神と「労働」 - 渋沢栄一を中心に _ 조관자(서울대)
- ☑ 日本近世の「怪異」と資本主義精神 _ 기바 다카토시(木場貴俊・日文研)

**《헤이케모노가타리(平家物語)》**

13세기 초에 만든 작자 미상의 군기모노가타리(軍紀物語・군담소설)이다. 무사 계급으로서 최초로 권력을 장악한 헤이케(平家) 일족이 대두해서 몰락하기까지를 그렸다. 번영한 자는 반드시 멸망한다는 불교 사상에 따라 인간의 덧없음과 인생의 무상함을 그리고 있다. 비파 반주에 실어 이야기를 들려주는 헤이쿄쿠(平曲)로 널리 알려졌다. (일본문학사)

한국일본학회의 산하학회인 한일정경사회학회와 한국일본역사문화학회를 회장 인사말을 통해 간단히 소개한다.

**〈한일정경사회학회〉**

한일정경사회학회는 2002년에 설립된 이후로, 현재까지 일본의 정치, 경제, 사회를 연구하는 연구자들의 모임으로서 꾸준하게 활동해 왔습니다. 한일정경사회학회는 일본의 사회과학분야를 중점적으로 연구하는 학제적인 모임의 성격이 강하며, 일본학 분야의 한 축을 담당하고 있습니다. 학기 중에는 매월 한차례 월례회의를 실시하여, 각자 자신이 몰두하고 있는 연구 분야에 관한 발표를 실시하고 있습니다. 또한, 월례발표회는 우리나라의 연구자들 이외에 일본의 연구자를 초빙하기도 하고 일본 관련 기관의 인사를 초청하여 진행하기도 합니다. 한국과 일본은 그 동안 각 분야에서 끊임없이 일본과의 학술적인 교류를 통해, 일본연구라고 하는 학술적 가치를 높여 왔다고 생각합니다. 한일정경사회학회도 이러한 연구사적 배경을 함께 하며 앞으로도 지속적으로 일본에 대한 이해를 높이기 위한 학술적 교류를 증진시켜 나갈 계획입니다.

**〈한국일본역사문화학회〉**

한국일본학회의 어문학에 집중된 일본학의 인적자원의 한계를 극복하고 현대 한국사회의 일본 역사와 문화에 대한 다양한 수요와 요구에 부응하기 1984년 한국일본학회 내에 일본 역사 · 민속학분과를 만들었습니다. 이후 한국일본학회는 한국 일본학연구의 중심으로서 각 일본학 분과 학문의 전문성을 높이기 위해서 네트워크형 학회로 발전하였습니다. 일본 역사와 문화 분야 연구자들은 한국일본역사문화학회를 창립하였습니다. 오늘날 일본학을 비롯한 모든 인문학이 학제 간 융합이 대세가 되고 있는 상황에서 저희 일본역사문화학회는 일본역사와 일본문화 전공자뿐만 아니라 다양한 일본학 관련 연구자들의 융합연구의 발표의 장을 마련해 드리고 있습니다. 또한 일본학 연구자가 아닌 분야의 연구자에게도 문호를 개방하여 일본학 전체의 발전에 기여하고 있습니다.

2021년 3월에 새로 구성한 한국일본학회 임원진은 다음과 같다.

| 직 책 | | 이 름 | 소 속 |
|---|---|---|---|
| 회장 | | **정병호** | 고려대 |
| 부회장 | 기획 · 수석부회장 | **이지형** | 숙명여대 |
| | 편집 | **이한정** | 상명대 |
| | 학술 | **겐코 히로아키 (検校裕朗)** | 극동대 |
| | 교류협력 | **김영민** | 동덕여대 |

| | | | |
|---|---|---|---|
| 부회장 | 평가 | **곽진오** | 동북아역사재단 |
| | 재무 | **임태균** | 성결대 |
| 총무이사 | 제1총무 | **신하경** | 숙명여대 |
| | 제2총무 | **이석** | 인천대 |
| 재무이사 | 제1재무 | **조영남** | 고려대 |
| | 제2재무 | **김보경** | 방송대 |
| 학술이사 | 총괄 | **이선희** | 서울여대 |
| | 어학 | **김영아** | 원광대 |
| | 문학 | **김학순** | 충남대 |
| | 일본학 | **송정현** | 동국대 |
| 학술교류이사 | 국내교류 | **조정민** | 부경대 |
| | 국제교류 | **채성식** | 고려대 |
| 편집이사 | 총괄 | **남상욱** | 인천대 |
| | 어학 | **박용일** | 한양대 |
| | 문학 | **김지영** | 서울대 |
| | 일본학 | **이세연** | 한국교원대 |
| 평가이사 | 국내평가 | **엄인경** | 고려대 |
| | | **노주현** | 덕성여대 |
| | 국제평가 | **유재진** | 고려대 |
| | | **편용우** | 전주대 |
| 정보이사 | 뉴스레터 | **김태진** | 동국대 |
| | 홈페이지 | **최가형** | 삼육대 |
| 네트워크이사 | | **서동주** | 서울대 |
| 산하학회 회장 | 한일언어학회 | **이경철** | 동국대 |
| | 한국일본문학회 | **손지연** | 경희대 |
| | 한국일본역사문화학회 | **이기원** | 강원대 |
| | 한국일어교육학회 | **장근수** | 상명대 |
| | 한국일본교육학회 | **최순자** | 국제아동발달교육연구원 |
| | 한국일본어통역학회 | **이예안** | 제주대 |
| | 한일정경사회학회 | **오현석** | 서울신학대 |
| 일반이사 | 박영숙(수원과학대) 권영성(청주대) 최연주(동국대경주) 윤상한(부산경상대) 박상현(경희사이버대) 고쿠쇼 가즈미(国生和美 · 동국대) 곽형덕(명지대) 고영란(니 | | |

| | | |
|---|---|---|
| | 혼대) 이부용(강원대) 신근영(고려대) 허지은(서강대) 아이자와 유카(相澤由佳・성결대) 성윤아(상명대) 송정식(인하공업전문대) 김지선(이화여대) 조선영(인천대) 이주리애(이화여대) 박미정(한국외대) 장혜선(선문대) 반노 신지(坂野愼治・제주대) 김영근(고려대) 김지영(한양대) 임현정(한양대) 이정희(광주교대) 장지은(전 고려대) 이은주(명지전문대) 한용진(고려대) 공병호(오산대) 신현정(중부대) | |
| 위원회 | 학회발전자문위원회 | 위원장 **정병호** |
| | | 이강민, 안평호, 이진원, 김환기, 서정완 |
| | 기금운영위원회 | 위원장 **김환기** |
| | | 안평호, 이지원, 정병호, 이지형, 임태균, 조영남 |
| | 학술상위원회 | 위원장 **이지형** |
| | | 이진원, 이한정, 겐코 히로아키, 신하경, 이석 |
| | 학술지발전위원회 | 위원장 **이한정** |
| | | 남상욱, 채성식, 전영수, 신하경 |
| | 선거관리위원회 | 위원장 **정병호** |
| | | 이한정, 신하경, 이석, 사무국장 |
| | 일본어교육위원회 | 위원장 **겐코 히로아키** |
| | | 박용일, 신은진, 김의영, 이주리애, 곽은심, 가와구치 게이코(川口慶子), 스미 유리카(角ゆりか), 나카무라 유리(中村有里), 사코다 아키코(迫田亜希子), 스와 아키히로(諏訪昭宏) |
| | 연구윤리위원회 | 위원장 **이진원** |
| | | 이한정, 남상욱, 오현석, 조영남, 사무국장(간사) |
| | 창립50주년 기념 준비위원회 | 위원장 **김환기** |
| | | 이강민, 안평호, 이진원, 서정완, 이경수, 이지형 |
| | 학술기획위원회 | 위원장 **박진수** |
| | | 이지형, 곽진오, 이선희, 김영아, 김학순, 송정현, 남상욱, 신하경, 김지영, 조영남, 전영수 |
| | 총서간행위원회 | 위원장 **김효순** |
| | | 김영민, 이한정, 곽진오, 남상욱, 오현석, 채성식 |
| 감사 | | **강우원용**(가톨릭관동대), **이승희**(동덕여대) |

**한국일본학회 사무국은 (04620) 서울특별시 중구 필동로 1길 30 동국대 만해관 B464호에 있고, 홈페이지는 http://www.kaja.or.kr**

# 3. 한일관계사학회

KOREA-JAPAN

한일관계사학회(The Korea-Japan Historical Society)는 1992년 5월에 창립했다. 학회 홈페이지는 학회를 이렇게 소개하고 있다.

한일관계사는 우리의 역사 현실과 늘 밀착되어 있음에도 불구하고 그 동안 너무나 외면되어 왔다. 더구나, 과거 한일관계사의 연구가 주로 일본인에게서 시작되어 왔고, 그것도 식민사학을 정당화시키기 위한 왜곡된 목적의식에서 출발하였던 만큼 그 문제점이 적지 않은 것도 사실이다.

동아시아 속의 한국사, 나아가 세계사 속의 한국사를 재구성해야 하는 지금, 우리의 역사 연구는 그 전제가 되는 대외관계사 연구에 너무 미흡하였고, 이를 특수사로만 취급하여 한국사를 총체적으로 구성하지 못해왔다. 외정이 내정의 연장이며, 동시에 외정은 내정의 국제적 표현임을 상기할 때, 내정과 외정의 연구 어느 한 쪽이라도 소홀히 해서는 안 된다.

때문에 한일관계사학회에서는 "한국과 일본에 대한 역사 연구를 통하여 두 나라 사이의 올바른 관계사 정립"을 목표로 설정하고 이를 위해 각자의 연구 분야에서 혼신의 열을 다 바치고자 한다.

### 2018년 학술회의 (10월 13일)

주제: 메이지유신과 한일관계의 변용

| 구 분 | 발표자와 주제 |
|---|---|
| 개회사 | 김동명 한일관계사학회 회장(국민대) |
| 축 사 | 황선조 선문대 총장 |
| 기조강연 | 이기용(선문대) **메이지 유신과 근대한일관계의 변용메이지** |
| **제1부** 사회 김종식(아주대) | |
| 1주제 | **근대 일본에 있어서 신화와 전설의 역사화 - 기기(記紀)신화와 신공(神功)전설의 실체와 변용**<br>발표 나행주(건국대) 토론 연민수(부경대) |
| 2주제 | **강화도 조약의 재검토 - 메이지유신 이후 조일간 외교교섭과 『丙子優錄』** |

**기기(記紀) 신화와 신공(神功) 전설**

기기(記紀)의 '記'는 일본 역사서인 고사기(古事記)를, '紀'는 일본서기(日本書紀)를 뜻하고, '기기신화'는 일본 고대 천황가의 일본열도 지배의 유구성과 정당성을 주장하기 위해 창조한 신화를 가리킨다. '신공(神功) 전설'은 신공(진구) 황후가 삼한을 정벌했다는 전설(설화)을 말한다. 이 둘을 묶어 말하는 것은 근대에 들어와 일본이 이들 신화와 전설을 조선의 식민지배를 합리화는 일선동조론(日鮮同祖論), 동조동근론(同祖同根論), 조선멸시론, 황국신민양성과 신사참배 등의 근거로 이용했기 때문이다.

**영사재판권(領事裁判權)**
특별한 국제조약에 따라 영사가 주재국에서 자국민에 관계된 소송을 자기 나라 법률에 따라 재판할 수 있는 권리이다. 외국인도 원칙적으로는 본인이 살고 있는 국가의 법과 재판권에 복종해야 하지만 영사재판권은 예외적인 치외법권을 인정하는 것이다. 영사재판권은 보통 불평등조약에 많으며, 한때 제국주의 국가였던 유럽 각국과 일본이 아시아와 아프리카의 후진국에게 강요했으나 제2차 세계대전 이후에는 사라졌다. (한국근현대사사전)

| | |
|---|---|
| | 발표 박한민(동국대) 토론 김종학(동북아역사재단) |
| 3주제 | **일본의 개항과 거류지 문제 - 청국의 영사재판권 행사사례를 중심으로**<br>발표 조국(서울대) 토론 최보영(동국대) |
| 4주제 | **메이지유신과 대한제국의 군제개혁 - 일본 메이지 신정부와 대한제국 헌병설치 과정에 대한 비료를 중심으로**<br>발표 이승희(동덕여대) 토론 유지아(원광대) |
| **제2부 종합토론** 사회 현명철(국민대) | |

## 2018년 학술회의 (11월 10일)

주제: 도래인과 고대 한일관계

| 구 분 | 발표자와 주제 |
|---|---|
| 개회사 | 김동명 한일관계사학회장(국민대) |
| **제1부** 사회 나행주(건국대) | |
| 발표1 | 연민수(전 동북아역사재단) **三己汶의 鹽乘津설화와 吉田連** 토론 이병로(계명대) |
| 발표2 | 김은숙(한국교원대) **和朝臣씨의 발전과 『和氏譜』의 편찬** 토론 김은정(충남대) |
| 발표3 | 서보경(부경대) **「東西文部」와 大祓** 토론 나행주(건국대) |
| 발표4 | 박재용(충남역사문화연구원) **고대 일본의 「亡命百濟官人」과 그 후예 씨족**<br>토론 송완범(고려대) |
| 발표5 | 이근우(부경대) **고대 일본의 씨족 개념으로 본 도래인** 토론 이재석(한성대) |
| **제2부 종합토론** 사회 정효운(동의대) | |
| 이병로(계명대) 김은정(충남대) 나행주(건국대) 송완범(고려대) 이재석(한성대) | |

## 김은숙 교수 정년기념 심포지엄 (2019년 4월 13일)

주제: 역사교육과 한일관계사

| 구 분 | 발표자와 주제 | |
|---|---|---|
| 사회 | 이훈(한림대) | |
| 1부 | 기조강연 김은숙(한국교원대) | |
| 2부 | 제1주제 | **다시마는 어떻게 발해의 특산물이 되었을까? - 다시마와 발해교역**<br>발표 구난희(한국학중앙연구원) 토론 나행주(대진대) |
| | 제2주제 | **개항과 한일관계관의 변화** |

| | | |
|---|---|---|
| | | 발표 현명철(서울대) 토론 박한민(고려대) |
| | 제3주제 | **두모포왜관 시기와 초량왜관 시기 연례송사 접대 비교 연구-『접왜식례』(1659)와 『영남접왜식례개등록』(1732)을 중심으로**<br>발표 심민정(부경대) 토론 이상규(국사편찬위원회) |

## 2019년 학술회의 (6월 8일)

주제: 역사적으로 본 한일 양국의 갈등과 화해

| 구 분 | 발표자와 주제 |
|---|---|
| 사회 | 허지은(서강대) |
| 제1주제 | 나행주(건국대) **고대 일본과 신라의 대립 · 갈등과 화해-'백촌강 전투' 후의 국교 재개 과정** |
| 제2주제 | 김보한(단국대) **고려와 조선의 금구(禁寇)외교와 일본의 대응** |
| 제3주제 | 이훈(한림대) **인조 즉위 초 후금 대비책과 회답겸쇄환사(1624년) 파견** |
| 제4주제 | 현명철(서울대) **막말-메이지 초기 한일간의 갈등** |
| 제5주제 | 류미나(국민대) **문화재 반환 문제로 본 한일간 '화해'의 가능성** |
| 종합토론 | 사회 연민수 (부경대)<br>토론 송완범(고려대) 장순순(전주대) 박한민(고려대) |

## 2020년 한일공동연구회 (8월 1일)

| 구 분 | 발표자와 주제 |
|---|---|
| 제1주제 | 사회 이시다 도루(石田徹)<br>**1636년 통신사와 야나가와 사건(寛永13年 通信使と柳川一件)**<br>발표 이케우치 사토시(池内敏 · 나고야대) 토론 이해진(교토대) |
| 제2주제 | 이형주(나고야대)<br>**18세기 중반~19세기 초 통신사행 회화자료의 특성**<br>발표 황은영(강원대) 토론 장순순(전주대) |

## 월례발표회

| 일 시 | 내 용 |
|---|---|
| 183회<br>2019.3.9 | 사회 손승철(강원대)<br>제1주제 **1640년대 兒名送使에 나타난 조선과 대마도의 교섭태도**<br>발표 박정슬(서울대) 토론 유채연(전북대)<br>제2주제 **태평시절의 성대한 일 – 조선통신사와 오규 소라이의 만남**<br>발표 이기원(강원대) 토론 하우봉(전북대)<br>제3주제 **기해사행 속 전례의 활용 – 대마도 종가문서를 중심으로**<br>발표 이재훈(경희대) 토론 김태훈(단국대) |
| 184회<br>2019.5.11 | 사회 민덕기(청주대)<br>제1주제 **전시기 학도지원병 탈영자의 추계와 분석 – 병적전시명부를 중심으로**<br>발표 정안기(서울대경제연구소) 토론 김영미(강원대)<br>제2주제 **독도침탈과 야마자 엔지로(山座円次郎)의 역할**<br>발표 황용섭(강원대) 토론 한성민(대전대)<br>제3주제 **對馬 '藩屛'론으로 보는 18-19세기 對馬藩의 자아인식 형성 – 對馬藩의 역사인식을 중심으로**<br>발표 마쓰모토 도모야(松本智也 · 리쓰메이칸대) 토론 사카이 마사요(서울대 규장각) |
| 185회<br>2019.9.7 | 사회 정성일(광주여대)<br>제1주제 **1747~1748년 통신사행 절목강정 중 집정 인원수에 관한 고찰**<br>발표 다사카 마사노리(선문대) 토론 심민정(동명대)<br>제2주제 **통신사 문화교류 전성기 회화자료의 특성**<br>발표 황은영(강원대) 토론 장순순(전주대)<br>제3주제 **일본 동북지방에선 왜 아베정권의 '메이지유신 150주년'을 '보신전쟁 150주년'으로 기념하였을까?**<br>발표 민덕기(청주대) 토론 유지아(원광대) |
| 186회<br>2019.11.9 | 사회 현명철(서울대)<br>제1주제 **이몽학의 난과 김덕령 무고사건**<br>발표 조인희(연세대) 토론 남호현(공군사관학교)<br>제2주제 **조선후기 구무(求貿)에 대한 조일양국의 인식과 구무의 특수성**<br>발표 이승민(동국대) 토론 김태훈(단국대)<br>제3주제 **왜관의 연료 조달을 둘러싼 조선과 일본의 마찰(1609-1877)**<br>발표 정성일(광주여대) 토론 양흥숙(부산대) |
| 187회<br>2019.12.14 | 사회 한문종(전북대)<br>제1주제 **8세기 중반 신라의 대일 관계 동향과 「買新羅物解」**<br>발표 신카이 사키코(新飼早樹子 · 서울대) 토론 서보경(부경대)<br>제2주제 **柳川一件의 歷史的位置**<br>발표 이케우치 사토시(池内敏 · 나고야대) 토론 유재춘(강원대)<br>제3주제 **16세기 후반 통신사와 동아시아 국제관계**<br>발표 장순순(전주대) 토론 황은영(강원대) |
| 188회 | 사회 현명철(서울대) |

**1747–1748년 통신사**

임진왜란 이후 10번째로 보낸 통신사로, 도쿠가와 이에시게(德川家重)의 쇼군 습직을 축하하러 갔다. 정사는 홍계희, 부사는 남태기, 종사관은 조명채였으며 모두 477명이었다. 이 중 조난곡(曹蘭谷)이 《봉사일본시문견록(奉使日本時聞見錄)》을, 홍경해(洪景海)가 《수사일록(隨槎日錄)》을 지었고, 작자를 알 수 없는 사람이 《일본일기(日本日記)》를 남겼다.

| | |
|---|---|
| 2020.9.12 | 제1주제 **임진왜란기 조선과 일본의 豊臣氏 활용과 그 인식**<br>발표 임현채(서강대) 토론 김경태(전남대)<br>제2주제 **〈조선표류일기〉(1819)에 나타난 일본표류인 접대 실태**<br>발표 심민정(부경대) 토론 이케우치 사토시(池内敏 · 나고야대) |
| 189회<br>2020.11.14 | 사회 이상규(국사편찬위원회)<br>제1주제 **조선후기 通信使行 준비단계 문서**<br>발표 임영현(한국학중앙연구원) 토론 심민정(부경대)<br>제2주제 **16세기 동아시아해역의 군수물자 유통: 일본열도의 왜구**<br>발표 이수열(한국해양대) 토론 김보한(단국대) |

**〈조선표류일기〉**

19세기 초 일본 규슈 남단 사쓰마번(현 가고시마현)의 중급 무사였던 야스다 요시카타(安田義方)가 태풍으로 조선에 표착해서 쓴 일기다. 1819년 6월부터 이듬해 1월까지 기록하고 있다. 요시카타는 조선 땅의 모양이나 풍경만 기록하지 않고, 자신이 만난 인물의 얼굴과 복장, 관인(관리)의 복장, 일상 풍습도 자세하게 관찰해 그림으로 남겼다. 특히 충청 마량진의 안파포, 부산 다대포와 우암포 등 상당 기간 머문 포구에 대해서는 자세한 그림까지 남겼다. 조선 관인과 필담을 많이 나눴던 그는 조선 측의 표류 사정 청취와 관련한 내용, 표류자에게 주는 음식물과 땔감 등도 자세히 기록했다. (연합뉴스)

한일관계사학회의 초대 회장은 하우봉 교수(전북대)가 맡은 이래, 손승철(강원대), 정재정(서울시립대), 나종우(원광대), 오성(세종대), 민덕기(청주대), 손승철(강원대), 연민수(동북아역사재단 · 연임), 이훈(동북아역사재단), 한문종(전북대), 정성일(광주여대), 남상호(경기대), 김동명(국민대), 현명철 교수(서울대)를 거쳐 지금은 김문자 교수(상명대)가 맡고 있다.

한일관계사학회 임원진은 다음과 같다.

| 직 책 | 이 름 | 소 속 |
|---|---|---|
| 회장 | **김문자** | 상명대 |
| 부회장 | **유재춘** | 강원대 |
| | **장순순** | 전주대 |
| | **신동규** | 동아대 |
| 감사 | **현명철** | 서울대 |
| 총무 | **이승민** | 동국대 |
| 연구윤리위원회 | **김동명** | 국민대 |
| | **나행주** | 건국대 |
| | **남상호** | 경기대 |
| | **민덕기** | 청주대 |
| | **이상규** | 국사편찬위원회 |
| | **홍성덕** | 전주대 |
| 정보이사 | **김영미** | 강원대 |
| | **홍성화** | 건국대 |

| | | |
|---|---|---|
| 연구이사(월례발표, 학술대회 주관) | **김경록** | 군사편찬연구소 |
| | **김보한** | 단국대 |
| | **김종식** | 아주대 |
| | **김태훈** | 단국대 |
| | **심민정** | 부경대 |
| | **윤유숙** | 동북아역사재단 |
| | **이상규** | 국사편찬위원회 |
| | **이재석** | 한성대 |
| | **최영호** | 영산대 |
| | **한성민** | 대전대 |
| | **허지은** | 서강대 |
| 대외협력이사 | **곽진오** | 동북아역사재단 |
| | **류미나** | 국민대 |
| 지역이사(국내) | **김경남** | 경북대 |
| | **김경옥** | 목포대 |
| | **김경태** | 전남대 |
| | **송휘영** | 영남대 |
| | **양홍숙** | 부산대 |
| | **엄찬호** | 강원대 |
| | **유채연** | 전북대 |
| | **정광섭** | 경기대 |
| 지역이사(국외) | **다카하시 기미아키(高橋公明)** | 나고야대 |
| | **하시모토 유(橋本雄)** | 홋카이도대 |
| | **사에키 고지(佐伯弘次)** | 규슈대 |
| | **나카무라 슈야(中村修也)** | 분쿄(文教)대 |
| | **이케우치 사토시(池内敏)** | 나고야대 |
| | **쓰루다 게이(鶴田啓)** | 도쿄대 |
| | James B. Lewis | 옥스퍼드대 |
| | Nam-lin Hur | 브리티시 컬럼비아대 |
| 고문 | **김동명** | 국민대 |
| | **김동철** | 부산대 |
| | **김은숙** | 한국교원대 |

| | | |
|---|---|---|
| | 박진우 | 숙명여대 |
| | 손승철 | 강원대 |
| | 연민수 | 동북아역사재단 |
| | 이기용 | 선문대 |
| | 이재범 | 경기대 |
| | 이 훈 | 한림대 |
| | 정재정 | 서울시립대 |
| | 하우봉 | 전북대 |

한일관계사학회는 김문자 회장(mjakim@smu.ac.kr)이 재직 중인 (03016) 서울특별시 종로구 홍지문2길20 상명대학교 역사콘텐츠학과와 총무이사 이승민 교수(crinoid@dgu.ac.kr)가 재직 중인 (04620) 서울특별시 중구 필동로1길30 동국대학교 문화학술원을 연락처로 쓰고 있다. 홈페이지 http://www.hanilhis.or.kr

KOREA-JAPAN

# 4. 한일민족문제학회

한일민족문제학회는 2000년에 출범했다. 2016년경 홈페이지에 올린 글은 다음과 같다.

우리 학회는 21세기가 시작된 2000년 6월, 20세기 국민국가가 파생시킨 국가와 민족의 관계, 그리고 그로 인해 빚어진 민족문제를 해결하려는 학계의 고민의 결과로 만들어졌다(학회 창립취지서, 2000.6.3.). 특히 한국과 일본 간 역사적으로 빚어진 국가 갈등과 민족 문제에 대한 고찰을 중심 주제로 하면서 연관된 국제 관계도 관심과 연구의 대상으로 삼았다. 이에 학회지 역시 여타의 학술 잡지와는 달리 여러 학문 분야가 융합된 복합학의 성격을 가졌으며 게재된 논문들의 범주는 일국의 테두리를 벗어나 국제적인 양상을 띠게 되었다.

새천년 이래 계속된 연구와 학회지 발행을 통한 소통 · 교류의 결과 우리 학회와 학회 잡지의 위상은 관련 학계에 유례가 드물 만큼 독보적으로 자리잡았다고 자평한다. 지난 약 16년 동안 총 29권의 학회지를 꾸준히 발행했으며, 총 64차례에 달하는 정례 연구발표회, 그리고 매년 1~2회에 걸쳐 추진해 온 대규모 학술대회가 그것을 대변해 준다고 하겠다. 특히 그동안 在日朝鮮人運動史研究會를 비롯한 일본 내 학회 및 여타 시민단체와 공동으로 주최해 온 수차례의 학술대회에서는 양국의 학자와 시민들이 모여 '민족의 문제는 무엇인가', '민족문제가 무엇인가', '국가는 민족문제를 어떻게 풀어야 하는가' 등의 고민을 깊이 하는 자리였다.

학회와 구성원들이 복합적이고 국제적인 고민 속에서 잉태한 연구 성과들은 고스란히 학회지에 담겼다. 학회지에 게재된 논문들이 어느 만큼 의미있는 것이었는가를 자평하는 것은 어렵다. 그러나 KCI 영향력 지수를 비롯한 여러 객관적인 지표들을 통해 볼 때 게재 논문이 학계에 미치는 영향은 자못 무겁다고 할 수 있다.

이 학회의 학술활동 일부를 소개하면 다음과 같다.

## 학회 창립 20주년 기념학술대회 (2020년 10월 31일)

| 구 분 | 발표자 및 참가자 |
|---|---|
| 개회식 | 김인덕 한일민족문제학회장(청암대) 사회 김병진(이화여대) |
| **세션 1 일제강점기 재일동포의 수난사** 사회 김민영(군산대) | |
| 발표1 | 주제 **1923년 관동대지진 조선인학살 사건의 현재적 의미**<br>발표 다나카 마사다카(센슈대) 토론 성주현(숭실대) |
| 발표2 | 주제 **강제연행과 재일조선인 사회 - 여성의 인신매매와의 관계**<br>발표 도노무라 마사루(도쿄대) 토론 오일환(ARGO연구소) |
| 발표3 | 주제 **재일조선인과 천황제**<br>발표 박진우(숙명여대) 토론 서민교(동국대) |
| **세션 2 해방후 재일동포의 수난사** 사회 김광열(광운대) | |
| 발표4 | 주제 **재일동포 문학**<br>발표 황익구(청암대) 토론 서동주(서울대) |
| 발표5 | 주제 **1948년 한신교육투쟁과 재일동포 교육의 미래**<br>발표 김웅기(홍익대) 토론 김인덕(청암대) |
| 발표6 | 주제 **법적 지위의 변화와 재일동포의 미래**<br>발표 조진구(경남대) 토론 김숙현(국가안보전략연구원) |
| **세션 3 합동토론** | |

## 제80회 학술발표회 (2020년 11월 28일)

| 구 분 | 발표자 및 토론자 |
|---|---|
| 제1부 | 박성기(서울시립대) **재일한국학교 설립 소고**<br>토론 김웅기(한림대) |
| 제2부 | 곽형덕(명지대) **'전후'를 둘러싼 마이너리티의 기억**<br>토론 조정민(부경대) |

## 재일조선인운동사연구회와의 합동연구세미나 (도쿄, 2019년 7월 27, 28일)

| 구 분 | 발표자 |
|---|---|
| 제1 주제 | 이광재(다마대) **신오쿠보의 코리아타운은 어떻게 뉴컴머의 도시가 되었을까** |
| 제2 주제 | 사이토 마사키(斎藤正樹 · 우토로를 지키는 모임 부대표, 일본거주복지학회 이사)<br>**재일조선인 부락 우토로의 강제퇴거 극복** |

**우토로 마을**

제2차 세계대전 중이던 1941년 일본이 교토 우지(宇治)시의 군 비행장 건설을 위해 강제 징용했던 조선인 노동자들이 집단 거주하는 마을이다. 일본 패전 후 귀국하지 못한 노동자들은 이곳을 터전으로 살아갈 수밖에 없었다. 그런데 교토부가 패전 후 이곳을 상의없이 닛산자동차에, 닛산자동차는 1987년 부동산회사에 팔아넘기면서 조선인들은 삶의 터전을 잃게 돼 소송을 제기했으나 패소했다. 1980년대 후반 이들의 딱한 사정이 알려지면서 한일 시민단체의 모금운동과 2007년 한국 정부의 지원으로 우토로 마을의 3분의 1을 매입해 강제철거는 모면했다.

| | |
|---|---|
| 제3 주제 | 모토오카 다쿠야(本岡拓哉 · 릿쇼대 촉탁직원) **전후, 도시의 하천부지에 사는 재일조선인** |
| 제4 주제 | 한정선(동국대 일본학연구소 연구교수) **전후 일본미술계의 전개와 재일조선인 활동** |
| 제5 주제 | 성주현(숭실대 한국기독교문화연구원 연구교수) **재일 천도교 유학생의 현실인식과 활동** |
| 제6 주제 | 김진웅(성균관대 대학원 사학과 박사과정) **재일조선인의 초기 사회주의 활동과 코스모 구락부** |

**코스모구락부(コスモ俱楽部)**

1920년 11월 재일유학생들이 결성한 사회주의단체이다. 당초 다국적 유학생의 사회주의 연구와 교류를 위한 사교 집단이었다. 하지만 1921년 6월 일본공산당 수립계획에 간여한 원종린, 정태신 등의 회원이 제3인터내셔널의 이념에 기반한 '선언'을 발표하면서 사회주의 유학생의 '소(小)인터내셔널'로 변모했다. 이후 주로 조선인 회원이 운영했다. 단체는 '효민(曉民)공산당'과 긴밀히 연계해 활발하게 활동했다. 그래서 코스모구락부는 일본 내에서 유력한 사회주의단체의 하나가 되었다. 그러나 1923년 하반기 이후 주요 멤버가 활동거점을 옮기면서 서서히 쇠퇴하기 시작한다. 결국 1925년 창립자인 권희국과 원종린이 사회주의에 바탕을 둔 국제연대 이념을 포기하고 우익이념의 단체로 바꾸면서 소멸했다. (김진웅 논문 초록)

이 학회의 임원과 이사. 회원은 다음과 같다.

| 직 책 | 이 름 |
|---|---|
| 회장 | **김인덕**(청암대) |
| 고문 | 일본 **강덕상**(재일한인역사자료관), **히구치 유이치**(재일조선인운동사연구회) |
| | 한국 **유영렬**(숭실대), **박맹수**(원광대) |
| 감사 | **김광열**(광운대), **김민영**(군산대) |
| 총무이사 | 한국 **김병진**(숙명여대), **김진웅**(성균관대) |
| | 일본 **미쓰이 다카시**(도쿄대) |
| 연구이사 | **김경남**(경북대), **김웅기**(홍익대), **김환기**(동국대), **미쓰이 다카시**(도쿄대), **서동주**(서울대), **신희석**(연세대), **오일환**(ARGO연구소), **유지아**(원광대), **임성모**(연세대), **조진구**(경남대), **임영언**(한남대), **이승진**(건국대), **허광무**(부천문화원), **최재성**(수원대), **주혜정**(전남대) |
| 지역이사 | **정혜경**(강제동원평화연구회/서울 · 경기), **김경남**(경북대/대구 · 경북), **최영호**(영산대/부산 · 경남), **주혜정**(전남대/전남 · 호남 · 제주), **이형남**(주오대/일본 관동), **松田利彦**(마쓰다 도시히코 · 국제일본문화연구소/일본 관서), **小林知子**(고바야시 도모코 · 후쿠오카교육대/일본 규슈), **요시자와 후미토시**(니가타국제정보대/일본 중부) |
| 출판이사 | **황익구**(경남대), **박이진**(성균관대), **박미아**(서강대) |
| 종신회원 | 강덕상(시가현립대 명예교수), 고바야시 도모코(후쿠오카교육대 교육학부), 김광열(광운대 국제협력학부), (고)김광옥(전 부산대 사학과), 김도형(한국독립운동사연구소), 김동명(국민대 정치학과), 김명섭(강남대), 김민영(군산대 국제경제통상학부), 김윤미(부경대 사학과), 김인덕(청암대 재일코리안연구소), 김태기(호남대 일어학과), 김환기(동국대), 노영종(국가기록원), 다나카 마사타카(田中正敬 · 센슈대 인문학과), 다카야나기 도시오(高柳俊男 · 호세이대 국제문화학부), 도노무라 마사루(外村大 · 도쿄대 총합문화연구과), 미쓰이 다카시(三井崇 · 도쿄대), 미즈노 나오키(水野直樹 · 교토대 인문과학연구소), 박진우(숙명여대 일본학과), 박환(수원대 사학과), 변화영(전북대 인문학연구소), 신주백(연세대 국학연구원), 심원섭(돗쿄대), 야마다 쇼지(山田昭次 · 릿쿄대 명예교수), 야마시타 영애(山下英愛 · 분쿄대 영미어영미문학과), 양기 |

| | |
|---|---|
| | 호(성공회대 일어일본학과), 오일환(대일항쟁기강제동원위원회), 유숙자(재일한국인 문학 연구자), 유영렬(숭실대 명예교수), 윤건차(가나가와대), 윤명숙(일본군위안부문제, 여성사 연구자), 이한창(전북대 동양어문학부), 이형랑(주오대), 임성모(연세대 사학과), 임송자(성균관대), 장석흥(국민대 국사학과), 정대성(동원대 일어과), 정혜경(대일항쟁기강제동원위원회), 정희선(청암대, 재일코리안연구소), 최영호(영산대 외국어학부), 최장근(대구대 일본어일본학과), 표영수(숭실대), 한혜인(건국대), 허광무(부천문화원), 호리야마 아키코(堀山明子・마이니치신문), 홍인숙(동아시아 국제정치사 연구자), 히구치 유이치(재일조선인운동사연구회) |
| 일반회원 | 가나즈 히데미(金津日出美・고려대 일어일문과), 강명숙(한국교육개발원), 강원봉(도쿄외국어대 대학원), 강재호(부산대 행정학과), 강정숙(일본군위안부문제 연구자), 강제숙(평화시민연대), 고바야시 레이코(한국근현대사 연구자), (고)고쇼 다다시(古庄正・고마자와대 명예교수), 고수미((주)삼일서방 편집부), 권미현(국가기록원), 김광남(이바라기대 인문학부), 김광열(청구역사연구회), 기무라 겐지(木村健二・시모노세키시립대 경제학부), 김난영(대일항쟁기강제동원위원회), 김명옥(국가기록원), 김명환(대일항쟁기강제동원위원회), 김봉식(근현대 일본정치사 연구자), 김영순(건양대 일어학과), 김웅기(홍익대), 김정미(재일사학자, 紀州광산의 진실을 밝히는 회), 김정혜(부산외국어대 일문학과), 김창록(경북대 법학과), 김철수(조선대(일본)), 김학동(충남대), 김현수(메이지대 문학부), 김형수(도호쿠대 대학원), 나주현(성균관대 대학원), 남상구(동북아역사재단), 노기영(국가기록원), 노기 가오리(히토쓰바시대 대학원), 니시 히데나리(西秀成・아이치현사편찬실), 동선희(청암대 재일코리안연구소), 류교열(한국해양대 동아시아학과), 마쓰다 도시히코(松田利彦・국제일본문화연구센터), 박경수(강릉원주대 일본학과), 박미아(서강대 대학원), 박성진(국가기록원 연구원), 박순애(호남대 일어학과), 박양신(한림대 한림과학원), 박영숙(부경대 일어일문학부), 박정이(부산외국어대 일어학부), 박형상(한국도서센터), 배석만(고려대), 배영미(리쓰메이칸대), 사카모토 유이치(坂本悠一), 사카모토 지즈코(연세대 대학원), 사카이 히로미(酒井裕美・오사카대), 스즈키 구미(鈴木久美・히토쓰바시대 대학원), 신성숙(숙명여대 대학원), 심재욱(한국인 강제동원사 연구자), 안도 간(安道幹・히토쓰바시대 대학원), 안자코 유카(리쓰메이칸대), 안치원(西宮 조일관계연구회), 안해룡(아시아프레스), 야마무로 고시(山室公司・오사카부립 鳥飼高校), 오가타 요시히로(홍익대), 오은정(서울대 인류학과), 오쿠마 도모유키(광운대), 요시자와 후미토시(吉澤文壽・니가타 국제정보대), 우노다 나오야(宇野田尙哉・고베대), 위경혜(전남대), 유지아(중앙대), 유효종(와코대 인간관계학부), 윤지현(대일항쟁기피해지원위원회), 이경주(인하대 법학과), 이규수(경원대), 이대화(교토대 인문과학연구소), 이상봉(부산대 한국민족문화연구소), 이승희(동국대 일본학연구소), 이연식(서울시립대), 이유숙(교토대 대학원), 이준식(연세대), 이지은(숙명여대 대학원), 이진희, 자타니 주로쿠(茶谷十六・花岡七つ館 연구회), 장세윤(동북아역사재단), 전성현(동아대), 정승운(전남대), 정신혁(토론토대 대학원) 정애영(고려대), 정용하(부산대 정치외교학과), 정희윤(대일항쟁기강제동원위원회), 조건(동국대 일본연구소), 조경희(성공회대 동아시아연구소), 조기은(도쿄외국어대 대학원), 조성운(동국대), 조영미(가톨릭대 대학원), 최순애(건국대), 최석의(재일 작가, 시인), 추석민(신라대 일어일문학과), 하승현(성균관대 대학원), 하종문(한신대 일본학과), 현진호(제주 남녕고), 호리우치 미노루(堀内稔・むくげの會), 홍상진(재일 강제연행진상조사단), 황민호(숭실대 사학과), 후쿠이 유즈루(福井讓・인제대 일어일문과), 히다 유이치(飛田雄一・고베학생청년센터), 히로세 데이조(廣瀨貞三・후쿠오카대) |

| 특별회원 | (고)박재일(NPO 문화센터 아리랑 이사장), 김근희(㈜한국광장), 나가자와 시게루(長澤秀・㈜セツ モードセミナー), 박맹수(원광대 원불교학과), 소재두(논형출판사) |
|---|---|

한일민족문제학회는 (57997) 전남 순천시 녹색로 1641 청암대 학생정보센터 6층 재일코리안연구소 내에 사무실이 있고 이메일은 kjd620827@hanmail.net

# 5. 일본사학회

KOREA-JAPAN

일본사학회(The Korean Association for Japanese History)는 1994년에 출범했다. 학회는 홈페이지에서 설립 목적을 이렇게 밝히고 있다.

현재는 물론이고 역사적으로 보더라도 한국과 일본은 매우 밀접한 관계를 맺어왔다.

그럼에도 불구하고 현재 "우리가 일본을 바로 알고 있는가?" 자문해 볼 때 곤혹스러움을 금할 수 없는 것이 사실이다.

일본을 바로 알기 위한 전제로서 일본의 역사에 대한 정확한 이해가 필수적임에도, 비교적 최근까지 이러한 학문적, 사회적 요구를 채워 줄 체계적이고 종합적인 노력이 부족하였다.

일본사학회는 이러한 사회적 기대에 부응하기 위해 1994년에 창립되어 객관적이고 주체적인 일본사 연구의 토대를 구축해 왔다.

한국에서의 일본사 연구는 한국사 연구가 보다 유기적이고 비교사학적으로 발전하는데 보탬이 될 수 있을 뿐 아니라, 더 나아가 인류역사의 해석을 더욱 다양하고 풍부하게 하는 데에 기여하게 될 것이다.

## 월례발표회

| 일 시 | 발표자 및 주제 |
|---|---|
| 제92회<br>2019.9.21 | 사회 박삼헌(건국대)<br>**진무창업 2.0: '정치사적 사상사'의 방법론으로 본 두 번째 "건국신화"**<br>발표 안준현(히로시마대) 토론 박훈(서울대)<br>**후쿠자와 유키치의 초기사상과 자유민권운동**<br>발표 강태윤(게이오대) 토론 김도형(성균관대) |
| 제93회<br>2019.11.16 | 사회 방광석(동국대)<br>**日本敗戦後史と「原子力＝核」エネルギー: 憲法九条からフクシマまで**<br>발표 사토 다쿠마(한양대) 토론 윤해동(한양대)<br>**아베의 대한정책의 역사적 의미와 대책**<br>발표 양의모(인천대) 토론 유지아(원광대) |

**미즈시마의 변(水島の変)**

1375년 8월 26일(양력 9월 22일) 규슈 단타이(九州探題·막부가 임명한 규슈지역 실권자) 이마가와 료슌(今川了俊)이 지쿠젠 슈고(筑前守護·지쿠젠지역 다이묘) 쇼니 후유스케(少貳冬資)를 오늘날 구마모토현 기쿠치시(熊本縣 菊池市)인 미즈시마(水島)에서 암살한 사건이다. 이영 교수는 선행연구가 이 사건을 료슌과 후유스케가 북규슈지역의 지배권과 무역이권을 놓고 다툰 결과로 보는 것에 비판적이다. 이 교수는 막부와 료슌이 당시 왜구문제로 명나라 및 고려와 군사적으로 긴장관계였던 상황에서 나흥유의 일본 사행으로 이 사건이 촉발됐을 가능성이 있다고 주장한다.

**天平 9년(737) 역병**

덴표(天平) 9년(737년)에 일본에는 천연두가 유행해 많은 사람이 죽었다. 당시 국정을 담당하던 후지와라 4형제마저 천연두로 잇따라 사망했다. 설상가상으로 덴표시대는 매년 가뭄과 기근이 이어졌고, 덴표 6년(734년)에는 대지진까지 발생해 사회가 불안해졌다. 세계문화유산으로 유명한 도다이지(東大寺) 대불(大佛)은 쇼무(聖武) 천황이 사회 불안을 해소하기 위해 745년부터 조성을 시작했다고 한다. (월드코리안뉴스)

| | |
|---|---|
| 제94회<br>2019.12.14 | **關東 在方町의 발전에서 幕府와 藩의 역할과 성격: 武藏國 秩父郡 大宮鄕를 중심으로**<br>발표 강민주(서울대) 토론 박경수(강릉원주대)<br>**근대일본 농업교육과 도농위계의 형성: 東京農学校와 安城農林学校의 궤적**<br>발표 최자명(성균관대) 토론 정준영(서울대)<br>**조선출신 일본군 장교에 대하여**<br>발표 서민교(동국대) 토론 이승희(동덕여대) |
| 제95회<br>2020.7.18 | **고려 우왕 원년(1375) 나흥유의 일본 사행과 미즈시마의 변(水島の変)**<br>발표 이영(방송대) 토론 이세연(교원대)<br>**호스트랑 판사랑 여자랑: 『明治前期大審院刑事判決録』로 보는 근대 이행기 강간의 '구조'**<br>발표 안준현(영남대) 토론 심희찬(연세대)<br>**제1차 세계대전 시기 대만총독 후임 인사와 육군 내 寺內正毅의 위상**<br>발표 위신광(고려대) 토론 박완(강릉원주대) |
| 제96회<br>2020.9.19 | **역병의 대유행과 조정의 대응책: 天平 9년(737) 역병 사례를 중심으로**<br>발표 정기웅(고려대) 토론 서보경(한성대)<br>**일본의 해양사(대외관계사, 해역사) 연구의 현황과 문제점: 무라이 쇼스케, 후지타 아키요시, 에노모토 와타루의 왜구 인식을 중심으로**<br>발표 이영(방송대) 토론 고은미(성균관대) |
| 제97회<br>2020.12.12 | 사회 조국(성신여대)<br>**고려 말 왜구의 기병(騎兵)과 〈왜구 = 고려인 주체〉설**<br>발표 이영(방송대) 토론 이세연(교원대)<br>**혼례와 장례로 본 나베시마(鍋島) 가문의 정실(正室)과 계실(繼室)**<br>발표 김나영(전남대) 토론 양익모(한국외대)<br>**태평양 전쟁시기 조선인·대만인 참정권 문제**<br>발표 이형식(고려대) 토론 원지연(전남대) |

## 하계워크숍

| 일 시 | 발표자 및 주제 |
|---|---|
| 2019년 하계워크숍(8.16~17), 고려대학교 낙산수련관(강원도 양양군 양양읍) | 주제 **일본 역사 속의 양위(讓位)와 천황 권력의 구조**<br>개회사 이재석(일본사학회 회장)<br>**〈1부 발표〉** 사회 고은미(성균관대)<br>제1발표(고대) 강은영(전남대)<br>제2발표(중세) 박수철(서울대)<br>제3발표(근세) 양익모(한국외대)<br>**〈2부 발표〉** 사회 이형식(고려대)<br>제4발표(근대) 방광석(동국대)<br>제5발표(현대) 유지아(원광대)<br>**〈3부 종합토론〉** 좌장 박진우(숙명여대)<br>1~2부 발표에 대한 토론<br>지정토론 |

| | |
|---|---|
| | 나행주(건국대) 김보한(단국대) 허지은(서강대) 박완(강릉원주대) 최종길(동아대) |
| 2020년 하계워크숍(8.27) | 주제 **탈경계 시대와 동아시아 인식의 현재적 지평**<br>사회 박완(강릉원주대)<br>환영사 염승준(한중관계연구원장)<br>개회사 이재석(일본사학회장)<br>**〈1부 발표〉** 사회 박완(강릉원주대)<br>제1발표 **가마쿠라시대(鎌倉時代)와 외교 발표**<br>발표 고은미(성균관대) 토론 이세연(교원대)<br>제2발표 **아리가 나가오(有賀長雄)의 문명사론과 중국·조선**<br>발표 최민혁(해군사관학교) 토론 유지아(원광대)<br>**〈2부 발표〉** 사회 정규식(원광대)<br>제3발표 **제국일본 육군사관학교 출신 이종혁의 생애와 민족운동**<br>발표 김주용(원광대) 토론 서민교(동국대)<br>제4발표 **국가총동원법 실행 이후 휘발유 배급통제 실태분석: 「국가총동원관계철」 분석을 중심으로**<br>발표 최종길(원광대) 토론 이형식(고려대)<br>**〈3부 종합토론〉** 좌장 방광석(홍익대)<br>종합토론 발표자와 토론자 전원 |

**이종혁(李鍾赫)**

1915년 일본 육사 27기로 졸업하고 소위로 임관해 중위로 승진했으나 그만두고 독립운동에 투신한 특이한 경력을 갖고 있다. 만주에서 조선인 빨치산을 토벌하다 마음을 바꾼 것으로 알려졌다. 그는 1924년 마덕창(馬德昌)이라는 가명으로 1920년대 만주의 3대 무장조직 중의 하나인 대한민국 육군 주만(駐滿) 참의부를 만들고 군사위원장을 맡아 항일운동을 벌였다. 1927년 봉천에서 체포돼 5년을 선고받고 만기 복역했다. 출옥 후 평북 선천에서 요양하다 사망했다.

## 메이지유신 150주년 특별기획 학술대회

| 일 시 | 발표자 및 주제 |
|---|---|
| 2018.9.15. | 주제 **메이지유신의 새로운 조명**<br>개회사 방광석(일본사학회 회장)<br>환영사 이형식(고려대 아세아문제연구원 현대일본센터장 · 공동주최)<br>**〈제1부〉** 사회 이승희(동덕여대)<br>제1발표<br>**메이지유신과 근대적 지식인의 탄생 – 일본 근대국가형성에 미친 후쿠자와 유키치의 사상적 역할**<br>발표 성희엽(부경대) 토론 김도형(성균관대)<br>제2발표<br>**幕臣의 메이지유신 – 나가사키 '해군' 전습 참가자들의 행보 분석을 중심으로**<br>발표 김연옥(육군사관학교) 토론 박훈(서울대)<br>**〈제2부〉** 사회 서민교(고려대)<br>제3발표<br>**제2차 수신사 일행이 본 메이지 일본 – 강위(姜瑋)의 사행 태도와 일본 인식을 중심으로**<br>발표 문순희(인천대) 토론 이헌주(국사편찬위원회)<br>제4발표<br>**19세기 후반 영국 지식인들의 일본 인식**<br>발표 이영석(광주대) 토론 박환무(건국대)<br>**〈제3부 종합토론〉** 좌장 방광석(일본사학회 회장 · 동국대) |

**학술회의 (2020년 11월 14일)**

| 구 분 | 주제 및 발표자, 토론자 |
|---|---|
| 주제 | **『일본서기』 1300년, 일본 역사인식의 원점과 현재성의 구조** |
| 개회 | 사회 정순일(고려대)<br>개회사 이재석(일본사학회장) |
| 1부 | 사회 정순일(고려대)<br>제1발표 김선민(숙명여대) **『日本書紀』「皇極紀」의 재검토**<br>제2발표 이근우(부경대) **『일본서기』의 한자음과 한반도 계통 사료** |
| 2부 | 사회 김선희(건국대)<br>제3발표 배관문(KAIST) **『고사기전(古事記傳)』의 〈일본서기(日本書紀)〉: 근세 일본에서 국학적 역사관의 형성**<br>제4발표 권동우(영산선학대) **교파신도의 조선 포교와 『일본서기』 해석사: '일선동조론'의 형성과 수용**<br>제5발표 김경리(건국대) **산업유산정보센터의 현황과 역사 인식: 군함도를 둘러싼 '강제'와 '차별'** |
| 3부 | 좌장 김은숙(교원대)<br>종합토론 발표자 및 토론자 전원, 나행주(건국대) 서보경(한성대) 이기원(강원대) 박규태(한양대) 한정선(고려대) |

일본사학회의 임원은 다음과 같다(임기 2021년 1월 1일~2022년 12월 31일).

| 직 책 | | 이름과 소속 |
|---|---|---|
| 회장 | | **박 훈**(서울대) |
| 감사 | | **방광석**(동국대) **이재석**(한성대) |
| 이사 | 총무 | **이은경**(서울대) |
| | 편집 | **김선희**(건국대) **박 완**(강릉원주대) |
| | 연구 | **고은미**(성균관대) **이새봄**(연세대) **조 국**(성신여대) |
| | 기획 | **이형식**(고려대) **유지아**(원광대) **정순일**(고려대) |
| | 국제 | **한정선**(고려대) **최자명**(성균관대) |
| | 정보 | **신동규**(동아대) **박은영**(성균관대) |
| | 지역 | **강은영**(전남대) **류교열**(해양대) **심기재**(단국대) **이기원**(강원대) **이동훈**(계명대) **조현정**(한국과학기술원) **최석완**(대진대) **홍성화**(건국대) |
| | 재무 | **박삼헌**(건국대) |

일본사학회 사무국은 (우) 08826 서울시 관악구 관악로1 서울대학교 140동 403호 일본연구소 내에 두고 있다. 홈페이지 http://japanhis.or.kr

# 6. 한국일본사상사학회

KOREA-JAPAN

한국일본사상사학회(Korea Association for Japanese Thought)는 1997년 3월에 창립했다. 일본 사상과 그와 관련 있는 학문 분야를 체계적으로 연구하고 회원 간 학술교류와 친목을 도모하는 것이 설립 목적이다.

### 2019, 2020년 주요 학술행사

| 행사명과 일시 | 발표자와 주제 |
|---|---|
| 2019년도 하반기 학술연구회<br>2019.10.25 | **제1부 발표** 사회 김도형(성균관대)<br>발표1<br>**한 · 일 '한학'의 근대적 재연(再演) - 경학원 · 명륜학원을 중심으로**<br>발표 이용범(원광대) 토론 김진규(서울대)<br>발표2<br>**16세기 일본에서의 예수회의 적응과 일본의 포섭 - 대외사적 관점에서**<br>발표 장혜진(한양대) 토론 홍성준(단국대)<br>발표3<br>**1930-40년대 세노 기로(妹尾義郎)의 사회적 불교, 반전운동 그리고 사회기독교와의 대화**<br>발표 데라사와 구니히코(미국 와츠버그대) 토론 김병진(청암대)<br>**제2부 종합토론** 사회 서동주(서울대) |
| 제45차 추계학술대회<br>2019.11.23 | 개회식 사회 박은영(성균관대)<br>개회사 박규태(한국일본사상사학회장)<br>**제1부 기획발표** 사회 김병진(청암대)<br>김인덕(청암대) **임광철의 3.1운동 인식** 토론 성주현(숭실대)<br>김도형(성균관대) **3.1운동 이후 일본 언론매체의 보도양상 분석 - 의친왕 탈출 사건 관련보도를 중심으로** 토론 김현(연세대)<br>**제2부 기획발표** 사회 이희복(강원대)<br>홍선영(충남대) **일본문학에 나타난 삼일운동의 표상** 토론 곽형덕(명지대)<br>이경미(동북아역사재단) **3.1운동과 제국의 위기 - 아베 미쓰이에의 전환론의 의미**<br>토론 장신(역사문제연구소)<br>박은영(성균관대) **1919년 요미우리신문의 조선 관련 보도의 특징**<br>토론 정혜선(성균관대)<br>**제3부 종합토론** 사회 박홍규(고려대) |
| 2020년도 상반기 학술연구회<br>2020.5.30 | 발표1<br>황익구(청암대) **식민지 초기 조선의 위생풍속에 대한 식민권력의 담론과 양상 - 미신담론을 중심으로** |

**의친왕 탈출사건**

의친왕 이강((義親王 李堈 · 1877~1955)은 고종의 다섯째 아들로 일본과 미국에서 공부한 해외파였다. 조선황실 구성원 중에서 유일하게 일본에 대한 불만을 숨기지 않았다. 1911년 대한제국 황실 인사를 망명시켜 독립운동에 가담시키려는 전협(全協) 대동단(大同團) 단장 등의 권유와 도움으로 상해 임시정부에 합류하려 조선을 탈출했으나 만주 안동현에서 붙잡혔다. 그는 일본으로 가라는 총독부의 강요를 끝까지 거절하고 공(公)이라는 지위도 강제적으로 아들 이건(李鍵)에게 넘겨줬다.

| | |
|---|---|
| | 발표2<br>김효숙(세종대) **일제강점기의 겐지모노가타리 수용** |
| 제46차 학술대회<br>2020. 10. 24 | 개회식 사회 박은영(성균관대)<br>개회사 박규태(한국일본사상사학회장)<br>**제1부** 사회 김태진(동국대)<br>박규태(한양대) **모노노아와레와 한(恨)의 미학** 토론 조관자(서울대)<br>심희찬(연세대) **식민지로 건너온 모노노아와레－'조선적인 것'과 일본미의 교착** 토론 배관문(카이스트)<br>**제2부** 사회 김병진(이화여대)<br>김용철(고려대) **오카쿠라 덴신(岡倉天心)의 일본미의식 탐구** 토론 이경희(한체대)<br>김지영(서울대) **냉전기 미일친선과 '미국' 표상의 수사학－점령자에서 친밀한 '이웃'으로** 토론 곽형덕(명지대)<br>**제3부 종합토론** 사회 이권희(한국외대) |
| 학술연구회<br>2020. 12. 5 | 제1발표 김병진(이화여대) **'자아'와 '노동'으로부터의 해방－다이쇼기 '아나·볼' 논쟁 재고** 토론 노병호(한국외대)<br>제2발표 정희정(도쿄대) **寓話を生きるということ** 토론 박이진(성균관대) |

한국사상사학회 임원진은 다음과 같다.

| 직책 | | 이름 | 소속 | 전공 |
|---|---|---|---|---|
| 회 장 | | **조관자** | 서울대 | 일본사상(근·현대) |
| 부회장 | | **김용철** | 고려대 | 일본미술사(근대) |
| | | **세키네 히데유키** | 가천대 | 한일비교문화 |
| | | **송완범** | 고려대 | 일본사(고대) |
| | | **이권희** | 단국대 | 일본사상(근대) |
| | | **이창수** | 경희대 | 일본문학(고전) |
| | | **이희복** | 강원대 | 일본사상(근세) |
| | | **정혜선** | 성균관대 | 일본사(근대) |
| 총무이사 | | **김태진** | 동국대 | 일본사상(근대) |
| 학술이사 | | **김도형** | 세종대 | 일본사상(근대) |
| | | **서동주** | 서울대 | 일본문학(근대) |
| | | **이기원** | 강원대 | 일본사상(근세) |
| 학술위원회 | 철학/사상 | **이새봄** | 연세대 | 일본정치사상(근대) |
| | 역사/인류 | **김선희** | 건국대 | 일본사(근세) |
| | 언어/문학 | **곽형덕** | 명지대 | 일본문학(근·현대) |
| | | **이경희** | 한국체대 | 일본문학(근·현대) |

**모노노아와레(もののあわれ)**

헤이안시대에 만들어진 일본 문학과 미학의 이념이다. 자연과 인생의 여러 상황에서 나타나는 순간적인 아름다움에 대한 깊고 애절한 이해를 의미하며, 따라서 애조(哀調)를 내포하는 경우가 많다. 국학자 모토오리 노리나가(本居宣長)가 문학비평 용어로 정착시켰다. 이론적으로는 인간의 모든 감정을 함축하는 의미로 사용하지만 실제로는 인생의 덧없음과 그 아름다움을 이해하는 감성을 표현하는데 사용한다. (정형 단국대 교수) 외국인이 한국인의 한(恨)의 정서를 이해하기 어려운데, 이 개념도 그만큼 오묘하다.

**아나·볼 논쟁**

1920년대 초 일본에서 러시아 혁명의 평가와 노동조합 조직론을 둘러싸고 첨예하게 대립한 아나르코생디칼리즘파(anarcho syndicalisme)와 볼셰비즘파(bolshevism)의 논쟁. 아나르코생디칼리즘파는 러시아 혁명을 비판하고 개인의 주체성에 입각한 혁명의 가능성을 주장했지만, 볼셰비즘파는 러시아 혁명에 입각한 일본 노동 운동의 조직화를 도모하면서 대립했다.(우리말샘 사전)

| | | | | |
|---|---|---|---|---|
| | 사회/문화 | **김병진** | 이화여대 | 일본사상(근대) |
| | | **박이진** | 성균관대 | 일본문학(근 · 현대) |
| | 정치/경제 | **노병호** | 한국외대 | 일본사상(근 · 현대) |
| | 종교/민속 | **배관문** | 카이스트 | 일본사상(근세) |
| | | **박은영** | 성균관대 | 일본사상(근대) |
| 편집/출판이사 | | **이권희** | 단국대 | 일본사상(근대) |
| 해외이사 | | **고지마 야스노리** | 국제기독교대 | |
| | | **알렉산더 부크** | 빅토리아대 | |
| | | **엄석인** | 윤리연구소 | |
| | | **하라 기미에** | 워털루대 | |
| | | **허남린** | 브리티시콜롬비아대 | |
| 고 문 | | **이기동** | 성균관대 | |
| | | **하우봉** | 전북대 | |
| | | **이광래** | 전 강원대 | |
| | | **정형** | 단국대 | |
| | | **박진우** | 숙명여대 | |
| | | **허우성** | 경희대 | |
| | | **최재목** | 영남대 | |
| | | **박홍규** | 고려대 | |
| | | **박규태** | 한양대 | |

**한국일본사상사학회는 조관자 회장이 재직하고 있는 (08826) 서울시 관악구 관악로 1 서울대학교 일본연구소 140동 403호에 있다.**

**전화 (02) 880-8503, 팩스 (02) 874-3689, 이메일 hisjt97@daum.net, 홈페이지 http://www.kajt.co.kr**

# 7. 한국일본근대학회

KOREA-JAPAN

한국일본근대학회(The Japanese Modern Association of Korea · JMAK)는 2000년에 창립했다. 설립 목적은 "일본의 어학, 문학, 정치, 경제, 사회, 문화, 역사 등 일본 관련 인문 사회과학의 제 분야에 관한 학문발전과 학술교류"라고 밝히고 있다.

한국일본근대학회의 임원진은 다음과 같다.

| 직책 | 이름 | 소속 |
|---|---|---|
| 회장 | **세키네 히데유키(關根英行)** | 가천대 |
| | **신경호** | 고쿠시칸대 |
| 부회장 | **유형숙** | 동의대 |
| | **감영희** | 동명대 |
| | **양호성** | 대구외대 |
| | **김찬회** | APU |
| | **황백현** | 대마도연구소 |
| 총무이사 | **배진영** | 백석대 |
| | **박희영** | 대진대 |
| 학술이사 | **임상민** | 동의대 |
| | **조규헌** | 상명대 |
| 기획이사 | **최연주** | 동의대 |
| | **이예안** | 제주대 |
| 재무이사 | **미우라 마사요(三浦昌代)** | 동명대 |
| | **김경덕** | 제주관광대 |
| 정보이사 | **안노 마사히데(阿武正英)** | 상명대 |
| | **나가하라 나리카쓰(長原成功)** | 강원대 |
| 섭외이사 | **김연식** | 경북대 |
| | **다카하시 마사노리(高橋正憲)** | 신라대 |

| 편집이사 | | **이행화** | 경성대 |
|---|---|---|---|
| | | **김성경** | 유한대 |
| 분과이사 | 어학 | **송혜선** | 인덕대 |
| | | **방극철** | 순천대 |
| | 일본학 | **고길희** | 야마가타대 |
| | | **스즈키 히로타카(鈴木啓孝)** | 동의대 |
| | 국제교류 | **이미영** | 동서대 |
| | | **한기조** | 동의대 |
| 해외이사 | | **마키노 에이지(牧野英二)** | 호세이대 |
| | | **나가에 쓰네히로(長江庸泰)** | 사노단기대 |
| | | **우치다 나오히토(内田直仁)** | 미야기대 |
| | | **사쿠라기 아키히로(櫻木晃裕)** | 미야기대 |
| | | **다사카 고(田坂公)** | 후쿠오카대 |
| | | **전창환** | 규슈정보대 |
| | | **이현정** | 오키나와국제대 |
| 감사 | | **나공수** | 영남대 |
| | | **조래철** | 순천대 |
| 사무국장 | | **이행화** | 경성대 |
| | | **현영미** | 동의대 |

한국일본근대학회의 사무실은 (47340) 부산광역시 부산진구 엄광로 995(가야동 산 24번지) 동의대 제2인문관 317호에 있다.

전화 (051) 890-1264, 팩스 (051) 890-1262, 홈페이지 https://www.jmak2000.com

# 8. 한국일본문화학회

KOREA-JAPAN

한국일본문화학회(The Japanese Culture Association of Korea · JCAK)는 1993년 '충청권일본학연구회'로 출발해 1996년 4월에 한국일본문화학회 창립 총회 및 제1회 학술대회를 개최하면서 정식으로 출범했다. '문화'를 키워드로 일본어학 · 일본어교육, 일본문학, 일본학 등 일본 문화와 관련한 모든 학문 분야를 연구하고, 학술대회 개최와 학술지 발간을 통해 한국에서의 일본 관련 연구의 활성화와 학술 발전의 도모를 목적으로 하고 있다(회장 인사말에서).

이 학회는 일본표현학회, 일본비교문화학회, 대만일본어문학회와 교류하고 있다.

**第56회 국제학술대회 (제8회 연합회, 2019년 4월 30일) 중 일본학 부문**

'연합회'란 한국일본연구총연합회를 의미하며, 연합회에는 대한일어일문학회, 일본어문학회, 한국일본문화학회, 한국일본어문학회가 들어있다. 2019년 4월 20일 계명대에서 열린 국제학술대회는 한국일본문화학회의 제56회 학술대회와 연합회의 제8회 학술대회를 겸해 열렸다. 아래에 소개하는 국제학술대회에서는 일본어학 · 일본어교육, 일본문학 발표도 많았으나, 이 책의 취지상 일본학 분야만 소개한다.

| 구 분 | 발표자 및 주제 |
|---|---|
| 일본학분과(1) | 좌장 신장호(부산외대) 사회 오수문(대구대)<br>발표1 정우성(국토연구원) 송정현(동국대) **지역발전을 위한 스마트규제 한일 비교 연구** 토론 미즈노 아키(水野亞季 · 부산외대)<br>발표2 미즈노 아키(부산외대) **일본취직의 면접연습을 도입한 수업활동의 실천 보고** 토론 송정현(동국대)<br>발표3 김지미(경남대) **일본 소자화대책 20년의 성과와 과제** 토론 오수문(대구대) |
| | 국제심포지엄 **일본문화 이해와 한일 교류를 위한 연구자의 역할**<br>사회 장원재(계명대)<br>이리구치 아쓰시(入口敦志 · 국문학연구자료관) **東アジアの書籍文化 - 様式の比較から**<br>다카야마 도모아키(高山知明 · 가나자와대) **日本語史を通じて知る韓国との言語文化交渉** |

| 구 분 | 발표자 및 주제 |
|---|---|
| | 좌장 정응수(남서울대)<br>사회 후키아게 준코(吹上淳子 · 신라대)<br>발표4 심희찬(원광대) **전후 민주주의의 사상적 기층에 대한 고찰 - 야베 데이지(矢部貞治)의 논의를 중심으로** 토론 한현석(동아대)<br>발표5 한현석(동아대) **제국일본의 神職의 양성과 이동에 관한 연구 - 海外神社의 사례를 중심으로** 토론 심희찬(원광대)<br>발표6 최장근(대구대) **죽도문제연구회의 독도 영유권 부정을 위한 『동국문헌비고』 「여지고」 날조** 토론 성해준(동명대)<br>발표7 성해준(동명대) **동아시아 육유연의(六諭衍義)의 한중일 이동**<br>토론 최장근(대구대) |
| 일본학분야(2) | 좌장 채수도(경북대) 사회 김호익(일본어문학회)<br>발표1 배해선(쓰쿠바여학원대) **雇用部門における男女平等政策の実態と課題 - 韓日比較** 토론 임영언(한남대)<br>발표2 황성하(대구한의대) 일본 지방자치단체의 아동복지에 대한 연구<br>토론 김옥주(瑚山大)<br>발표3 임영언(한남대) **일본대학의 사회적경제 관점에서 사회봉사와 서비스러닝 연계 고찰** 토론 배해선(쓰쿠바여학원대)<br><br>좌장 김영순(건양대) 사회 임영언(한남대)<br>발표4 김현욱(국민대) **노(能) 〈샤쿄(石橋)〉의 성립과 시시마이(獅子舞)**<br>토론 도코로 유미(所由美 · 원광대)<br>발표5 류교열(한국해양대) **근대일본의 국제전신망과 해항도시 부산**<br>토론 김윤환(한국해양대)<br>발표6 김종훈(규슈대) **韓国被爆者に対する市民団体の援護活動 - 孫振斗裁判を中心に**<br>토론 김현욱(국민대)<br>발표7 김윤환(한국해양대) 1930년대 제국일본의 과학기술과 생존양식 - 영도다리의 **사회적 기능** 토론 류교열(한국해양대) |
| 일본학분야(3) | 좌장 최장근(대구대) 사회 길미현(우송대)<br>발표1 최중락(중앙대) **일본영화 속 장례식의 표상과 그 의미**<br>토론 정응수(남서울대)<br>발표2 오자키 다카에(尾崎高恵), 권해주(경상대) **埼玉県中部の俳額に関する一考察**<br>토론 이용미(계명대)<br>발표3 노은미(한양여대) **환상의 声 - 1940년대 국책영화의 보이스오버**<br>토론 최중락(중앙대)<br><br>좌장 신장호(부산외대) 사회 홍성목(울산대)<br>발표4 손정아(부산대) **가도카와(角川) 유형으로 본 에도 후기 미디어믹스**<br>토론 한석호(전북대)<br>발표5 나의규(쓰쿠바여학원대) **多文化共生を手がかりとして「在日」を問う**<br>토론 임성택(전북대)<br>발표6 이형직(홋카이도상과대) **日本人大学生の「内向き志向」と韓国への留学動向**<br>토론 형진의(한남대) |

**육유연의(六諭衍義)**

명나라의 태조 홍무제(주원장)가 백성들을 교화하기 위해 제작한 《육유(六諭)》를 청나라 사람 범횡(范鋐)이 해설 편찬한 책이다. 육유는 ①효순부모(孝順父母) ②공경장상(恭敬長上) ③화목향리(和睦鄉里) ④교훈자손(教訓子孫) ⑤각안생리(各安生理) ⑥무작비위(無作非爲)이다. 범횡은 각 조마다 율례(律例)나 벌칙(罰則)을 제시하고 고사(故事) · 예화(例話) · 시(詩) 등을 섞어 대중이 알기 쉽게 설명했다. (두산백과)

**보이스오버(Voice-over)**

영화와 TV 등에서 화면에 나타나지 않는 화자의 목소리(내레이터의 목소리 등)를 넣는 것을 말한다. 라디오와 텔레비전 방송, 영화, 극장 상연물, 기타 프레젠테이션에 사용한다. 아이폰이 2005년 시각장애자를 위해 출시한 기능도 '보이스오버'라고 한다. 아이폰의 기술은 화면에 있는 텍스트를 음성으로 읽어주는 기술이다.

| 구 분 | 발표자 및 주제 |
|---|---|
| | 발표7 한석호(전북대) **존왕사상과 8~9세기 고대 일본–만세일계를 중심으로**<br>토론 홍성목(울산대) |
| 일본학분과(4) | 좌장 김순전(전남대) 사회 이충호(부산외대)<br>발표1 편용우(전주대) **식민지 조선의 일본 전통예능 공연의 의미**<br>토론 이충호(부산외대)<br>발표2 이현숙(경상대) **동아시아 민속문화로서 중원절 수용과 변모양상–한중일을 중심으로** 토론 박려옥(경북대)<br>발표3 김성희(전북대) **메이지기의 소고기정책과 식생활의 근대적 변화**<br>토론 최준호(전북대)<br>발표4 김경민(대구한의대) **한·일 아동양육시설 퇴소아동 지원에 관한 연구**<br>토론 황성하(대구한의대) |

## 제57회 국제학술대회(2019년 9월 21일, 한남대)

| 구 분 | 발표자 및 주제 |
|---|---|
| 일본문화분과 | 좌장 최장근(대구대) 사회 이덕구(혜전대)<br>발표1 도코로 유미(所由美·원광대) **『満韓ところどころ』と「満鉄」**<br>토론 도기홍(한남대)<br>발표2 도기홍(한남대) **室町時代の大饗における匙の文化–有職故実書を中心に**<br>토론 정웅수(남서울대)<br>사회 형진의(한남대)<br>발표3 이덕구(혜전대) **일본 전통 마쓰리(祭り)의 고조(高調)와 전승(傳承) 메커니즘–아오모리 네부타(青森ねぶた)와 아키타 간토(秋田竿燈)를 사례로** 토론 이윤주(전북대)<br>발표4 김영순(건양대) **食文化の越境** 토론 박정의(원광대)<br><br>좌장 박정의(원광대) 사회 김도은(영남대)<br>발표5 이상진(야마나시에이와대) **柳宗悦の韓国関連初期著作にみる韓国理解の方法論**<br>토론 최장근(대구대)<br>발표6 최장근(대구대) **한일간의 근대 시대의 국경형성과정 연구**<br>토론 김도은(영남대)<br>사회 김현욱(국민대)<br>발표7 김혜원·오향선·장윤향·김정애(야마구치현립대·시모노세키시립대·기타큐슈시립대·기타큐슈시립대) **日本の大学生がもつ韓国への関心及び韓国語学習文化リテラシーの向上を目指すテキストづくり** 토론 김영순(건양대)<br>발표8 이유희(대전대) **Z표상의 변천에 관한 연구–전시·전후의 미디어 콘텐츠를 중심으로** 토론 이향란(원광대) |

**야나기 무네요시(柳宗悅)**

1889~1961. 일본의 민예연구가이자 미술평론가. 우리에겐 조선총독부를 지으려고 광화문을 철거를 논의할 때 적극 반대해 이를 저지하는 등 한국의 민속예술에 대한 깊은 애정을 보여준 인물로 잘 알려져 있다. 1924년 서울에 조선미술관을 설립했고, 1936년 도쿄에서 이조도자기전람회와 이조미술전람회를 열기도 했다. 저서에 《조선과 그 예술》이 있다. 한국 정부는 1984년 9월 보관문화훈장을 추서했다. 최근에는 그가 식민통치 자체는 부정하지 않았다며 '과대평가'를 비판하는 시각도 있다.

**Z표상**

'Z기(旗)'는 노랑, 검정, 파랑, 빨강의 4가지 색이 X자 형태로 균등하게 들어가 있는 국제신호기로, "터그보트(예인선)가 필요하다", "본선은 투망중"이라는 의미였다. 일본이 이 깃발을 처음 사용한 것은 러일 전쟁의 총사령관인 도고 헤이하치로(東鄕平八郎)로서, 쓰시마 해전에서 전함 '미카사(三笠)'의 마스트에 "황국의 흥망성쇠가 이 전쟁에 달려 있으니 각 대원은 모두 전력 분투하라"는 글씨를 넣어 게양했다. 이후 일본의 중요한 해전에서는 'Z기'를 게양하는 것이 관례가 되었다. 이유희의 논문은 메이지, 쇼와기에 유행한 군가, 군국주의 노래, 애니메이션 등은 이 'Z표상'을 어떻게 표출했고, 그 의미는 무엇이며, 어떻게 신화와 이데올로기로 변화되어갔는지를 연구한 것이다.

## 第58회 국제학술대회 (2020년 9월 26일, 한남대)

| 구 분 | 발표자 및 주제 |
|---|---|
| 일본문학분과(1) | 좌장 남이숙(군산대) 사회 최태화(군산대)<br>발표1 민병훈(대전대) 고대 문학에 보이는 이동의 양상 - 여성의 이동을 중심으로<br>토론 최태화(군산대)<br>발표2 김학순(충남대) 전근대 일본 여성 독자와 광고 - 에도시대 상점과 상품 광고 서적을 중심으로 토론 양선희(한국외대) |
| | 〈차세대 연구자발표〉<br>사회 도기홍(한남대)<br>발표3(어학) 도현아(홋카이도대) 日本語の対称詞の選択意図に関する語用論的考察<br>토론 민승희(중원대) 이충규(서원대)<br>발표4(문학) 박미전(규슈대) 『鳥追阿松海上新話』と神経病-神経病からヒステリーへ<br>토론 임상민(동의대) 길미현(우송대) |
| | 사회 강지연(건양대)<br>발표5 한기련(강릉원주대) 마쓰모토 세이초 연구 - 『박열대역사건(朴烈大逆事件)』을 중심으로 토론 강지연(건양대)<br>발표6 박수현(충남대) 격차사회 일본과 계층의 고정화 - 히가시노 게이고의 『편지(手紙)』를 중심으로 토론 김계자(한신대) |
| | 〈미니심포지엄〉<br>주제 문학연구와 일본어교육<br>사회 임상민(동의대)<br>발표7 길미현(우송대) 西洋・日本・韓国 3 文化圏における研究結果を通じる日本教育の活用 - Poeと谷崎と金東仁との影響関係を中心に<br>발표8 윤혜영(충남대) 일본어교육 활성화를 위한 문학의 필요성 및 교육방안 - 2015 개정 교육과정 고등학교 『일본어 I』을 중심으로<br>발표9 이한정(상명대) 문학번역과 일본어교육<br>토론 소명선(제주대) 신윤주(동의대) 허지애(부산대) |
| 일본문학분과(2) | 좌장 정향재(한남대) 사회 오은영(한양여자대)<br>발표1 張亜璐(규슈대) 円地文子「二世の縁 拾遺」における性のモチーフ研究-戦争未亡人の性の執念をめぐって 토론 이정욱(전주대)<br>발표2 이혜인(충남대) 무라카미 하루키의 『사단장 죽이기』 속 과거사 인식 고찰 - 주요 세대를 통해 본 역사 소거의 문제와 계승의 의무<br>토론 오은영(한양여자대)<br>사회 김종훈(우송대)<br>발표3 조헌구(경북대) 본격 미스터리의 장르적 변용이 가져온 새로운 추리공간의 탄생 - 〈12인의 죽고 싶은 아이들〉의 영화적 표상을 중심으로<br>토론 김종훈(우송대)<br>발표4 최정기(충남대) 도구화된 여성의 몸과 '란(卵)' 퍼포먼스의 상징성 - 가와카미 미에코(川上未映子)의 『젖과 알(乳と卵)』을 중심으로<br>토론 구로키 료지(黒木了二・대전대) |

**지역회장 및 지역세미나**

한국일본문화학회는 지역회장을 두고 지역별로도 세미나를 열고 있다. 지역회장은 다음과 같다.

- 서울 · 경기: 임태균(성결대)
- 대전 · 충남북: 김창남(금강대)
- 광주 · 전남북: 임영언(전남대)
- 대구 · 경북: 송휘영(영남대)
- 부산 · 경남 · 제주: 신동규(동아대)

**제20차 지역세미나 (2017년 12월 22일, 동아대 부민캠퍼스)**

| 구분 | 내용 |
|---|---|
| 주제 | 한일 문화 갈등과 일본 문화의 본질 |
| 제1발제 | 오병우(대구예술대) 일본 근세후기 고소설과 한국근대 딱지본 대중소설의 관련성 |
| 제2발제 | 김도은(영남대) 獨島 관련 地圖에 대한 一考察 |
| 제3발제 | 최장근(대구대) 일본 시마네현의 독도 영유권 날조 방식 - 2017년 죽도문제연구회 |
| 제4발제 | 유다건(경북대) 영상콘텐츠를 활용한 어학교육의 효율성 고찰 |
| 토론 | 오수문(대구대) 야스다 도시유키(일본회사 법인장)와 토론자 전원 |

한국일본문화학회의 임원진은 다음과 같다.

| 구분 | 직책 | 이름 | 소속 |
|---|---|---|---|
| 총괄 | 회장 | 신민철 | 한남대 |
| | 부회장 | 김창남 | 금강대 |
| | | 민병훈 | 대전대 |
| | | 윤석남 | 건양대 |
| | | 윤혜영 | 충남대 |
| | | 미즈타니 다카시(水谷隆) | 華頂단기대(교토) |
| | 총무 | 이충규 | 서원대 |
| | | 이현진 | 영남대 |
| | 재무 | 조은영 | 부산외대 |

| 구분 | 직책 | 이름 | 소속 |
|---|---|---|---|
| | 사무국 | **황 운** | 대전대 |
| 실무이사 | 섭외 | **형진의** | 한남대 |
| | 학술 | **도기홍** | 한밭대 |
| | | **김경호** | 한남대 |
| | 출판 | **최진희** | 백석문화대 |
| | | **곽은심** | 경기대 |
| | | **류신애** | 동아대 |
| | | **엄기권** | 한남대 |
| | | **손미나** | 千葉大 |
| | 정보 | **박순용** | 법무부 |
| | | **박미전** | 규슈대 |
| | 평가 | **길미현** | 우송대 |
| | | **김학순** | 충남대 |
| | | **박유미** | 충남대 |
| | | **이혜인** | 충남대 |
| | | **오현석** | 서울신학대 |
| 분과이사 | 일본어학 · 일본어교육 | **송숙정** | 중원대 |
| | | **김정민** | 아세아대 |
| | | **정영미** | 한국관광대 |
| | | **최서영** | 숭실대 |
| | 일본문화 (고전, 근 · 현대) | **임상민** | 동의대 |
| | | **윤승민** | 한국외대 |
| | | **조헌구** | 경북대 |
| | | **최태화** | 군산대 |
| | 일본문화 (사회 · 역사 · 정치 · 경제) | **이윤주** | 전북대 |
| | | **김현욱** | 국민대 |
| | | **조정민** | 부경대 |
| | | **편용우** | 전주대 |
| 문화교류이사 | 해외 | **오타니 뎃페이(大谷鐵平)** | 호쿠리쿠대 |
| | | **아소 미치코(麻生迪子)** | 시텐노지대 |
| | | **다케구치 도모유키(竹口智之)** | 간사이대 |

| 구분 | 직책 | 이름 | 소속 |
|---|---|---|---|
| 문화교류 이사 | 국내 | **이이호시 가즈야(飯干和也)** | 상명대 |
| | | **이토 마사히코(伊藤政彦)** | 우성정보대 |
| | | **구로키 료지(黒木了二)** | 대전대 |
| | | **다카하시 와타루(高橋渡)** | 우송정보대 |
| | | **도코로 유미(所由美)** | 공주대 |
| | | **하야시야마 가오리(林山かおり)** | 대전과학기술대 |
| | | **혼다 미호(本多美保)** | 이화여대 |
| | | **마쓰시타 유미코(松下由美子)** | 한남대 |
| | | **마쓰하시 사치요(松橋幸代)** | 금강대 |
| 감사 | | **금종애** | 충남대 |
| | | **박영숙** | 수원과학대 |
| 감수이사 | 일본어학·일본어교육 | **오타니 뎃페이** | 호쿠리쿠대 |
| | 일본문화(고전, 근·현대) | **이토 마사히코** | 우송정보대 |
| | | **도코로 유미** | 공주대 |
| | 일본문화(사회·역사·정치·경제) | **쓰쓰미 가즈나오(堤一直)** | 우송대 |
| | | **김승배** | 충남대 |
| 일반이사 | 국내 | **강경완**(대구가톨릭대) **김도은**(영남대) **김의영**(한밭대) **김지선**(이화여대) **김현주**(한밭대) **문창학**(한국외대) **박노순**(계명대) **배진영**(백석대) **서홍**(단국대) **송은미**(백석예술대) **신은정**(동덕여대) **안지영**(군산대) **안희정**(위덕대) **염미란**(전주대) **윤일**(부경대) **윤정훈**(부산외대) **이충호**(부산외대) **이향란**(원광대) **이희복**(강원대) **임성택**(전북대) **정강철**(금강대) **정향재**(한남대) **조영남**(고려대) **천선미**(중원대) **최범순**(영남대) **하재필**(한국외대) **허곤**(강원대) | |
| | 해외 | **고영진**(도시샤대) **김문희**(나가사키외국어대) **김종훈**(규슈대) **백명학**(나고야외국어대) **오태균**(홋카이도대) **이덕영**(Australian National University) **이봉**(홋카이도상과대) **정인경**(후쿠오카대) **조혜진**(삿포로국제대) **최문희**(구마모토현립대) **최성백**(宝鸡大) | |
| 연구윤리 위원회 | 위원장 | **신민철**(회장·한남대) | |
| | 간사 | **이현진**(총무이사·영남대) | |
| | 위원 | **김창남** 부회장(금강대) **권오엽** 편집위원장(충남대) **이충규** 총무이사(서원대) **도기홍** 학술이사(한남대) **최진희** 출판이사(백석문화대) **곽은심** 출판 | |

| 구분 | 직책 | 이름 | 소속 |
|---|---|---|---|
| | | 이사(경기대) **박상현** 편집위원(경희사이버대) **소명선** 편집위원(제주대) **조은영** 편집위원(부산외대) | |
| 고문 | | **임종석** | 충남대 |
| | | **박정의** | 원광대 |
| | | **편무진** | 단국대 |
| | | **권오엽** | 충남대 |
| | | **허황회** | 한밭대 |
| 자문위원 | | **안중환** | 한남대 |
| | | **송만익** | 한밭대 |
| | | **정응수** | 남서울대 |
| | | **박희남** | 대전대 |
| | | **김태영** | 강릉원주대 |
| | | **최장근** | 대구대 |
| | | **김영순** | 건양대 |

한국일본문화학회의 사무실은 (34708) 대전광역시 동구 구도동 안골로28번길 122에 있고, 문의는 이메일 jbunka@hanmail.net로 받는다. 홈페이지 http://www.bunka.or.kr

# 9. 한국국제정치학회

KOREA-JAPAN

한국국제정치학회(The Korean Association of International Studies · KAIS)는 1956년에 창립한 사회과학분야의 대표 학회 중 하나이다. 국제정치학 및 이와 관련된 학자들과 국제관계 업무에 종사하는 전문가들의 학문연구와 교류를 촉진하고 이들에게 실질적인 도움을 주기 위해 결성했으며, 회원은 1,800여 명이다.
한국국제정치학회의 활동 중에 일본에 관련 내용도 적지 않다. 2018, 2019, 2020년 3개년 활동 중 일본과 관련이 있는 학술활동과 주제는 다음과 같다.

### 2018년 일본관련 학술활동

☑ 아시아의 평화 재정립 "한반도 비핵화와 주변국 국제정치의 영향: 미 · 중 · 일 · 러를 중심으로"

☑ 한국국제정치학회 · 국방대학교 공동 안보 학술회의 "한반도 비핵화 프로세스의 전망과 과제"

☑ 한국국제정치학회 추계학술회의 "북한 비핵화 및 한반도 평화를 위한 현황과 전망"

☑ 일본국제정치학회 방문 학술회의 "2018년 동북아 민주주의와 외교(Democracy and Diplomacy in North-East Asia)"

### 2019년 일본관련 학술활동

☑ 3 · 1운동 100주년 기념 특별학술회의 "저항 민족주의를 넘어: 동북아 평화 협력을 위한 한국외교의 새 지평 모색"

☑ 하계학술대회 "세계질서에 대한 지역적 시각: 도전과 대응(Regional Perspective on World Order: Challenges and Responses)"

☑ 일본국제정치학회 방문 학술회의 "Japan, Korea and the Post-Cold War Era"

☑ 연례학술대회 "민족주의, 지정학, 경합하는 국제질서"

### 2020년 일본관련 학술활동

☑ 춘계특별세미나 "코로나 이후 동북아질서 전망과 한국의 대응"

☑ 일본 리쓰메이칸대학교 공동 추계 국제학술회의 "동북아 평화협력"

☑ 일본국제정치학회 방문 학술회의

☑ 추계 특별학술회의 I “코로나사태 이후 동북아정세와 한반도의 미래”

임원 명단은 일본 관련 학자들보다 다른 지역이나 다른 분야의 학자가 많아 생략한다.

**한국국제정치학회 사무국은** (04003) **서울특별시 마포구 동교로**15**길** 4, 401**호에 있다.**

**전화** (02) 325-0372(**사무국장**), (02) 325-0373(**편집간사**), **팩스** (02) 325-0355,

**홈페이지** https://www.kaisnet.or.kr

# 10. 한국정치외교사학회

KOREA-JAPAN

한국정치외교사학회(Korean Association for Political and Diplomatic History)는 1984년 2월 출범했다. 한국의 정치사와 외교사, 이와 관련한 분야의 학술연구, 발표 및 회원상호간의 친목과 협력증진을 지향한다.

## 2019, 2020년 일본관련 학술활동

| 일 시 | 발표자 및 주제 |
|---|---|
| 2019.4.12.<br>춘계학술회의 | 주제 **3·1독립운동 및 대한민국임시정부수립 100주년 – 3·1운동에서 3·1혁명으로**<br>사회 박창건(총무이사)<br>기념사 최영진(한국정치외교사학회장)<br>축사 정동영(민주평화당 대표)<br>**제1부 '3·1운동'에서 '3·1혁명'으로** 사회 이택휘(서울교육대)<br>발표1 **기미혁명과 한국근대사**<br>발표 정윤재(한국학중앙연구원 명예교수) 토론 윤대식(한국외대)<br>발표2 **3·1운동과 대한민국임시정부 수립의 현대적 의미**<br>발표 전상숙(광운대 일본연구소) 토론 박창건(국민대)<br>발표3 **미국독립선언, 자유의 전범인가?**<br>발표 이혜정(중앙대) 토론 김준석(가톨릭대)<br>**제2부 3·1혁명의 지적 기원: 한국 근대전환기 민족지도자 연구**<br>사회 신복룡(건국대 명예교수)<br>발표1 **대한제국기 박은식의 교육자 강론의 재검토**<br>발표 노관범(서울대 규장각) 토론 오승희(이화여대 이화사회과학연구원)<br>발표2 **대한민국 건설과 이승만: 정치리더십을 보완한 외교리더십**<br>발표 이택선(서울대 국제문제연구소) 토론 김권정(대한민국역사박물관) |
| 2019.9.17.<br>기획학술회의 | 주제 **동아시아 지역 인식과 해양분쟁: 역사적 기원과 현재의 전략**<br>**〈제1회의〉 샌프란시스코 강화조약과 동아시아 영토문제** 사회 권선홍(부산외대)<br>발표1 송휘영(영남대) **샌프란시스코 강화조약과 동아시아 영토분쟁**<br>발표2 손기섭(부산외대) **샌프란시스코 강화조약과 소련 호주 인도네시아의 정책분석**<br>발표3 이성환(계명대) **샌프란시스코 조약 체결과정 검토 – 『대일평화조약』(毎日新聞社, 1952)에 수록된 자료를 중심으로**<br>**〈제2회의〉 포스트 글로벌리제이션과 동아시아 국제관계** 사회 최영진(중앙대)<br>발표1 윤석정(국민대) **이승만 정권과 평화선(1951-1955) – 어업선의 의미와 확장을 중심으로**<br>발표2 박창건(국민대) **일본 독도정책의 특징과 딜레마 – 시마네현을 중심으로**<br>발표3 배규성(한국외대) **19세기 영국과 미국의 아시아태평양 해저전선과 일본에의 영향** |

**박은식과 교육**

박은식(朴殷植 · 1859~1925)은 〈황성신문〉을 창간하고 〈대한매일신보〉 주필과 〈독립신문〉 사장을 지낸 신문인, 각종 글을 통해 독립운동을 주창한 애국계몽운동가, 《한국통사(韓國痛史)》 《한국독립운동지혈사(韓國獨立運動之血史)》를 저술한 역사학자, 대한민국 임시정부의 제2대 대통령을 지낸 독립운동가이다. 그러나 그에게는 또 하나의 얼굴이 있다. 교육자가 그것이다. 그는 일제가 독립협회를 강제해산하자 1900년부터 경학원(經學院) 강사와 한성사범학교(서울대학교 사범대학 전신)의 교수로 일했다. 이때 교육 진흥책을 논구하는 《겸곡문고(謙谷文稿)》와 《학규신론(學規新論)》을 저술했다. 또 서북학회의 산하 교육기관으로서 서울에 서북협성학교(西北協成學校)를 설립하는 데 주도적 역할을 했으며, 교장으로서 신교육 구국운동을 정력적으로 전개했다. 서북협성학교의 지교(支校) 설립을 추진해 1908년 5월부터 1909년 말까지 63개 지교를 설립하기도 했다. (한국민족문화대백과)

| | |
|---|---|
| | **〈제3회의〉 국제해양레짐의 변화와 동아시아 해양정책** 사회 김진기(부경대)<br>발표1 유시현(한국해양수산개발원) **한국의 해양 거버넌스 정책**<br>발표2 김지예(부산외대) **중국의 에너지 자원 정책에 대한 국제적 대응방안 제고 - 일대일로 전략을 중심으로**<br>발표3 석주희(아주대) **일본의 해양기본법 제정과 해양정책의 변화 - '자유로운' 공해에서 '종합적 관리'의 영해로** |
| 2020.7.16.<br>하계학술회의 | 주제 **동북아 국제질서 속의 해양전략과 영토문제** 진행 최정준(군사편찬연구소)<br>축사 정호섭(전 해군참모총장)<br>**제1부 일본의 해양정책과 독도문제** 사회 김성주(성균관대)<br>발표1 송휘영(영남대) **일본 사료의 관점에서 보는 독도와 한일 갈등**<br>발표2 최철영(대구대) **겐로쿠(元祿) · 덴포(天保) · 메이지(明治) 도해금지령의 국제법적 쟁점 검토 - 현대 국제법 이론의 시각에서**<br>발표3 호사카 유지(세종대) **일본의 해양정책과 센카쿠열도, 독도문제**<br>토론 최보영(단국대) 김석현(단국대) 이명찬(동북아역사재단)<br>**제2부 동북아 해양전략과 영토문제**<br>발표1 이영형(중앙아시아개발협력연구소) **쿠릴4도 소유권 논쟁과 지정학적 안보환경의 상관관계**<br>발표2 하도형(국방대) **중일 센카쿠/댜오위다오(尖閣諸島/釣魚島) 분쟁이 역사적 전개과정 연구: 발발부터 현재시기까지에 대한 국제질서변화의 거시적 구조요인을 중심으로**<br>발표3 최태강(한림대) **푸틴 - 아베시대 러 · 일 평화조약체결 교섭에서 본 북방4도의 군사안보적 중요성**<br>토론 심헌용(군사편찬연구소) 서정경(서강대) |

**쿠릴4도**

일본열도 최북단 홋카이도와 러시아의 극동 캄차카반도 사이는 총연장 1300km로 약 56개의 섬이 있다. 이 중 쿠릴열도 남단과 홋카이도 북단의 3개 섬과 1개 군도를 둘러싸고 러시아와 일본이 영유권 분쟁을 벌이고 있다. 현재는 1945년 제2차 세계대전 이후 러시아가 실효 지배하고 있다. 일본은 분쟁지역 4곳을 '북방영토'로 부르며 러시아 측에 반환을 요구하고 있다. 분쟁도서(앞이 러시아명, 괄호 안이 일본명)는 이투루프 섬(에토로후 섬), 쿠나시르 섬(쿠나시리 섬), 시코탄 섬(시코탄 섬), 하보마이 제도(하보마이 군도)이다. (KIDA 세계분쟁 데이터베이스)

한국정치외교사학회의 임원진은 다음과 같다(2021년 7월 현재).

※ 임기는 2021년 1월~12월

| 직 책 | 이 름 | 소 속 |
|---|---|---|
| 회장 | **박영준** | 국방대 |
| 차기회장 | **남기정** | 서울대 일본연구소 |
| 부회장 | **박현모** | 여주대 |
| | **김현철** | 동북아역사재단 |
| | **서보혁** | 통일연구원 |
| | **김정섭** | 세종연구소 |
| | **홍용표** | 한양대 |
| | **이완범** | 한국학중앙연구원 |
| 총무이사 | **김영준** | 국방대 |
| | **윤대엽** | 대전대 |
| | **이진기** | 국방대(간사) |

| | | |
|---|---|---|
| 연구이사 | **이헌미** | 서강대 |
| | **김용민** | 건국대 |
| | **김영진** | 국민대 |
| | **천자현** | 연세대 |
| | **정구연** | 강원대 |
| | **김준석** | 가톨릭대 |
| | **손경호** | 국방대 |
| 기획이사 | **이택선** | 충남대 |
| | **서희경** | 서울대 |
| | **심호섭** | 육군사관학교 |
| | **김예경** | 국회입법조사처 |
| | **조비연** | 한국국방연구원 |
| | **김승배** | 충남대 |
| | **박성용** | 전북대 |
| | **윤석정** | 국립외교원 |
| | **엄정식** | 공군사관학교 |
| | **김동수** | 부경대 |
| | **이중구** | 한국국방연구원 |
| | **정광호** | 해군사관학교 |
| 감사 | **최정준** | 군사편찬연구소 |
| | **엄태봉** | 대진대 |

한국정치외교사학회 사무국은 (06711) 서울특별시 서초구 남부순환로 319길 13 (재)한국산업개발연구원 빌딩 안에 있다.

학회 대표 이메일 pdhis@hanmail.net, 출판위원회 이메일 kpdhis@hanmail.net,

홈페이지 http://www.kpdhis.or.kr

# 11. 재외한인학회

KOREA-JAPAN

재외한인학회(Association for the Studies of Koreans Abroad)는 1988년 이광규 서울대 인류학과 교수의 주도로 설립했다.
학회에 대한 이해를 돕기 위해 2020년 1월부터 신임회장을 맡은 송석원 경희대 교수의 연합뉴스 인터뷰를 소개한다(일부 생략).

"지금 우리 사회의 갈등 요인은 이주민 문제만이 아닙니다. 이념, 지역, 세대 간 갈등도 큽니다. 지속가능한 발전을 위해서는 사회통합이 절실한 만큼 여러 분야의 소통을 촉진하고 갈등을 조정할 사회통합기구를 설치할 필요가 있습니다. "

사단법인 재외한인학회 회장으로 올해 2년의 임기를 시작한 송석원(56) 경희대 정치외교학과 교수는 27일 연합뉴스와 인터뷰를 하고 취임 소감과 계획을 털어놓았다.

사단법인 재외한인학회는 지난해 11월 정기총회를 열어 편집위원장과 부회장을 지낸 송 교수를 신임 학회장으로 추대한 바 있다.

고 이광규 서울대 인류학과 교수(전 재외동포재단 이사장)가 1988년 창립한 재외한인학회는 2013년 외교부 산하 사단법인으로 재출범했다. 국내외 회원 200여 명이 디아스포라(離散)와 다문화 등을 연구하고 있으며 봄가을 정기 학술대회와 세미나 개최, 학술지 '재외한인 연구' 발간, 우수 학술논문 시상 등의 활동을 펼치고 있다.

"편집위원회를 활성화하고 2018년 한국연구재단 등재 후보로 선정된 '재외한인 연구'를 임기 안에 등재 학술지로 만들겠습니다. 기획위원회를 신설해 조직을 직무 중심으로 재편하기로 했습니다. 이민 관련 국내 학회 가운데 가장 오랜 역사와 전통을 살려 학문 발전과 사회통합에 기여하도록 힘쓰겠습니다. 앞으로는 재외동포 차세대 연구와 고령화 시대에 따른 재외동포의 노후 대책 마련에 학계가 더 관심을 쏟아야 한다고 봅니다."

송 교수는 경기도 이천에서 태어났으나 우리나라 근대 이민사와 다문화 역사의 출발점인 인천에서 초중고를 다녔다. 경희대 학부와 대학원에서 정치학을 공부하고 일본 교토대로 유학해 석사와 박사학위를 취득한 뒤 2003년부터 경희대 교수로 재직하고 있다.

"내 전공은 일본 정치사상입니다. 일본의 민족주의와 국가주의 역사에 매달리다 보니 자연스럽게 재일동포, 재일 중국인, 일본계 외국인(日系人) 등의 존재에 관심을 품게 됐죠. 일본에 10

년 남짓 체류하는 동안 재일동포를 만난 경험과 내 자신이 소수자이자 이방인으로 겪은 체험도 나를 재외한인 연구로 이끌었습니다."

그는 최근 사이버공간 등에서 부정적으로 표출되는 재외동포 인식을 우려했다.

송 교수는 "일부 사회지도층의 원정 출산이나 유명인의 병역 면탈 사례가 대중매체에 크게 보도돼 국민에게 상처를 준 영향이 있을 것"이라고 풀이한 뒤 "대부분 재외동포는 성실하게 납세 · 병역 등 국민의 의무를 이행하고 있으며, 재외동포가 우리나라 발전에 크게 이바지하고 있다"고 강조했다.

그는 거주국에 따라 재외동포를 차별하는 이중적 인식도 꼬집었다. 미국이나 유럽에 사는 동포를 올려다보고 아시아나 아프리카 등지의 동포를 낮춰보는 태도는 문화적 사대주의의 발로라는 것이다. 더욱이 재일동포에게는 친일파라는 낙인을 찍어 고통을 안겨주고 있다고 비판한다.

"독립과 해방의 의미는 식민지 시대 이전으로 회복한다는 의미입니다. 그러나 냉전과 경제적 여건 탓에 고향으로 돌아오지 못하고 타국에 남을 수밖에 없었던 동포가 적지 않았습니다. 그런 역사적 배경을 따져보지도 않고 조국을 등졌다고 깎아내리거나 우리와는 전혀 다른 외국인으로 대하는 것은 잘못이죠."

송 교수는 모국으로 귀환한 중국 국적 동포(조선족)와 러시아를 비롯한 CIS(독립국가연합) 동포(고려인)에게도 관심과 배려가 필요하다고 역설했다. 재외한인학회는 재외동포재단과 함께 '찾아가는 간담회'를 개최해 이들의 목소리를 들어보고 지역 간 연대와 소통을 도울 방침이다.

"이주민과 다문화 인식도 걱정스럽습니다. 우리의 자녀가 재외동포가 될 가능성은 갈수록 높아질 겁니다. 재외동포는 거주국에서 소수자로 살아갈 수밖에 없죠. 국내 이주민을 차별하는 것은 우리 자신을 욕보이는 것일뿐더러 내 자녀가 거주국에서 당하는 차별에 항의할 근거를 없애는 셈입니다. 혈통 민족주의가 약화하고 국적 중심으로 바뀌는 추세는 어쩔 수 없습니다. 이제 우리도 문화적 다양성을 받아들여야 합니다."

그는 2018년 제주도 예멘인 난민 논란을 예로 들며 "낯선 사람이나 잘 모르는 집단에 경계심과 거부감을 갖는 것이 당연하다"면서도 "다른 문화를 접하려면 고정관념에 사로잡히지 말고 먼저 상대를 이해하려는 노력을 기울여야 한다"고 당부했다.

그러나 송 교수의 바람과는 달리 세계 각국에서는 글로벌시대에 역행하는 움직임이 나타나고 있다. 미국 트럼프 대통령의 반이민 정책, 영국의 브렉시트(EU 탈퇴), 독일과 프랑스의 반난민 시위, 중국과 러시아의 패권주의 경향 등이 대표적이다.

"일본에서 최근 일고 있는 우경화 바람과 혐한(嫌韓) 시위는 냉전이 붕괴하면서 은폐됐던 제국 시대의 욕망이 다시 꿈틀거리는 겁니다. 세계적인 추세인 만큼 아베 총리가 바뀐다고 해서

**예멘 난민 사태(2018년)**

2018년 500명이 넘는 예멘 난민들이 비자 없이 30일간 체류할 수 있는 제주도로 입국해 이중 484명이 난민 신청을 했다. 이의 수용 여부를 두고 국민적 논쟁이 벌어져 2018년 6월 13일 청와대 게시판의 '난민 신청 허가 폐지' 청원에는 5일 만에 22만 명이 동의했다. 난민 인정을 반대하는 측은 치안 불안과 무비자제도를 악용할 가능성을 들었으나, 찬성하는 측은 아시아 최초로 난민법을 제정한 국가로서 인도주의를 실천해야 한다고 주장했다. 난민 심사 결과는 ▷난민 인정 2명 ▷인도적 체류허가 412명 ▷단순 불인정 56명 ▷신청 철회나 출국에 따른 직권 종료 14명이었다. (시사상식사전, 2019년 7월 자료)

분위기가 쉽게 달라지진 않을 것으로 봅니다. 재외동포의 어려움도 한동안 지속하겠죠. 원론적인 말처럼 들리겠지만 일본 시민사회와 협력해 변화를 촉구하는 수밖에 없을 듯합니다."

부처별로 나뉜 재외동포와 이주민 정책을 통합해 동포청이나 이민청을 만들어야 한다는 주장에 관해서는 "관련 정책을 총괄할 컨트롤타워의 필요성은 인정하지만 이해당사자의 요구에 따라 별도의 기관을 만드는 것은 바람직하지 않다"는 견해를 피력했다.

"재외한인학회는 회원들의 전공이 다양해 학제 간 통섭 연구에 장점이 있는 반면 회원들의 충성도가 약하고 상호 교류가 적다는 단점이 있습니다. 누가 어떤 분야에 관심이 있고 어떤 연구를 하려고 하는지 신속하게 공유해 장점을 최대한 살릴 생각입니다. 재외동포는 학문적으로나 국가적으로나 이 시대의 중요한 연구 과제입니다." (연합뉴스 2020년 1월 27일 입력)

### 2018년 학술회의

| 일시 | 내용 |
|---|---|
| 2018.6.29<br>창립 30주년 기념<br>학술회의 | 주제 **평화와 번영의 시대, 세계한상 네트워크와 재외한인의 재조명**<br>기조강연<br>김병호(중국 중앙민족대 석좌교수) **중국 동북지역의 조선족촌**<br>신경호(일본 고쿠시칸대 교수) **현대 한일관계와 재일동포사회 현안 이슈**<br>주제 발표<br>정무형(미시간대 교수), 정희천(전 상하이한국인회장), 황광석(전 카자흐스탄 고려일보 기자), 임영상(한국외대 교수), 김갑용(광주대 교수), 김승력(고려인 지원단체 '너머' 대표) 등 |

재외한인학회의 임원진은 다음과 같다.

| 직책 | | 이름과 소속 |
|---|---|---|
| 자문위원 | | **김경근**, **민병갑**, **이구홍**, **이덕희**, **임채완**, **조규형** |
| 고문 | | **정인섭**, **이종훈**, **백영옥**, **윤인진**, **임영상**, **이진영**, **최영호**, **김재기** |
| 집행부<br>(운영위) | 이사장 | **한경구**(서울대) |
| | 회장 | **송석원**(경희대) |
| | 부회장 | **김태기**(서울대), **김인덕**(청암대), **김귀옥**(한성대), **문경희**(창원대), **심헌용**(군사편찬연구소), **이애리아**(와세다대), **진희관**(인제대), **최금좌**(한국외대), **최우길**(선문대) |
| | 위원장 | **강성봉**(대외협력위원장, 동북아신문), **김웅기**(기획위원장, 홍익대), **임영언**(편집위원장, 한남대) |
| | 총무이사 | **김판준**(인하대) |
| | 감사 | **김종태** |

| | |
|---|---|
| 편집위원회 | **김혜련**(한성대), **박우**(한성대), **박준규**(한양대), **배진숙**(한국외대), **선봉규**(전남대), **안병삼**(삼육대), **예동근**(부경대), **최서리**(이민정책연구원), **허성태**(조선대) |
| 기획위원회 | **김혜련**(한성대), **박우**(한성대), **양민아**(중앙대), **장안리**(홍익대), **이창호**(한양대), **이창원**(이민정책연구원), **최영미**(경기도가족여성연구원), **선봉규**(전남대) |
| 대외협력위원회 | **곽재석**(한국이주동포정책개발연구원), **신은미**(인천광역시시립박물관), **최서리**(이민정책연구원), **김용필**(동포세계신문), **박호성**(국제평화전략연구원) |
| 이사 | **강주원**(경남대), **김봉섭**(재외동포재단), **김용권**(동반성장위원회), **김윤태**(동덕여대), **박미화**(인하대), **박준규**(한양대), **이유진**(숙명여대), **정호원**(연세대), **정희선**(청암대), **지충남**(전남대), **한승미**(연세대) |

재외한인학회 사무실은 (03176) 서울시 종로구 경희궁길 39 ㈜일조각 내에 있다.

이메일 aska.hakhoe@gmail.com, 홈페이지 http://homepy.korean.net

# 재팬 워처 - 누가 일본을 보고 있는가 1

**초판 1쇄 발행** 2021년 11월 10일
**초판 2쇄 발행** 2022년 12월 20일

**지은이** 심규선
**펴낸이** 박성복
**펴낸곳** 도서출판 월인
**주소** 01047 서울특별시 강북구 노해로25길 61
**등록** 1998년 5월 4일 제6-0364호
**전화** (02) 912-5000
**팩스** (02) 900-5036
**홈페이지** www.worin.net
**전자우편** worinnet@hanmail.net



ISBN 978-89-8477-705-7 94340 (세트)
ISBN 978-89-8477-706-4 94340

값은 뒤표지에 있습니다.

이 책은 관훈클럽정신영기금의 도움을 받아 저술 · 출판했습니다.